Pourtalès · Richard Wagner

Guy de Pourtalès

Richard Wagner

Mensch und Meister

Mit 43 Abbildungen

Verlag von Th. Knaur Nachf.
Berlin

Aus dem Franzöſiſchen überſetzt von Dr. Anton Mayer
Alle Rechte vorbehalten · Printed in Germany
Druck der Spamerſchen Buchdruckerei in Leipzig

Vorwort

Ich war neunzehn Jahre, als mich mein Vater aus meiner Heimat an den Ufern des Genfer Sees nach Karlsruhe sandte, um Deutsch zu lernen. Am Tage nach meiner Ankunft hörte ich im Hoftheater die „Walküre", zum ersten Male. Von da an hatte ich ein ganzes Jahr lang keinen anderen Lehrer als den Kapellmeister Felix Mottl; Wagner war es, der mir die Seele und den Geist des deutschen Volkes offenbarte.

Auch die Liebe ... Das Menschenherz aber hängt an den Erfahrungen, die es mit zwanzig Jahren gemacht hat. Wenn uns auch später das Leben von überschwenglicher Romantik heilt, so ist trotzdem das wahre, tiefinnere Wesen des Menschen unserer Generation vom Geiste Wagners durchdrungen.

In dieser Erkenntnis liegt die Entschuldigung für dies Buch, das die unübersehbare Wagner=Literatur noch um eins vermehrt. Ist Bayreuth nicht das Grab des 19. Jahrhunderts? Ist nicht überhaupt das alte naive Europa, jenes Europa des Träumens und Philosophierens, für immer dahin? Man sollte es fast glauben, wenn man den düstern Himmel unserer heutigen Welt betrachtet. Aber mit Erstaunen sehen wir über den Gräbern von Menschen und Gedanken der Vergangenheit noch immer die Trümmer von Walhall rauchen. Wenn auch das Geschlecht der Götter nicht mehr die Erde beherrscht und der Mythos Richard Wagners sich in den Wolken zu verlieren scheint, so bleibt der lebendige und kämpfende Mensch, der selbst fast zum Mythos gewordene, der ungeheuerliche, bewundernswerte Künstler Wagner trotz allem im Gedächtnis der Völker lebendig.

Dreiundzwanzig Jahre, nachdem ich Karlsruhe verlassen hatte, durfte ich mich in Bayreuth vor der Tochter Franz Liszt's verneigen. Ich schrieb damals an der Lebensgeschichte dieses größten Pianisten aller Zeiten, eines der edelsten Menschen in der Welt der Kunst. Und nicht wie die allein Überlebende einer entschwundenen Zeit stand Cosima Wagner da, sondern wie die einsame Zeugin eines Europa, dessen Teile einst alle einig waren in der Verehrung desselben Ideals.

Ich habe einmal im entferntesten China einen jungen asiatischen Prinzen getroffen, der in seinen Koffern die Schall= platten des ganzen „Ringes" mit sich führte. Nur Wagners schmerzliche Melodie vermochte sein Herz zu rühren. So hat der „Fliegende Holländer" noch einmal seine Fahrt ange= treten. Das tönende Netz der Ätherwellen umspannt die Erde. Und so hat er vielleicht sein langgesuchtes Vaterland endlich gefunden, unser aller gemeinsame Heimat: die Welt des Gefühls.

Im Januar 1933.

Guy de Pourtalès

Erster Teil

Der Dichter ohne eignes Gesicht

(1813—1839)

I

Der Feldzug der Dichter

Europa hat Frankreich niemals den Ruhm Napoleons verziehen. Der „kleine Korporal" hat zu viele Throne ins Wanken gebracht, zu viel Blut vergossen und zu viele Grundsätze umgestoßen; noch hundert Jahre nach seinem Tode lebt er als eine Katastrophe in der Erinnerung fort. Die Menschheit hat ein ganzes Jahrhundert vor Angst gelebt, diesen gewalttätigen Abenteurer wieder an den Küsten des demokratisch gewordenen Frankreich landen zu sehen, bis sie sich endlich beruhigen mußte: denn die modernen Staaten regiert das Geld, und Bankiers lieben keine Überraschungen. Napoleon hat von Sankt Helena aus ganz einfach zu den Seinen zurückgefunden: dies aber sind — die Dichter.

Wir glauben heutzutage nicht mehr an das Genie, eigentlich auch nicht mehr an den Ruhm. Seien wir ganz ehrlich: glauben wir denn noch an die Dichter? — wenigstens soweit die Herren Verse schreiben. Ich lege mir diese Frage oft vor. Vielleicht finden wir noch einigen Geschmack am Ruhm, nur daß wir ihn heute Erfolg nennen; dies Wort bezeichnet etwas weniger Erhabenes, etwas, das wir mit den Händen greifen, mit den Zähnen fassen können. Lassen wir die Dichter nur bei denen, die einsam, weltverachtend, traurig ihnen ihre Herzen ausschütten.

Napoleon streute vor 120 Jahren so viel Samen für Dichtungen aus, daß sich die Herzen, wenn er vorübergeschritten war, unter dem Tritt seines Fußes erhoben, wie die blutroten Mohnblumen in den Feldern — es kommt wenig darauf an, ob voll Liebe oder voll Haß. Sie erhoben sich, sangen und erfüllten das ganze 19. Jahrhundert mit ihrem Jubel. Die Gabe, sogar den Feind zu zwingen, daß er den Sieger als Helden preist, verleihen die Götter nur ganz selten: hören wir aus Chateaubriands Werken den Widerhall, den Bonapartes letzter Feldzug in Deutschland erweckte.

„Man hat die Kämpfe um 1813 den Krieg in Sachsen genannt; sie wären besser mit dem Namen ‚Der Feldzug der Dichter‘ zu bezeichnen", sagt er in den „Erinnerungen von jenseits des Grabes". — „Der Professor Fichte hielt in Berlin eine Vorlesung über die Pflicht; er sprach über das Unglück Deutschlands und schloß seine Rede mit den Worten: ‚Die Vorlesungen werden bis zur Beendigung des Feldzuges ausgesetzt. Wir werden sie wieder aufnehmen, wenn unser Vaterland frei geworden ist und wir nicht für die Freiheit gefallen sind.‘" — „Körner hat nur eine Angst: prosaisch zu sterben. Bei Lützen wird er verwundet und schleppt sich in den Wald, wo ihn Bauern auffinden; er erscheint wieder bei der Truppe und fällt, kaum fünfundzwanzigjährig, auf den Leipziger Gefilden; er hatte sich den Armen einer geliebten Frau entrissen und alle Entzückungen des Lebens hinter sich gelassen." — „Als diese Studenten die friedliche Zurückgezogenheit der Wissenschaft dem Schlachtfeld, die stillen Freuden des Studiums den heißen Kriegsgefahren zuliebe verließen, mit dem Homer und dem Nibelungenlied im Tornister — was tönte da unserm Blutgesang, unserer Marseillaise entgegen? Lieder voll religiöser Frömmigkeit und einfacher Menschlichkeit." — „Der Genius der Deutschen ist von Mystik umwoben: sie beten heute die Freiheit an, ohne sich im geringsten über ihren Begriff im klaren zu sein, wie sie in alten Zeiten das Geheimnis der Wälder ‚Gott‘ nannten."

Ich habe diese Stellen mit Bedacht ausgewählt, weil sich in ihnen, die in einem einzigen kurzen Kapitel stehen, gewisse Vorstellungen und Namen finden, die für uns mit prophetischem Sinn erfüllt sind. Wir glauben darin nicht nur das Vorspiel zum Drama von 1815 zu vernehmen, welches das Ende einer großen heroischen Epoche werden sollte, sondern auch bereits einen Prolog der Romantik, etwas wie eine Erhebung von Intellektuellen und Träumern. Nach fünfundzwanzig Jahren des erschöpfenden Sportes, den Krieg und Revolution darstellen, entrang sich ein gewaltiges „Genug" den Lippen der nach geistigen Werten hungernden Millionen, die leben, sich auf sich selbst besinnen wollten und nicht mehr die Karte der Welt umzustoßen, sondern ihren Gefühlen nachzuleben wünschten. Das politische Abenteuer des Genies mußte abgeschlossen werden, damit man endlich die Möglichkeit fand, sich ein wenig an sich selbst zu freuen: nun wollte man wieder „prosaisch" sterben und „erwartete den Augenblick, in dem man sich allen Lebenswonnen hingeben konnte". Man hatte nur den einen Wunsch, das Schwert an den Nagel zu hängen und das Studium wieder aufzunehmen: „Homer und das Nibelungenlied." Deutsche, ebenso wie Franzosen und Engländer suchten, nachdem sie dem Gott der Armeen so viel geopfert hatten, nun sich mit einem, von den Verbrechen der Menschen beleidigten Gottvater wieder zu versöhnen, und sei jener Gott auch nur „Pan", das „Geheimnis der Wälder".

Die junge, vom Krieg ausgemergelte Mannschaft des beginnenden 19. Jahrhunderts kehrte freudetrunken nach Haus und Hof zurück; sie wurde als Trägerin einer neuen Weltanschauung begrüßt. Es waren Feste der Güte, der Schönheit, des Idealen; man hatte in Europa von den greulichen Führern der Wirklichkeit genug und sehnte sich nach behaglicher Träumerei. Schiller und Goethe wurden die wahren deutschen Fürsten. In Frankreich setzte man die Klassiker, die ein langer Mißbrauch verhaßt gemacht hatte, ab und die Tragiker der Leidenschaft an ihre Stelle. England erwartete seine größten Poeten. Das Theater sollte das Leben ersetzen. Und schließlich erhob die Musik die Seelen der demoralisierten Jugend und rief sie zu ihrer neuen Bestimmung auf.

Am 21. Mai 1813 wurde die Schlacht bei Bautzen geschlagen, in der Napoleon noch einmal siegreich war. Das war fünf Monate vor dem Tage von Leipzig, den Deutschland den „Tag der Völkerschlacht", Chateaubriand dagegen den „Tag der Dichterschlacht" nennt. Der Sturz des Kaisers stand unmittelbar bevor und wurde von den Künstlern der ganzen Welt verkündet, die alle riefen: „Es lebe die Freiheit!" Vielleicht verstand Goethe als einziger den Wert zu schätzen, den die Erde verlieren sollte.

Goethe erklärte Napoleon für dämonisch und sagte zu Eckermann: „Er war es durchaus, in höchstem Grade, so daß kaum ein anderer ihm zu vergleichen ist. — Dämonische Wesen solcher Art rechneten die Griechen unter die Halbgötter." Später fügte er hinzu: „Das Beispiel von Napoleon hat besonders in den jungen Leuten ... den Egoismus aufgeregt ... Sie sehen in ihm das auf der höchsten Stufe, was sie selber zu sein wünschen. Es ist nur das Schlimme, daß ein Mann wie Napoleon nicht so bald wieder geboren wird ... Doch wie wollte die Gottheit überall Wunder zu tun Gelegenheit finden, wenn sie es nicht zuweilen in außerordentlichen Individuen versuchte, die wir anstaunen und nicht begreifen, woher sie kommen?"

Am Tage nach der Schlacht bei Bautzen, am Sonnabend, dem 22. Mai 1813, wurde Richard Wagner in Leipzig geboren — ein alltägliches Ereignis. Nicht einmal die Bewohner des Hauses zum „rot und weißen Löwen" auf dem Brühl, in dem das Kind beim Dröhnen der Kanonen das Licht der Welt erblickte, kümmerten sich viel darum. Die Verbündeten hielten Sachsen seit einigen Wochen besetzt, und Leipzig wie Dresden

staken voll preußischer und russischer Soldaten. Die infolge
der Kriegsläufte zu Vasallen Napoleons gewordenen sächsi=
schen Bürger bewahrten gegenüber ihren slawischen Vettern
und deutschen Brüdern, die, wie man sagte, zu ihrer aller Be=
freiung herbeigeeilt waren, kluge Zurückhaltung. Aber der
Kaiser hatte sich sogleich wie ein Sturmwind erhoben und alle
Hoffnung auf die geplante Freiheit zunichte gemacht: er
triumphierte bei Lützen, dann bei Bautzen, einen Tag, ehe Frau
Friedrich Wagner diesem unseligen Kinde das Leben gab.

Man empfing den Ankömmling in der Familie des Herrn
Polizeiaktuarius nicht gerade in fröhlicher Stimmung. Acht
Kinder bedeuteten in diesen Tagen militärischer Besetzung und
wirtschaftlicher Schwierigkeiten eine Last — da war das
neunte wirklich nicht nötig. Dazu strömten obendrein die
französischen Truppen von neuem in die Stadt, und Ihre
Majestäten von Preußen und Rußland rissen vor dem korsischen
Eroberer aus. Die Theater schlossen ihre Pforten gerade als
eine Saison italienischer Opern und eine Reihe von Lust=
spielen unter der Direktion des Dichters E. Th. A. Hoffmann,
Verfassers der „Phantasiestücke", angekündigt worden war.
Nun hob sich der Vorhang nicht zum „Figaro" oder zur
„Vestalin", sondern der Tambour schlug in den Straßen
Generalmarsch, während die Stadttore geschlossen wurden —
alles in allem eine Pechserie. Glücklicherweise wurde bald ein
Waffenstillstand unterzeichnet, und Wagners gingen in der
Umgebung aufs Land, wo die Mutter ihre angegriffene Ge=
sundheit wiederherstellen konnte. Aber der Frieden war nur
vorübergehend — Napoleon machte sich aus Ferien nicht viel.
Wagners mußten also bald wieder in die Stadt zurück=
kehren, weil der Herr Polizeiaktuarius der einzige bei der
Polizeidirektion war, der Französisch sprach. Nun, man konnte
bei der Gelegenheit gleich den Kleinen taufen lassen — und
als ob dieses Kind zum Kampf bestimmt sei, begannen am
Tage der Taufe die Feindseligkeiten aufs neue. Der Kaiser

13

hatte beschlossen, seinen Geburtstag, den 15. August, durch die Wiederaufnahme des Krieges zu feiern.

Am 16. wurde der kleine Wagner in die Thomaskirche gebracht — Johann Sebastian Bachs Kirche — und empfing die Vornamen Wilhelm Richard. Vater: Friedrich Wagner, Polizeikommissar, Mutter: Johanna Rosine Bertz. Kleine Feier ohne irgendwelchen Prunk, in Gegenwart nur zweier Zeugen. Dann kehrte man in das alte Haus zum rot-weißen Löwen zurück, um unter den Augen einiger Familienbilder seiner täglichen Beschäftigung nachzugehen.

Die Wagners waren eine alte und arbeitsame Familie, die niemals irgendwie hervorgetreten war. Der Vater des Kommissars, Jakob Friedrich II., war Zollinspektor, der Großvater, Gottlob Friedrich I., Geistlicher und später Steuereinnehmer gewesen (zweifellos ein merkwürdiger Theologe, denn sein Sohn wurde vor der Ehe geboren). Der Urgroßvater, Samuel II., war Schullehrer, wie dessen Vater Emanuel, der sich obendrein als Organist betätigte. Noch früher stoßen wir auf Samuel I., geboren 1643, auch schon Schulmeister und erster bekannter Sproß des lebenskräftigen Stammes, aus dem all diese Dorfpädagogen erblühten. Nichts hatte diese Familie jemals von hundert oder tausend anderen unterschieden: auch die Geburt des kleinen Richard war nur für seine hübsche Mutter, die frische und lebendige Johanna, von Bedeutung — und vielleicht noch für eine Persönlichkeit, deren Abwesenheit am Tage des Familienfests aufrichtig bedauert wurde: für den Schauspieler Ludwig Geyer.

Der arme Geyer hätte sich indessen sehr gefreut, nach Leipzig zurückzukehren und die kleine Bühne des Thomä-Theaters, auf der er sich viele Erfolge geholt, und besonders die herzliche Freundschaft des Ehepaars Wagner wiederzufinden, in dessen Wohnung ihn stets ein bequemer Stuhl und ein Platz am gedeckten Tisch erwarteten. Auch war es Friedrich Wagner gewesen, der ihn vor fünfzehn Jahren bestimmt hatte, die Schauspielerlaufbahn einzuschlagen. Damals war er Maler, nicht ohne Talent, aber Friedrich Wagner entdeckte bald in ihm ein ausgesprochenes und natürliches Beobachtungs- und Nachahmungstalent, so daß sich Geyer entschloß, den Versuch zu wagen, wozu ihm die eigne Bühnenpassion (und der wachsende Ruhm Schillers) half. Er hatte den besten Erfolg. Geyer war, wie man ihm gern sagte, von sehr einnehmendem Äußeren, angenehmen Gesichtszügen und lebhaftem Ausdruck; er besaß die Fähigkeit, mit der größten Leichtigkeit von heiterer Komik zu düsterer Tragik überzugehen. Da Abenteuer und Reisen ihm nicht mißfielen, nahm er lange Engagements an verschiedenen deutschen Theatern an, in Stettin, Magdeburg, Breslau, kehrte aber während der Ferien nach Sachsen zurück. Leipzig wiederfinden, hieß für ihn jedesmal auch seine Freunde Wagner und ihre Wohnung auf dem Brühl wiederfinden; es bedeutete für ihn das Wiedersehen mit Johanna, die trotz ihrer wiederholten Wochenbetten so munter war, es hieß für ihn, seine Unterhaltungen über Theater und Dichtkunst mit dem Kommissar wieder aufnehmen, der während der Besatzungszeit so etwas wie eine Persönlichkeit geworden war. Dank seiner Kenntnis des Französischen bekleidete Friedrich Wagner in der Tat auf Befehl des Stadtkommandanten, Generals Davoust, eine Vertrauensstellung bei der Sicherheitspolizei.

Lange war alles zum besten gegangen. Geyer stieg bei jedem Aufenthalt die Treppen zur Wohnung seiner Freunde empor, amüsierte sich mit den Kindern und beschäftigte sich damit, die nette Frau Wagner in Öl zu malen. Am Abend sprach man, wenn das Theater nicht spielte, über Poesie und Literatur. Adolf Wagner, ein Bruder des Kommissars, erschien manchmal und gab der Gesellschaft einen etwas gelehrten Anstrich. Er war eine Art lokaler Berühmtheit. Zuerst und vor allem hatte er Schiller persönlich gekannt — eine Tatsache, die ihm in aller Augen eine besondere Weihe gab.

Er hatte ihn 1798 als Student in Jena besucht und mußte zu seiner großen Verwirrung von dem Mann, den das junge Deutschland verehrte, Komplimente über die schlechten Verse hinnehmen, die er geschrieben — und die ein wohlmeinender Kommilitone naiverweise an den Dichter der „Räuber" geschickt hatte. Aber troß allem Lächerlichen schwebte diese so außerordentlich ehrenvolle Stunde als Aureole um die Stirn „Onkel Adolfs", wie er genannt wurde. Ferner war er mit Jean Paul befreundet gewesen und hatte mit ihm, den Deutschland neben Goethe und Schiller am meisten bewunderte, im Briefwechsel gestanden. Schließlich war er Philologe, Essayist, Kritiker und hatte Übersetzungen des Euripides veröffentlicht, ferner ein Werk über die „beiden Epochen der modernen Dichtkunst, die durch Dante, Petrarca, Boccaccio sowie Goethe, Schiller und Wieland verkörpert werden". Ja, er war sogar der Verfasser von vier Komödien und einer Abhandlung, die sich noch unmittelbar mit der Leidenschaft der beiden Freunde beschäftigte, betitelt: „Das Theater und das Publikum." So waren die geselligen Abende im Hause zum rot-weißen Löwen für diesen kleinen Kreis von Liebhabern der „edlen Kunst" freudige Erholung. Leider mußte Geyer immer wieder nach Dresden, oder Breslau, oder nach manchen anderen fürstlichen Residenzen abreisen; so kam es, daß der Schauspieler am Geburtstage wie am Tauftage des kleinen Richard vom Sachsenland entfernt war, wo seine Freunde im Getümmel der Armeen lebten.

Alles, was man während des schrecklichen Sommers 1813 erfuhr, war keineswegs beruhigend. Obgleich das Théâtre Français, mit Talma an der Spiße, während des Waffenstillstandes nach Leipzig gekommen war, um vor dem Kaiser zu spielen, täuschte dies niemanden. Man erhielt sofort die Nachricht von der Schlacht bei Dresden, die Meldung vom schleunigen und schwierigen Rückzug der Preußen und Österreicher und von der Niederlage Blüchers durch Macdonald.

Im Oktober überstürzten sich die Ereignisse. Man schlägt sich unter den Mauern Leipzigs, Napoleon nimmt Quartier im Hause Thomä, in dem sich auch das Theater befand und das gewöhnlich als Absteigeresidenz des alten Kurfürsten diente, der von Gnaden eines Glücksritters König geworden war. Aber die Sachsen gehen zu den Verbündeten über. Die Kanonen donnern gegen die Tore der Stadt, alle Fensterscheiben zerbrechen, die französische Armee räumt in Hast Leipzig, und Frau Wagner, vom Lärm einer vorbeireitenden Kavalkade ans Fenster gelockt, sieht einen Trupp Generale vorüberziehen, in deren Mitte ein etwas dicklicher, barhäuptiger Mann schwerfällig trabt. Sie erkennt den Kaiser sofort.

Die Dichter der Romantik hatten den Sieg über das letzte klassische Genie davongetragen.

Wagner — Geyer

Das alles ging in Leipzig am 19. Oktober 1813 vor sich.
Einige Tage später begann eine Typhusepidemie die schwer-
geprüfte Bevölkerung zu dezimieren. Einen Monat später,
am 22. November, erlag ihr auch Friedrich Wagner, und im
Dezember dieses tragischen Jahres mischten sich zwei jener
Dichter, deren Träume sich soeben erfüllt hatten, in die zukünftige Geschichte des Kindes, das im Hause zum rot-weißen
Löwen zu lächeln begann. Die Art aber, in der Dichter sich
hineinmischen, ist immer prophetisch. Während der Silvester-
nacht setzte Hoffmann den Schlußpunkt hinter sein prachtvolles Märchen vom „Goldenen Topf", und Jean Paul schrieb
aus Bayreuth, wo er wohnte, folgende Zeilen für die Vorrede zum Buch seines Freundes: „Bisher warf immer der
Sonnengott die Dichtgabe mit der Rechten und die Tongabe
mit der Linken zwei so weit auseinanderstehenden Menschen
zu, daß wir noch bis diesen Augenblick auf den Mann harren,
der eine echte Oper zugleich dichtet und setzt."

Da Friedrich Wagner, der große Theaterliebhaber, so plötzlich von der Szene des Melodrams, das Leben heißt, abgetreten war, blieb Ludwig Geyer als einziger Hausgenosse
bei Johanna zurück, die selbst ihre Tränen nicht entstellen
konnten. Denn an eine Unterstützung durch Onkel Adolf
war nicht zu denken; der vorzeitig Ergraute war in seinem
mit Büchern von Philosophen und Dichtern vollgestopften

Zimmer begraben. Vielbeschäftigt und zurückgezogen, hielt er darauf, seine völlige Unabhängigkeit zu bewahren und sich absolut nicht in die Angelegenheiten seiner Schwägerin zu mischen. Diese konnte also nur auf Geyers Ergebenheit rechnen; und sie hatte recht, sich auf ihn zu verlassen. Geyer liebte sie, vielleicht schon seit langer Zeit, und es ist sicher, daß auch sie ihm zugetan war. Wie oft hatte er ihr abends Gesellschaft geleistet, wenn ihr Mann hinter den Kulissen des Thomä-Theaters herumgeisterte, wo er schöne Freundinnen besaß. Böse Zungen behaupteten sogar, daß Richard das Kind ihrer Liebe gewesen sei, die Frucht eines Ehebruchs, — vielleicht. Das war nicht so schlimm; hatte nicht auch Gottlob Friedrich I., der Theologe, einen natürlichen Sohn? Sprach nicht Johanna stets von ihrer geheimnisvollen, unbekannten, vielleicht fürstlichen Herkunft? Man wußte, daß ihre Eltern Müllersleute in Weißenfels gewesen waren und Bertz (oder Peetz) hießen. Wer aber hatte sie als junges Mädchen aus ihrem Milieu gerissen und in einem der besten Pensionate Leipzigs untergebracht? Warum hatten die Eltern ihr das nie gesagt? Wer hatte die Kosten für des Fräuleins Erziehung bezahlt, die trotz allem eine ziemlich oberflächliche und vernachlässigte war? Wenn sie über diese rätselhaften Vorgänge befragt wurde, erzählte sie, daß der väterliche Freund, dessen geheime Gegenwart sich im Verlaufe ihrer Kindheit so bemerkbar gemacht hatte, niemand anders als ein Prinz von Weimar gewesen sei. Eine so romantische Abstammung mußte die Witwe des Kommissars und ihren Freund Geyer ermutigen, ihre Schicksale zu vereinigen: sie beschlossen, sich zu heiraten. Johanna war 39, Geyer knapp 34 Jahre; sie war immer noch reizvoll, tatkräftig und machte in ihren Briefen beträchtliche orthographische Fehler. Er war zart, feinfühlig, vielleicht von schwächlicher Gesundheit. Eine Besonderheit dieses Mannes war seine frappante Ähnlichkeit mit Friedrich und Adolf Wagner — man hätte ihn für ihren

Bruder halten können. Protestant von sehr altem Stamm, wie die Wagners, entstammte Geyer einer Reihe von bescheidenen Beamten und Organisten, darin dem Stammbaum der Wagners recht ähnlich. Im großen ganzen sanktionierte diese Heirat also nur eine ziemlich eindeutige Situation.

Gleich nach der Hochzeit, die im August 1814 stattfand, siedelten die Geyers nach Dresden über. Die älteste Tochter Rosalie wurde vorübergehend zu einer Freundin in Pension gegeben, Luise der Schauspielerin Frau Hartwig anvertraut; Albert wohnte in seiner Schule, und die übrige Familie installierte sich in einem Hause der Moritzstraße. Geyer nahm seinen Platz am Theater wieder ein und konnte ohne allzu große Mühe die Ausgaben bestreiten, die er sich aus Liebe zu den Wagners auferlegt hatte. Er wandte sich sogar wieder der Malerei zu, und für seine Bilder fanden sich so viele Liebhaber, daß er ohne Sorge der Vergrößerung seines Haushaltes durch die Geburt seiner Tochter Cäcilie zusehen konnte, die im Februar 1815 zur Welt kam.

Dresden hatte allmählich seine Würde als königliche Residenzstadt wiedergewonnen; nach dem Sturz des furchtbaren Kaisers fingen die Könige an, wieder König zu spielen. Überall gab es Hofräte und Hoflieferanten, Hofschriftsteller und Hofkritiker, Hofwäscher und Hofkaminkehrer. Diese patentierten Beamten erfüllten die Stadt und das Haus des „Hofschauspielers" Geyer mit ihrer Gewichtigkeit; man las Verse, spielte Komödie, führte Stücke auf, die Geyer selbst verfaßt hatte, wie zum Beispiel die „Neue Dalila" oder den „Bethlehemitischen Kindermord", und veranlaßte die Kinder, ihrerseits teilzunehmen, vor allen Dingen Luise, die Schülerin der berühmten Hartwig, einer renommierten Künstlerin, die einst öfters das späte Nachhausekommen des Herrn Polizeikommissars verschuldet hatte. Auch Rosalie, die ihr verstorbener Vater für eine ruhmvolle Bühnenlaufbahn bestimmt hatte, mußte mitwirken. Sie debütierte in einem Stück ihres Stief=

vaters am 2. März 1818, einen Tag vor ihrem 16. Geburtstag. Onkel Adolf hatte aus Leipzig seine besten Wünsche und Komplimente gesandt, nicht ohne weise und fromme Ratschläge hinzuzufügen: denn er ließ es nicht an Klugheit fehlen. Das hinderte übrigens den jungen Albert keineswegs, das Studium der Medizin aufzugeben und Sänger zu werden; auch seine Schwester Klara schlug die Bühnenlaufbahn ein — die Familie war für das Theater prädestiniert. So suchte der philologische Onkel wenigstens die drei Jüngsten, Ottilie, Richard und Cäcilie, vor der Ansteckung zu bewahren. Sie waren auf jeden Fall noch nicht über kindliche Streiche hinausgekommen, und keins von ihnen entwickelte sich als Wunderkind.

Inzwischen war am Dresdener Himmel ein neuer Stern der Kunst aufgegangen. Er hieß Karl Maria von Weber, der mit Seufzen feststellte, daß die Musikmode sich in Dresden ebenso wie in Wien und Paris zugunsten der Italiener ganz und gar von den deutschen Meistern abgewendet hatte. Zum königlichen Kapellmeister ernannt, nahm der sehr energische, aber gebrechliche, hinkende und gleichsam unirdische Mann den Kampf mit den Arrivierten und Routiniers auf, er versuchte die Oper und ihr Wesen zu reformieren, begab sich auf die Suche nach neuen Sängern, und der Zufall wollte es, daß er unter diesen auch den Schauspieler Geyer, der früher viel gesungen hatte und immer noch eine ganz schöne Tenorstimme besaß, auf seine Liste setzte. Nachdem Geyer sich schnell für den Kapellmeister erwärmt hatte, dessen einzigartiges Talent er bald erkannte, gab er sich von ganzem Herzen der unerwarteten Aufgabe hin. Er sang verschiedene kleinere Rollen, während er den Schauspielerberuf weiter ausübte und auch den Pinsel nicht vernachlässigte; so kommt es, daß sich in jener Zeit auf den meisten Theaterzetteln Dresdens und vieler anderer Städte der Name des vielseitig begabten Mannes findet, den wir auch auf Porträts der Könige von

Sachsen, des Königs Ludwig I. und der Königin von Bayern erblicken, wie endlich auch gedruckt auf dem Titelblatt seiner Komödien lesen.

Albert fand bald ein Engagement in Breslau. Dann verläßt Rosalie das Haus, um sich endgültig der Bühne zu widmen. Und in dieser großen Schauspielergesellschaft behält man dem kleinen Richard die Rolle des Akrobaten vor, denn er allein kann das Treppengeländer durch das ganze Haus hinunterrutschen, er allein kann auf den Händen gehen. Geyer nennt ihn den „Kosaken". Er wird oft ins Theater mitgenommen und hat seinen Stuhl in der Schauspielerloge, die mit der Bühne in Verbindung steht. Weil er aber doch nicht ganz ohne die Familien=Theaterkrankheit ist, bittet er gelegentlich, ihn eine kleine Rolle spielen zu lassen. Gerade Weber fand Verwendung für ihn im „Weinberg an der Elbe", in dem Richard als Engel mit Flügeln auf dem Rücken erschien. Ein andermal hat er sogar in Kotzebues „Menschenhaß und Reue" ein paar Worte zu sprechen.

Solches Spielen war nach dem Geschmack dieser Familie, aber Richard sah darin nur einen Vorwand, seine Schulaufgaben nicht zu lernen. Wegen seiner schwachen Gesundheit ließ man ihn übrigens gewähren; er klimperte ein wenig auf dem Klavier herum, aber ohne festen Plan und augenscheinlich auch ohne Passion. Geyer hätte gern einen Maler aus ihm gemacht.

Nach Beendigung des siebenten Lebensjahres gab man ihn nach Possendorf bei Dresden in Pension zu einem Landpastor Wetzel, wo er sich glücklich fühlte. Er hörte zu, wenn „Robinson Crusoe" laut vorgelesen wurde oder eine Biographie Mozarts, der seit etwa 30 Jahren tot war; aber einen bedeutend größeren Eindruck empfing er von den Zeitungen, deren Lektüre der Pastor durch leidenschaftliche Erörterungen über den Unabhängigkeitskrieg der Griechen gegen ihre Unterdrücker, die Türken, noch eindringlicher gestaltete. So brachen Hellas und die Mythologie in das kindliche Gemüt ein, das davon dauernd erfüllt bleiben sollte. Lord Byron ging nach Missolunghi und fand dort die Erfüllung seines Schicksals in einem ersehnten Tod, während der kleine Richard Wagner seine erste Begeisterung aus diesen Stunden schöpfte, in denen er den Ruhm verstehen lernte.

Es ist wichtig zu betonen, daß ein Kind sein Leben niemals nach den Ansichten der Erwachsenen führt; es spielt eine wahre Komödie gegen diese. Die Ratschläge, die Familientraditionen, die Erfolge, die es in der Schule oder in seiner Umgebung haben kann, selbst die Erfahrungen, die es macht, sind selten für seine Zukunft bestimmend. Viel häufiger gewinnt ein Zufall Macht, eine unvorhergesehene Erschütterung, ein instruktives oder erregendes Bild, ein glücklicher Tag, eine sinnliche Aufregung, manchmal eine ganz abstrakte Idee oder auch nur eine Tatsache, die seine kindliche Phantasie anregt. Seinen Willen bewegt der Wunsch, den Augenblick voll auszunützen, in dem der jugendliche Geist herausgefunden hat, wie er sich sein Leben selbst am besten schaffen kann.

Richard befand sich etwa ein Jahr bei den Wetzels, als ein Bote kam, um ihn abzuholen, weil sein Stiefvater im Sterben lag. Verbraucht, überanstrengt, Hypochonder geworden, war Geyer gezwungen gewesen, von Stadt zu Stadt zu ziehen, um seine Engagementsverträge zu erfüllen; das letztemal war er nach Hause gekommen, um zu sterben. Er litt an einer akuten Lungenentzündung; es war zu Beginn des Herbstes 1821. Das Kind wurde an das Bett dessen geführt, den er „Vater" nannte; es sah ihn so schwach, daß es vor Schreck weder Tränen noch Worte fand. Die Mutter veranlaßte den Jungen, auf dem im Nebenzimmer stehenden Klavier etwas zu spielen, um seine Fortschritte zu zeigen, und Richard machte sich tapfer an „Üb immer Treu und Redlichkeit" und dann an ein neues Stück von Weber, „Wir winden dir den

Jungfernkranz". Das Kind hörte, wie der Sterbende leise sagte: „Sollte er Talent für Musik haben?" Das Wort traf ihn, so daß er es im Gedächtnis bewahrte. Im ersten Licht der nächsten Morgenröte trat die Mutter weinend an sein Bett: Geyer hatte den letzten Seufzer verhaucht. „Aus dir hat er etwas machen wollen", sagte sie zu ihm. Das ist das karge Wegegeld, das der Tote dem Lebenden mitgab, dem achtjährigen Knaben, der vor dem Eintritt in die Welt stand. Er wußte von ihr nichts, als daß das Theater ihr höchstes Gut und die letzte Zuflucht der kinderreichen Familien ist.

III

Zarathustra

„Als Zarathustra in die nächste Stadt kam, die an den Wäldern liegt, fand er daselbst viel Volk versammelt auf dem Markte: denn es war verheißen worden, daß man einen Seiltänzer sehen solle. Und Zarathustra sprach also zum Volk:

„Ich lehre euch den Übermenschen. Der Mensch ist etwas, das überwunden werden soll ... Ich beschwöre euch, meine Brüder, bleibt der Erde treu und glaubt denen nicht, welche euch von überirdischen Hoffnungen reden ... Der Mensch ist ein Seil, geknüpft zwischen Tier und Übermensch — ein Seil über einem Abgrunde. Ein gefährliches Hinüber, ein gefährliches Auf-dem-Wege, ein gefährliches Schaudern und Stehenbleiben.

„— Was groß ist am Menschen, das ist, daß er eine Brücke und kein Zweck ist; was geliebt werden kann am Menschen, das ist, daß er ein Übergang und ein Untergang ist ...

„Ich liebe die großen Verachtenden. Ich liebe den, welcher arbeitet und erfindet ... Ich liebe den, welcher seine Tugend liebt ... Ich liebe den, dessen Seele sich verschwendet ... Ich liebe den, welcher goldene Worte seinen Taten voraus-wirft und immer noch mehr hält, als er verspricht ...

„Da aber geschah etwas, das jeden Mund stumm und jedes Auge starr machte. Inzwischen nämlich hatte der Seil-tänzer sein Werk begonnen: er war aus einer kleinen Tür herausgetreten und ging über das Seil, welches zwischen zwei Türmen gespannt war, also, daß er über dem Markt und über dem Volke hing . . ."

Die Wagners wohnten jetzt am Markt, auf dem der Zirkus und die Karussells aufgeschlagen wurden. Der junge Richard ist stets begierig, solche Schauspiele anzusehen, und jedesmal, wenn ein Akrobat beginnt, seine Künste zu zeigen — besonders ein Seiltänzer —, sieht man ihn regungslos in der ersten Reihe, von der aus er die höchste menschliche Kühnheit von ganzem Herzen bewundert. Klarer Kopf, beherrschter Körper, eine einfache Balancierstange in den Händen, ein begeisterter Wille — das ist die hohe Schule der Moral und Energie. Das Kind hat nur eine Sehnsucht: daß ihm solche erstaunliche Leistung gelingen, und daß es dreißig Fuß über der Menge schwindelfrei seinem Ziele zuschreiten und seine Angst überwinden könne. Dann der brausende Beifall der Menge, wenn die Aufgabe gelöst ist! Das verleiht Ansehen und die unauslöschliche Freude über besiegte Schwierigkeiten! So zieht er sich auf ein Seil, das im Hofe des Hauses gespannt ist, so klettert er auf das Dach des Gymnasiums, um vor den Augen der erschrockenen Schüler eine Mütze herunterzuholen, die er in die Regenrinne geworfen hat. Er ist wahrhaftig der „Kosak" seines Vaters, der kleine Richard Geyer. Geyer? . . .

Unter diesem Namen ist er im Dezember 1822 auf die Kreuzschule gekommen, um sie vier Jahre lang zu besuchen. Seine Eltern haben es so gewollt; erst mehrere Jahre später nahm er den Namen Wagner wieder an. Er war ein ziemlich robuster Junge, anfangs sehr fleißig, der unter den letzten Zugelassenen bald einer der Ersten seiner Klasse wurde. Der Mathematik konnte er keinen Geschmack abgewinnen, auch nicht den toten Sprachen; dafür war er gut im Aufsatz, in Ausarbeitungen, in Mythologie und Geschichte — ein lebhafter, fröhlicher, empfänglicher Geist — vielleicht sogar zu empfänglich. Das kam zweifellos daher, daß er ausschließlich von Frauen im mütterlichen Haushalt umgeben war. Hätte man ihm die Aufgabe gestellt, der Reihe nach diejenigen Personen aufzuzählen, die er am liebsten hatte, so würde er an die Spitze seine Mutter gestellt haben, dann seine jüngere Schwester Cäcilie, sodann Rosalie. Ferner hätten verschiedene Tiere (zunächst sein Hund, den er eines Tages aus einem Teich gefischt hatte; später brach sich dieser das Genick, als er aus dem Fenster sprang, und fügte dem Knaben so den größten Schmerz zu), die Pferde, die Vögel, die Katzen, alle Wesen der Schöpfung seine Arche verlassen. Diesen endlich wären die Freunde gefolgt, ein paar Kameraden, und schließlich — als erster aller fremden Menschen: Karl Maria von Weber, der Komponist des „Freischütz".

Weber war ein Wesen für sich, einzigartig, übernatürlich, ein lebendes Beispiel dafür, was ein Mensch werden kann und muß. Das ganze wiedererwachte Deutschland fand sich in diesem hinkenden Genie verkörpert, das die Jugend von 1830 begeisterte. „Nicht König, nicht Kaiser, — aber dastehen und das Orchester dirigieren", sagte sich Richard, wenn er ihn am Pult sah. Er quälte sich am Klavier ab, nur um die Freischütz-Ouvertüre spielen zu können, findet unvergleichliche Entzückungen, eine Erweiterung seiner ganzen Persönlichkeit in ihr und fühlt sich mit „außerordentlicher Neigung" zu einem Musiker Spieß hingezogen, nur weil dieser junge Mann nicht müde wurde, ihm das bezaubernde Stück vorzuspielen. Der Magister Humann, sein Repetitor, regte sich ganz vergeblich über den extravaganten Fingersatz seines Schülers auf, dieser aber macht sich nichts daraus und schlägt mit den Armen um sich, bis er so weit ist, die widerspenstigen Finger zum Gehorsam zu zwingen. Endlich gelingt ein etwas mangelhafter „Freischütz" seiner andauernden Anstrengung, aber er genügt, und Richard ist glücklich. Jetzt kann er darauf verzichten, andre spielen zu hören, da er selbst dem Klavier das entlocken kann, was er will. Mozarts Don Juan? Der ist nicht sehr nach seinem Geschmack. Eine etwas frivole Musik weibischen Charakters. Was ihm zu lernen übrig bleibt — ein ausgezeichnetes Mittel, die Lieblingsstücke zu behalten und sich ganz anzueignen — ist, die Musik auf Notenpapier zu schreiben. Seine Mutter zögert, ihm Geld für ein so eitles Unterfangen zu geben. Er überredet sie, macht sich ans Werk, kopiert Seiten um Seiten Noten: „Lützows wilde verwegene Jagd", „Oberon" (immer und immer wieder Weber). Er geht in den Großen Garten, wo nachmittags eine Militärkapelle spielt; dort, gerade vor dem Kiosk, hört der Junge zu und fühlt sich durch die rhythmische Heiterkeit der Musik leidenschaftlich erhoben. In fieberhafte Spannung versetzt ihn das langgehaltene A der Oboe, „welches die übrigen Instrumente gleichsam wie eine Geistermahnung wachruft". Das Anstreichen der Quinten auf den Saiten der Violinen: geisterhaft! Als er eines Tages am Ende der Ostraallee, vor dem Palais des Prinzen Anton, die Figuren, mit denen dies Palais geschmückt ist und unter denen einige mit musikalischen Instrumenten ausgestattet sind, sieht, glaubt er diese ihre Violinen stimmen zu hören und erregt sich gewaltig über das Gespenstische dieser Vision. Ein andermal wohnt er, anläßlich eines Besuchs bei seinem Onkel Adolf in Leipzig, im großen Thomä=Haus, wo einst August der Starke und Napoleon residiert hatten. Onkel Adolf und die alte Jeanette Thomä bewohnten dort einige düstere und prächtig eingerichtete Zimmer. Alte Porträts schmückten die Wände und hingen auch über dem Paradebett, in dem Richard schlafen mußte. Und hier wacht er mitten in der Nacht, in kalten Schweiß gebadet, auf und stößt laute Schreie aus, weil die Gespenster des öden Palais kommen, um ihn schlafen zu sehen.

Überall werden die Toten unter seinen Schritten lebendig. Am Ende der Ostraallee hebt ein steinerner Musiker die Violine, wenn man vorbeigeht, im Hause Thomä steigen alte Herren aus ihren Rahmen. Wenn man aus der Schule kommt, können doch die Schatten, die durch das Treppenhaus huschen,

28

nur die Geister der beiden Väter, des Vaters Wagner und des Vaters Geyer, sein, die einen erschrecken, weil man nicht gut gearbeitet hat. Bald stirbt ein Mitschüler, und die Kameraden bekommen die Aufgabe, einen Nekrolog in Versen zu schreiben; der beste soll gedruckt werden. Richard Geyer erhält den Preis: sofort verfaßt er ein Gedicht auf den Tod des Odysseus. Dann stirbt sein einziger Gott unter den Menschen: Karl Maria von Weber. Nur durch Weber ist sich Richard seiner selbst bewußt geworden, hat er gelernt, sich als Deutscher zu fühlen. Und Weber lebt nicht mehr. Gespenster! Gespenster!

Sollte er ein Dichter sein? All diese Toten, diese Zufälle, diese Auszeichnungen in der Schule — sollten sie eine Berufung bedeuten? Die kleine Schwester Cäcilie bestätigt es, und er glaubt es nur zu gern. Er schreibt also ein Drama und ruft ein Marionettentheater ins Leben; der Versuch scheint nicht ganz überzeugend. Seine Schwestern brechen in unmäßiges Gelächter aus — „Ich höre schon den Ritter trabsen —" dieser komische Satz aus dem Drama, mit dem sie ihn necken, läßt ihn vor Scham erröten, und doch ist es der einzige seines Textes, den er im Gedächtnis bewahrt. Sein Geschmack drängt ihn zur Ausstattung, zu Kostümen, Masken, und der kleinste Stoffetzen, ein Stück bemalte Pappe entreißen ihn sogleich der Wirklichkeit und tragen ihn ins Reich der Phantasie.

Wir kommen an den wichtigen Moment im Leben des Kindes, in dem es sich unter soviel keimenden verschiedenen Talenten plötzlich entscheiden muß. Soll er diesem oder jenem Weg folgen? Lieber der Lockung seiner schöpferischen Phantasie oder dem Zwang eines Vorbilds, der Stimme der Vernunft? Soll er dieser dunklen, vielleicht prophetischen Empfindung nachgeben oder weiter die Richtung einschlagen, in der er bereits Bewunderung und Anerkennung gefunden hat? „Die Straße, die wir entlang wandern", sagt Bergson, „ist wie besät mit Trümmern unseres früheren Seins, mit den Trümmern dessen, was wir hätten werden können." Das

Kind Wagner steht nun am ersten Scheideweg seines Lebens. Gleich empfänglich für Musik, für Dichtkunst, für das Theater, steht ihm auch der Sinn nach überraschenden Abenteuern des Gefühls, nach Büchern und dem Studium der Wissenschaften. Es wird einer Reihe von mehr oder weniger günstigen Zufällen bedürfen, um ihn seiner wahren Bestimmung zuzuführen.

Zunächst ist es Shakespeare, das Ideal aller Phantasievollen, die das Leidenschaftliche und Lebendige lieben. Der Schüler Richard wird von ihm mit solcher Stärke ergriffen, daß er sich auf das englische Lexikon und die englische Grammatik stürzt, um den Monolog Romeos metrisch übersetzen zu können. Dann rühmt er sich, die ersten zwölf Gesänge der Odyssee übertragen zu haben — eine Arbeit, die ihm das ermutigende Lob seines Lieblingslehrers Sillig einträgt. Dieser möchte aus dem zwar unbändigen, aber fleißigen Schüler einen Philologen machen. Er wird ohne Schwierigkeit aus der Tertia in die Sekunda des Gymnasiums versetzt und arbeitet unablässig an einer mächtigen Verstragödie „Herakles" nach shakespearischem Muster. Vierundzwanzig Personen finden darin den Tod; die meisten erscheinen dann im letzten Akt als Geister wieder.

Aber gerade damals vollzog sich im täglichen Leben der Familie ein großer Wechsel, der zugleich einen neuen Abschnitt ihres Schicksalsweges bedeuten sollte. Rosalie bekommt ein langfristiges Engagement an das Prager Theater, an dem Klara bereits als Sängerin tätig ist. Albert vertauscht die Breslauer Bühne mit der Augsburger, und Luise tritt in die Leipziger Truppe ein. Frau Geyer entschließt sich infolgedessen ihre Wohnung aufzugeben und nach Prag überzusiedeln. Richard bleibt vorläufig in der Stadt seiner Kindheit zurück und kommt in Pension zu Boehmes, einer befreundeten Familie, deren Sohn Robert sein Mitschüler auf der Kreuzschule ist. Es sollte nur eine Episode von kurzer Dauer sein; im Laufe dieser Monate der Erwartung verdient nur ein Ereignis festgehalten zu werden, da es in die tiefen Regionen der Sexualität herabreicht, und Wagner selbst es dem Gedächtnis bewahrt hat.

Boehmes befanden sich in bescheidenen Verhältnissen und lebten in ihrer Wohnung mit den bereits erwachsenen Töchtern eng zusammen. Unter deren Freundinnen, die zu Besuch kamen, war eine, Amalie Hoffmann, die auf den Jüngling starken Eindruck machte. Sie war schön, immer sehr sorgfältig gekleidet und versetzte, wenn sie ins Zimmer trat, den jungen Richard in sprachlose Bewunderung. Er kam also auf die Idee, eine besinnungslose Schläfrigkeit zu heucheln. „Um", sagt er, „von den Mädchen unter Bemühungen, welche dieser Zustand nötig zu machen schien, zur Ruhe gebracht zu werden, weil ich einst zu meiner aufregenden Überraschung bemerkt hatte, daß ein ähnlicher Zustand mich in eine mir schmeichelnde unmittelbare Berührung mit dem weiblichen Wesen brachte."

Wir wollen dieser verwirrenden Erinnerung nicht mehr Wichtigkeit beilegen als ihr zukommt. Aber die Rutenstreiche der Mademoiselle Lambercier (in Rousseaus „Bekenntnissen") zeigen eine gewisse Ähnlichkeit des Geschmacks bei Rousseau, eine Art Masochismus. Vielleicht hat das Erwachen der Pubertät im Jüngling fast stets dieselben Symptome, und deren Entzückungen scheinen wesentlich durch Geruch und Gefühl bestimmt zu werden.

Bald unternimmt Richard mit Robert Boehme die Fußreise nach Prag, wo er die Seinen wiederfinden sollte. Da aber beide nur wenig Geld haben, müssen sie versuchen, sich welches zu verschaffen. Richard läßt es sich nicht lange verdrießen: was ist schließlich das Geld? Der eine hat's, der andere nicht — kein Unterschied, der menschliche Werte betrifft.

Ein eleganter Reisewagen fährt vorbei, Richard tritt ohne zu zögern auf die Reisenden zu und bittet um ein Almosen, während Robert sich im Straßengraben versteckt. Es ist das erstemal, daß er die Hand zum Betteln ausstreckt; es wird nicht das letztemal sein.

„Ich liebe die großen Verachtenden", wird Zarathustra sagen, „ich liebe den, welcher lebt, damit er erkenne und welcher erkennen will... Ich liebe den, welcher nicht zu viele Tugenden haben will."

Es war die Zeit des Konfirmandenunterrichts und des ersten Abendmahls; aber nur dieses hatte Eindruck auf ihn gemacht, denn um den Katechismus kümmerte sich der junge Mann wenig; er hielt sich bereits für einen Studenten, der hoch über solchen Kindereien steht. Von der Familie Boehme trennte er sich, um eine Mansarde zu beziehen, in der er an einem großen Versdrama „Leubald und Adelaide" arbeitet; es ist ihm bedeutend wichtiger als die Religions= und Philosophiestunden. Als aber während des ersten Abendmahls die Orgel braust und die Katechanden am Altar vorbeiziehen, überkommt den kleinen Verseschmied eine so starke Bewegung, wie er sie niemals wieder erleben sollte.

Der Gedanke, Dresden zu verlassen und nach Leipzig zu gehen, läßt ihn nicht los.

In Dresden hat er wenig Freunde, wenig Berührungspunkte; Leipzig, wo seine Mutter von neuem ihren Wohnsitz genommen hatte, um die Laufbahn Luises zu verfolgen, war dagegen die Stadt seiner Geburt und seiner Familie. Außerdem zeichnete sie sich durch eine Universität aus. Im übrigen ist er von seiner Schwester Luise entzückt; von all seinen Geschwistern kennt er sie am wenigsten, da sie immer in der Fremde gelebt hatte; sie ist schön, zweiundzwanzig Jahre — vielleicht wird sie ihm eine Freundin werden, wenn er erst die Studentenmütze trägt. Das beste Mittel, nach Leipzig zu kommen, ist also, sich von der Schule in Dresden wegschicken zu lassen; nichts einfacher als das. Er hat gerade eine Strafe erhalten, die ihm ungerecht dünkt; er wird noch eine billige Lüge darauf setzen und behaupten, seine Familie brauche ihn. Die Taktik hat den besten Erfolg, und so kommt endlich zu Weihnachten 1827 der fünfzehnjährige Junge in der Stadt seiner Träume an.

In seinem Koffer bringt er das erste seiner Manuskripte, „Leubald und Adelaide", mit; er hält die Dichtung für das Ergebnis aller seiner Kenntnisse und Erfahrungen — in Wahrheit ist es die Summe alles Angelesenen. Hamlet und König Lear sind die kaum versteckten Hauptpersonen; sie halten Monologe über das Leben, die Liebe, die Rache — alles in den leicht durchschaubaren Masken Astolfs und Leubalds. Die Handlung besteht nur aus einer Reihe von Verbrechen des Helden; er verfolgt Adelaide, um sich endlich mit ihr zu vereinigen und sie im Grabe zu umarmen — wie das in „Romeo und Julia" zu sehen ist.

Seine Verwandten überhäuften ihn mit Vorwürfen, da sie entdeckt hatten, daß das ganze letzte Schuljahr nur dazu gedient hatte, dieses Monstrum in die Welt zu setzen. Richard wurde sogleich auf das Nikolaigymnasium geschickt, wo er nach einer vorläufigen Prüfung in die Tertia zurückmußte, trotzdem er in Dresden bereits die halbe Sekunda durchgemacht hatte — eine Demütigung, die ihm sehr bitter war: es hieß, Homer und Shakespeare verlassen, um sich wieder mit leichter, einfacher Lektüre zu beschäftigen. Gibt es etwas Schmerzlicheres für die Eigenliebe eines Kindes als eine solche Kränkung: den ersten Flug einer so reichen Phantasie jäh unterbrechen zu müssen? Er konnte aus dieser moralischen Sackgasse sich nur herausfinden, wenn er wieder zu sich selbst Vertrauen bekam. Er war einsam und verbittert; so mußte er ein Mittel finden, die verlorene Selbstachtung zurückzugewinnen. Ein starkes Licht fällt plötzlich in seine Seele: die Musik. „Ich wußte, was noch niemand wissen konnte, nämlich, daß mein Werk erst dann richtig beurteilt werden könne, wenn es mit der Musik versehen sein würde, welche ich dazu zu schreiben beschlossen hatte, und welche ich nächstens auszuführen demnach beabsichtigte."

IV

Beethovens Totenmaske

Eines Abends ging er in Leipzigs berühmten Konzertsaal,
das Gewandhaus. Beethovens A-Dur-Symphonie wird gespielt, er hört auch die Egmont-Ouvertüre. Die Überraschung
war so stark und brachte ihn in solche Erregung, daß ihn ein
Fieber ergriff. Als Kranker kehrt der Junge nach dieser unvergleichlichen Aufführung nach Hause zurück; aber von nun an
wird er niemand mehr etwas von den Vorahnungen anvertrauen, die ihn mit Freude und Staunen erfüllen, ja sogar
körperliche Störungen hervorrufen. Der Schmetterling
schlüpft aus der Puppe und breitet die Flügel; er ist von aller
Unruhe erlöst, da er im Reich der Töne seine Wiedergeburt
erlebt. Neben seinen alten Idolen erscheint der neue Gott:
Beethoven, von dessen Leben, Taubheit, Werk und Tod er
nun zum ersten Male hört. „In mir entstand ein Bild erhabenster, überirdischer Originalität." Er sieht ihn in seinen
Träumen, spricht mit ihm und erwacht in Tränen gebadet.
Merkwürdig ist, daß er sich nicht, wie so viele musikalische
Kinder, für irgendein Instrument begeistert, auf dem er sich
die Melodien, die ihn entzückten, vorspielen kann — die
Zeit des „Freischütz" und der Klavierstunden bei Meister
Humann ist vorbei. Nur der Wunsch, komponieren zu lernen,
beschäftigt ihn; was er ausdrücken will, ist viel zu verwickelt, viel zu mächtig, um den Tasten des Klaviers oder
den vier Saiten der Violine angepaßt zu werden. Er braucht

die Fülle des Orchesters und vielgestaltige Harmoniekombinationen. Er schleicht heimlich zu dem Musikalienhändler Wieck (dem Vater der späteren Clara Schumann) und kauft Logiers „Methode des Generalbasses" auf Kredit. „Ich entsinne mich", schrieb er viele Jahre danach in seiner Selbstbiographie, „daß die finanziellen Wirren, die mir mein Leben zu jeder Zeit so sehr störten, von hier ihren Ausgang nahmen." Diese Sorge wäre übrigens nicht allzu drückend gewesen, wenn sie nicht bald, infolge der Zahlungsbefehle des Herrn Wieck, zur Entdeckung des Pumps geführt hätte. Neuer Familienskandal: was soll man mit dem jungen Entgleisten anfangen, der von der einen Schule wegläuft, auf der andern Schule nicht gut tut, Schulden macht, Verse schreibt und alles aufs Spiel setzt, nur um zu komponieren? Die Mutter begreift, daß nur eins übrigbleibt: ihn seiner Leidenschaft zu überlassen.

So bekam Richard bei Robert Sipp, dem Geiger des Gewandhausorchesters, Violinstunden; aber er hatte bald vollkommen genug davon. Das war es nicht, was er wollte; Virtuosität hatte schon damals für ihn nur untergeordnete Bedeutung. Er wird dem Organisten Gottlieb Müller anvertraut, der ihm die Anfänge des Kontrapunktes und der Harmonielehre beibringt. Neue Hindernisse: der junge Mann will die Notwendigkeit der Regeln nicht einsehen und hält die ganze Technik des Kontrapunktes zunächst für öde Pedanterie, für einen geschlossenen, mit Verbotstafeln umstellten Garten, in dem das Talent und die Kühnheit keinen Einlaß finden. Er hätte beinahe den Mut ganz und gar verloren; die Musik erschien ihm nur eine „mystisch erhabene Ungeheuerlichkeit; alles Regelhafte schien sie ihm durchaus zu entstellen".

Seine einzige Flucht vor der Langenweile bilden die schönen, einsamen Nächte, in denen er bei Lampenschein die Werke Beethovens kopiert. Da werden wenigstens die Regeln Gottlieb Müllers mit der großartigsten Unbekümmertheit verletzt! Hier herrschte Leben, machtvolle Unordnung, Frische, das

Unvorhergesehene, manchmal eine Art Besessenheit — es erinnerte an die „Phantasiestücke" Hoffmanns, die täglich seine geistige Nahrung bildeten. Dieselbe Logik im Unlogischen, wie bei allem, was wahr ist; dasselbe Durcheinander von Sinn und Wahnsinn, wie es überall in der Natur zu bemerken ist! Zwischen diesen beiden so verschiedenen Menschen bestand eine gewisse Gemeinsamkeit der Weltanschauung, die pessimistisch und erfreulich, ernst und ironisch, manchmal auch unverständlich war. Aber was kommt es auf ein paar Dunkelheiten an? Ist es nicht viel schöner, wenn ein Geisteswerk sich nicht auf Anhieb ergibt? Auch Onkel Adolf sprach oft in Rätseln, wendete ungebräuchliche Worte an und verwickelte sich in lange Sätze, aus denen er nicht immer einen Ausweg fand. Aber jedes Geheimnis hat seinen dichterischen Wert; selbst im Leben dieses sonderbaren Onkels, der sich vor kurzem — um die Fünfzig herum — verheiratet hatte, gab es Geheimnisse; in seinem Werk über „das Theater und das Publikum" — Geheimnisse; Geheimnis endlich in dem Kampf, den der gelehrte Mann im Namen Tiecks und Goethes, im Namen der wahren, geschändeten Kunst gegen alle führt, die nur mit billigen Erfolgen Handel treiben. „Ich habe viel Gegner", pflegte er zu seinem Neffen zu sagen, „und glücklicherweise so viele, als zu meiner eigenen Entwicklung und Reife nötig sein mögen." Richard begeistert sich für alle Schwierigkeiten im Leben hervorragender Männer, die zu ihrer Größe beigetragen haben; sie trösten ihn über seinen Mißerfolg und veranlassen ihn, sich mit neuem Eifer auf seine Manuskripte zu stürzen. Wohlgemerkt: das Nikolaigymnasium hatte er vollkommen von seiner Beschäftigungsliste gestrichen und seit sechs Monaten nicht mehr betreten.

Freunde braucht er kaum. Seine beiden Schwäger genügen ihm, weil sie ihm infolge ihres Alters und ihrer Stellung Achtung einflößen. Luise, die er wegen ihrer Schönheit bewunderte, hat einen jungen, bedeutenden Verleger geheiratet,

Friedrich Brockhaus; Klara, die Sängerin, die in Leipzig sehr schöne Erfolge hatte, den Sänger Wolfram. Aber da trotz allem Richard einen Kameraden brauchte, dem er seine Pläne und Phantastereien anvertrauen konnte, einen originellen, verständnisvollen, eben einen seltenen Menschen, warf er seine Augen auf einen sonderbaren langen Burschen, den er in den Konzertsälen bemerkt hatte. Dieser stellte eine wahrhafte E. Th. A. Hoffmann-Erscheinung dar: auf einem langen Körper ein kleiner Kopf; eine merkwürdige Art, sich ruckweise fortzubewegen, eine noch merkwürdigere, mit den Orchestermitgliedern zu sprechen und dann die Musik unter eigentümlichem, konvulsivischem Kopfnicken und seufzerartigem Aufblasen der Wangen anzuhören. Augenscheinlich ein etwas verdrehter Kerl, aber warum sollte er nicht ein genialer Musiker sein? Ohne Zögern macht sich Richard mit ihm bekannt, erfährt, daß er Flachs heißt, besucht ihn, und ist glücklich, als er entdeckt, daß die Wohnung voller Partituren und Manuskripte steckt. — Flachs war indessen lediglich ein kindlich-naiver Mensch, dem die Musikalienhändler ihre Ladenhüter verkauften; seine Notensammlung umfaßte die Werke gänzlich unbekannter Komponisten, wie Sterkels, Stamitz', Steibels und anderer, denn Flachs erklärte offen, für Mozart und Beethoven nur tiefe Verachtung zu empfinden. Immerhin, er war Publikum, und da ein Komponist alles verzeiht, wenn ihm jemand geduldig zuhört, spielte Richard seinem Freunde vor, weil dieser es sich ruhig gefallen ließ, solange es notwendig war. Eines schönen Tages kommt heraus, daß der lange Flachs die Melodien des kleinen Richard gesammelt und aus ihnen eine Arie für Blasinstrumente arrangiert hat. Noch erstaunlicher aber: Flachs hat sein Werk dem Orchester gegeben, das in Kintschys, des beliebten Konditors „Schweizerhütte" spielte. Es soll öffentlich aufgeführt werden. Unglaubliche Sensation! Zum erstenmal in der Welt sollen die Menschen bei einem Leipziger Zuckerbäcker die Musik Richard Wagners hören …

37

Der junge Debütant wäre gern Flachs um den Hals gefallen, hätte er nicht doch gespürt, daß es mit diesem nicht ganz richtig war. Seine Zweifel an ihm wurden kurze Zeit darauf von Flachs selbst bestätigt, der ihm aus Eifersucht die Türe vor der Nase zuschlug, nicht weil er als Musiker, sondern weil er als Mann eifersüchtig war. Er hatte sich nämlich in ein öffentliches Mädchen verliebt und sah in dem Gymnasiasten, der über alle Stränge schlug, einen Rivalen. Richard zog sich verwirrt zurück, weil er, ohne es zu wissen, auf ein neues Geheimnis gestoßen war — auf das „unappetitliche" Geheimnis der Fleischeslust.

Für manche Temperamente gibt es vielleicht nichts Unsympathischeres und daher Verdächtigeres als die Wirklichkeit, nichts weniger Täuschendes — und daher nichts Sichereres — als die Einbildungskraft. Diese zeigt sich bei solchen Menschen gleichsam als Umkehrung aller Werte, als eine unbewußte Anpassung des schöpferischen Wesens an seine geheimen Wünsche. Auf wie brutale Weise auch die Welt ihre Roheit einer Seele, die bereits ihre eigenen Vorstellungen hat, enthüllen mag: diese wird sich nicht lange kränken lassen, sondern wird sich nur um so tiefer ihren verborgenen Sehnsüchten hingeben. So lag für den jungen Wagner die eigentliche Wirklichkeit in Beethovens Totenmaske, in den Partituren der Ouvertüren, die er während der Nacht kopierte, im Reich des neuen Hoftheaters, in der Welt der Kulissen, bemalter Leinwand, der Schauspieler und Schauspielerinnen, der gestochenen oder handschriftlichen Noten. Alles übrige ist Lüge: die Schule, die Kaufläden, die Geliebte Flachsens, das ganze Leben. Brockhaus, dessen Geschäft blüht, hält den dünnen Faden, der in die künstliche Welt der Menschen führt; aber dank seinen Schwestern, besonders dank Rosalie, betritt Richard, so oft er will, den festen Boden des Theaters, auf dem die Menschen ihre bürgerliche Verkleidung ablegen, um nur noch so zu leben, wie ihre Herzen es ihnen vorschreiben.

Goethes Faust, Schillers Tell, Shakespeares Caesar, Macbeth und Hamlet werden gegeben; dann glänzt am Opernhimmel ein neuer Stern auf, der allgemeinen Beifall gewinnt: Aubers „Stumme von Portici". Wer hätte gedacht, daß so kühne Harmonien in einer großen fünfaktigen Oper, eine so tragische Handlung ohne das übliche glückliche Ende eines Tages aus Frankreich kommen würden, wo doch italienische Musik, fade Schäferspiele, Balletts und die stets von rosenumkränzten Tänzerinnen umschwebten Hohenpriester des Spielplanes im höchsten Ansehen standen!

Die „Stumme von Portici" bietet eine geschlossene Handlung und ein von Anfang bis zu Ende lückenlos entwickeltes dramatisches Thema ohne Konzession an das Graziöse und Liebenswürdige, außerdem aber eine Instrumentation, ein Kolorit, eine klare und dramatische Chorverwendung, wie sie bis dahin noch in keiner Oper zu finden gewesen waren. Wenn Aubers spätere Werke alle diejenigen enttäuschten, die ebenso starke Wirkungen erwartet hatten, so lag es daran, daß diese keine so gewagten Stellen mehr enthielten, sondern wieder im Stil der alten komischen Oper geschrieben waren. „Wir wollten starke Emotionen", sollte Wagner später sagen.

Nachdem Richard hintereinander die A-Dur-Symphonie, Egmont und die Stumme gehört hatte, wollte er die Neunte kennenlernen. Es hieß, Beethoven sei halb verrückt gewesen, als er sie komponierte, auch sei sie das „Nonplusultra alles Phantastischen und Unverständlichen" — also ein Grund mehr, sie zu studieren und die Seele ihres vom Teufel besessenen Schöpfers zu entdecken. Sobald er sich die Noten verschafft hat, fühlt sich der Exgymnasiast „wie mit Schicksalsgewalt angezogen", denn sie enthält in der Tat das Geheimnis aller Musik, das tiefste Bekenntnis einer Seele: nicht nur der Beethovenschen, auch der Wagnerschen Seele. Er beginnt die rätselhafte Neunte sofort zu kopieren, um ihre Themen ganz in sich aufzunehmen; wenn er vom Morgen-

39

grauen bei der Arbeit überrascht wird, überkommt ihn eine solche Angst vor dem steigenden Tage, daß er zu weinen beginnt. In ein paar Wochen nächtlichen Fleißes hat der Knabe erst die verschlungene Partitur kopiert und dann zum Klavierauszug verarbeitet. Der Verleger Schott in Mainz, dem er die Arbeit schickt, macht ihm sein Kompliment und bietet ihm sogar als Gegengabe die Partitur der großen Missa Solemnis an.

Ein anderes erschütterndes Ereignis endlich, an das er sich sein ganzes Leben lang erinnerte, ist das Auftreten Wilhelmine Schröder-Devrients als Fidelio in Leipzig. „Wenn ich auf mein ganzes Leben zurückblicke, finde ich kaum ein Ereignis, welches ich diesem einen in betreff seiner Einwirkung auf mich an die Seite stellen könnte." Eine große Verwirrung der Gefühle folgte; er mußte auf irgendeine Weise den Tumult austoben, der ihn erfüllte, nachdem er die fünfundzwanzig-jährige Primadonna gehört hatte. Er schreibt an die Sängerin und gibt den Brief im Hotel ab: sie möge sich seines unbe-kannten und gewöhnlichen Namens erinnern, denn eines Tages, wenn er etwas in der Kunstwelt zu bedeuten haben würde, sollte sie wissen, daß sie seinem Leben den Ansporn gegeben habe, den eingeschlagenen Weg zu verfolgen. Sie sehen? Sie sprechen? Er denkt nicht daran. Er macht keinen Versuch, etwas zu analysieren, da er allen kritischen Sinnes beraubt ist. Aber er fühlt und ordnet alles, was er gehört hat, in sich, und es ist ihm wie etwas Heiliges; den Instinkt, der ihn hierbei leitet, versteht er selbst nicht. Trotzdem er zwischen Frauen lebt, kennt er die Frauen nicht. Da er keinen Freund hat, widmet er den Toten seine leidenschaftliche Liebe; da er das wirkliche Leben nicht kennt, muß er sich seine Welt erfinden. Aber wer weiß, aus welchen unterirdischen Quellen der Sang eines Künstlers zur Oberfläche dringt und eines Tages in Melodien emporsteigt, in denen jeder von uns sich selbst wiederzufinden und zu erkennen vermeint?

V

Studiosus musicae

In den ersten Septembertagen des Jahres 1830 ziehen sich
die politischen Stürme, die während des Sommers über
Paris geweht hatten, am Himmel Leipzigs zusammen.
Karl X., König von Frankreich, war entthront worden.
Noch einmal sah das Volk den alten Lafayette, der wieder
zu Pferde gestiegen war, und wie schon 1790 ausrief: „Die
Freiheit wird siegen, oder wir werden alle zusammen sterben!"
Derselbe rauhe Wind der Volkserhebung erhob sich plötzlich
über Sachsen, das von der Polizei geknebelt, von einem ver-
schwenderischen Herrscher schlecht regiert und von gewissen-
losen Beamten schikaniert wurde, die sich in Spielklubs und
verschwiegenen Häusern für die Entbehrungen der harten
napoleonischen Jahre entschädigten. Aus Dresden wurde
gemeldet, daß der König seinen Neffen Friedrich August zum
Regenten einsetzen mußte; dieser hatte sofort eine neue Verfassung versprochen. Die politische Atmosphäre roch nach
Pulver, nach Gewalttaten. Begeisterung für Heldentum wurde
mit den gefeierten Namen: Lafayette, Kosciuszko, Lord Byron,
durch das Land getragen.

Die Leipziger Studenten streiken auf eigene Faust und
schließen sich den Arbeitermassen an. Als einige von ihnen
bei einem Gemenge verhaftet werden, versammeln sich alle
andern, ziehen, die Verbindungen an der Spitze, singend durch
die Straßen und marschieren zum Karzer, um ihre Kommi-

litonen zu befreien. Man läßt diese frei; aber da die auf=
geregten Jünglinge irgendein Opfer haben wollen, erhitzen
sich die Köpfe unter den vielfarbigen Mützen an dem Plan,
in die öffentlichen Häuser einzudringen, wo sich die alten
Herren amüsieren.

Ein Sturmlauf gegen die Gäßchen setzt ein, in denen die
Häuser sogleich ihre Fenster mit festen Läden verschließen; das
erste Haus wird gestürmt. Die Studenten dringen ein, zer=
schlagen alles, stürzen sich auf die Frauen. Unter den eifrigsten
ist ein kleiner grüner Student, Schüler der Nicolaischule. Er
scheint besessener, entfesselter als die anderen; das Schau=
spiel dieses Überfalls macht auf ihn einen „berauschenden
Eindruck". Nachdem die armselige Bude von oben bis unten
auf den Kopf gestellt ist, stürmen die Studenten wie ein
Wirbelwind nach einem ähnlichen Etablissement am anderen
Ende der Stadt. Aufs neue schlagen die Fäuste, beißen die
Zähne, verstricken sich die Körper; aufs neue zeichnet sich der
junge Gymnasiast durch Heldentaten aus, die ihm den Bei=
fall der keuschen Hüter der öffentlichen Sittlichkeit einbringen.
Die Nacht bricht an, kein Blut außer dem der jungen Mora=
listen ist vergossen; es ist eine sehr dunkle Nacht, da alle
Laternen zertrümmert sind und eine totale Mondfinsternis
herrscht. Als Richard am nächsten Morgen in seinem Beet=
hovenzimmer die Augen öffnet, bemerkt er auf der Erde die
einzige Trophäe, die ihm aus seinen ersten Erfahrungen als
Mann und Revolutionär geblieben ist: den Fetzen eines roten
Vorhangs.

Während der folgenden Wochen flackert der Aufstand
krisenhaft auf und beruhigt sich wieder. Die Studenten sind
die Schützer Leipzigs geworden, sie bilden Milizen und be=
ziehen die Wachen. Und wie es so geht: die aus Bürger=
kreisen stammenden Friedensstörer werden auf Betreiben ihrer
Professoren zu Verteidigern der Ordnung und des Eigentums;
sie werden von der Stadtverwaltung besoldet und beköstigt,

teilen sich in bewaffnete Kompanien und bekommen den Besuch ihrer Kommilitonen von der Universität Halle, Göttingen und Jena, die auf großen Wagen anrollen. Ihr Hauptquartier befindet sich bei Friedrich Brockhaus, dem Verleger, der auf diese Weise seine 120 Angestellten und seine Druckmaschinen schützt. Der Glanz des alten Hauses fällt auch auf Richard und läßt ihn hoch in der Gunst der Studenten steigen. Bald aber ändert sich die öffentliche Meinung: es stellt sich heraus, daß die „Studenten" sehr häufig nur Abenteurer und Schmarotzer sind. Eine Kommunalgarde wird geschaffen, wirkliche Soldaten erscheinen, und die Jugend zieht sich wieder in ihre Kneipen zurück.

Richard nimmt gleichzeitig den Schulbesuch wieder auf. Diesmal tritt er in die Prima der Thomasschule ein, aber deswegen gibt er die Musik nicht auf. Im Gegenteil, er fängt wieder an zu komponieren und vollendet bald eine Ouvertüre in B-Dur, die er Heinrich Dorn, dem jungen Orchesterleiter des Theaters, bringt. Er kennt diesen gut, da er ihn bei Brockhaus und in der Gesellschaft seiner Schwestern gesehen hatte. Zu seinem Erstaunen willigt Dorn ein, die Ouvertüre zu dirigieren. Dorn war ein Freund des Neuen, ein geistreicher, kultivierter und zu allerlei Ulk aufgelegter Mensch. Zunächst war er erstaunt über die profunde Kenntnis, die Richard von Beethovens Partituren besaß; niemand beherrschte sie in der Tat gleich ihm. Aber sonst — was wußte er? Was konnte er? Das mußte man eben sehen. Jedenfalls war seine Notenschrift von bemerkenswerter Schönheit, und die kleine Partitur, die er brachte, mit Sorgfalt ausgeführt. Um möglichste Eleganz und Klarheit zu erreichen, hatte der Junge die Partien der Streicher mit roter, die der Holzbläser mit grüner, die der Blechbläser mit schwarzer Tinte geschrieben.

Die Orchesterprobe ergab einen ungeheuren Lacherfolg. Die alten Musiker wollten nicht mitmachen, aber Dorn blieb fest,

und am Abend des Konzertes — des populären Weihnachts=
konzertes — wird das Stück unter dem Titel „Neue Ouver=
türe" ohne Verfassernamen gespielt. Richard ist wegen der
Wirkung auf das Publikum ein wenig unruhig und hält
seine Autorschaft geheim; nur seiner Schwester Ottilie, die
ihn ins Theater begleitet, erzählt er davon. Sie begibt sich
in die Loge der Brockhaus', während der Komponist Schwierig=
keiten hat, die Kontrolle zu passieren. Er muß endlich zu=
geben, der Komponist der „Neuen Ouvertüre" zu sein, um
einen Platz zu erhalten, und kommt gerade zurecht, um die
ersten Takte seines Werkes zu hören. „Das Hauptthema
des Allegros", erzählt Wagner, „war viertaktiger Natur;
nach jedem vierten Takte war jedoch ein gänzlich zur Melodie
ungehöriger fünfter Takt eingeschaltet, welcher sich durch
einen besonderen Paukenschlag auf das zweite Taktviertel
auszeichnete." Zuerst war das Publikum nur erstaunt, dann
aber rief die laute und regelmäßige Wiederkehr des Pauken=
schlags zuerst ein Lächeln, bald aber die größte Heiterkeit
bei den Zuhörern hervor. Der Komponist litt Märtyrer=
qualen, um so mehr, als er ja wußte, daß dieser Paukenschlag
fortissimo bis zum Ende des Stückes vorgeschrieben war. Er
verlor das Bewußtsein für das, was um ihn vorging, und
erwachte erst wieder, als die Musik aufhörte, „wie aus einem
unerhörten Traum". Da das Publikum aus rücksichtsvollen
Deutschen bestand, gab es weder Pfiffe noch Proteste, eine
Art von Erstarrung schien sich der Hörer bemächtigt zu haben.
Der Verfasser floh von seinem Platz und schämte sich ent=
setzlich vor sich selber.

Für viele junge Leute hätte eine solche Erfahrung das Ende
einer knabenhaften Eitelkeit und Verzicht auf alle Musik
bedeutet, Richard Wagner aber schrieb eine Ouvertüre zur
„Braut von Messina" und komponierte verschiedene Stücke
für Goethes „Faust". Dann wieder, veranlaßt durch den
Glanz seines zukünftigen Studententums, gründete er eine

Schülerverbindung nach dem Muster des mit Ruhm be=
deckten Korps „Saxonia". Die Hauptsache war natür=
lich, Kanonenstiefel und weiße Lederhosen zu tragen, mit
Rapieren zu fechten und so viel Bier zu trinken, wie man
nur in sich hineinschütten konnte. Auf der ersten Kneipe
wird er zum Subsenior gewählt. Aber die Schule duldete
solche Neuerungen nicht, und der Rektor verwies den Schüler
Wagner von der Schule, zumal er die Stunden doch ge=
schwänzt hatte. So verläßt er sein drittes Gymnasium, um
am 23. Februar 1831 als Student der Musik — Studiosus
musicae — die alte Universität Leipzig zu beziehen, nach deren
leichten Sitten und bunter Couleur er sich schon seit manchem
Jahr sehnte.

Obgleich Richard Wagner nicht ordnungsmäßig immatri=
kuliert werden konnte, wurde er trotzdem als Student einge=
schrieben. Er besuchte die Vorlesungen des Professors Krug
über Philosophie und die von Weiß über Ästhetik. Krug wird
ihm schnell langweilig; Weiß kennt er persönlich, da er oft
genug gehört hatte, wie sich Onkel Adolf mit ihm stritt.
Wenn sein Aussehen ihm auch gut gefiel, so gingen ihm
Weiß' abstrakte Ideen und sein unverständlicher Stil erheb=
lich auf die Nerven. So oft er ihn hört, stärkt sich seine Über=
zeugung, daß „die tiefsten Probleme des menschlichen Geistes
doch unmöglich für den Pöbel gelöst werden können". Wenn
es einen Geistesadel gibt, steht dieser sehr hoch und lebt im
Wolkenkuckucksheim — auch er wird da hinaufsteigen. Vor=
läufig aber gibt es anderes zu erleben als philosophische
Spekulation; zunächst die berühmte „Saxonia", deren Farben
Blau=Weiß sind, dann aber Mensur und Kommerslieder.
Unter den „alten Herren" — die schon 14 oder 15 Kneip=
semester hinter sich haben — findet Richard ein paar Helden
vom September 1830 wieder, besonders einen namens Geb=
hardt, der zwei Menschen mit ausgestrecktem Arm tragen
und eine im Trab vorbeifahrende Droschke durch einen Griff

in die Speichen anhalten kann. Ferner Degelow, Spezialisten für Mensuren und galante Abenteuer; Stelzer, der schon seit zehn Jahren studiert und Weltschmerz posiert; endlich und hauptsächlich Schröter, der die Poesie liebt, einen sanften jungen Mann von gewählter Redeweise, mit dem er gern zusammen ist. Sehr bald lud sich der kleine Wagner mit seinem Kampftemperament vier oder fünf Duelle auf den Hals, aber keiner dieser Zweikämpfe kam infolge einer Reihe von Zufällen, die zu denken geben, zum Austrag. Einem seiner Gegner wurde bei einem vorhergehenden Ehrenhandel die Arterie des rechten Armes durchgeschlagen, zwei andere mußten wegen Schulden flüchten; ein gewisser Fischer wurde am Abend, bevor er sich mit Richard schlagen sollte, in einem üblen Lokal in eine schwere Schlägerei verwickelt und mußte ins Hospital gebracht werden. Degelow endlich, der gefährlichste in diesem „Riesenklub", bekam in einem Duell einen Säbelhieb über die Brust und blieb tot auf dem Platz.

Diesen vereitelten Abenteuern folgen Feste, deren eines drei Tage und drei Nächte dauert. Richard bleibt bis zuletzt, denn Maßlosigkeit in allem ist der einzige Maßstab, den er kennt. Er entdeckt eine neue, erschreckende, berauschende Leidenschaft in sich: den Hang zum Spiel, zu den Karten. Er spielt zunächst, um die zwei Taler zu gewinnen, die der Anteil am Fest kostet. Wagners unaufhörlicher tragischer Kampf um Geld mit dem Schicksal beginnt während jener drei Nächte langen Studentensauferei. Ein paar Wochen versucht er sein Glück mit hohen und niedrigen Sätzen in allen Spielhöllen Leipzigs. Endlich gelangt er eines Tages, völlig wahnsinnig, bis an jene äußerste Grenze, an der das verzehrende Fieber der Leidenschaft den Menschen tötet oder ein für allemal von ihm getötet wird.

Diesmal hat Richard die Witwenpension der Mutter in der Tasche, mit deren Einkassierung er beauftragt worden ist. Er schwankt nicht eine Sekunde: spielen und alles für alles wagen! Wenn er die Summe verliert, von der das Dasein seiner Angehörigen abhängt, so wird er für immer aus dem Land verschwinden; wenn er gewinnt, wird er alle Schulden bezahlen und nie wieder eine Karte anrühren. Ein Schwur, den man kennt! Indessen tritt er mit Vertrauen an den Spieltisch, mitten unter die Schar alter Spielratten, ausgeplünderter Studenten, berufsmäßiger Spieler. Er spielt. Das Geld verflüchtigt sich. Er hat keine glückliche Hand, bei jedem neuen Einsatz schmilzt sein kleines Vermögen zusammen. Alles wandert fort bis auf den letzten Taler, der ihm bleibt — er preßt ihn krampfhaft in seiner brennenden Faust. Schließlich setzt er ihn, aber seine Erregung ist so stark, daß er schnell hinausgehen muß, um sich zu übergeben. Er kommt wieder herein und findet seinen Einsatz verdoppelt, dann vervierfacht, — und von diesem Augenblick an wendet sich ihm das Glück zu: er gewinnt, er läßt alles stehen und weiß, daß bei jedem Schlag seine ganze Zukunft im Umwenden der Karte liegt. Endlich hört der Bankier auf, und Richard kann das kleine Vermögen einstecken, das ihm gestattet, seiner Mutter ihr Teil zu geben und seine Schulden zu bezahlen. Er macht, daß er fortkommt, klettert zu Hause über die Mauer und fällt in einen tiefen Schlaf. „Hiermit hatte", sagt er, „jede Versuchung für immer ihre Macht über mich verloren." Er ist befreit und erwacht in einer unbekannten Welt. Wie immer nach heftigen Krisen der Seele, zeigte sich ein starkes Verlangen in ihm, alles Niedrige hinter sich zu lassen; der gereifte Verstand, das klare Auge erkennen die Ziele einer neuen Bestimmung.

Es ist Zeit für ihn, sich mit anderen Dingen zu befassen und nicht nur der Befriedigung seiner Leidenschaften nachzugehen. Infolge einer Art geistigen Rückschlages gibt sich Wagner diesmal mit Eifer und Ausdauer dem Studium der Harmonielehre und des Kontrapunktes hin. Leipzig besaß einen jener gewissenhaften Orgelpädagogen, die immer ihrem Beruf alle Ehre machten. Dieser Mann, mit Namen Theodor Weinlig, war Kantor an der Thomaskirche; er erkannte sofort, daß in dem kleinen Schüler Wagner ein eigenartiger, wenn auch undisziplinierter Wille steckte. Weit entfernt, ihn mit allzuviel Theorie abzuschrecken, versuchte er ihn für die Praxis zu interessieren und ihn sacht dahin zu bringen, die Regeln selbst zu suchen, damit Richard sein Können in der Richtung seines späteren Stiles entwickeln könne. Er wiederholte alles noch einmal, ging Schritt für Schritt von Beispiel zu Beispiel vor, stützte sich auf Bach und Mozart, verlangte von Richard, daß er die Themen, die sich in seinem Kopfe drängten, zu modulieren, zerlegen, verkleinern, vergrößern, als Fuge oder Kanon zu schreiben lerne, und ließ niemals Unklarheiten oder Fehler durch. Was Richard lange Zeit wie ein Schreibspiel oder leere Pedanterie erschienen war, wurde nun von jener zarten Helligkeit durchleuchtet, mit der das Wissen die geistigen Freuden durchdringt. Er lernte seine bevorzugten Meister gründlich kennen und schärfte dadurch den beobachtenden Blick und das innere Verständnis, die es erlauben, in einem Werk die Absichten und Feinheiten zu verfolgen, die der Komponist halb verschleiert hat. Nicht nur die Noten lehrte Weinlig seinen Schüler, sondern die Kunst, sie zu hören und ihrem Werte nach zu schätzen. Ohne es selbst zu wissen, legte Weinlig in Richard den Grund zu einer Feinhörigkeit, die eines Tages den Schüler infolge der Stärke seiner inneren Musikalität zum unvergleichlichen Orchesterleiter machen sollte.

Sechs Monate nach der ersten Stunde machte Weinlig Frau Geyer einen Besuch. Die ängstliche Mutter, die auf diesen Schritt keineswegs vorbereitet war, fragte sich, welche neuen Missetaten Richard wohl verübt haben könne, über die sich Weinlig beklagen wolle; zu ihrer größten Überraschung rühmt der Kantor die Arbeit ihres Sohnes auf das leb-

Sonate

Für das Pianoforte

componirt und

Herrn Theodor Weinlig

Cantor und Musikdirector an der Thomasschule zu Leipzig

hochachtungsvoll gewidmet

von

RICHARD WAGNER.

Eigenthum der Verleger.

Bei Breitkopf & Härtel in Leipzig.

Pr. 20 Gr.

Königl.
Bibliothek
Berlin

Eingetragen in das Archiv vereinigter Musikhändler

Das erste gedruckte Werk Wagners
Titel der Originalausgabe 1832

hafteste, ja er gibt sogar zu, daß er ihm nichts mehr bei=
bringen könne. An Stelle eines Zeugnisses erhält Richard
die Erlaubnis, bei den berühmten Verlegern Breitkopf und
Härtel zwei seiner Kompositionen drucken zu lassen, die 1832
veröffentlicht werden: eine Klaviersonate in B=Dur und eine
Polonaise in D=Dur mit den Opuszahlen 1 und 2. (Es ist
das einzige Mal, daß Wagner seine Werke numeriert.)

Ungefähr zur gleichen Zeit komponiert und vollendet er
eine Ouvertüre in D=Moll, die am 23. Februar 1832 im Ge=
wandhaus aufgeführt wird; diesmal steht sein Name auf
dem Programm und das Stück hat einen entschiedenen Erfolg.
Eine schöne Genugtuung für den mißglückten Versuch mit
dem Paukensolo! Die Kritik ist mehr als nachsichtig, lobt ihn
sogar, und die Zeitungen nehmen sich vor, den Namen des
Debütanten nicht zu vergessen, von dem niemand etwas
weiß. In diesem glückverheißenden Frühling wird noch eine
andere Ouvertüre Richard Wagners im Theater vor jeder
Aufführung von Raupachs „König Enzio" gespielt. Endlich
wird eine dritte Ouvertüre, diese in C=Dur, im Gewandhaus
anläßlich eines Konzertes zu Gehör gebracht, das die beliebte
Sängerin Mad. Palazzesi von der Italienischen Oper aus
Dresden veranstaltet. Der junge Komponist hat sie im besten
kontrapunktischen Stile aufgebaut, wie er ihn von Weinlig
gelernt hatte. Leider bildet Beethovens „Egmont", der auf
dem Programm steht, einen ausgesprochenen Gegensatz zur
ganz mathematischen Musik Richards. Wie mußte das Stück
ihm am Herzen liegen, da er sich solche Mühe gegeben hatte,
welche Enttäuschung mußte er empfinden, als seine Mutter
nach Beethovens Ouvertüre sagte, „daß diese Art Musik
doch mehr ergreife als so eine dumme Fuge"!

Von dieser Zeit an schlug Richard den Weg ein, den ihm
seine innere Stimme wies. Er fühlt, daß er sich nur selbst
finden kann, wenn er in die wilden Einsamkeiten zurückkehrt,
in denen er die freien Harmonien, die bestrickenden Wirr=

nisse seines wahren Lehrers, des alten, tauben Schöpfers der Neunten, zuerst vernommen hat. Sogleich macht er sich an ein neues Werk: die C-Dur-Symphonie.

Als er mitten in der Arbeit steckte, warf das politische Drama seinen grellen Schein nach allen vier Himmelsrichtungen und entzündete in Richard Wagners, wie in Chopins Seele heimlichen Brand. Was aber Chopin in seinen schmerzlichen Notturnos gestaltete, fand in Wagner ein anderes, vulkanisches Echo. Als nach der Einnahme von Warschau der Auszug eines ganzen Volkes beginnt, das die deutschen Lande überschwemmt, stürzt der junge Wagner in die Straßen, auf denen die Emigranten in ihren Wagen oder zu Pferde auf dem Weg nach Frankreich vorüberziehen. Er tritt an sie heran, spricht mit ihnen, bewundert sie; die Bewunderung mit ihrem stolz getragenen Elend erhebt ihn.

Eines Abends bemerkt er im Gewandhaus den berühmten Grafen Tyskiewitsch, einen der Helden von Ostrolenka, dessen sonnengebräuntes Antlitz, vornehme Haltung, verschnürter Rock und Samtbarett ihm außerordentlich gefallen; wenig später hat Wagner die hohe Ehre, dieses Musterexemplar seines neuen Ideals bei seinem Schwager Brockhaus zu treffen. Tyskiewitsch verbirgt seine Sympathie für den schweigsamen Jüngling nicht und ladet ihn sogar zu einem Fest ein, das die polnischen Flüchtlinge am 3. Mai zur Jahresfeier des Verfassungstages geben. Das Bankett wird schnell zur Orgie; man singt, man betrinkt sich, und Richard ist nicht am wenigsten begeistert: Tränen fließen, patriotische Rufe tönen, dann gibt es einen ungeheuren Tumult, der sich schließlich im Garten des Gasthofes verliert, wo die Festgenossen schmachtend paarweise zwischen den Gebüschen und auf den Rasenplätzen schwärmen.

Endlich war der Vorhang vor dem Schauspiel des Lebens aufgegangen. Die Sehnsucht jedes heißblütigen Wesens von

20 Jahren, seine neuerwachten Kräfte mit der gewaltigen, so langsamen, ungerechten, unlogischen, oft so harten Maschinerie des bürgerlichen Lebens zu messen, die sich aber manchmal dem, der ihren Gang verbessert, so dankbar erweist, zwingt Richard mit Notwendigkeit zu einer neuen Flucht. Wien, Hauptstadt der Musik, wo der finstere Beethoven in einer Dachstube lebte, Stadt, die den göttlichen Mozart so schlecht behandelt hatte, Wien soll bald auf seinem Pflaster, über das eben noch Chopins feingliedrige Gestalt dahinglitt, den studiosus musicae Wagner erblicken!

Der Graf Tyskiewitsch selber läßt den jungen Mann in seine berühmte, mit vier Pferden bespannte Kutsche steigen, vor deren Galopp die Fußgänger Leipzigs in die Torwege flüchten. Der Grandseigneur summt eine Melodie aus „Zampa"; aber sein kleiner Freund hat seine Symphonie in der Tasche, die alle schlagen soll. Was bedeuten „Zampa" oder die Potpourris von Strauß? Erfahrener Harmoniker seit gestern, bald auch erfahrener Lebenskünstler — und neunzehn Jahre ...

„Die Erfahrung und die Geschichte haben mich gelehrt, daß die nützlichsten Kräfte die sind, die sich zuerst am schlimmsten zeigen, andererseits aber bin ich von der Kraft meines Geistes überzeugt", sagt André Gide im „Vorurteilslosen Geist", „und würde mich wohl hüten, etwas von dem wegzuwerfen, was ganz mein eigen ist, und das ich also nach meiner festen Überzeugung noch sehr gut verwerten kann. Die Geisteselemente, die uns heute Unruhe schaffen, sind morgen unsere besten Freunde."

Solche unruhigen Elemente in Wagner haben wir vielleicht bis jetzt mehr geahnt als erkannt — immerhin, sie waren da. Ich hebe sie hervor und halte sie am Ende seines ersten Lebensabschnittes fest, da ich überzeugt bin, daß er später wirklich wissen wird, sie sehr gut zu verwerten. Ohne Zweifel findet sich manches Erschreckende in den Sehnsüchten, den Ver-

wirrungen, den Gewalttätigkeiten des Jungen. Daß er aber
von der Kraft seines Geistes überzeugt ist, zeigt die besondere
Art seines erstarkenden Charakters. Ich schreibe nicht die
Geschichte eines Wunderkindes, sondern ich berichte von der
langsamen und gesetzlosen Entwicklung eines Künstlers,
dessen gewaltige Größe darin bestehen wird, sich unaufhörlich
zu vervollkommnen, während der Mensch bis zum Schluß
ohne Entwicklung im Schatten seines Künstlertums bleiben
wird, schwer zu behandeln, unverbesserlich, gleichsam die
teuflische Kehrseite, die ihr heroisches Ideal höhnisch angrinst.

VI

Die Feen

„Die Cholera stand leibhaftig vor mir: ich sah sie und konnte sie mit Händen greifen, sie kam zu mir ins Bett, um= armte mich; meine Glieder erstarrten zu Eis, ich fühlte mich tot bis an das Herz hinan. Ob ich geschlafen oder gewacht, ist mir gänzlich unbewußt geblieben; nur wunderte ich mich im höchsten Grade, als ich beim Tagesgrauen lebendig auf= stand und mich vollkommen gesund fühlte. So gelang es mir denn auch glücklich, bis Wien zu entkommen, wo ich mich alsbald gegen die auch dort herrschende Seuche vollständig unempfindlich verhalten konnte."

Die Cholera, oder auch der Teufel: das war der berühmte Johann Strauß, Verfasser einer Menge von Walzern und Potpourris, die von einem Ende der Donaumonarchie bis zum anderen gesungen wurden. Der junge Reisende sah ihn sein Orchester dirigieren; Strauß führte es, seine Violine in der Hand, zum Angriff, wie ein Offizier seine Reiter dem Feinde entgegenwirft: in einem Zustand von brüllender Begeisterung. Zampa und Johann Strauß: das bedeutete Wien im rau= schenden Sommer 1832. Beethovens Schatten genierte nie= manden in der tanzenden Hauptstadt — nicht einmal den jungen neunzehnjährigen Wagner, der, stolz auf seinen keimenden Backenbart, seinen hohen Hut und seine Kaschmir= hosen, eigentlich von den lustigen Abenden im Theater An der Wien entzückt war. Ohne etwas sentimentale Musik, auf die

sein Herz mit Ungeduld wartete, wäre das Ganze unvoll=
kommen geblieben; sie sollte bald ertönen. Als Richard einen
Monat später auf dem Schloß Pravonin des Grafen Pachta,
einige Meilen von Prag entfernt gelegen, angekommen war,
hatten die beiden natürlichen Töchter des Grafen, Jenny und
Augusta Raymann, nichts Eiligeres zu tun, als ihm den Kopf
zu verdrehen. Sie waren Freundinnen seiner Schwester Ottilie,
und Richard begann endlich seinen Beruf als Liebhaber, den
einzigen Beruf, in dem man als Mann nach der Tiefe der er=
haltenen Wunden eingeschätzt wird.

Wir können der Liebelei Wagners mit Jenny Raymann
keine große Bedeutung zusprechen. Es blieb bei einem Aben=
teuer von ein paar Wochen. Aber hier hören wir die ersten
Schreie eines Kämpfers, der später noch ganz andere fürchter=
lichere ausstoßen sollte; hier sehen wir seine Entzückungen,
seine erste Niederlage. „Denke Dir“, schrieb er an seinen
Freund Apel, „ein Ideal von Schönheit und meine glühende
Phantasie, so hast Du alles ... Mein idealisierendes Auge
erblickte in ihr alles das, was es zu erschauen wünschte, und
das war das Unglück! Ich glaubte Erwiderung zu gewahren...
ach, und — Du wirst Dir alles, was eine glühende Liebe ver=
wunden kann, denken können; — was sie aber töten kann, ist
fürchterlicher als alles! — Vernimm es denn, und schenke
mir Dein Mitleiden: sie war meiner Liebe nicht wert.“ Das
klingt reichlich naiv, aber die Menschen drücken sich, mit mehr
oder weniger Geschmack, im allgemeinen so aus. Für die
Feder eines Jünglings scheinen die Worte indessen recht un=
gewöhnlich: sie zeigen genau die Symptome des Fiebers, das
alle Menschen erfaßt. Die erste Attacke zeigt ein für allemal die
Kurve, die künftige Fieberkrisen durchlaufen werden: willige
Vergötterung der Geliebten, gekränktes Selbstgefühl, leiden=
schaftliches Sichlosreißen, schließlich stolze Verachtung. Auf
solche Weise trat die Liebe zum Weibe in das Leben des Jüng=
lings; schmerzlich für alle Frauen, die ihn künftig lieben werden.

Jenny und Augusta amüsierten sich über den kühnen Jünger der Liebe, hüteten sich aber wohl, ihn ernst zu nehmen, da sie darauf angewiesen waren, eine dauernde Verbindung unter dem kleinen Adel der Nachbarschaft zu suchen. Ohne Zweifel haben sie niemals erfahren, welche Keime des Hasses und der Dichtung sie in ein heißes Herz gesenkt hatten. Als sich Richard nach sechswöchigem Aufenthalt auf Schloß Pravonin von den beiden schönen jungen Mädchen verabschiedete, hätte er nicht sagen können, ob er verliebt oder wütend war. „Ich ward hart und beleidigend, verlor mich in Erläuterungen des Geistes der französischen Revolution . . ." Ohne Zweifel liebte er sie, ohne Zweifel wünschte er sie sich beide zu Geliebten, ohne Zweifel schwankte er, ob er zwei Heilige anbeten oder die Gefährtinnen seiner Lust von der Höhe seiner zugleich zärtlichen und tyrannischen Seele aus verachten solle. Jedenfalls waren es lehrreiche Ferien für den, der lernen wollte zu leben. Er hatte sich eingebildet, daß seine Wünsche ansteckend wirken müßten, aber nun hieß es zum Rückzug blasen und sich dem niederziehenden Geständnis beugen, daß Frauen vor allem für drei Dinge empfänglich sind: Schönheit, Erfahrung und Geld (ihre einzige Sehnsucht). Geld hatte er keins, Erfahrung — keine. Und Schönheit? Ist es nicht eine schreckliche Ungerechtigkeit, daß er klein von Statur und groß von Gefühl ist? Kann sich ein hübsches Mädchen für einen so kleinen Mann begeistern? Er haderte mit Gott, mit der Natur, mit seinem Pech. Und Napoleon, Beethoven, Cäsar? Haben nicht gerade diese kleinen Männer das Glück bezwungen, diese leichte Dirne? Geld und Erfahrung — die würden sich schon finden.

Er packt die Entwürfe seiner neuen Dichtungen und seine Musikmanuskripte ein, verabschiedet sich von den Sternen, die über dem Schlosse stehen, von den alten Bäumen im Park und von seinen reizenden verderbten Komtessen. Dann richtet er sich in Prag ein, bekommt es dort schnell heraus, sich gegen mittelmäßige Musiker geschmeidig und gerissen zu benehmen, und erreicht dank dieser Fähigkeit, daß seine C=Dur=Symphonie aufgeführt wird. Vor allem aber komponiert er kurz ent= schlossen seine erste Oper „Die Hochzeit" auf ein ganz neu gedichtetes Libretto.

„Zwei große Geschlechter hatten lange in Familienfeindschaft gelebt und waren nun dazu vermocht worden, sich Urfehde zu schwören ... Ein greises Haupt der Familie, eine junge Braut, der geliebte Bräutigam ... das Hochzeitsfest wird durch das Eindringen des Nebenbuhlers tragisch unter= brochen ..." Eine Umdichtung von „Romeo und Julia", in die aus weiter Jugendferne „Leubald und Adelaide" mit hineinklingt. Leidenschaftliche Handlung und fremde Namen: Ada, Arindal, Hadmar, Admund. Er weiß selbst nicht, wie er auf diese heraldischen Ritter, diese Gesellschaft von Burg= grafen, bleichen Heldinnen, Ehrendamen und bärtigen Sene= schalls kommt. Natürlich endigt dieses „vollkommene Nacht= stück von schwärzester Farbe am Sarge des Erschlagenen. Schwarz in schwarz". Ein schöner Kontrast zu Jennys frischem Rosenmund!

Als die Dichtung fertig und die Arbeit an der Partitur in bestem Zuge war, schickte Richard das Ganze an seine älteste Schwester Rosalie, die er jetzt am meisten achtet und liebt, weil er sie einmal über ihre verfehlte Jugend hat weinen sehen — heimliche Tränen, bei denen er sie zufällig überraschte. Das hatte auf Richard einen tiefen Eindruck gemacht: heimliche Scheu und Beklemmung, Liebe und Achtung flossen ineinander und versetzten ihn in geheimnisvolle Erregung. Gerade diese Schwester hatte er immer für die glücklichste von allen ge= halten. Ihre Gagen als Schauspielerin trugen ein gut Teil zum Lebensunterhalt ihrer Familie bei. Sie wohnte in der Wohnung ihrer Mutter, wurde verwöhnt, verhätschelt und ehrfurchtsvoll betrachtet, ja vergöttert. Alle nannten sie „Geistchen", wie Geyer sie genannt hatte. Ihre sorgfältig aus=

gewählten Freundinnen schienen einer kultivierteren Gesellschaftsschicht anzugehören, ihre Urteile galten als Gesetz. Und gerade sie hatte er in Tränen gefunden! Ihr widmete Richard jetzt seine Arbeit; ihr zuliebe wollte er seine leichtsinnige Vergangenheit wieder gutmachen, sie sollte ihm die Achtung vor ihrem ganzen Geschlecht wiedergewinnen, die ihm die bösen Komtessen fast geraubt hatten. Auch als Rosalie ihrem Bruder „Die Hochzeit" zurückschickte und erklärte, sich für dieses düstere Werk nicht interessieren zu können, faßte er schnell seinen Entschluß und zerriß, ohne weiter darüber traurig zu sein, das Manuskript. Zum ersten Male ist seine Eigenliebe nach einer solchen Erfahrung nicht verletzt, zum ersten Male ergreift ihn das Gefühl, daß nur der, welcher imstande ist zu zerstören, die Kraft zum Schaffen hat.

Sicher ist die Fähigkeit, etwas aufgeben zu können, eine Kraft; ob man nun verfehlte Manuskripte zerreißt oder auf ein gemeinsames bequemes Leben verzichtet. Was wollte er noch in Leipzig im Schoße seiner Familie, auf deren Kosten er lebte? Ehrenvoller wäre, sich sein Brot zu verdienen, und richtiger, sein Leben woanders aufzubauen. Er entschließt sich also, für lange Zeit fortzugehen und sich dem glücklichen Zufall anzuvertrauen. Dennoch versuchen seine Angehörigen, ihn zurückzuhalten, selbst seine Schwester Rosalie beginnt an die Zukunft ihres seltsamen Bruders zu glauben und möchte ihn in Leipzig festhalten. Einer seiner neuen Freunde, Heinrich Laube, der Gründer der literarischen Gruppe des „Jungen Europa", der anfangs außerordentlich große Erfolge hatte, spricht sich zugunsten des neuen Komponisten aus. Einige Wochen nach der ersten Aufführung der C-Dur-Symphonie, die am 10. Januar 1833 im Gewandhaus stattfindet, schreibt Laube einen wichtigen Artikel über Wagner und sagt ihm eine große musikalische Laufbahn voraus. Laube ging sogar in seiner ersten wagnerianischen Begeisterung so weit, dem jungen Mann ein Libretto vorzuschlagen, das zunächst Meyerbeer zugedacht war; der Stoff behandelte den polnischen Nationalhelden Kosciuszko. Aber Wagner wußte wohl, daß seine Musik bereits zu stark war, um sich wie Efeu um einen fremden Stamm zu ranken. Er reiste nach Würzburg und lehnte von dort aus brieflich das schmeichelhafte, aber unannehmbare Angebot ab. Das war mutig, aber wenig diplomatisch. Indessen war Laube nicht gekränkt. Vielleicht fühlte er selbst, daß der junge Mann ganz allein seinen Weg machen würde.

Nach Wien konnte Würzburg nur die bescheidenen Reize einer alten Provinzstadt bieten. Immerhin ist es der Geburtsort von „Hoffmanns Erzählungen". Richard fand dort seinen Bruder Albert wieder, den er mehrere Jahre lang nicht gesehen hatte. Dieser war verheiratet, hatte zwei reizende Töchterchen und erfüllte im Theater die Aufgaben eines Tenors, eines Schauspielers und eines Regisseurs. Er war ein wahrer Sohn der Wagnerschen Familie, die wie keine andere den Musen diente. Dank seiner Protektion erlangte der Jüngere bald als Chordirigent eine Anstellung beim Theater, die ihn befähigte, anspruchslos in einem bescheidenen möblierten Zimmer der Kapuzinergasse, zwei Schritte von seinem Bruder, zu wohnen. Nun bot sich ihm die Gelegenheit, seine leidenschaftliche Lernbegier zu befriedigen. Während des Winters und des Frühjahrs 1833 führte die Truppe in schneller Folge „Zampa", den „Wasserträger", den „Vampir" von Marschner, den „Freischütz", „Fidelio", „Tankred", „Fra Diavolo" und zum erstenmal den berühmten „Robert den Teufel" von Meyerbeer auf, in dem Albert die Titelrolle sang. Je mehr er mit den Chor- und Orchesterproben der neuen Werke zu tun hatte, desto heftiger fühlt Richard das Verlangen, der in ihm sich bildenden eigenen Musik Ausdruck zu geben. Ideen, Themen, Ensemblesätze fallen ihm ein, bald ergreift ein neues Schöpfungsweh den vor Schaffensdrang fiebernden Jüngling. Er findet in einer Erzählung von Gozzi, „La donna serpente", den Stoff, den er braucht, der seinem Geschmack für das Pittoreske und seinem Hang für das Symbolische entgegenkommt. Sogleich arbeitet er ihn nach seiner Weise um, knetet ihn immer von neuem, tauft die Figuren mit ossianischen Namen und baut seine Dichtung „Die Feen" auf.

„Mein Prinz hieß Arindal; er war von einer Fee Ada geliebt, welche ihn, seinem Reiche entrückt, in ihrem Zauberlande festhält, bis er von seinen Getreuen aufgesucht und endlich gefunden wird, um durch die Kunde von dem Verfall seines Landes, welches bis auf die Hauptstadt in Feindeshände geraten ist, zur Rückkehr vermocht zu werden. Die liebende Fee sendet ihn selbst in die Heimat zurück, da sie durch einen Schicksalsspruch genötigt ist, dem Geliebten die härtesten Proben aufzuerlegen, durch deren siegreiche Bestehung allein er ihr die Möglichkeit zu bereiten hat, aus der unsterblichen Feennatur auszuscheiden, um als liebendes Weib das Los der Sterblichen teilen zu können. Dem bereits durch die Wiederkehr in sein zerrüttetes Land entmutigten Königssohn erscheint in der Stunde der größten Bedrängnis die Gattin, um durch Handlungen der unbegreiflichsten Grausamkeit seinen Glauben an sie absichtlich zu erschüttern. Unter dem Zusammenwirken aller Schrecken gerät Arindal in den Wahn, bisher von einer bösen Zauberin verführt worden zu sein und sucht der verderblichen Macht dieses Zaubers durch Ausstoßung seines Fluches über Ada sich zu entziehen. Wütend vor Schmerz stürzt die unglückliche Fee zusammen und enthüllt nun dem ewig Verlorenen ihr gemeinsames Schicksal, und daß sie zur Strafe für den dem Feenspruch gebotenen Trotz verurteilt sei, ewig in einen Stein verwandelt zu werden (so nämlich hatte ich die Gozzische Verwandlung in eine Schlange umgeändert). Sofort bewährt sich, daß alle durch die Fee heraufbeschworenen Schrecknisse nur Täuschung waren: Sieg über die Feinde, Blühen und Gedeihen des Reiches stellen sich in zauberischer

60

Schnelligkeit ein. Nur Ada wird von den Vollzieherinnen des Schicksalsspruches davon geführt, und Arindal bleibt in vollem Wahnsinn zurück. Diese Leiden des Wahnsinns genügen jedoch den grausamen Vollstreckerinnen des Feenspruchs nicht; um seine gänzliche Vernichtung zu erlangen, erscheinen sie dem büßenden Frevler und fordern ihn auf zum Weg in die Unterwelt, mit dem heuchlerischen Vorgeben, ihm die Mittel zu Adas Entzauberung zeigen zu wollen. Wirklich erreicht diese feindlich gemeinte Kunde, daß Arindals Wahnsinn sich zu erhabenster Begeisterung wendet; ein dem Königshause treuer Zauberer hat ihn außerdem mit Wunderwaffen und Werkzeugen ausgerüstet, mit denen er nun den verräterischen Feen folgt. Diese geraten in Staunen und Entsetzen, als sie Arindal einen Kampf nach dem andern mit den Ungeheuern der Unterwelt siegreich bestehen sehen; nur als sie ihn zu der Gruft geleitet haben, in welcher sie auf einen menschlich ge= stalteten Stein deuten, fassen sie Mut, den kühnen Eindringling erliegen zu sehen: denn diesen Stein, welcher Ada selbst berge, habe er zu entzaubern, wenn er nicht selbst gleich ihr auf ewig in gleicher Weise verwandelt sein solle. Arindal bedient sich nun des zuvor ihm unverständlichen Werkzeuges, der ebenfalls ihm von dem Zauberer mitgegebenen Leier, zu deren Klang er seine Klagen um die verzauberte Geliebte, seine Reue und übermäßige Sehnsucht ausströmen läßt. Diesem Zauber erweicht sich der Stein; die Geliebte ist erlöst, die Pracht der Feenwelt tut sich auf, und dem gewaltigen Sterblichen wird eröffnet, daß Ada durch seinen früheren Wankelmut zwar das Recht, der Unsterblichkeit zu entsagen, verloren habe, dagegen dem aller Zauber mächtigen Geliebten das Reich der Feen selbst zu seinem ewigen Wohnsitz an Adas Seite offen stehe."

Mit diesen Worten erzählt Wagner seinen Text. Wir geben sie hier wieder, um seinen besonderen Ausdruck zu bewahren, und weil sich in ihnen bereits eine Philosophie des Willens, eine Übersteigerung des Mutes und ein Kampf zwischen Mensch und Gott findet, den das Schicksal allein entscheidet; all das sollte später die Grundlage seiner Ethik werden. In diesem allzu überladenen, etwas konfusen und teilweise ganz verfehlten Text ruhen die Keime des „Tannhäuser", des „Lohengrin" und der „Tetralogie". Hier stoßen wir auf den Wunsch, zwanzig Begebenheiten in einer zu vereinigen, auf die Überzeugung, daß das Leben eine Verstrickung von Gesetzen, Begierden und Niederlagen bedeutet, die aus jeder Handlung eine verwickelte Tragödie des Geistes machen; eine Gewißheit, an der dieser Erforscher menschlicher Schicksale immer festgehalten hat. „Die Feen" sind ebenso in der Musik wie in der Dichtung eine Vorahnung. Da ist das vollkommene Vertrauen in die Macht der Liebe; wir finden Musik und Liebe immer in diesem Genie vereinigt. Die Entzückungen, die Liebestränke, die den Liebenden auferlegten Prüfungen, der Einzug des erwählten Paares in das Paradies, all das wird sich später erweitert und vertieft in den Musikdramen wiederfinden. Hier haben wir bereits die Skizze der Themen, ihrer Steigerungen und Entwicklungen, die wie ein Glockenspiel aus dem tönenden Turm erklingen, der die wagnerische Seele bedeutet.

Ende 1833 ist das Werk vollendet. Der studiosus musicae steckt mit Befriedigung seine Nase aus dem Fenster, nachdem er unter die Partitur ein „finis, laudetur deus, Richard Wagner" geschrieben hat. Er sieht den Schnee auf die Dächer Würzburgs fallen, es ist Mittag, und er fühlt sich froh. Ein Glockenspiel tönt mit vollem Schwung: ein gutes Zeichen! Er schreibt an Rosalie, verteilt wie alle wahren Dramatiker die Rollen und bestimmt die Sänger. Er braucht zum mindesten eine Devrient für die Hauptrolle, ferner die junge Gebhardt, Eichberger, seinen Bruder Albert — eine ganze Menge Menschen. Aber man muß bedenken: fünf Soprane, drei erste Tenöre, ein Bariton, vier Bässe, von den Episodenrollen und den Chören ganz zu schweigen. Er sieht

Großes, sehr Großes; eine ganze Rasse, ein ganzes Volk, einen ganzen Götterhimmel.

In diesem jungen, am Fenster stehenden Dichter glimmt jene sonderbare Krankheit der Künstler, an der sie unaufhörlich sterben, um neu geboren zu werden. Er ist jetzt schon von den Plänen völlig erfüllt, deren Geburtswehen ihm immer eine mit Schmerz gemischte Freude bereiten werden und die er später nennen wird: „Die Schöpfung einer ungeschaffenen Welt."

VII

Der Becher des Sokrates

Im Anfang des Jahres 1834 nach Leipzig zurückgekehrt, versucht Richard sein neues Werk beim Theater anzubringen. Aber er stößt auf starken Widerstand, der diesmal von einem braven Manne, dem Regisseur Hauser, ausgeht. Dieser war in der strengen Schule Bachs erzogen und warf selbst Mozart gewisse Freiheiten vor. Wie konnte er die kühnen Harmonien des jungen Wagner schätzen, für den jede Abweichung von der Regel bereits, ohne daß er es schon zugibt, die erste ästhetische Forderung ist! Hauser lehnt die „Feen" ab, und der darüber ärgerliche, aber sich klug beherrschende Komponist ergreift die Feder, um für sein Werk zu kämpfen. Noch ohne etwas von der schriftstellerischen und polemischen Laufbahn zu ahnen, auf die ihn das dumpfe Unverständnis der Intendanten und Direktoren verweisen sollte, rechtfertigt sich Wagner. Man wirft ihm seine Tendenz vor? Es ist die seiner Zeit. Man fragt, warum er nicht wie Haydn instrumentiert? Weil er Richard Wagner ist. Er hat keine Kenntnis der Orchestermittel? Er verkennt die Gesetze der Harmonielehre vollkommen? Darauf ist nichts zu erwidern. Es ist dies die Stellung des Getadelten gegen den Tadler und den Tadel selbst. Aber warum will man ihm nicht glauben, daß auch er ein Herz besitzt? Man möge ihm erlauben, dem Kapellmeister sein Manuskript zu unterbreiten, man möge ihn wenigstens „diesmal Gott versuchen" lassen. Nein? Gut, dann nicht. Die Gelegenheit soll sich für ihn noch nicht finden. Hauser hält seine Weigerung aufrecht. Richard tröstet sich, als er die Schröder-Devrient hört, die in Leipzig den Romeo in Bellinis Oper singt. Dann nimmt er wieder die Feder zur Hand und schreibt seinen ersten Artikel für die „Zeitung für die elegante Welt", die sein Freund Laube herausgab.

„Für meine Stellung und den Weg, den ich mir bahnen muß, fühle ich und fühlen es die Meinigen durchaus nötig, diese Bahn einzuschlagen und — die Täuschung liegt zwar überall —, aber ich denke: sie soll mich nicht ganz zum Verderben führen. Legen Sie, ich bitte, dem jetzt betretenen Weg der Unterhandlungen kein entschiedenes Hindernis entgegen, und genehmigen Sie, um auf der gleichsam amtlichen Bahn ruhig fortzufahren, daß ich die Partitur abholen lasse, um sie in die offiziellen Hände des Herrn Kapellmeisters zu legen. Lassen Sie mich diesmal noch Gott versuchen."

Hier klingt das fröhliche Lied des kleinen sächsischen Arbeiters, der das freie Spiel seiner Muskeln fühlt: es ist der alte Jubelgesang der Jugend, die sich zum erstenmal von Mut und Lebenskraft beseelt fühlt. Man möchte tanzen und ist von dem naiven und schönen eigenen Werk wie betäubt. Nichts mehr von Eltern und Vorgängern — nur wir! Nur ich! Zum Teufel mit dem faden Bellini und dem banalen Auber: wir wollen nicht einmal mehr die alte „Euryanthe" von Weber! Immerhin bleibt er atemlos vor Beethoven und Shakespeare stehen... Was sind sie im Verhältnis zu ihm? Das wird man später sehen. Für den Augenblick soll der Frühling uns von aller Sünde freisprechen, sei es selbst von der gegen den Geist. Und da das Theater sich entschieden weigert, die „Feen" aufzuführen, macht er eine Reise nach Böhmen. Freund Theodor Apel, Sohn eines wohlhabenden Literaten, bietet ihm einen Reisewagen und seine Börse an. Wagner greift mit Vergnügen zu, und sie mieten zusammen eine schöne herrschaftliche Kutsche: von Gasthof zu Gasthof reisend, gelangen sie nach Teplitz, um sich dort mehrere Wochen lang im „Hotel zum König von Preußen" aufzuhalten.

An einem schönen Junimorgen steigt Richard allein auf die Schlackenburg, die über der Stadt liegt, setzt sich ins Gras und zieht sein kleines Notizbuch aus der Tasche, um die Skizze zu einem neuen Werk zu entwerfen: zum „Liebesverbot". Noch einmal, zum letztenmal, regt die Welt Shakespeares, regen seine Leidenschaften, seine Heiterkeit, sein Ernst, seine himmlischen und dämonischen Gestalten die Phantasie des jungen Komponisten an. Er will sein neues Stück der düsteren Komödie aufpfropfen, welche „Maß für Maß" heißt. Zunächst verlegt er den Bühnenschauplatz aus dem fabelhaften Wien Shakespeares in das sonnendurchglühte Palermo. Er behält das Hauptthema des Dichters (die Besessenheit des sittenstrengen Statthalters, der alle ihm zu Gebote stehenden Mittel zur Erfüllung seiner Wünsche verwendet) bei und läßt unwichtige Motive wie den Gerichtsapparat und die puritanische Reform aus, um sich nur der Verherrlichung der freien Sinnlichkeit hinzugeben. Er sucht nur eins: „das Sündhafte der Heuchelei und das Unnatürliche der grausamen Sittenrichterei aufzudecken".

Es ist ein typischer Fall von Verdrängung, dem ein heftiger Ausbruch von Sexualität folgt, die seit langem in seinem Körper nach Erlösung schrie. Ohne die Liebesleidenschaft zu kennen, atmet und schlürft er sie ein und ist entschlossen, stets ihren ungehinderten Genuß zu fordern. In der Gruppe des „Jungen Europa" nannte man das „Befreiung des Fleisches". In dieser neuen Verstrickung der Sinne und der Gefühle empfindet Wagner kaum etwas anderes als eine merkwürdige, von Zweifeln unterbrochene, aber immer sich wieder erhebende Freude, die sich bei ihm im schöpferischen Drang äußert.

Kaum ist diese Skizze zu Papier gebracht, als Apel und Wagner nach Prag zurückkehren. Dort treffen sie die hübschen Komtessen Pachta-Raymann wieder, deren Vater vor einiger

Zeit gestorben war. Richard zeigt sich ironisch, leichtsinnig, phantastisch und bleibt ganz frei von jeder Sentimentalität. Nachdem die jungen Leute so bewiesen hatten, daß die zarten Blümchen ihrer Gefühle schnell verwelkt waren und sie reif geworden seien, sich von nun an den wichtigen Pflichten des Lebens zu unterziehen, kehren sie nach Leipzig zurück.

Die Familie Wagner erwartete Richards Rückkehr mit Ungeduld und hielt eine große Neuigkeit für ihn in Bereitschaft: das Magdeburger Theater, das gerade sein Sommergastspiel im Bade Lauchstädt gab, suchte einen Dirigenten und bot ihm die Stelle an. Das hieß zwar völligen Verzicht auf die Aufführung der „Feen", aber es bedeutete auch Unabhängigkeit — ein wirklicher Anfang, die erste Sprosse auf der Leiter.

Sein Entschluß ist schnell gefaßt, er reist ab. Sogleich nach der Ankunft in Lauchstädt begibt er sich zum Direktor, einem kleinen Manne in Schlafrock und Mütze, der viel redete und dazu aus kleinen Gläschen Schnaps trank. Der Eindruck ist schlecht und wird noch schlechter, als der Regisseur ihm dann sagt, daß alles drunter und drüber geht, daß der Direktor sich um nichts kümmert, daß das Orchester nicht proben will, und daß trotzdem am nächsten Sonntag „Don Juan" gegeben werden soll... Während dieser Worte „langte der Mann beständig durch das offene Fenster nach dem Zweige eines Kirschbaums, von welchem er sich pflückte, in einem fort aß und die Kerne ausspuckte". Da Wagner sonderbarerweise eine angeborene Abneigung gegen Obst hatte, beschloß er sofort, auf den Posten zu verzichten, den man ihm anbot. Aber immerhin, aus Höflichkeit mußte er eine oder zwei Nächte in Lauchstädt bleiben. Ein junger Schauspieler begleitete ihn zu der Wohnung, die in einem guten Hause der Stadt für ihn gemietet worden war. Im Augenblick, da er die Schwelle überschreiten will, bemerkt er eine junge Frau, deren Haltung und Schönheit so angenehm von allem abstechen, was Richard während des Morgens gesehen hat, daß ihr Anblick ihn völlig verwirrt. Es ist eine Schauspielerin, die erste Liebhaberin der Truppe. Wagner wird sogleich von seinem Begleiter dem Fräulein Wilhelmine Planer vorgestellt, die erstaunt den jugendlichen Dirigenten betrachtet, während er das „anmutige und frische Äußere" der Künstlerin und ihre „große Gemessenheit und ernste Sicherheit der Bewegungen und des Benehmens" bewundert. Im gleichen Augenblick beschließt Wagner, „Don Juan" zu dirigieren und eine Verantwortung auf sich zu nehmen, die ihm noch vor einer Viertelstunde unannehmbar erschienen war.

So war „das Los geworfen". Zwei Menschen haben sich in die Augen gesehen, die sich während ihres ganzen Lebens streiten, begehren und hassen sollten; trotz allem lang dauerndem Unglück aber brach sich ihre Zärtlichkeit oft genug Bahn. Elend und beständiges Leid zerrissen ihre Hoffnungen und knüpften das Band immer wieder zusammen. Aber niemand hat das Recht, ein Unglück zu bedauern, das in der Minute begann, da diese beiden einander widerstreitenden Strömungen sich trafen. Man weiß nicht, welchen Weg Wagner gegangen wäre, wenn er nicht so viele Qualen und Leiden zu erdulden gehabt hätte. Wir müssen der kleinen Schauspielerin mit all ihrer Eifersucht und ihrem Schmerz Dank wissen, die den geliebten Mann in schlimme, ja verzweifelte Lagen brachte, aus denen unendlich reiche Früchte sprießen sollten. Das tiefe Drama der Menschen liegt darin, daß sie nur vorwärtskommen können, wenn sie sich entweder selbst opfern oder von andern Opfer verlangen; nur wenige wählen das erste, vielleicht noch wenigere haben den Mut, die Aufopferung der andern bis zum äußersten zu verlangen. Wagner tat beides. Er hatte lange die Beharrlichkeit, alles zu ertragen, selbst seine eigene Schwachheit und Feigheit; dann kreuzigte er die Frau, die er nicht mehr lieben konnte. So hatte der erstaunliche Egoist die Ehre, den Becher des Sokrates zu leeren, der nur den Bekennern ihrer eigenen Wahrheit kredenzt wird.

Wilhelmine Planer, genannt Minna, war hübsch, von eleganter Haltung und einer kalten, ziemlich berechneten Koketterie und, obgleich keineswegs spröde, gar nicht sinnlich. Sie war fünfundzwanzig Jahre, vier Jahre älter als Wagner. Dieser Altersunterschied, der bei so jungen Menschen wenig hervortritt, sollte indessen sehr bald ihrem Benehmen gegen ihn etwas Mütterliches geben. Der angehende Kapellmeister war sofort von der ernsten Seite ihres Charakters gefangen, die zur schamlosen Frivolität der übrigen Truppe im Gegensatz stand. Minna verkehrte wenig mit ihren Kollegen, arbeitete still für sich und erschien im Theater nur zu den Stunden der Aufführungen und der Proben. Sonst schloß sie sich in ihr Zimmer ein oder besuchte ihre persönlichen Freunde. Da sie hübsch war, fehlten ihr diese keineswegs, so daß Richard bald eifersüchtig wurde, als ob er schon Rechte an dieser jungen Frau hätte, von der er gar nichts wußte.

Als er eines Abends spät nach Hause zurückkam, merkte er, daß er den Hausschlüssel vergessen hatte. Er mußte an der Mauer hinaufklettern, um durch das Fenster in seine Wohnung einzusteigen, als sich das über seinem Kopfe gelegene öffnete und Minna Planer im Schlafrock ihm freundlich die Hand entgegenstreckte. Wenige Tage später mußte er sich wegen einer Gesichtsrose ins Bett legen. Minna pflegte ihn und versicherte ihm, daß sein geschwollenes Gesicht sie nicht weiter störe. Als Wagner geheilt war, blieb nur ein Ausschlag am Mund zurück, und Minna, die entweder tapfer oder gleichgültig war, scheute sich nicht, diesen kranken Mund zu küssen. „Dies geschah ihrerseits mit einer freundlichen Ruhe und Gelassenheit." Sie war eine gutmütige kleine Spießbürgerin, die sich weder viel um Liebe, noch um Ruhm kümmerte. Ihre praktische, einfache und hausbackene Natur suchte vor allem einen sicheren Hafen und eine Zukunft ohne Unruhe. Da sie aber weder sehr klug noch sehr feinfühlig war, bemerkte sie den Irrtum nicht, den zu begehen sie im Begriffe stand, als

sie sich an der Seite ihres lebhaften Hausgenossen eine Zukunft erwartete, in der regelmäßige Arbeit mit angenehmen
Ruhepausen abwechseln würde. Trotzdem zögerte sie. Denn
als die Truppe Lauchstädt verließ, um nach Rudolstadt zu
gehen, begleitete sie ein Herr, den man Richard als ihren Liebhaber oder ihren Bräutigam gezeigt hatte. Er platzte beinahe
vor Wut, aber was sollte er tun? Vielleicht sich nur einfach
von ihr lieben lassen? Er hatte sich gerade dazu entschlossen,
als Minna verschwand. Während langer Wochen verloren sie
sich aus dem Gesicht; dann fanden sie sich in Magdeburg
wieder, wo die Gesellschaft ihr Winterquartier aufschlug.

Die Stadt gefiel Richard: 60000 Einwohner, so etwas wie
eine Großstadt, ein neu eingerichtetes Theater mit zahlreichem
Personal, dessen weibliche Mitglieder sich bald für den jungen,
exzentrischen und unverheirateten Musikdirektor interessierten,
um so mehr, als er sich nicht um sie zu kümmern schien. Trotzdem wußte man, daß er gern Feste feierte, eine ganze Menge
trank und bis über die Ohren in Schulden steckte; als aber
seine Gläubiger zu aufdringlich wurden, schrieb er an Theodor
Apel, versprach, dessen Drama „Christoph Columbus" aufführen zu lassen, und übte sich in der Kunst des Geldborgens,
die so viel Geschicklichkeit erfordert.

„Lies mir eine Strafpredigt, ich verdiene sie und lasse sie
mir von dir gern gefallen. Sage mir, wäre dir's möglich,
mich jetzt wieder zu einem Menschen zu machen und mich aus
all meinem Jammer und Elend herauszureißen? Ich bitte
dich um 200 Taler ..."

Mit vierzehn Jahren hatte er seinen Hut am Straßenrand
zum Betteln hingehalten, mit sechzehn Jahren die Pension
seiner Mutter verspielt, mit einundzwanzig Jahren handelte
es sich von neuem für ihn darum, Geld zu erbitten und ein
Mann zu werden, der er immer noch nicht war. Er hatte
nicht die geringste Selbstzucht, es war ihm unmöglich, seine
Begierden zu beherrschen. Was für Begierden? Alle: trin-

70

ken, essen, in Gesellschaft glänzen, sich gut anziehen, lieben, sich verlieren, sich wiederfinden, sich einen Namen machen, groß werden und das Leben zwingen wie die Musik.

Als das Geld gekommen war („Dank! mein Goldjunge, Dank, vieltausendmal Dank und nichts weiter!“), improvisierte Wagner ein Abendessen bei sich am 31. Dezember. Die Elite der Truppe war eingeladen. Schauspieler und Schauspielerinnen, Frauen, Ehemänner, Liebhaber und natürlich Minna Planer, die wie „immer schicklichen und ernsten Benehmens war“. Sie war auch immer klug, immer kalt, immer überlegt, endlich aber tauten der Champagner und der Punsch auch sie auf. In der Atmosphäre von Zärtlichkeit, die Richard zu schaffen wußte, fanden sich bald die Paare und blieben zusammen, so daß auch Minna sich dem Beispiel ihrer Umgebung fügte und, ohne ärgerlich zu werden, endlich Richards Zärtlichkeiten erwiderte.

Aus all dem Küssen und Händedrücken wurde ein regelrechtes Abkommen, eine Besitzergreifung, die eine schöne Zukunft ehelichen Glücks verhieß. Was aber der Mann noch kaum begehrt, wägt und schätzt die Frau bereits ab; wenn er von seinen Sehnsüchten träumt, denkt sie an ihre Häuslichkeit. Als einige Zeit später Wagner sich während einer langweiligen Whistpartie betrunken hatte, taumelt er in Minnas Zimmer, macht sich ziemlich grob über eine alte Freundin lustig, die gerade bei ihr war, und schläft endlich, als er mit der, die er begehrte und die ihm endlich nachgab, allein war, in ihrem Bett tief ein. Als er nüchtern erwachte, begriff er, was er getan hatte: in diesem Milieu von Provinzschauspielern bedeutete seine nächtliche Kühnheit eine Verlobung. Ohne zu lächeln, sehen sie sich schüchtern an und frühstücken zusammen. Der junge Mann erkennt deutlich, wohin ihn diese verwirrte Nacht führen kann, und wie ungeschickt, töricht, flegelhaft er sie kompromittiert hat. Minna war nur zu gut, ja nur allzu gut. Warum hat sie ihn nicht hinausgejagt? Aber im Gegen-

teil, sie ist friedlich und sorgt für ihn! Trotzdem er wütend
ist, liebt er sie nicht weniger. Vielleicht hat sie einen andern
Liebhaber: dann ist er ein Narr ... Hat er sich selbst als
Bräutigam aufgeführt? Das ist ihm greulich.

Wiederum stürzt er sich in das „Liebesverbot". Er läßt
Apel kommen, der das Manuskript seines „Christoph Columbus" mitbringt. Richard schreibt eine machtvolle Ouvertüre dazu und die Musik für einige Szenen. Das Stück wird
aufgeführt, hat einen außerordentlichen Erfolg, die Ouvertüre wird da capo verlangt. Er nimmt außerdem jede Gelegenheit wahr, sich als Dirigent zu vervollkommnen, und
leitet in dieser seiner ersten Saison „Fra Diavolo", „Oberon",
„Barbier von Sevilla", „Wasserträger", „Stumme von Portici", „Freischütz" und „Die schöne Müllerin" von Paesiello.
Es ist eine erstklassige Schule der Praxis, da er alles selbst
angibt, dirigiert, die Chöre einstudiert, seine Auffassung zur
Geltung bringt und sich seinen eigenen Stil bildet. Da
Richard von Kindheit an zwischen Kulissen und Rampe auf-
gewachsen war, atmet er mit vollen Lungen nur die gute
Theaterluft. Die gezimmerten Häuschen, die mit ihrem Laub
am Himmel aufgehängten Wälder, über die eine Handbewegung einen Sturm entfacht, die Schlösser, die eine
bärtige Fee in die Wolken steigen läßt, die spanischen und
italienischen Landschaften in Teilen, die nur auf die kräftige
Faust eines Magdeburger Bühnenarbeiters warten, um sich
als Ganzes zusammenzuschließen, bedeuten seine Reisen,
dienen ihm als Landaufenthalt. In diesen Menschen mit ab-
geschabten Seidenkleidern, in diesen geschminkten Gesichtern
sieht, aus diesen girrenden Kehlen hört er seine heroischen
Dichterträume. Hinter ihm, im Theatersaal, starren tausend
dumme Gesichter, aber vor ihm, am Ende seines Dirigenten-
stabes, entbrennen Seelen in himmlischem Feuer. Und was
für Seelen! Die der Schröder-Devrient, Vorbild aller Grazie
und dramatischen Vollendung, die gekommen ist, um vier-

72

mal in Magdeburg aufzutreten. Diesmal hat ihr kleiner anonymer Bewunderer aus Leipzig die Ehre, sie zu begleiten, er mischt in ihren Gesang den Klang aller Instrumente, deren Herrscher und Erwecker er ist. Er fühlt, wie sich sein Genie bei Bellinis und Rossinis Koloraturen, bei den wunderbaren Klagen Leonores in Beethovens Fidelio entfaltet. Er sieht Desdemona mit tränenüberströmten Wangen knien und fühlt, daß andere, wahrhaftigere Klagen — wenigstens wird er sie für wahrhaftiger halten — eines Tages in vollen Harmonien aus seinem kleinen, vom Schöpferstolz geschwellten Körper emporsteigen werden.

Es gelingt ihm, Frau Schröder=Devrient zu bestimmen, mit ihm im Hotel „Zur Stadt London" ein Konzert zu seinem persönlichen Benefiz zu geben, das ihn von allen seinen Schulden befreien soll. Beethovens „Adelaide", die „Schlacht bei Vittoria" und die Ouvertüre zu „Christoph Columbus" stehen auf dem Programm; das Orchester ist verdoppelt worden, auch sind besondere Maschinen aufgestellt, damit die Gewehrsalven besser krachen können. Blechbläser und Schlagzeug wurden sogar verdreifacht. Trotzdem war der Saal nur halb gefüllt, und das dünngesäte Publikum flüchtete erschreckt, als die Schlacht ihren Höhepunkt erreicht hatte. Wagner wurde seine Gläubiger nicht los und mußte das beträchtliche Defizit dieses seines ersten musikalischen Feldzuges tragen. Die Direktion machte wieder einmal Bankrott und verteilte an Stelle der Gagen Billette für die nächste Saison. Auf irgendeine Weise mußten die schlimmsten Gläubiger vertröstet und ihnen vorläufige Hilfe versprochen werden, die sicher bald aus Leipzig eintreffen würde. Auch sah er sich gezwungen, die guten Dienste einer jüdischen Dame, die er bereits kannte, in Anspruch zu nehmen. Vor allen Dingen fühlte er die unbedingte Notwendigkeit, selbst die Flucht zu ergreifen. Er ließ Minna in Verzweiflung zurück; sie tat ihr Bestes, um die von dem alten Direktor in

Nachtmütze und Schlafrock an Stelle der Gagen ausgegebenen Billette möglichst gut zu verkaufen.

In Leipzig erwartete die Familie den jungen „großen" Mann nicht ohne Unruhe. Er gestand alles, auch die wachsende Verschuldung an Theodor Apel. Die schlimmste Erniedrigung für ihn bestand darin, daß er gezwungen war, noch einmal eine Anleihe bei seinem Schwager Brockhaus zu machen, dem reichen und spöttischen Kaufmann, der für seine Großmut Dank verlangte. Nun, er würde schon bezahlen, wenn er konnte, vorläufig zog er einen großen Wechsel auf die Zukunft. Seine gegenwärtige Lage war jedenfalls durch eine runde Null am besten gekennzeichnet. Selbst die Stelle als Orchesterleiter schien verloren. Die einzigen Besitztümer Richard Wagners waren seine unvollendete Partitur des „Liebesverbotes" und sein Hund, ein brauner Pudel, den er aus Magdeburg mitgebracht hatte. Es war Wagners erster Hund, das erste jener geduldigen, schweigsamen Geschöpfe, die sich den Menschen anschließen und nichts dafür verlangen.

VIII

Ideal und Ehrbarkeit · Das „Liebesverbot"

In dieser Saison leitete ein eleganter, reicher Dirigent von
etwa sechsundzwanzig Jahren und schwächlicher Erscheinung
zum erstenmal die Gewandhauskonzerte. Er war erstaunlich
selbstsicher und hatte vom Tage seiner Ankunft an die Methoden
des alten Musikinstitutes gründlich geändert. Er verfügte über
eine wunderbare Gewandtheit und hatte in kurzer Zeit sein
Orchester verjüngt, die Programme erneuert und von allen
Musikern präzise und gewissenhafte Arbeit verlangt; das
Publikum widmete ihm bereits einen wahren Kultus. Dieser
blasse und liebenswürdige Israelit, Komponist von Ruf, von
dem man wußte, daß ihn trotz seiner Jugend eine Freundschaft
mit Goethe verbunden hatte, hieß Felix Mendelssohn-Bar-
tholdy. Wagner hörte ihn und war von dem ausgezeichneten
Spiel des neuen Ensembles hingerissen. Er schickte dem
berühmten Kollegen seine C-Dur-Symphonie und bat ihn, sie
in die Zahl der Gewandhausmanuskripte aufzunehmen.
Mendelssohn hob sie dort so gut auf, daß sie nie wieder zum
Vorschein kam. Weder damals noch später ist er auf das
Werk eingegangen. Wagner faßte daraufhin gegen diesen
Mann und seine Vaterstadt neuen Groll. Das Theater hatte
seine „Feen" zurückgewiesen; das Gewandhaus behandelte
seine Symphonie mit Verachtung; Friedrich Brockhaus ließ
ihn seine Abhängigkeit schwer fühlen; er mußte also so schnell
wie möglich wieder abreisen, um so schneller, als er sich bereits

der katastrophalen Langeweile des Militärdienstes entzogen hatte und entschlossen war, sich ihr weiter zu entziehen. Obgleich man sich nicht viel darum kümmerte, wenn sich Künstler unerlaubterweise drückten, so war es doch besser, ein wenig das Weite zu suchen. Da nun das Magdeburger Theater trotz des Konkurses damit rechnete, im September seine Pforten wieder zu öffnen, und seinen tatkräftigen Kapellmeister bat, die notwendigen Solisten zu engagieren, ging Wagner auf eine Engagementstour.

Allerdings machte er vorher mit Minna Planer und einer ihrer Schwestern einen Ausflug nach Dresden und in die waldigen Täler der Sächsischen Schweiz. „Wir verbrachten dort einige wirklich heitere, vom unschuldigsten jugendlichen Übermut erfüllte Tage, welche nur einmal durch das Hervorbrechen einer eifersüchtigen Stimmung meinerseits getrübt wurden, zu der in diesen Tagen selbst durchaus keine Veranlassung gegeben war, welche aber in meinem tiefsten Innern durch Eindrücke der Vergangenheit sowie durch eine bange Ahnung der Zukunft, an den Erfahrungen, die ich bisher bei meinen Bekanntschaften mit der Frauenwelt gemacht hatte, sich nährte. Dennoch blieb dieser Ausflug, und namentlich eine beim schönsten Sommerwetter fast gänzlich durchwachte anmutige Nacht im Bad zu Schandau, die liebste, fast einzige Erinnerung an heiter beglücktes Dasein aus meinem ganzen Jugendleben."

Vielleicht hätte er besser „die einzige ruhige und vertrauensvolle Erinnerung" gesagt; denn es ist die einzige, die noch nicht von dem merkwürdigen Bestreben des Eifersüchtigen getrübt ist, die klaren Wasser ihres Glücks zu vergiften. In Wagner bildete sich bereits der Hunger nach Qualen aus, der gewisse Wesen von unersättlichem Herzen und lebhafter Phantasie, aber allzu leicht übersättigten Sinnen zu der einzigen Wollust treibt, die keine Enttäuschungen zeitigt: dem Schmerz. Von da ab blieben Minnas Schönheit, ihr

Lachen, ihre Küsse eine Musik ohne Geheimnis, von da ab
boten Leipzig, sein Gewandhaus und der Ruhm, den ein junger
Komponist durch zufälligen Beifall haben kann, seinem Ehrgeiz keine Befriedigungen mehr. Harte Arbeit tat not, an
sich und seinem Genie; er mußte die Erde bearbeiten und
immer wieder umgraben, um so tief Wurzeln zu schlagen,
daß sie sich unter dem Boden der gesamten Menschheit aus-
breiteten.

So besinnt sich Wagner auf der Reise zwischen Teplitz,
Prag, Nürnberg, Karlsbad, Frankfurt auf sich selbst, während
er seine zukünftigen Sänger zusammensucht. Er vertraut
seiner Mutter, mit der ihn eine ursprüngliche und starke Liebe
verbindet, die ersten Schmerzen seines verletzten Stolzes an.
„Es ist eine Zeit, in der sich eine Trennung von selbst findet? —
wir gehn dann in unsern gegenseitigen Beziehungen nur noch
vom Standpunkte des äußeren Lebens aus, wir werden
untereinander befreundete Diplomaten — ...Mutter, jetzt,
da ich von Dir fort bin, überwältigen mich die Gefühle des
Dankes für Deine herrliche Liebe zu Deinem Kinde, die Du
ihm zuletzt wieder so innig und warm an den Tag legtest,
so sehr, daß ich Dir in dem zärtlichsten Tone eines Verliebten
gegen seine Geliebte davon schreiben und sagen möchte...
Warst Du nicht immer die einzige, die mir unverändert treu
blieb, wenn andere, bloß nach den äußeren Ergebnissen ab-
urteilend, sich philosophisch von mir wandten?... O Mutter,
wenn Du zu früh stürbest, eher, als ich Dir vollkommen bewiesen, daß Du einem edlen, grenzenlos dankbaren Menschen
so viel Liebe gewährt hast! Nein, das kann nicht sein!...
Ich bin nun einmal so selbständig, und ich will mir allein
genug sein. O diese Demütigung vor Fritz (Brockhaus) ist
tief in mein Herz gegraben... Ich werde mich ganz mit ihm
ausgleichen... Ich entziehe mich ihnen gänzlich... Meine
große Sünde war, daß ich mich ihnen in die Hände spielte...
ihnen Recht über mich einräumen zu müssen... Und doch, wie

freue ich mich über diese Katastrophe, die mich zur Erkenntnis brachte, daß ich ganz allein auf mich angewiesen bin. Nun fühle ich mich erst selbständig. Denn das war es, was mir mangelte und was mich erschlaffte und fahrlässig machte; es war ein gewisses, unbestimmtes, bewußtloses Vertrauen auf einen Rückhalt... Ich bin jetzt über alles enttäuscht und bin deshalb sehr froh. Meine Weichheit mußte diese Erfahrungen machen — sie wird mir in jeder Beziehung nützen."

Zum erstenmal tritt der Mann hinter dem Knaben hervor. Seine junge Eigenliebe brauchte, damit er sich entwickeln konnte, eine Reihe schwerer Wunden: Enttäuschungen, Armut, Erniedrigungen, Schicksalsschläge, diesen allzu glücklichen Mendelssohn, diese leidenschaftslose Minna, die ihn zwang, sich mit Heftigkeit selbst auszugeben, und endlich diesen sarkastischen Schwager, der ihn quälte. Ohne sich deutlich Rechenschaft zu geben, fühlte Wagner, daß das widrige Geschick seinen Charakter besser formte als der Erfolg, und daß es seine Intelligenz schärfte; so kam ihm die Reise, die er unternahm, nur noch schwerer und ernster vor. Was schadet es, wenn sie Tränen kostete! Denn das tat sie.

Eines Abends im August brach er in seinem Frankfurter Hotelzimmer zusammen, schrieb an Theodor Apel und erzählte ihm seine Kümmernisse. Er hatte Laube (vom „Jungen Europa") gealtert und niedergeschlagen wiedergesehen, der gerade wegen eines politischen Vergehens ein Jahr in Untersuchungshaft gehalten worden war. Er hatte Jenny und Augusta Raymann in Prag getroffen, als Mätressen zweier Aristokraten; und schließlich die hübsche Friederike Galvani, seine einstige Würzburger Geliebte, als Gattin eines brutalen Kerls. Die Männerfreundschaft mit Laube und seine leichten Liebschaften, die einzigen poetischen Elemente seiner Jugend, hatten sich bereits recht prosaisch in erkältende Wirklichkeit ver=

wandelt. Der wahre Name dieser Wirklichkeit aber, ein Skelett, mit blühendem Fleisch umkleidet, war: das Geld.

Richard empfand auf seinem Weg von Stadt zu Stadt, während er irgendeinem Sänger oder einer Sängerin nach= reiste, die er unter allen möglichen Versprechungen nach Magdeburg ziehen sollte, die Kleinlichkeit dieser Verhältnisse auf das tiefste: denn er hatte kein Geld, das er ausgeben konnte. Es war eine traurige und häßliche Reise; sie wurde indessen durch zwei Tage unterbrochen, die lebhafte Er= innerungsbilder in ihm zurückließen. Auf den ersten Blick scheinen sie banal, aber wer vermag zu sagen, warum irgend= eine gewöhnliche Landschaft, irgendein lärmendes oder un= bedeutendes Fest in uns haften bleiben und in einem Winkel unseres Gedächtnisses die unerklärliche Zuversicht pflanzen, daß sie eines Tages für unser Schicksal bedeutungsvoll werden?

Einer dieser Eindrücke war die Durchreise durch eine kleine, verschlafene Stadt mit ausgestorbenen, alten Palästen in den Wäldern Frankens. Sie hieß Bayreuth. Richard hielt sich dort kaum auf; aber er sah, wie die Sonne hinter ihren Häu= sern versank, und fühlte, wie ein neuer köstlicher Frieden ihn überkam. Es hätte ihm gut getan, hier auszuruhen, hier ein wenig Jugend, ein wenig Liebe zu fühlen. Aber die Post= kutsche fuhr weiter, sobald die Pferde gewechselt waren, und ein paar Stunden später kam er in Nürnberg an, wo seine Schwester Klara und sein Schwager Wolfram wohnten. Er hielt sich einige Tage bei ihnen auf und feierte während einer Nacht mit seinem Schwager eines jener Feste, die ihm immer noch viel Spaß machten. Die Kneipe war lustig und das Publikum lärmte. Ein braver Tischler, der sich als Sänger ernst nahm, war die Zielscheibe des allgemeinen Spottes. Man redete ihm vor, daß Wagner der berühmte Bassist Lablache sei; unter Lachsalven der Zuhörerschaft gab der Tischler einige Lieder zum besten und wurde dann in feier=

lichem Zuge nach Hause gebracht, ein Vorgang, der das ganze Stadtviertel in Aufruhr setzte. Fenster öffneten sich, man schrie empört über den Lärm, die Frau des naiven Künstlers leerte ihren Nachttopf über die Versammlung aus, und der Mond verbreitete zwischen den spitzen Dächern der alten Stadt über diese Szene der künftigen „Meistersinger" sein Licht: ein Gruß aus dem Mittelalter.

Endlich kam Wagner nach Magdeburg zurück, nachdem er einige Künstler, darunter Klara und Wolfram, engagiert und das wenige Geld ausgegeben hatte, mit dem er versehen gewesen war. Magdeburg verkörperte sich in seinem Dirigentenpult und in Minna Planer; in der Musik und in der Liebe: er wünschte sich nicht mehr. Seine Verbindungen mit Leipzig wurden immer schwächer; Onkel Adolf war gestorben, dem er seine ersten intellektuellen Freuden und die Kenntnis des Sophokles, Dantes, Calderons, Gozzis verdankte, er, der in früheren Zeiten das Haus des rot=weißen Löwen geistig belebt hatte. Da Richard also für lange Zeit von seiner Familie und seinem sächsischen Vaterland getrennt war, mußte er, wie viele junge Verliebte, von der Geliebten verlangen, daß sie ihm alles ersetzte, was ihm das Schicksal genommen hatte. Sie wurde ein wenig seine Mutter, ein wenig seine Schwester Rosalie, und obgleich sie jetzt öffentlich seine Geliebte war, wiesen Instinkt und Eifersucht Richard auf die Gefahren hin, die aus einer Heirat mit ihr entstehen konnten. Er liebte sie mit zorniger Leidenschaft, da er sie stets für zu passiv und zu verschieden von sich selbst hielt. Aber er geriet außer sich und verlor den Kopf, sowie sie Miene machte, auf die Ehre seiner so despotischen Liebe zu verzichten.

Erriet sie das? Wußte sie, daß ihre Macht mit ihrem Widerstand wuchs? Ihr Benehmen, das wie eine sehr kluge Liebestaktik erscheinen könnte, bestand vielleicht nur in der einfachen, manchmal unbewußten, aber immer wirksamen Strategie der Frauen. Sie ging nach Berlin, wohin sie ein

Wagners Mutter

Rosalie Wagner

Wagners Geburtshaus
in Leipzig

Engagement am Königstädtischen Theater rief. Richard wurde deswegen beinahe verrückt. Schmerz und Furcht brachen den letzten Widerstand der Vernunft, und alles, was die Gegenwart seiner Geliebten nicht durchsetzen konnte, gelang ihrer Abwesenheit. Er schrieb liebeglühende Briefe an Minna, bot ihr die Heirat an und erklärte, daß ihre Weigerung ihn dem Teufel in die Arme treiben würde. Sie kam wieder; Richard mietete einen Wagen, um ihr entgegenzufahren, und brachte die Spenderin seiner Leiden und Freuden, vor Glück weinend, im Triumphzug in ihre Wohnung zurück.

Indessen sollte der Tag der Heirat noch nicht anbrechen: erstens, weil das Geld immer fehlte — man mußte doch wenigstens eine geringe Summe haben, um einen Hausstand zu gründen — zweitens, weil die Schulden sich häuften und die Gläubiger wieder drohten. Endlich, weil Wagner es sich in den Kopf gesetzt hatte, sein „Liebesverbot" aufzuführen, dessen Erfolg, wie er von vornherein überzeugt in Rechnung stellte, in künstlerischem und materiellem Sinne ihn wieder flottmachen würde. Er stürzt sich mit Eifer in seine Arbeit als Dirigent, leitet hintereinander „Fra Diavolo", „Jessonda" von Spohr, die „Stumme von Portici" und Aubers neue Oper „Lestocq". Er erzielt zwar einen Achtungserfolg, aber das Theater ist nie mehr als halb gefüllt. Trotzdem strömt Wagner von jugendlichem Schwung und Heiterkeit über, während er sein Orchester im himmelblauen Frack dirigiert. So geht die Saison weiter; die Direktion bezahlt schlecht und unregelmäßig. Eines Tages erklären die Solisten und Choristen, daß sie unter diesen Umständen entschlossen seien, andere Engagements zu suchen. Da Wagner also fürchten muß, noch angesichts des Hafens zu stranden, will er zum Schluß eine außerordentliche Vorstellung seines „Liebesverbots" zum Benefiz der Truppe herausbringen: es ist das einzige Mittel, diese noch zusammenzuhalten. Er vollendet seine Arbeit, zwischen Ekel und exaltierter Freude hin und

her schwankend. Seine Niedergeschlagenheit kommt daher, daß
er gezwungen ist, veraltete Dinge aufzuführen, um der Direktion zu gefallen; die Exaltiertheit entspringt seiner über-
menschlichen Arbeitsleistung, die ihn aus Minnas kalten
Armen in das Geschrei und Gezänk der Künstler wirft. Dazu
kommen die Geldknappheit des Direktors, die Reklamationen
der Lieferanten und die vor dem Notenpapier verbrachten und
durchwachten Nächte. Endlich beschließt die Direktion, der
unglückseligen Truppe zum 1. April zu kündigen — und jetzt
ist bereits der 18. März! Zehn Tage nur bleiben übrig, um
die Rollen zu lernen, zu proben, das Stück in Szene zu setzen
und aufzuführen. Aber gerade in solchen Kämpfen mit dem
Unmöglichen wird Wagner sich seiner Kraft bewußt, während
wir seine Größe erkennen. Diese zehn Tage genügen ihm,
um die Instrumentation seines Werkes zu beendigen, den
Sängern den Glauben an die Oper einzuflößen, ihnen den
Text beizubringen, die Inszenierung zu vollenden und ein
Orchester zu leiten, das von dieser in Hast entstandenen
Partitur, deren Tinte noch nicht trocken ist, in Verwirrung
gebracht wird.

So beginnt die Osterwoche, als ein neuer Widerstand eintritt: die Zensur erhebt Einspruch wegen des Titels, der
gerade für diese Tage wenig geeignet erschien. Wagner verteidigt sich, verschanzt sich hinter Shakespeare, und der
Magistrat ist endlich damit einverstanden, daß die Oper unter
anderem Namen angezeigt wird: „Die Novize von Palermo".
Unter solchen Aufregungen und Schwierigkeiten hob sich der
Vorhang des Magdeburger Theaters am 29. März 1836 über
der ersten Oper von Richard Wagner, die öffentlich aufgeführt
wurde.

Seine Mutter war benachrichtigt worden, aber sie kam nicht,
ebensowenig eine seiner Schwestern. Freund Theodor Apel
blieb auch fern, trotzdem Wagner inständig um sein Erscheinen
gebeten hatte. Richard stand also allein, hinter sich ein gut

besetztes Theater, vor sich eine Truppe von sehr nervösen
Künstlern; er war allein mit sich selbst und seinem noch nicht
ganz geglückten Stück, dessen Schwächen er besser als irgend=
ein anderer kannte.

„Meine Musik entsprang ganz und gar meiner krankhaften
Vorliebe für die moderne französische Musik und war in Hin=
sicht auf die Melodie von der italienischen abhängig. Jeder,
der sich die Mühe nähme, sie mit den ‚Feen‘ zu vergleichen,
würde sich wundern, wie in so kurzer Zeit eine solche Ent=
wicklung möglich gewesen ist.“

Ein Durchfall war vorauszusehen; er trat denn auch
prompt ein. Der Tenor Freimüller, der keine Spur von Ge=
dächtnis hatte, versuchte seine unzulängliche Darstellung da=
durch zu verbessern, daß er die Rolle des Lucio mit einigen
Späßen ausschmückte, die ohne Eindruck blieben. Unter den
Sängerinnen hatte Madame Pollert (Isabella) Beifall, der
aber scheinbar nicht sehr von Herzen kam; niemand verstand
nämlich die schon an sich komplizierte Handlung von Shake=
speare, die Wagner dadurch noch unklarer gemacht hatte, daß
er das Interesse des Publikums zwischen der kühnen Novize
und dem treulosen Gouverneur teilte. Es gab also weder Be=
geisterung noch Widerspruch, sondern eine lauwarme Freund=
lichkeit herrschte; ohne Zweifel hatte man sich gelangweilt.
Bei der zweiten Vorstellung, welche am nächsten Tage zum
Benefiz des Verfassers gegeben werden sollte (Wagner hatte
auf sie gerechnet, um seine ganzen Schulden mit der Einnahme
bezahlen zu können) machte ein neuer, unvorhergesehener
Zwischenfall dem ganzen Unternehmen ein definitives Ende.
Gerade vor Aufgehen des Vorhanges spielte sich eine heftige
Szene hinter den Kulissen ab: Herr Pollert, der Gatte Isa=
bellas, bearbeitete den zweiten Tenor, einen sehr hübschen
Menschen, der die Rolle des Claudio sang, mit den Fäusten,
Madame Pollert lief herbei und empfing ihrerseits etliche Prü=
gel, was bei ihr einen Nervenanfall hervorrief. Alle Künstler

mischten sich hinein, nahmen für oder gegen den eifersüchtigen Ehemann Partei, und zwar so gründlich, daß die Bühne bald in ein Schlachtfeld verwandelt war. „Es schien, daß dieser unglückselige Abend allen geeignet dünkte, schließlich Abrechnung für vermeintliche gegenseitige Beleidigungen zu nehmen. Soviel stellte sich heraus, daß das unter dem ‚Liebesverbot‘ Herrn Pollerts leidende Paar unfähig geworden war, heute aufzutreten. Der Regisseur ward vor den Bühnenvorhang gesandt, um der sonderbar gewählten kleinen Gesellschaft, welche sich im Theatersaal befand, anzukündigen, daß eingetretener Hindernisse wegen die Aufführung der Oper nicht stattfinden könnte.“

Zehn Tage nach diesem Fiasko vermählte sich Richards jüngste Schwester Ottilie in Dresden mit dem Dr. Hermann Brockhaus, einem gelehrten Indologen und jüngeren Bruder des Verlegers Friedrich. Wagner wohnte der Hochzeit nicht bei; erstens war er zu stolz, um seine Niederlage zuzugeben, zu selbstbewußt, um bescheiden vor den reichen Bürger zu treten, der für das Wohlergehen seiner Familie sorgte, und außerdem besaß er keinen Pfennig, um die Reise zu bezahlen. Seine Gläubiger verklagten ihn, und jedesmal, wenn er in seine kleine Wohnung am Breiten Weg zurückkehrte, fand er eine gerichtliche Vorladung an die Türe geheftet. Seine Kollegen vom Theater packten ihre Sachen und verließen die Stadt; sein armer brauner Pudel war verschwunden, was Richard als ein böses Vorzeichen auffaßte. Außerdem gab es eine Sonnenfinsternis: ein weiteres trübes Zeichen. Dann sah er eines Tages, wie ein Selbstmörder in die Elbe sprang. Allein Minna blieb, tatkräftig und praktisch wie immer, auf ihrem Posten. Es gelang ihr, ein Engagement an das Theater in Königsberg zu bekommen, so daß sich Richard von ihr, seiner einzigen Hilfe in dieser Zeit allgemeiner Armut, trennen mußte. Als er sie zum Postwagen brachte, wanderte die ganze Bevölkerung Magdeburgs zu einer Wiese vor den Toren der

Stadt, auf der ein Soldat hingerichtet werden sollte. Ein Gefühl des Entsetzens ergriff Wagner; sein einziger Gedanke war, dieser Stadt zu entfliehen, in der nur der Tod ein Publikum fand.

Mit geborgtem Zehrgeld reist er nach Leipzig ab, um sich dort bei seiner Mutter und seiner Schwester Rosalie Mut zu holen. Seine noch unstete Seele hatte die ruhige Kraft der beiden nötig. Er liebte seine Mutter sehr, die immer für ihn das Vorbild zärtlicher Liebe blieb; und Rosalie — die etwas geheimnisvolle Ältere —: bis in seine letzten Tage würde er sich der heimlichen Tränen erinnern, die er sie einst vergießen sah. Dieses Mal nahm sie ihn bei der Hand, als sie ihn nach seinem kurzen Besuch zur Türe brachte, und sagte, während sie ihre Augen tief in die seinen senkte: „Gott weiß, wann ich dich wiedersehen werde!" Eigentlich hätte sie glücklich sein müssen, da sie seit kurzem mit dem jungen Schriftsteller Oswald Marbach verlobt war und in einigen Wochen heiraten wollte; aber böse Ahnungen quälten die sehr empfindsame Frau. Wagner hat sie niemals wiedergesehen; schon ein Jahr später starb sie bald nach der Geburt ihrer Tochter.

Auf der Suche nach irgendeiner Anstellung kam Wagner nach Berlin und stieg im Hotel Kronprinz ab. Wenn er nächstens ins Schuldgefängnis wandern sollte, so wollte er vorher wenigstens sorglos den Aufenthalt in einer Stadt genießen, in der so etwas nichts Ungewöhnliches war. Berlin war im übrigen sehenswert, und wer konnte wissen, ob die Hauptstadt der Intelligenz nicht einmal sein Wohnsitz werden sollte? Sein alter Freund Laube befand sich gerade hier; Richard lernte Herrn Cerf kennen, den merkwürdigen Direktor des Königstädtischen Theaters, einen bei Hof sehr beliebten Mann, den alle Welt „Herr Kommissionsrat" nannte. Seine Geschäfte gingen gut; aber er war vollkommen ungebildet und hatte vom Künstlerischen nicht die blasseste Ahnung. Als geschickter Unternehmer ließ er den jungen Komponisten glauben, daß er ihn für seine neue Saison als Musikdirektor engagieren und sogleich das „Liebesverbot" aufführen würde; aber seine Worte entpuppten sich bald als leere Versprechungen. Der einzige Gewinn, den Richard aus seinem ersten Berliner Aufenthalt nach Hause nahm, war eine Aufführung des „Ferdinand Cortez", den Spontini in eigener Person leitete. Obgleich die Sänger und die Präzision der Ensembles viel zu wünschen übrigließen, machten das Ansehen des alten Dirigenten (der sich immer noch gern „Hofkomponist Ihrer Majestät der Kaiserin Josephine" nennen ließ, trotzdem er seit vielen Jahren Musikdirektor des Königs von Preußen war) und seine Orchesterbeherrschung Eindruck auf Wagner. „Ich begriff", sagte er, „den eigenartig feierlichen Eindruck, den große Vorstellungen machen, die durch die starke Betonung der rhythmischen Einheit aller Teile wahrhaft unvergleichliche Kunstleistungen sind."

Diese wohlerwogenen Worte geben zu denken. Sie werfen ein erstes Licht auf den neuen Weg des jungen Komponisten, der von der Höhe des „Olymps" der lehrreichen Aufführung beigewohnt hatte. In seinem Unterbewußtsein vibrieren bereits die Harmoniemassen „Rienzis".

Aber in der Zwischenzeit mußte er leben, und er verdiente keinen Pfennig. Das einzige Geld, über das er verfügte, schickte ihm Minna. Wo hat sie es her? Zweifel erheben sich bezüglich eines gewissen reichen Kaufmannes jüdischer Abstammung mit Namen Schwabe, den er in Berlin wiedertraf, nachdem er ihn in Magdeburg verlassen hatte. Dieser Schwabe bewunderte Minna sehr, — zu sehr, ohne jeden Zweifel. Wie immer schärft plötzlich der Verdacht Richards Leidenschaft und belebt ihre flackernde Flamme. Er muß um jeden Preis Gewißheit haben; von neuem bewegt das Heiratsprojekt sein mißtrauisches Herz. Er glaubt, sich nach Frieden im Besitz einer vernünftigen und sehr bürgerlichen Frau zu sehnen; während er gerade unbewußt die Hemmungen sucht,

86

die eine solche Ehe bereiten wird. Er will Minna mit Gewalt entführen. Von sechs Briefen, die er ihr schreibt, antwortet sie nur auf zwei, und zwar in einer allzu unbestimmten Form. Er bricht also zu ihrer Verfolgung auf.

Nach einigen Tagen einer zur Qual werdenden Reise mitten im Sommer durch die preußischen Lande kommt er endlich in Königsberg an, wo er in einem häßlichen Haus der Vorstadt die Schauspielerin trifft, die den bescheidenen Handel mit ihrer Kunst im Stadttheater wie gewöhnlich in bester Laune betreibt. Wagner entspannte sich, faßte sich in Geduld und strich in der Welt der Kulissen und des Direktorialbüros umher.

Wie in Berlin versprach man dem unermüdlichen Bewerber die Stelle des zweiten Dirigenten, nämlich Ludwig Schuberts, der demnächst nach Riga zurückkehren sollte. Aber dieser dachte gar nicht daran, wegzugehen, da er durch ein Verhältnis mit der ersten Sängerin an Königsberg gefesselt war und außerdem beruflich Ausgezeichnetes leistete. Daraus entspann sich zuerst eine stille Rivalität, dann brachen offene Feindseligkeiten aus. Wagner versuchte sich abzulenken und reiste mit den Schauspielern nach Memel — eine kleine melancholische Schiffsreise längs der Sanddünen, die das Kurische Haff vom Meer trennen.

Von Einsamkeit und Langerweile verzehrt, kehrten die Verlobten nach Königsberg zurück, als der Zufall es mit sich brachte, daß Richard die Briefe entdeckte, die der Kaufmann Schwabe an Minna geschrieben hatte. Er erfuhr Einzelheiten über ihre Liebe, die ihm einen entsetzlichen Stoß gaben. „Alle in mir vorbereitete Eifersucht, aller tief innerliche Zweifel an Minnas Charakter machte sich in dem schnellen Entschluß Luft, das Mädchen sofort zu verlassen."

Welch ein Irrtum! Es war nicht der Wunsch nach Entfernung, der eine solche Entdeckung dem schwachen Menschen Wagner diktierte; diese allzu stolzen Worte schrieb er 35 Jahre

später und unter einem anderen Einfluß. Damals aber war
es keineswegs die Entfernung, die in Frage kommen konnte,
sondern im Gegenteil: der Besitz und die Rache, da er sich in
der vollen Krise sinnlicher Eifersucht befand und in seinem
Stolze auf das tiefste getroffen war. Das einzige Gut, das
er während der letzten schwierigen Jahre errungen hatte, war
diese ein wenig gewöhnliche Frau, die Tochter eines sächsischen
Mechanikers; sie war hübsch, frühzeitig von einem Adligen
verführt worden und Mutter seit ihrem siebzehnten Jahre.
Sie hatte sich mit größter Mühe bis zur Schauspielerin hin-
aufgearbeitet; um die erträumte halbbürgerliche Ruhe sich
zu verschaffen, hatte sie sich aller Mittel bedient, die ihr ihre
Schönheit und ihre Leidenschaftslosigkeit boten. Endlich war
es ihr mit vieler Zähigkeit und Energie gelungen, ihr Ziel
zu erreichen. Sie erzog heimlich ihr Kind (das sie als ihre
Schwester ausgab) und machte verschwiegene kleine Seitensprünge, die sie nichts kosteten, aber ihr immer etwas ein-
brachten. Als Wagner ihren Weg kreuzte, bemerkte sie sofort, daß sie bei ihm etwas erreichen könne, was wertvoller
war als die Liebe: die Ehrbarkeit. Ihr Ehrgeiz erstreckte sich
nicht weiter, während ihr Liebhaber ein Liebesglück erwartete
„auf den Irrwegen nach einem idealen Ziele“. Minna aber
dachte vielleicht „an die vorteilhaften Angebote, die sie aus-
geschlagen hatte“. Sie speicherten einen Vorrat von Zündstoff
auf, der die Mittel für alle künftigen Explosionen bilden
sollte; sie säten Wind, um Sturm zu ernten. Richard be-
leidigte die Frau, die er liebte, ganz offen, und selbst die an
sich gutmütige Gegnerin erlernte die Sprache des Hasses.

Seit diesen ersten Auseinandersetzungen konnten sie beide
die Breite der Kluft ermessen, die sie trennte. Aber wie es
zu gehen pflegt, je schlimmer diese Entfremdung schien, um
so eifriger suchte der durch seine Intelligenz stärkere Partner
sich zu rechtfertigen — nicht ihr, aber sich selbst und seinem
enttäuschten Herzen gegenüber. Auf so viel Zank, so viel

Unverträglichkeiten, so viel entdeckte Betrügereien gab es nur eine Antwort: die Heirat. Dieser entscheidende Schritt würde alle Zweifel beendigen und bot ihm außerdem die Möglichkeit, sich in seinem Edelmut zu sonnen: er tat ihn mit geschlossenen Augen. Sicherlich würde es nun schöne Augenblicke geben; schon fühlte er sich von jener göttlichen Leichtigkeit erfaßt, die dem Unglück Flügel verleiht.

Sie setzten die Hochzeit auf den 24. November desselben Jahres 1836 fest. Am Vorabend dieses Tages dirigierte er eine Vorstellung der „Stummen von Portici", die zu seinem Benefiz gegeben wurde; die Einnahme stellte die Mitgift der beiden dar. Weder Frau Geyer noch Minnas Eltern wohnten der Feier bei, aber diese schickten ihrem zukünftigen Schwiegersohn, „dem Herrn Musikdirektor", die besten Segenswünsche. Die Tragheimer Kirche in Königsberg war voller Menschen: Schauspieler, Schauspielerinnen, Musiker, Sänger und das ganze Personal des Theaters waren anwesend. Der Prediger hielt eine Ansprache, die Richard nicht verstand. „Der Prediger nämlich verwies uns für die leidvollen Zeiten, denen auch wir entgegengehen würden, auf einen Freund, den wir beide nicht kennten; einigermaßen gespannt, hier etwa von einem heimlichen einflußreichen Protektor, der auf diese sonderbare Weise sich mir ankündigte, Näheres zu erfahren, blickte ich neugierig auf den Pfarrer. Mit besonderem Akzent verkündete dieser, wie strafend, daß dieser uns unbekannte Freund: Jesus sei, worin ich keineswegs eine Beleidigung, sondern nur eine Enttäuschung fand ... Mir wurde in diesem Augenblick wie durch eine Vision klar, daß sich mein ganzes Wesen wie in zwei übereinander fließenden Strömungen befand, welche in ganz verschiedener Richtung mich dahin zögen: die obere, der Sonne zugewendet, riß mich wie einen Träumenden fort, während die untere in tiefem, unverständlichen Bangen meine Natur gefesselt hielt."

Am nächsten Morgen mußte Wagner vor Gericht erscheinen, um sich gegen seine Magdeburger Gläubiger zu verteidigen. Auf dem Standesamt hatte er sich ein Jahr älter gemacht, um sich als mündig erklären zu können (nach dem preußischen Gesetz erreicht der Mann erst mit 24 Jahren die Großjährigkeit, nach dem sächsischen mit 21, und er war 23 Jahre und sechs Monate alt). Vor dem Gericht am nächsten Tag machte er sich um ebensoviel jünger, um länger als minderjährig zu gelten und Zeit zu gewinnen. So begann sein neues Dasein sogleich mit einigen kleinen Lügen und dem schweren Irrtum einer — falschen Weichenstellung.

IX

Die Fanfaren des „Rienzi" und der Sturm
des „Fliegenden Holländer"

Aus seinem „preußischen Sibirien", dem flachen und so
kalten Lande, sehnte sich Wagner bald nach wärmeren Gegenden,
in denen man, wie er glaubte, ihn erwartete und ihn feiern
würde, da seine Schöpfungen fruchtbaren Samen zu streuen
berufen wären in jene Länder, die nach Neuem hungerten.

Er hatte an Scribe, den unbestrittenen Theaterfürsten von
Paris, geschrieben, um ihn zu bitten, einen Operntext zu ver-
fassen, den er komponieren wollte. Obgleich er seit sechs Monaten keine Antwort bekommen hatte, schrieb er noch einmal
an den berühmten Librettisten, um ihm anzubieten, sein
„Liebesverbot" für die französische Bühne zu bearbeiten. Er
berief sich auf Auber und Meyerbeer zur Beurteilung des
musikalischen Wertes seines Werkes. Das war naiv; aber
schließlich ist in Paris alles möglich, selbst das Unwahrschein-
liche. Und da ein paar Tropfen Phantasie den ältesten französischen Teig schmackhaft machen können, warum sollten da
dieses Mal die Küchen der komischen Oper nicht das Rezept
eines jungen deutschen Meisters versuchen? Scribe antwortete
kurz darauf in einem höflichen Brief und stellte sich zur Verfügung. Aber dieser Plan, der Wagners Gedanken lebhafter
um Paris kreisen ließ, hatte keine unmittelbare Folge, da
ein unvorhergesehenes Ereignis sein Liebesleben vollkommen
über den Haufen warf. Etwa sechs Monate nach seiner Hoch=

zeit, am Abend des 31. Mai 1837, fand Wagner seine Wohnung verlassen, als er vom Theater nach Hause kam. Minna war mit ihrer Tochter, der kleinen Natalie, ausgerissen und hatte sogar ihre armselige Theatergarderobe mitgenommen, ohne ein Wort der Erklärung zu hinterlassen. War sie geflohen, weil sie in einen anderen verliebt war? Ein Kaufmann mit Namen Dietrich war Nachfolger Schwabes in ihrer Gunst geworden; wahrscheinlich protegierte dieser Mann, der sich Protektor der Kunst nannte, hauptsächlich die Schauspielerinnen. War es die Furcht vor dem Elend, die Minna zu diesem Schritt getrieben hatte, oder vielleicht die Angst vor Eifersuchtsszenen? Ohne Zweifel waren alle diese Gründe gleich schwerwiegend; ihre Ehe, in der zärtliches Verlangen erschöpft zu sein schien, hielt nur noch zusammen, weil jeder sich freute, daß der andere Enttäuschungen und Entbehrungen mitzutragen hatte. Immerhin hat selbst solche Haßliebe eine unglückselige Macht, denn das Menschenherz verzichtet lieber noch auf mühelos Gewonnenes als auf schwer Errungenes.

Wagner machte sich also sogleich auf, um seiner Frau zu folgen, und reiste nach Berlin, wo er das Glück hatte, sich durch Vermittlung eines Freundes die Dirigentenstelle in Riga zu sichern; dann reichte er, nachdem er seine Nachforschungen wieder aufgenommen hatte, beim Königsberger Gericht eine Scheidungsklage ein. Er will nicht die Gattin, aber die Geliebte wiederhaben. Als er sie endlich im Hause ihres Vaters in Dresden trifft, verfliegt sein Zorn, er bricht zusammen, er versöhnt sich mit ihr. Aber das war nur ein Waffenstillstand und bedeutete noch nicht die Unterzeichnung des Friedensvertrages. Minna hatte Hintergedanken, die sie ihm nicht preisgab, folgte aber ihrem Mann gehorsam nach Blasewitz, wo er in einem kleinen Haus ein Zimmer gemietet hatte, das auf die Elbe hinaussah. Sie begannen gemeinsam zu lesen, zu schreiben und den Musikwinter in Riga vorzubereiten. Das Dirigentengehalt mußte genügen, um den Hausstand zu unterhalten und alte Schulden zu bezahlen; es würde sogar der jungen Frau erlauben, auf ihre Bühnenlaufbahn zu verzichten. Denn Wagner wollte von nun an Minna vom Theater fernhalten, wo, wie er sah, für sie (und für ihn) mehr Widerwärtigkeiten als pekuniäre Vorteile erwuchsen.

Das war ein neuer Fehler. Minna liebte ihren Beruf, hatte ganz hübsche Erfolge und hätte vielleicht eher dem Mann seine brutale Eifersucht verziehen, als dem Künstler Zweifel an ihrer schauspielerischen Begabung. Aber sie schwieg. So brachte er seine Zeit damit hin, den Rienzi des Lord Lytton Bulwer zu lesen, einen großen historischen Roman, der ihm sogleich allerlei bewegte Bilder vor die Seele zauberte. Minna überließ ihn seiner neuen Passion. Sie unternahm unterdessen eine Reise mit der Familie einer Jugendfreundin. Tage vergingen. Wagner begann sich zu beunruhigen, als ihre Abwesenheit länger dauerte, als vorgesehen war. Da erschien die ältere Schwester Minnas bei ihm und bat ihren Schwager, seine eheherrliche Erlaubnis zum Ausstellen eines Passes zu geben ... Der Brief eines gewissen Moeller aus Königsberg kam zur gleichen Zeit und erklärte die Sache: der p. p. Dietrich sei nach Dresden abgereist und habe dort seine Geliebte in einem Hotel getroffen. Vermutlich habe das Paar, wenn der Adressat diese Zeilen in Händen hielte, bereits das Weite gesucht.

Wagner begab sich an den genannten Ort: die Nachrichten stimmten, und seine Frau war wieder einmal ausgerissen. „Eine furchtbare", schrieb er später, „das ganze Leben vergiftende Erfahrung." Diese Worte sind jedenfalls sehr übertrieben; denn seine Liebe war längst nicht mehr so stark, daß er eine nicht einmal erste Untreue als erschütterndes Drama empfunden hätte. Außerdem nimmt die Enttäuschung über eine Handlung des geliebten Wesens, die das Geheimnis seines Charakters lüftet und dessen gefürchtete Ähnlichkeit mit anderen Menschen entschleiert, der Liebe sofort jeden

Zauber. Wagner erfuhr, daß eine Frau eine wohlgefüllte Börse und ein angenehmes ruhiges Leben den Qualen der Eifersucht und dem brüderlich geteilten Elend im allgemeinen vorzieht. Er suchte Zuflucht bei seiner Schwester Ottilie Brockhaus und weinte, wie er selten geweint hatte. Diese Tränen spülten alles Verlangen nach seiner Frau, das noch in ihm war, fort; Minna hatte in ihrem Gatten das verborgene Genie nicht zu entdecken verstanden. Aber wenn auch sein Stolz zerbrochen war, sein Selbstgefühl erhob ihn wieder. Von diesem Tag an bestand in Richard Wagners Seele für Minna Planer nur noch Mitleid — und viel Ärger. Er fühlte sich jetzt stark, befreit und erleichtert; niemals wieder würde er auf diese Magdalena mit ihren Tränen und ihrer Reue hereinfallen. Ob Minna zurückkam oder nicht, niemals mehr würde sie ihm ganz nahe sein, niemals mehr ihn quälen. „Es kommt eine Zeit, wo die Trennung sich ganz von selbst ergibt ..." hatte er bei seinem Zerwürfnis mit Friedrich Brockhaus geschrieben. Auch die Erfahrung mit Minna konnte ihr Gutes haben, da er von seiner Liebe geheilt war und sie aus seinem hart gewordenen Herzen zu reißen vermochte. Etwas Mächtigeres erhob sich in seinem Herzen, das ihn mehr lockte als alle Sinnlichkeit: Rienzi interessierte ihn mehr als die kleine Bürgerin, die seine Frau hieß. Die Figur des Letzten der Tribunen, des römischen Helden einer italienischen Einheit im 14. Jahrhundert, des Freundes von Petrarca, berauschte ihn. Er begann das Leben dieses majestätischen Helden zu gestalten, wie es Lord Bulwer mit diesem, Shakespeare mit den Personen seiner dichterischen Phantasie getan hatte, und wie es für alle Zeiten alle Betrogenen, alle Enttäuschten, alle Armen dieser Welt tun werden, in deren Herzen die Sehnsucht nach dem Ideal Klang annimmt.

Das Ende des Sommers war in der Gesellschaft des jungen Ehepaares Hermann Brockhaus, in der Nähe Ottilies, die er für einige Zeit seinen anderen Schwestern vorzog, angenehm gewesen. In der zweiten Hälfte des August mußte er nach Riga aufbrechen, da ihn dort sein Engagement erwartete. Die ziemlich lange und unangenehme Reise endigte mit der Überraschung, die ihm der fremde Hafen mit seinem bunten und sich in aller Öffentlichkeit abspielenden Leben verursachte. Hier treffen sich Orient und Okzident. Riga ist eine malerische, schmutzige und reiche Stadt; glücklicherweise wird dort fast überall deutsch gesprochen. Die Aufnahme durch den Theaterdirektor Karl von Holtei — den schlesischen Dramatiker — war ganz ermutigend. Der Mann war geschickt, klug, einfallsreich und ein wenig übertrieben in seiner ganzen Art. Er redete allzuviel und war ohne Zweifel gerissen, denn er begann sogleich damit, von den im Kontrakt vorgesehenen 1000 Rubeln 200 „im höheren Interesse der Kunst" abzuziehen. Er bekannte seine Vorliebe für die französische und italienische Musik offen und teilte Wagner mit, daß er die Partituren aller Opern von Bellini, Donizetti, Adam und Auber bestellt habe. Er liebte die Wandertheater und wäre am liebsten mit seiner Truppe durchs Land gezogen. Das Orchester bestand aus 24 Musikern und stellte sich als ganz brauchbar heraus; es besaß gute Holz- und ausgezeichnete Blechbläser; die Sänger waren von gutem Mittelmaß. Im ganzen konnte etwas aus dem Unternehmen gemacht werden.

Zu seiner Überraschung traf er hier Heinrich Dorn wieder, den alten Leipziger Dirigenten, der einst die „Neue Ouvertüre" des jungen Richard aufgeführt hatte — damals war der immer wiederkehrende Paukenschlag eine Quelle der Heiterkeit für das Publikum gewesen! Dorn bekleidete in Riga das Amt eines städtischen Musikdirektors der Kirchen und Schulen; er nahm seinen Schützling auf das Land mit, wo er ein kleines Haus „Im Grünen" besaß, das heißt im Sande der Dünen. Angesichts dieser öden Gegend ergriff Wagner das Heimweh nach der Sonne; in Riga konnte er niemals heimisch werden.

Die einzige Hilfe gegen die Langeweile lag in der täglichen Arbeit im Theater, wo er bald mit Holteis Geschmack in Widerspruch kommen sollte, und in seinem eigenen Werk. Er setzte sich an den „Rienzi" und fühlte, sobald er allein vor seinem Manuskript saß, die tiefe Befriedigung freier künstlerischer Gestaltung. „Ich nährte dadurch in mir eine enthusiastische Stimmung, welche meiner tatsächlichen Lebenslage gegenüber den Charakter einer verzweifelten Ausgelassenheit annahm."

Je minderwertiger ihm seine ganze Umgebung erschien, desto großartiger wurde der Schwung seiner Schöpfung, je mehr ihn Holtei an beliebten Kitsch fesseln wollte, desto inniger überließ sich der Komponist seinem Schaffen, breitete die Flügel, gewann an Kraft, an Bedeutung und geriet ins Maßlose.

Das Publikum ist indessen mit ihm zufrieden; nachdem es zuerst zurückhaltend und mißtrauisch gewesen war, hält es nun zu dem feurigen jungen Dirigenten. Das Theater macht gute Geschäfte; es ist groß und unelegant (die Damen auf der Galerie stricken und essen während der Vorstellung ihr Abendbrot), aber es besitzt drei Eigentümlichkeiten, welche die Phantasie Wagners anregen: das Parkett ist in Stufenreihen wie im Zirkus angeordnet, der Raum wird während der Vorstellung verdunkelt, und das Orchester ist versenkt. Das sind Einzelheiten, deren Bedeutung er nicht sogleich völlig begreift; eines Tages aber, viel später, kamen sie ihm wieder ins Gedächtnis und legten den Grund zu einer vollkommenen Erneuerung der Theaterarchitektur.

Da in dem Personal eine erste Sängerin fehlte, wendete sich Wagner an seine Schwägerin Amalie. Diese nahm sofort brieflich von Dresden aus an und teilte ihm gleichzeitig mit, daß Minna in das väterliche Haus zurückgekehrt sei, in „leidendem, traurigem Zustand, in welchem diese, von harter Krankheit erfaßt, sich befände". Die Neuigkeit berührte Wagner

Cäcilie Avenarius
geb. Geyer

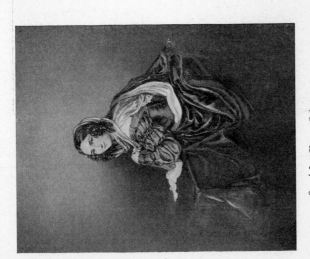

Luise Brockhaus
geb. Wagner

Ludwig Geyer

nicht; er hatte die Scheidungsklage eingereicht und wußte, daß seine Frau sich lange in Hamburg mit Dietrich zusammen öffentlich gezeigt hatte, und daß man in der Theaterwelt offen und in wenig schmeichelhafter Weise über seine Ehe sprach. Er wollte sich also nicht versöhnen; aber diesmal griff Minna selbst zur Feder und „bekannte in einem wahrhaft erschütternden Brief offen ihre Untreue". Es ist schade, daß wir weder diesen Brief noch Richards Antwort besitzen, in der er seine Frau aufforderte, wieder zu ihm zurückzukehren. Aber wir können uns deutlich vorstellen, daß die Einsamkeit in Riga und vor allen Dingen die sinnliche Sehnsucht, die Wagner immer nach dem Schmerz in allen seinen Formen empfand, diesem Ruf eine starke, fast magnetische Anziehungskraft verliehen haben. Denn welch befriedigende Rache lag in der Erniedrigung seiner besiegten Feindin! Sie war von ihrem Geliebten verlassen worden, sie litt seelisch und körperlich; nun bat sie den Mann, den sie nicht verstanden hatte und der trotz allen Leiden, die er ihr zugefügt, Herr ihres Lebens geblieben war, sie wieder bei sich aufzunehmen. „So wandte sie sich krank und elend zu mir zurück, um, ihre Schuld bekennend, meine Verzeihung zu erbitten und unter allen Umständen mir zu versichern, daß sie erst jetzt zur wahren Erkenntnis ihrer Liebe zu mir gelangt sei."

Die beiden Schwestern kamen zusammen in Riga an; Richard und Minna versöhnten sich ohne Schwierigkeiten, ohne Vorwürfe. Wagner hatte Eile, wieder in seine häusliche Ordnung zu kommen, seine Ruhe, seine Arbeit und gutes Essen wiederzufinden; Minna verstand es, ihm sein Leben behaglich zu machen. Sie wohnten in der ersten Etage eines Hauses in der Petersburger Vorstadt, auf der einen Seite lagen die beiden kleinen Zimmer, die man Amalie abgetreten hatte, auf der anderen befand sich das eheliche Schlafzimmer, in der Mitte das Wohnzimmer, — das heißt ein Salon, der mit dem Klavier, dem mit Papieren bedeckten Tisch, zwei russischen

Ofen und roten Vorhängen als Arbeitszimmer diente. Wenn die Vorübergehenden die Köpfe hoben, konnten sie hinter dem offenen Fenster den jungen Musikdirektor bemerken, im Schlafrock, einen Fes auf dem Kopf, eine lange Porzellanpfeife im Munde.

Diese bescheidene Wohnung sah das Entstehen des „Rienzi". Dort bereitete während der beiden Winter 1837/38 und 1838/39 Wagner alle Opernaufführungen des Theaters vor: „Don Juan" und „Figaros Hochzeit" von Mozart, „Norma" von Bellini, „Oberon" von Weber, „Joseph" von Méhul, „Die Stumme von Portici" von Auber, ohne die weniger wichtigen Opern und die Konzerte zu erwähnen. „Wagner quälte mein Personal durch unendliche Proben", erzählt Holtei, „nichts schien ihm gut genug, nichts fein genug abgestimmt. Obgleich ich natürlich innerlich Wagner recht geben mußte, konnte ich ihm nicht in allem nachgeben; er hätte meine Künstler einfach ruiniert." So groß ist die Gründlichkeit dieses jungen Orchesterleiters von 25 Jahren bereits jetzt. Er läßt nicht mit sich reden, sowie es sich um ein Kunstwerk handelt, alles muß vollendet, logisch begründet, erklärlich sein, — auch dann, wenn die Geschichte, die Philosophie oder Philologie zu Hilfe genommen werden muß. So ergreift er die Feder und schreibt für die Rigaer Zeitung einen Essay über Bellini. „Gesang, Gesang und abermals Gesang, ihr Deutschen! Gesang ist nun einmal die Sprache, in der sich der Mensch musikalisch mitteilen soll, und wenn diese nicht ebenso selbständig gebildet und gestaltet wird, wie jede andere kultivierte Sprache es sein soll, so wird man euch nicht verstehen." Wir dürfen ihn nicht für pedantisch halten, aber er lernte gern und teilte sein Wissen ebenso gern andern mit; der schlechte Schüler der Dresdener und Leipziger Gymnasien läßt sich von der Leidenschaft des Lernens und Lehrens packen, wie so viele Autodidakten. Er ist in seine Arbeit verliebt. „In dem süßen Exil der Arbeit", schrieb Rodin an Rainer Maria

Rilke, „lernen wir zunächst die Geduld kennen, die uns lehrt, energisch zu sein; sie gibt uns die ewige Jugend, die ihren Ausdruck in tiefem und begeistertem Schmerz findet." Wagner ist voller Kraft, Saft, manchmal kochend vor Ärger, ganz auf sich selbst angewiesen und allen anderen fremd. Aber diese Einsamkeit, die er haßt, und alle Enttäuschungen, welche auf ihn warten, sind für die Entwicklung seines Genies nur ein Vorteil. Sie schrecken jede Nacht den unruhigen Schlummer des kleinen, blassen und schlecht genährten Mannes; je verlassener und unzufriedener er scheint, desto sicherer träufeln sie Tropfen für Tropfen den Groll in sein Herz, mit dem sie seinen Geist füllen und seine Kräfte befeuern wollen.

Wagner war noch kein „großer" Mann, hatte aber schon einige Eigenschaften eines solchen: er war bereits übellaunig, hart, herausfordernd, großer Egoist und voller Selbstbewußtsein. Er schafft bereits den Rhythmus seines Ichs. Die einen finden ihn komisch, die anderen unangenehm; manche halten ihn auch für genial. Aber niemand weiß, daß er sich nicht genug tun kann, und daß trotz der ermüdenden Arbeit während der Chor- und Orchesterproben sowie der Inszenierungen dieser in anderen Regionen schwebende Mensch seine Nächte damit verbringt, eine Oper zu komponieren, die das alte Repertoire vernichten soll. Nicht einmal ein typhöses Fieber kann ihn unterkriegen; am 6. Februar 1839 ist der erste Akt des „Rienzi" vollendet und einige Monate später der zweite. Er ahnt nicht, daß gerade die, welche seine Kräfte und sein Talent ausnutzen, seine kleinlichen Widersacher sind.

In der Tat arbeiten Dorn und Holtei gegen ihn: Dorn aus dem einfachen Grunde, weil er Richards Stelle haben möchte, und Holtei, weil Wagner ihm unbequem, nicht nachgiebig genug ist, weil er nicht verstehen will, daß das Theater keine Galeere ist, sondern eine Vergnügungsstätte mit einem Schuß Leichtlebigkeit, an die man keine moralischen Maßstäbe anlegen darf. Eines schönen Morgens erfährt Richard also, daß Holtei aus Furcht vor einem öffentlichen Skandal plötzlich Riga verlassen hat. Bestimmt wird er nicht wieder zurückkommen; aber vor seiner Abreise hat er kontraktlich einen Schauspieler Hoffmann zu seinem Nachfolger gemacht und Dorn zum neuen Kapellmeister bestimmt.

Dieser doppelte Verrat brachte Wagner zunächst außer sich. Da saß er nun von neuem auf der Straße, seines mäßigen Broterwerbes beraubt, ehe seine Schulden bezahlt waren, und wurde mitten aus der besten Arbeit am „Rienzi" herausgerissen. — Aber war denn das wirklich so schlimm? Konnte der Umschwung nicht vielmehr ein Eingreifen der Götter selbst bedeuten, die ihn aus diesem stumpfsinnigen Milieu, aus dieser Langenweile einer Provinzstadt, aus diesem banalen Kunstgegacker herausreißen wollten, während er seit Monaten hochfliegende Pläne nährte? Er denkt plötzlich an Paris, diesen „Brennpunkt des europäischen großen Opernwesens", wo sein „Rienzi" herauskommen soll. Er hatte an Scribe geschrieben und ihm ein neues Exemplar seines „Liebesverbotes" geschickt, und zwar durch Vermittlung seiner jüngeren Schwester Cäcilie, der Frau von Eduard Avenarius, der in Paris die Filiale des Verlages Brockhaus leitete. Auch an Meyerbeer hatte er geschrieben, den „Komponisten und Ritter der Ehrenlegion". Schlangen alle diese Dinge nicht bereits intellektuelle Bande, bedeuteten sie nicht in gewissem Sinne das Programm eines neuen Lebens? Er mußte fliehen, dieses Riga, das ihm keine Aussichten bot, verlassen und aus dieser täglichen Fron herauskommen, in der er festzukleben drohte, um endlich die größte Bühne der Welt zu erreichen, die einzige, die mit dem Ausmaß seiner künstlerischen Absichten in Einklang stand. „Als ich den einen von Scribe an Avenarius in meiner Angelegenheit gerichteten Brief von diesem als Einschluß in meine Hände gelangt sah, lag ein greifbares Zeugnis vor mir, daß Scribe sich mit mir beschäftigt habe und ich mit ihm in Verbindung stehe. Selbst auf die keineswegs sanguinische Vorstellungsart meiner Frau wirkte dieser Scribesche Brief so bedeutend, daß sie den Schrekken, mit mir sich zu dem Pariser Abenteuer aufmachen zu sollen, immer mehr zu überwinden vermochte." Mit der blitzartigen Geschwindigkeit, die der impulsive Künstler sein ganzes Leben lang behalten hat, beschließt er, sich innerhalb von vier Wochen nach Frankreich einzuschiffen. Paris liegt vor ihnen wie ein schöner tropischer Strand oder ein gelobtes Land mit seiner ihm noch unbekannten, aber sicher intelligenten Bevölkerung, seinem Theater, das alle internationalen Strömungen an sich zieht, auf dessen Brettern so viel Fremde ihr Glück gemacht haben. Warum sollte sich Paris nicht eines Tages von Richard Wagner erobern lassen? Und ist nicht schließlich die Musik selbst ein Vaterland, das groß genug ist?

Er frischt bei Professor Henriot sein Französisch auf; sie entwerfen eine Übersetzung des ersten „Rienzi"=Aktes, die Wagner mit roter Tinte in sein Manuskript einträgt, um nach seiner Ankunft in Paris keinen Tag zu verlieren. Er verkauft sein Mobiliar, gibt ein Abschiedskonzert zu seinem Benefiz, nimmt sich vor, endlich die alten Königsberger und selbst die Magdeburger Schulden zu regeln. Doch wenn er so über die Summen, die er einkassiert hat, verfügt, wie soll er die Reisekosten tragen? Auf den Rat des alten Freundes Moeller wird die Schwierigkeit auf folgende Weise gelöst: Wagner soll sein Geld behalten und seine Gläubiger entschädigen, wenn ihm seine Erfolge in Paris dazu die Mittel verschafft haben. Das war sehr einfach; was weniger einfach schien, war, die russische Grenze ohne Paß zu überschreiten. Denn die Häscher der Gläubiger, die gerade auf eine heimliche Abreise gefaßt waren, haben die unentbehrlichen Papiere beschlagnahmt. „Man muß also ohne sie auskommen", meint der schlaue Moeller. Nichts geht leichter. Man wird mit einem Wagen bis an die Grenze fahren, wo Moeller einen Freund hat, der ein Haus auf preußischem Gebiet besitzt; der wird den Flüchtigen helfen, sich in der Nacht den Russen auf französisch zu empfehlen. All das scheint sehr gut ausgedacht und hat den Anstrich eines romantischen Abenteuers.

Sie verlassen also Riga, wie sie Königsberg verlassen haben, ohne Bedauern, ohne Möbel, ohne die Behörden verständigt zu haben, befreit von der Vergangenheit, die ihnen weder Geld noch Frieden des Herzens oder des Geistes gebracht hat, sondern nur die Erinnerung an Minnas Flucht und den Beweis, daß das Unheil sich an die Fersen eines Menschen heften kann wie das Gespenst seiner verwehten Hoffnungen.

Seite an Seite im Wagen sitzend, fährt das junge Paar einer unbekannten Zukunft entgegen, deren Antlitz noch verschleiert ist. Sein künftiges Glück ist auf ein paar Musikmanuskripte gegründet, und seine ganze Liebe gehört einem riesigen Hund, der seit langer Zeit nicht von Wagners Seite gewichen war, die Nächte vor seiner Tür zugebracht hatte. Er nimmt ihn mit. Wie er drei Jahre zuvor Magdeburg verlassen, mit dem „Liebesverbot" als einzigem Gepäck und dem Pudel Rüpel als einzigem Freund, so nimmt er dieses Mal seinen „Rienzi" unter den Arm und setzt den Neufundländer Robber zwischen sich und Minna.

Die Reise nach der russisch-preußischen Grenze war nicht ganz so einfach, wie sie geglaubt hatten. Zunächst mußten sie in einer Art Schmugglerkneipe bis zum Sonnenuntergang warten, dann zwischen den Wachen bis zu dem Graben durchschlüpfen, der an der Grenze entlang lief, die Kosakenposten und die Zollpatrouillen vermeiden, deren Befehl es ist, auf alles Verdächtige zu schießen, den Graben überschreiten und den gegenüberliegenden Rand hinaufklettern, ohne gesehen zu werden. Dabei mußten sie die Koffer tragen, die erschöpfte Minna brauchte Hilfe und der schwerfällige Robber ständiges Aufpassen, da er sie jeden Augenblick durch Bellen verraten konnte. Wunderbarerweise ging alles ohne Zwischenfall vor sich, und Moeller, der die Ankunft der Flüchtlinge auf preußischem Gebiet erwartete, weinte bei ihrer Ankunft vor Freude. Am anderen Tage handelte es sich darum, Königsberg mit seinen Polizisten zu vermeiden und bis Arnau auf einem alten Stuhlwagen durchzuschlüpfen. Aber der Kutscher warf die Flüchtlinge in einen Graben, und Minna klagte über innere Schmerzen, so daß sie sich einen Tag lang in einem ungemütlichen Gasthof ausruhen mußten. Endlich erreichten sie den preußischen Hafen Pillau und schifften sich heimlich an Bord eines alten Segelschiffes mit Namen „Thetis" ein, dessen Kapitän die verdächtigen Passagiere nach London zu bringen bereit war. Sieben Mann inklusive des Kapitäns bildeten die Besatzung; man steckte die Wagners und ihren monumentalen Hund unten in den Raum, aus dem sie nicht eher an die freie Luft emporsteigen durften, als bis das Schiff das offene Meer erreicht hatte. Das Wetter war nicht günstig: in der Ostsee herrschte Windstille. Richard benutzte sie, um sein Französisch zu vervollkommnen, indem er „Die letzte Aldini" von George Sand las.

Sie brauchen eine Woche, um Helsingör zu erreichen, den alten Turm mit grünem Kupferdach und der glatten, windgefegten Terrasse, auf der Hamlet nach der Erscheinung seines Vaters ausrief: „Es gibt mehr Dinge zwischen Himmel und Erde, als eure Schulweisheit sich träumen läßt, Horatio." So erscheint der Dichter dem Musiker hartnäckig immer wieder auf seinem schwanken Weg. Dann kommen sie ins Kattegatt, dann ins Skagerrak: ein Sturm erhebt sich, als ob Ariel und Caliban sich vereinigt hätten, der eine, um den letzten Passagier des romantischen Schiffes zu verschlingen, der andere, um ihn zu retten. 250 Jahre nach Shakespeare denkt vielleicht der blasse Mann angesichts des wütenden Meeres wie Prospero: „Ein feierliches Lied, der beste Tröster verirrter Phantasie, heile dein Hirn!" Sie glaubten, das Schiff ginge unter; aber der Kapitän gab, nachdem er 24 Stunden vergeblich gegen den Wind gekämpft hatte, der allgemeinen Ermüdung nach und suchte an der Küste Norwegens Schutz. Die „Thetis" kreuzte zwischen Granitklippen hindurch und gelangte endlich in die Gewässer des Sandvigen=Fjordes in der Nähe von Arendal. Die Besatzung barg die Segel und sang ein lustiges Lied, dessen Echo die Felsen, an denen sich der Wind brach, zurück= warfen. Fröhlichkeit folgte der Angst, und Ariel, leichte Flamme des freien Weltgeistes, triumphierte. Umschwebt von diesen Melodien, die von überstandener Gefahr erzählten, fühlte Wagner, wie sich in seinem Herzen eine Melodie formte und in sein schöpferisches Bewußtsein trat: das „Matrosenlied". Erst kürzlich hatte er Heines phantastische Geschichte vom flie= genden Holländer gelesen, dessen Gespensterschiff die Ozeane durchquert. Das Lied dieser wilden Geister aber stieg zwischen den kahlen Felsen auf und wurde eins mit Wind, Meerluft und Wolken; ja mit dem Drama selbst, das den Menschen mit den Elementen, mit dem erbarmungslosen Schicksal kämpfen läßt. Der Holländer, der ewige Jude der Meere, dem der Tod nichts anhaben kann, ist dazu verdammt, in aller Ewigkeit durch Wind und Wetter zu fahren, bis ihm Erlösung durch das Weib beschieden ist...

These: Musik; Antithese: Drama des Lebens; Synthese: Musik und Drama, die miteinander in der Liebe vereinigt werden. Wagner sieht nicht nur ergreifende Bilder, er hat nicht nur den Stoff einer grandiosen Sage erfaßt, sondern er begreift auch deren ethische Elemente: es handelt sich nicht mehr allein um das Theater, um das Drama, sondern um Menschlichkeit im höchsten Sinne. Zum ersten Male wird ihm klar, daß das Gefühl allein lebendige Werke schafft, und er skizziert folgenden Aphorismus: „Ich begreife den Geist der Musik nur in der Liebe." Ein neues Leben, eine neue Welt= anschauung — zugleich eine der schwierigsten philosophischen Fragen nach der Erkenntnis der Menschenrechte — gewannen in seiner inneren Anschauung Gestalt, als er seine Blicke über die Farbenharmonie des Sonnenunterganges schweifen ließ.

„Von hier beginnt meine Laufbahn als Dichter... ‚Der fliegende Holländer‘ erschien vor meinem inneren Auge; meine eigene Lage gab ihm die sittliche Kraft; und der Sturm, die Meereswogen, die Felsen Skandinaviens und das Leben an Bord schufen ihm Gesicht und Farbe.“

Indessen sollten die Prüfungen der Reisenden noch nicht beendet sein. Nach dreitägigem Aufenthalt im Nothafen ging die „Thetis“ wieder unter Segel, lief aber auf einen Felsen, so daß sie von neuem Anker werfen mußte, damit die Schiffs=wand untersucht werden konnte. Am 1. August stach man wieder in See. Am 6. erhob sich eine frische Brise aus Norden, die gegen Abend noch einmal die Heftigkeit eines Orkans annahm. Um 2 Uhr nachmittags am 7. hielten sie sich für verloren. Eine Zeitlang herrschte vollkommene Verzweiflung. Die Matrosen sahen die Passagiere voll Haß an, da nur die Anwesenheit eines bösen Geistes eine so merkwürdige Reihe schlimmer Vor=kommnisse zu erklären vermochte. Eine Welle riß das Galions=bild der Nymphe Thetis vom Bug: ein sicheres Zeichen, daß Gott ihnen zürnte. Minna will sich ins Wasser stürzen, hofft, vom Blitz erschlagen zu werden, und bittet ihren Mann, sich an sie zu binden, damit sie im Tode nicht getrennt würden: im Heulen des Windes, der durch das Takelwerk fährt, glauben sie das Lachen des Holländers und eine ganze Symphonie der Verzweiflung brausen zu hören.

Aber am folgenden Tag beruhigte sich das Meer. Die beinahe Schiffbrüchigen bemerkten andere Segel, und am 9. wurde nach einer dreiwöchigen, an Aufregungen aller Art reichen Überfahrt das kleine Schiff vom englischen Lotsen angerufen. Drei Tage später fuhr es in die Themse ein. Richard machte sorgfältig Toilette, rasierte sich auf Deck, zog sich am Fuß des Groß=mastes frische Wäsche an und verließ bald darauf die „Thetis“ mit seiner Frau und seinem Hund, um mit dem Dampfboot nach London zu fahren. Sie betraten endlich das Festland und stiegen in eines jener engen Cabs, in denen nur zwei Per=

sonen einander gegenüber Platz haben. Richard setzte sich auf die eine, Minna auf die andere Seite; Robber wurde quer gelegt, so daß der Kopf durch das eine, der Schwanz durch das andere Fenster hinaushing. In diesem Aufzug fuhren der Komponist und seine Frau durch die City und entwarfen ihren Schlacht= plan zur Eroberung der ungeheuren Stadt — ein Kampf, der sich übrigens auf eine Woche beschränkte, in der sie die West= minsterabtei mit ihrem Poetenwinkel und das Denkmal Shake= speares besichtigten. Ferner besuchten sie das Parlament, wo Wagner Lord Bulwer Lytton zu treffen hoffte, um ihm den Text des „Rienzi" zu unterbreiten. Aber Lord Bulwer war abwesend, so daß er sich damit begnügen mußte, eine Rede des Premierministers Lord Melbourne und die Antwort des Lord Brougham anzuhören. Endlich redete noch ein Herr, der einen breiten Zylinderhut auf dem Kopf trug, die Hände in den Taschen behielt und sehr langweilig zu sein schien. Es war der Herzog von Wellington. Seine Art und Weise nahm Wagner jeden „übertriebenen Respekt vor dem Besieger Napoleons".

Sie beschließen, nach Frankreich zu fahren, und steigen in der Gesellschaft des Kapitäns der „Thetis" zum erstenmal in ihrem Leben in einen „Dampfwagen". Am Abend des 20. August erreichen sie Boulogne=sur=Mer. Meyerbeer befindet sich, wie man ihnen im Hotel erzählt, auch gerade hier. Viel= leicht könnte ihnen der berühmte Berliner nützlich sein; zählt er nicht bereits zu Wagners „Bekannten", da dieser ihm doch geschrieben hat? Außerdem ist Meyerbeers Gutmütigkeit sprichwörtlich. Richard läßt sich die Villa zeigen, in der er wohnt, geht zu ihm und wird empfangen. „Meine beste Meinung wurde auch nicht enttäuscht!" Niemand kann ent= gegenkommender sein als der Komponist der „Hugenotten". Im übrigen kennt man die leidenschaftliche Zuneigung, die jeder junge Poet sofort für den empfindet, der ihn auffordert, seine Verse zu lesen. So liest Wagner Meyerbeer die drei ersten Akte seines Stückes vor und läßt ihm die Partitur zur Einsicht da.

Der berühmte Mann ist über die ausgezeichnete Schrift er=
staunt: der kleine Sachse würde einen ausgezeichneten Kopisten
abgeben! Er bietet Wagner Einführungsbriefe für den Di=
rektor der Großen Oper, Duponchel, für den Dirigenten
Habenek, für den Verleger Schlesinger an und stellt den
Debütanten sowohl Moscheles wie der berühmten Virtuosin
Blahedka vor.

Also ist Wagner lanciert und in direkter Verbindung mit
denen, die ihm helfen können; er spricht über Musik, macht
Musik und hört der Musik der anderen zu. Am 12. September
beendet er die Instrumentation des zweiten Aktes des „Rienzi";
nun brennt er vor Verlangen, Paris zu sehen und endlich die
berühmte Bühne zu erreichen, die ihn erwartet. Er adressiert
einen besonders liebenswürdigen Brief an Avenarius, den
Gatten seiner Schwester Cäcilie, nach der Buchhandlung
Brockhaus und Avenarius, Richelieustraße 60, und bittet ihn,
ein möbliertes Zimmer für sie zu bestellen, möglichst in der
Nähe der Buchhandlung. Endlich besteigt das Paar den Post=
wagen, um den letzten Abschnitt der endlosen Reise zurück=
zulegen. Aber Wagner weiß, daß er am Ende der langen, mit
Pappeln eingefaßten französischen Landstraße nach so vielen
Schwierigkeiten und Hindernissen, die er mit viel Energie
überwunden hat, endlich die angemessene Belohnung für alle
Mühsal finden wird.

Im Morgengrauen des 16. September 1839 erreichen sie die
Zollschranke von Saint=Denis, wo Wagner nach seiner Post
und der Antwort von Avenarius wegen ihres Unterkommens
fragt. Aber niemand und nichts erwartet das junge Paar.
Mit dem Zuge der Gemüsewagen, die zu den Markthallen
fahren, gelangen sie in die Stadt, und die Post setzt sie in der
Rue Jussienne ab. Sie begeben sich zu Avenarius, der ihnen
soeben ein Zimmer in der Nähe der Markthallen gemietet hat,
und machen am frühen Morgen Bekanntschaft mit einem
Paris, dessen Antlitz noch nicht gepflegt ist; es riecht nach

Rüben und Kohlköpfen und rekelt sich. Der Einfaltsmarkt, die Käsereistraße, die Kuttelstraße, der Birnenmarkt — die Hauptstadt aller Delikatessen! Ist das die Stadt Méhuls, die Stadt der Liebschaften des Ritters von Gluck, die Stadt, aus der Mozart schrieb: „Ich bin ganz in Musik begraben, ich mache den ganzen Tag Musik ... Ich muß eine große Oper schreiben"; es ist ja aber auch die Stadt, in der ein Mozart ganz unverstanden blieb? Hat er nicht gesagt: „Der Teufel hat die französische Sprache erfunden!" Konnte Wagner daran denken, Erfolge zu haben, wo Mozart versagte? Wird er hier seine Oper vollenden? Wird er noch andere Opern in diesem babylonischen Durcheinander von Früchten und Ge=müsen komponieren?

Endlich macht man vor der Nummer 33 in der Rue de la Tonnellerie halt, welche die Rue Saint=Honoré mit dem Marché des Innocents verbindet. Also dort, in diesem schmutzigen Gasthof! Er kommt sich bereits deklassiert vor. Immerhin, von der Fassade des schäbigen Hotels hebt sich eine Büste mit folgender Inschrift ab: „In diesem Hause wurde Molière ge=boren." So lassen die Franzosen die Geburtsstätten ihrer Genies verkommen! Die jungen Deutschen beziehen ein düsteres Zimmer; seine Fenster öffnen sich zum Markt, auf dessen Pflaster die vier Jahreszeiten in wilder Unordnung durcheinanderrollen. „Wir fragten uns mit Schrecken, was wir hier eigentlich wollten." Lautet die Antwort nicht: den Ruhm — den lockenden Ruhm, den alle Dichter auf den lär=menden Straßen der großen Städte zu finden hoffen?

Zweiter Teil

Loge

(1839—1849)

Paris unter dem Bürgerkönig

Das bürgerliche und von jugendlichem Unternehmungsgeist erfüllte Frankreich, das der junge deutsche Komponist im Paris von 1839 verkörpert fand, war ganz dazu angetan, ihm zu gefallen. Zwar ist es auf seinen König Louis Philippe niemals sehr stolz gewesen (vielleicht weil sein Gesicht der Karikatur zuviel Angriffspunkte bot); dennoch war dieser Herrscher einer der klügsten und vorsichtigsten Fürsten, welche die Welt hervorgebracht hat. Er war der Sohn jenes Philippe Egalité, der für den Tod Ludwigs XVI. gestimmt hatte. Früh trat er als liberal Gesinnter den Jakobinern bei, erhielt mit 18 Jahren Generalleutnantsrang, siegte in der Schlacht bei Jemappes und wurde dann unter der Schreckensherrschaft verbannt. Darauf durchwanderte er die Schweiz, studierte Geographie, Französisch, Lateinisch und Mathematik in einem Internat des Kantons Graubünden; seine Nächte brachte er in den Armen der Köchin dieses Institutes zu — eine demokratische Methode, das Leben kennenzulernen, die ihm sehr dienlich war. Dann fuhr er nach Amerika, wo er die Bekanntschaft George Washingtons machte, kehrte, als Napoleon gestürzt worden war, nach Frankreich zurück, um von Ludwig XVIII. aufs neue, diesmal nach England, verbannt zu werden, und fand endlich nach 20jähriger Irrfahrt den Weg ins Palais Royal zurück. Seine Salons standen nun „Schriftstellern, Künstlern und Dichtern offen, deren Unabhängigkeit den Behörden ein Dorn im Auge war". Als die Revolution von 1830 ausgebrochen war, dankte Karl X. ab; Louis Philippe wurde ins Stadthaus gerufen, wo Lafayette ihm die Trikolore überreichte, die diesmal über einem, durch das Volk besetzten republikanischen Thron wehte. Seit neun Jahren war Louis Philippe wohl Herr dieser Regierung, aber auch ihr Gefangener. Klug und verständig verbarg er hinter der demokratischen Maske ein starkes Herrscherbewußtsein. Dieser Professor auf dem Thron war der geborene Diplomat mit pazifistischem Einschlag. Er wußte, wie teuer die Thyrannenspielerei werden kann, und war überzeugt, daß ein moderner Fürst so etwas wie der Vorsitzende eines Aufsichtsrates sei: er regierte also sein Land, wie man eine Bank verwaltet, mit Klugheit, Mäßigung und guter Laune. Niemals vergaß er sich vorher zu überzeugen, ob ein Geschäft guten Verdienst verspräche; stets blieb er bemüht, das Vertrauen seiner Kundschaft zu heben. Er war „national", aber nicht mehr aristokratisch; er stellte den „guten Mittelstand" dar, war sparsam und legte Kapital zurück, da er den Wert jedes Talers zu schätzen wußte, und schien fest entschlossen, auf keinem Schlachtfeld die neue Ordnung der Dinge aufs Spiel zu setzen, da nun einmal das Bürgertum, gestützt auf Handel und Industrie, die höchste Herrschaft ausübte: die des Geldes. „Ich habe", sagte der König, „mein ganzes Leben lang die tiefe Ungerechtigkeit verabscheut, die den Namen Krieg trägt — eine Ungerechtigkeit, die darauf hinausläuft, daß Tausende von Männern in den Tod geschickt werden, trotzdem die meisten von ihnen, ihrem Wesen oder Beruf nach, den Fragen gleichgültig gegenüberstehen, um derentwillen ihr Leben von ihnen gefordert wird. Nicht umsonst nennen mich meine Feinde den ‚Friedenskönig'."

Seine Minister hießen Molé, Laffitte, Guizot, Casimir-Perier, Odilon Barrot, Arago, Broglie und Thiers. Auch sie waren verständige Leute; allerdings konnten sie den Ausbruch von kleinen Aufständen nicht hindern. Aber Louis Philippe begab sich, sehr zum Unterschied von dem, was man seitdem in solchen Fällen bei europäischen Monarchen gesehen hat, auf die Barrikaden, wo die Soldaten bei seinem Erscheinen ihre Gewehre wegwarfen, ihn mit Beifall empfingen: „Heil dir, Herr König!" Er weihte den Triumphbogen auf der Place de l'Etoile ein, errichtete den Obelisken von Luxor auf der Place de la Concorde, ließ das ganze Land mit großen Eisenbahnlinien durchziehen, überführte die sterblichen Reste Napoleons von St. Helena nach Paris, befahl das Schloß von Versailles auf seine eigenen Kosten zu restaurieren und bezahlte fünfundzwanzig Millionen dafür. Aber trotz alledem war dieser gediegene Herrscher, dieser gute Familienvater und „Bürgerkönig" die Zielscheibe unzähliger Attentate, weil er an einer Politik der Verständigung mit England festhielt; immer warf man ihm Feigheit vor. Wie durch ein Wunder entkam er denen, die nach seinem Leben trachteten; aber es ist sehr verständlich, daß er das Vertrauen in die Klugheit der Menschen verloren hatte und nicht mehr an die Erhabenheit von Kronen glaubte. „Die Qualität der gekrönten Häupter von heute wird viel Unglück über die Welt bringen", meinte er, „Die Welt wird fortan ohne Fürsten sein', wie Shakespeare sagt."

Wie ein Vierteljahrhundert früher, zur Zeit, da Napoleon gestürzt und Richard Wagner geboren wurde, suchten die Propheten der neuen Generationen von 1830 eine Lösung zu finden, welche die politischen, literarischen und musikalischen Unstimmigkeiten beheben könnte. Die Romantik hatte bereits ihren Schlachtruf ausgestoßen, unter dem sie ihre „Ideale" zusammenfaßte; eigentlich war alles, was als neue Heilslehre verkündet wurde, nur etwas ganz Gesundes und Vernünftiges. Da aber die Jugend stets viel ernsthafteren Gemütes ist als das reife und das hohe Alter, flammte der Streit immer wieder auf. Dort standen die kampflustigen jungen Dichter und Neuerer, hier die „Arrivierten", alle, denen es gut ging; diese wollten nur in Frieden aus dem wirtschaftlichen

Aufschwung Nutzen ziehen, den der kluge und weitblickende König dem Lande gebracht hatte. Leid, Kummer, Einsamkeit, Enttäuschung, Reinheit, Menschlichkeit — alle diese abstrakten Begriffe fanden auf der einen Seite der geistigen Barrikade ihre noch jungen, aber leidenschaftlich bewegten Verteidiger, während auf der andern Seite die Masse der ruhigen Bürger nach 50 Jahren Krieg und Zerstörung das goldene Zeitalter Ludwigs des Vielgeliebten zu genießen wünschte. Das Individuum empörte sich gegen die Allgemeinheit. Im Jahre 1815 kaum dem Kindesalter entwachsen, durchdrang das 19. Jahrhundert jetzt den greisenhaften Winter des monarchistischen Europa wie ein neuer Weltfrühling. Zwischen beiden Jahreszeiten aber herrscht so grimmiger Haß, daß die eine nur erblühen kann, wenn die andere vergeht. Die Veteranen der alten Armee verlangten nach 20 langen Jahren heroischer Opfer den Preis für ihre unzähligen Siege. Bevor sie in ihren Mahagonibetten starben, wollten sie ihre Jugend noch einmal zurückrufen, die sie für ihren glorreichen Kaiser, für den Ruhm und die Größe Frankreichs hingegeben, deren Früchte zu genießen sie aber niemals Zeit gehabt hatten. Sie bekämpften also die fortschrittlichen Ideen der jungen „Genies" mit den schön gepflegten Bärten und dem „dämonischen" Äußeren mit allen ihnen zu Gebote stehenden Mitteln.

Der greise Chateaubriand drehte immer noch seine alte Orgel, aber niemand außer ein paar ältlichen Damen hörte auf sie. Er mußte, trotzdem es ihm höchst peinlich war, eine Modeschriftstellerin, George Sand, zu ihren Romanen beglückwünschen, die als „Realistische Dichtung" bezeichnet wurden. Vierzehn Tage nach Wagners Ankunft in Paris schrieb der Kritiker des „Constitutionnel" in seinem Blatt: „Die in ihrem ganzen Aufbau erschütterte Literatur hat sich noch nicht wieder in einen normalen Zustand zurückgefunden; sie stirbt an Entkräftung." Trotzdem schickte in diesem Jahr Stendhal, der damals Generalkonsul in Civita Vecchia war, die korrigierten Fahnen der „Kartause von Parma" an seinen Verleger; auch Balzac hatte bereits einen großen Teil seiner „Menschlichen Komödie" veröffentlicht, aber man nahm ihn nicht ernst. „Das Talent des Verfassers von ‚Sarrasine'", schrieb der Kritiker Gustav Planche, „schmeckt nach Opium, Punsch und Kaffee." Victor Hugo hatte mit seinem „Hernani" einen Skandal verursacht; sein Publikum fand er hauptsächlich in Theaterkreisen und den Kneipen der Boheme. 1840 suchte er noch nach seinem Weg, einem eigenen Stil. Musset hatte gerade seine „Nächte" herausgegeben, die nur bei den jungen Leuten Begeisterung erweckten. Alfred de Vigny, ein merkwürdiger und ganz vermögensloser Mensch adliger Herkunft, hatte mit seinem Roman „Cinq-Mars" und einem Drama „Chatterton" einige Erfolge. Dumas interessierte hauptsächlich wegen seiner Liebesaffären, seiner Duelle und der literarischen Polemiken, in die er verwickelt war. Aber als die wahren Meister galten nicht etwa diese, sondern Leute, deren Namen man heute kaum noch kennt, außer vielleicht Eugène Sue, Paul de Kock, Janin und Legouvé. Der Feuilletonist des „Constitutionnel", der es wagte, über George Sand eine Studie zu schreiben „Das Genie ohne Geschlecht", hatte also nicht unrecht, sich deswegen beim Publikum zu entschuldigen, da die Gegenwart im Gegensatz zu den in jeder guten Bibliothek stehenden prächtig gebundenen alten Scharteken nur kleine Broschüren und Duodezbändchen und lauter Autoren aufweisen konnte, die das Pariser Publikum für harmlose Kranke, Revolutionäre oder gar gefährliche Irre hielt. Wo aber gab es einen begründeten und dauerhaften Ruhm? Wer hätte mit der Popularität Bérangers konkurrieren oder den Ruhm des berühmten Engländers Walter Scott erreichen können? Aber alle diese, auch den femininen Lamartine und das bezaubernde Ungeheuer Byron überstrahlte in den Pariser Cafés, wie in den Schenken Deutschlands der Name des genialsten aller Dichter, des Urschöpfers, dem das moderne Drama seine Entstehung verdankt:

Shakespeare. Von Shakespeare stammte die Freude am Hell-
dunkel, am dämonischen Wesen, das sich im Schatten längst
vergangener Zeiten mit dem Himmel trifft, an der ganzen
Tragödie der göttlichen und höllischen Gegensätze, die in der
menschlichen Seele in ewigem Kampfe liegen. Endlich hatte
auch Walter Scott den Vorhang fortgezogen von einer Welt
der Edelfräulein und Pagen, der Minstrels und Verliebten,
edler Piraten und gefährlicher Zauberinnen, kurz der sogenannte historische Roman war bestimmt, vergessene Symbole und alte Sagen wieder lebendig zu machen.

Wenn der Garten der Literatur von 1839 im vollen Früh-
lingssafte stand, ohne daß schon zu sagen gewesen wäre, wo
sich seine schönsten Blumen öffnen würden, so war ganz in
der Nähe, in den heißen Gewächshäusern, in denen die Musik
gedeiht, ein schnelleres Wachstum zu beobachten.

Paris war damals das erste musikalische Zentrum der
Welt. Das Konservatoriumsorchester hatte es sich bereits
seit 1828, ein Jahr nach Beethovens Tode, zur Aufgabe
gemacht, alle Symphonien des Meisters einzustudieren und
öffentlich zu spielen. Die Kgl. Akademie der Musik (die Große
Oper), die 700000 Frs. jährliche Subvention bezog, war das
beste Operntheater Europas. Die Komische Oper mußte trotz
einiger Erfolge, wie „Zampa" und die „Braut" von Auber,
der Italienischen Oper den Vorrang lassen, die nun 30 Jahre
lang Treffpunkt der eleganten Welt war; sie siedelte 1841
nach der Salle Ventadour über. Auber, Adam und Halévy
sind die Namen der großen Franzosen, welche den Spielplan
beherrschen. Sie schrieben eine anständige heitere, etwas
süßliche und anspruchslose Musik, die ohne weiteres gefällt;
sie entspricht dem Geschmack der braven Bürger, die im
Theater für einen halben Taler Fröhlichkeit und Rührung
suchen. 1839 wird Auber Leiter der Hofkonzerte; einer seiner
Genieblitze hatte in der Entdeckung des außerordentlich begabten Eugène Scribe als Librettisten bestanden, der 76 Bände

Theaterstücke hinterlassen hat. Ein Ausspruch Aubers lautete: „Bis ich 30 Jahre alt war, habe ich die Musik mit jugendlicher Leidenschaft geliebt. — So lange war sie meine Geliebte, aber jetzt, da sie meine Frau ist..."

Halévys Kunst ist herber, ernster. Er hatte vor vier Jahren sein Meisterwerk, die „Jüdin", geschrieben, dessen Grund= idee ihm eines Abends während eines Spazierganges in Scribes Park eingefallen war. Nourrit, der Tenor der Oper, fand die Worte der einst so berühmten Arie: „Recha, als Gott dich einst zur Tochter mir gegeben...!"

Ein merkwürdiger Mensch war Adam, ein geborener Ge= lehrter und Forscher, Verächter der Melodie — plötzlich ent= deckt er während der Komposition des „Chalet" ganz andere Fähigkeiten in sich, und von da an brauchte er immer nur Tage oder Wochen, um eine neue Oper in die Welt zu setzen. Der „Postillon von Longjumeau" ist das Modestück, und der kleine pedantische Schüler von einst meint jetzt: „Ich habe bei meiner Theatermusik keinen anderen Ehrgeiz, als sie klar, leicht verständlich und amüsant für das Publikum zu schreiben... Ich schreibe die Einfälle nieder, die mir kommen — und sie kommen immer, die netten kleinen Mädel!"

Die beiden großen Italiener in der Musik sind Rossini und Spontini — eine ganz andere Klasse von Künstlern. Spontini, Schüler Glucks und Mozarts, hat Orchesterkombinationen und szenische Massenwirkungen von absoluter Neuheit in die Oper eingeführt. Seine Erfindung war stark und kühn; aber wegen seiner übertriebenen Forderungen und seines unangenehmen Charakters konnte er sich in Berlin ebensowenig durchsetzen wie in Paris; trotzdem machte er seinen Weg und spottete über die „Brut der kontrapunktistischen Schulfüchse und der jungen Notenweber". Bei der „Vestalin" gab es Skandal und, wie wenige Jahre vorher „Ferdinand Cortez" Richard Wagner die Tore einer neuen Welt geöffnet hatte, sollte diese Oper Ber= lioz' ganzes Schaffen vollkommen verändern. Spontini wurde für die beiden am Anfang ihrer Laufbahn zu einer wichtigen Offenbarung. — Rossini komponierte damals nicht mehr, blieb aber immer der „illustrissimo maestro", „der Jupiter der Musik", ein Mann, dessen Ruhm, wie Stendhal sagte, bis an die äußersten Grenzen der zivilisierten Welt reicht. Aber der allzu reife „Schwan von Pesaro" fühlte bereits von weitem das Wehen der Zukunft und die grundlegenden Veränderungen, die eine ebenso radikale Revolution in der Musik verursachten, wie andere solche in der Politik. Vielleicht hatte er seit jenem bemerkenswerten Abend vor zehn Jahren, an dem „Wilhelm Tell" aufgeführt worden war, nichts mehr geschrieben, weil er fühlte, daß „neue philosophische Prinzipien Wurzel schlugen, die aus der Musik eine literarische Kunst der Nachahmung, eine Philosophie der Melodie machen wollten", wie er an Rossi, den Direktor des Konservatoriums zu Mailand, schrieb. Der Meister der Koloraturen, des Bel Canto und der Melodie um jeden Preis konnte nicht ahnen, daß sich in einem bescheidenen Zimmer des möblierten Hotels Molière das Wesen eines Künstlers entwickelte, der nicht wollte, daß man die Musik nimmt, wie man ein Mädchen verführt, nämlich mit sehn= süchtigen Blicken oder mit sieghaften Mienen, sondern daß man sie wie eine Art Logik oder Architektur, jedenfalls wie eine höhere Lebensform betrachtet, nicht mehr wie eine Zerstreuung, sondern wie ein Drama, wie das Drama des Lebens selbst.

Wer unter den jungen Musikern der neuen Schule würde also eine Rolle spielen? Vielleicht Marliani, Verfasser der „Xacarilla", einer kleinen Oper, deren Librettist natürlich Scribe gewesen war? Vielleicht Gounod, der den ersten Preis der Akademie der schönen Künste mit einer dreistimmigen Kan= tate errungen hatte? Die Zeitungen sagten: „Der junge Schüler zeigt Wärme und Empfindung, er verspricht ein Komponist von vornehmer Haltung zu werden ... Aber seiner Kantate fehlt die Melodie und der Gesang; wenn sie auch mit viel Können und viel Talent geschrieben ist." Oder würde es

vielleicht der wunderliche Hector Berlioz sein, der Verfasser
der Symphonie „Harald in Italien", die Paganini so begeistert hatte, daß dieser angesichts des ganzen Orchesters vor
dem Komponisten auf die Knie gefallen war. Berlioz konnte
bereits auf die „Phantastische Symphonie", das „Requiem"
und „Benvenuto Cellini" zurückblicken; er hatte gerade zu jener
Zeit im Konservatorium seine Symphonie mit Chören und
Soli, „Romeo und Julia", dirigiert. Aber wenn er auch
Victoria blasen ließ, so bekränzte ihn die Kritik nicht gerade
mit Rosen, sondern warf ihm die symphonische Form, die er gewählt hatte, als Extravaganz vor; ein anderer Kritiker fand im
Scherzo der „Königin Mab" nur ein groteskes Geräuschlein,
das dem „Quietschen von schlecht eingefetteten Spritzen" ver-
gleichbar sei. Wenigstens scheute dieser Mann vor keinem
Effekt zurück, er schrieb für großes Orchester, Chöre, Har-
monikas, zwei Klaviere, zwanzig Unisonobässe und selbst für
drei Orchester auf einmal. Auch hatten diese musikalischen
Ungeheuer, die „mit Zähnen auf die Welt gekommen waren,
gleich Richard III.", wie ihr Schöpfer meinte, manchmal „erschreckende" Erfolge. Immerhin spielte er, als glühender
Romantiker und Führer der Jungen, eine große Rolle. Es
fand sich in ihm mehr wirkliche Substanz als in all den
anderen Melodiefabrikanten; deshalb widmete Wagner einen
seiner ersten Abende der Romeo-Symphonie. Er war betäubt
und hingerissen, ebenso wie Berlioz von der „Vestalin". Die
Virtuosität dieser Instrumentation, die Kühnheit der rhythmischen Kombinationen, der Überfluß an gewählten Harmonien wirkten heftig auf ihn ein und drängten alles persönliche Gefühl vollkommen zurück. Hier gab es keine Seelen-
schilderungen mehr, sondern eine Darstellung von Handlungen, keine absolute Musik, sondern ein richtiges sympho-
nisches Drama. Trotz einigen Banalitäten, trotz einem gewissen inneren Widerstand, den Wagner niemals unterdrücken
konnte, wenn er den schmetternden Klangdonner der Berlioz-

schen Musik hörte, begriff er sofort, daß ihm hier eine an Größe
und Energie unvergleichliche Künstlernatur gegenüberstand.
Die Sextakkorde, andere auf dem gregorianischen Gesang
fußende Harmonien, die „Dissonanzen der Konsonanzen" (die
Dissonanzen der übermäßigen Septime liebt er besonders)
verleihen seiner Musik einen ganz ausgesprochenen Charakter,
eine Art von Mystik und eine Freiheit der Orchesterbehandlung,
an die Wagner sich noch einmal erinnern sollte. „Wir müssen
Berlioz", sagte er später, „als den wahren Erlöser unserer
musikalischen Welt ehren."

Das tröstete ihn über die Opern seines Landsmannes Meyerbeer, denn dieser beutete nur die Methoden von Spontini und
Rossini aus, wobei er sie fälschte und umformte; trotz dem
Empfang in Boulogne war Wagner ihm nicht freundlich gesinnt, ja er empfand ihn als den ausgesprochensten Gegensatz
zu sich selbst.

Vielleicht aber entsprang im Gegenteil diese Animosität im
tiefsten Grund seiner Seele aus einer Art Ähnlichkeit, einer
geistigen und körperlichen Verwandtschaft, die Wagner zwischen sich selbst und Meyerbeer spürte. Vielleicht waren sie
beide der dramatisch-musikalischen Romantik der jungen
Generation ergeben, in der es zwar keine Koloraturen mehr
gab, aber die von einem wienerischen, durch Mozart verfeinerten
Italienertum getränkt war. Endlich imponierte ihm vielleicht
der Komponist von „Robert dem Teufel" und den „Hugenotten" durch das Ansehen, das der Erfolg verleiht, durch
seine meisterhafte Beherrschung alles Theatralischen, seine
Geschicklichkeit als Regisseur, seinen Sinn für das Dramatische
und seine Arbeit am Detail. Bei ihm gab es, im Gegensatz
zu den Gewohnheiten der französischen Autoren, nichts Neben-
sächliches; er wandte Jahre ernster Arbeit an eine Oper,
arbeitete immer wieder um und suchte sich die passenden Sänger
aus. Wenn sich endlich der Vorhang über einem seiner Stücke
hob, war die Inszenierung so vollendet und der Erfolg so

sicher, daß den Darstellern nur übrig blieb, in ununter-
brochenem Zuge die hundertste Vorstellung zu erreichen; alles
das war von einem beinahe wissenschaftlichen Ernst getragen.
Wenn Wagner auch aus seinem ganzen jugendlichen Glauben
heraus diese Kunst der Effekthascherei verachtete, die er sogar
auf das Niveau des „absoluten Nichts" zurückzuführen versucht war, er lernte von Meyerbeer etwas sehr Wesentliches.
Er begriff, wie wichtig es für den Musiker ist, auf jeden
Fall, und sei es unbewußt, eine wirklich poetische Situation
zu finden — ein packendes Bild oder ein aus dem Herzen
kommendes Wort, das beim Komponisten erst die geniale Eingebung hervorruft, durch die allein er zum „reichsten, vornehmsten und bewegendsten musikalischen Ausdruck" gelangen
kann. Als Beispiel führt er die Liebesszene in den „Hugenotten"
an. Aber eine so vollkommene Übereinstimmung der dichterischen Phantasie und des musikalischen Schaffens ist zu sehr
dem Zufall ausgesetzt, als daß sie nicht Ausnahme bleiben
müßte. Alle künstlich aufrechterhaltene Zusammenarbeit
zwischen Komponisten und Librettisten bedeutet also eine Unmöglichkeit. Der Fehler des Begriffes „Oper" liegt in folgendem falschen Schluß: das Mittel des Ausdrucks (die Musik)
ist Zweck, und der Zweck des Ausdrucks (das Drama) ist Mittel
geworden. Diese noch etwas unklare Idee trägt den Keim der
ganzen Opernzukunft in sich. Wenn diese bis zum Lächerlichen widernatürliche Bastardkombination also eine Oper ist,
so kann trotzdem das Musikdrama, der Schöpfungsgedanke der
neuen Welt, ihr entsteigen. Und Wagner fühlt, daß es ihm
bestimmt ist, das neue Wesen mit allen schmerzhaften Geburtswehen glorreich zur Welt zu bringen.

Viele Künstler machen die Erfahrung, daß ihre Begeisterung
für die ihrer Art entsprechenden Formen in dem Maße ab-
nimmt, in dem sie sich ihrer selbst bewußt werden. Was sie
noch bis vor kurzem entzückt hat, scheint ihnen bald unnütz,
dann sogar schädlich. Anfangs leben sie auf geistige Kosten

anderer; wenn sie aber angefangen haben, sich selbst zu finden, verlassen sie die Welt, deren Gäste sie nur vorübergehend gewesen sind. Sie müssen an allem zweifeln, alles neu schaffen, um sich eine Heimat zu erfinden, in der sie sich wohl fühlen. Wie manchmal störrische, aber intelligente Kinder Vorschriften für das menschliche Leben nicht mehr annehmen wollen, da dieses, wie sie meinen, auf wertlosen Konventionen beruhe, erheben jene Revolutionäre die Ungesetzlichkeit zur Pflicht und schaffen ihr Ideal nach dem Maße ihrer Empörung. Je heftigeren Widerstand sie leisten, je hartnäckiger sie jede Unterwerfung ablehnen, desto größer wird ihr Eigenwille, desto selbständiger ihre neue Kunst.

Wagner geht also selten ins Theater. Wenn die ersten Wochen seines Pariser Aufenthaltes mit vergeblichem und ermüdendem Herumlaufen und den Versuchen ausgefüllt waren, Meyerbeers Empfehlungsbriefe anzubringen, merkte er jetzt, daß bei diesen scheinbar so schnellebigen Franzosen alles mit einer entmutigenden Langsamkeit vor sich ging. Duponchel, der Direktor der Oper, empfängt ihn höflich, mit dem Monokel im Auge, liest Meyerbeers Brief, steckt ihn in die Tasche und begleitet seinen Besucher mit liebenswürdigen Worten zur Tür. Wagner hat niemals wieder ein Wort von ihm über die Angelegenheit gehört. Bei dem Verleger Schlesinger: derselbe freundliche Empfang, dieselbe Gleichgültigkeit. Wagner komponiert ein Lied für Bariton auf den Text der „Beiden Grenadiere" von Heine, ein Wiegenlied und eine kleine Romanze auf das Gedicht von Ronsard: „Geliebte, laß uns sehen, ob die Rose ...", und bringt alles zu Dupont, dem dritten Tenor der Oper, der erklärt, daß der altfranzösische Text nicht die geringste Aussicht auf Erfolg haben würde. Der Gesanglehrer Géraldy, den Wagner dann fragt, bemerkt, daß er „Die beiden Grenadiere" (die sechs Monate vor denen Schumanns komponiert sind) für unmöglich hält, weil die Marseillaise, „an welche ich die Begleitung des Schlusses an=

klingen ließ, gegenwärtig in Paris nur in Begleitung von
Kanonen- und Gewehrfeuer auf den Straßen gehört zu werden
pflegt". Wagner machte die Bekanntschaft eines Herrn Dumersan, der kleine Operetten geschrieben hatte; dieser übersetzt drei
Stücke aus dem „Liebesverbot" in französische Verse, für eine
Probeaufführung im Renaissancetheater, die er durchsetzen zu
können glaubt. Noch besser: er bringt drei renommierte Sänger
zusammen (darunter Pauline Garcia, Schwester der Mali-
bran, aufsteigender Stern am Boulevardhimmel), und Richard
rechnet bereits mit der Annahme der Oper, mit dem Erfolg.
Aber die Sache zieht sich in beunruhigender Weise in die Länge.
Wagner besucht den berühmten Lablache, für den er eine große
Baßarie mit Chor als Einlage in die Rolle des Orovist in der
„Norma" geschrieben hat; aber Lablache ist mit dem jüngsten
Werk Wagnerscher Kunst nicht einverstanden, und der Komponist fühlt, daß er vor Scham über die Worte des Sängers
errötet.

Endlich besucht er Scribe. Der Herrscher im Reiche der
Libretti empfängt ihn mit vollendeter Liebenswürdigkeit und
verabredet sich mit ihm für ein Konzert im Künstlerzimmer
der Oper. Am festgesetzten Tage erscheint Scribe in Begleitung
des Herrn Edouard Monnais, stellvertretenden Direktors der
königlichen Akademie für Musik; Wagner begleitet die drei als
Beispiele gewählten Stücke seiner Oper am Klavier; die
Herren finden die Musik „charmant", und Scribe erklärt sich,
wie immer, bereit, den Text zu arrangieren. Aber auch dieses
Versprechen wird ebensowenig gehalten wie die anderen, und
jetzt entschließt sich der Komponist, da ihn die leichte Machart
der Partitur, die ihm gar nicht mehr ganz im Gedächtnis gewesen war, erschreckt hatte, das Werk beiseitezulegen, auf
das er so viele Pariser Luftschlösser gebaut hatte.

Die einzige karge Befriedigung seines künstlerischen Ehr-
geizes, die ihm im Laufe der ersten langen Monate zuteil
wurde, bestand in der Aufführung seiner Ouvertüre zu

„Christoph Columbus" in den Proben der Konservatoriums=
konzerte. Habenek, ein Dirigent von europäischem Ruf, hatte
ihm diese versprochen und hielt Wort. Zum erstenmal wird
Wagners Name in einer französischen Zeitung gedruckt: „Die
Ouvertüre eines jungen deutschen Komponisten von bemerkens=
wertem Talent, eines Herrn Wagner, ist vom Konservatoriums=
orchester in der Probe gespielt und mit allgemeinem Beifall
aufgenommen worden. Wir hoffen, das Werk bald öffentlich zu
hören, und werden es dann nach Gebühr zu würdigen wissen"
(Revue et Gazette Musicale de Paris vom 22. Januar 1840).

Dies wird für Richard zur Ursache eines ihn tief bewegenden
Erlebnisses, das einen außerordentlich starken Einfluß auf ihn
haben sollte. Er hört eine Aufführung der Neunten Symphonie
von Beethoven durch das berühmte Konservatoriumsorchester,
eines Werkes, das die Deutschen für die unverständliche Phan=
tasterei eines Verrückten hielten. Für Wagner bedeutete die Auf=
führung eine unerwartete Offenbarung, die mit dramatischer
Kraft allen Zweifeln ein Ende machte und ihm endlich den
Weg zeigte, den er zu gehen hatte.

„Wie mit einem Schlage stand das in meiner Jugend=
schwärmerei von mir geahnte Bild von diesem wunderbaren
Werke ... nun sonnenhell, wie mit den Händen greifbar, vor
mir. — Die ganze Periode der Verwilderung meines Ge=
schmackes, welche, genau genommen, mit dem Irrwerden an
dem Ausdrucke der Beethovenschen Kompositionen aus dessen
letzter Zeit begonnen und durch meinen verflachenden Verkehr
mit dem schrecklichen Theater sich so bedenklich gesteigert hatte,
versank jetzt vor mir wie in einem tiefen Abgrund der Scham
und Reue ... Ich vergleiche daher diesen für mich so wichtigen
Vorgang mit dem ähnlichen, entscheidenden Eindrucke, welchen
ich als sechzehnjähriger Jüngling vom Fidelio der Schröder=
Devrient gewann."

Die Neunte Symphonie bedeutet für Wagner, wenngleich
sie für ihn die Tragödie der Verzweiflung darstellt, auch die

enge Pforte, durch die der Künstler in die Welt des Lichtes
eintreten muß, auf deren Boden die menschliche Melodie sich
entfaltet. So kam es, daß sich eine Zeit des Elends und der
Entmutigung vor ihm auftat, wie der erste Kreis der Hölle,
zu dem man hinabsteigen muß, um den Pfad zu finden, der
einen zur Erkenntnis seines wahren Ich führen soll.

Nun machte er ganz allein lange und einsame Spaziergänge,
auf denen er sich den Kopf zerbrach, wovon er morgen sein
Brot bezahlen sollte. Das Vorzimmer keines Direktors öffnete
sich dem Unbekannten, kein Verleger nahm seine Kompositionen an. Einige, die etwas freundlicher taten, gaben ihm
den guten Rat, „Galopps" zu schreiben oder in sein Vaterland
zurückzukehren. Vom „Guignol" in den Champs Elysées
lief er auf den „Hühnerstall", den obersten Rang der
Comédie-Française, und gab seine letzten Pfennige für alle
möglichen vergeblichen Versuche aus, irgend etwas zu erreichen.
Man zeigte ihm die Leihhäuser, deren beleuchtete Firmen-
schilder er gelesen hatte, ohne ihre Bedeutung zu verstehen;
er brachte seine Uhr, sein bißchen Silber, seine kleinen Hoch-
zeitsgeschenke, dann den Schmuck Minnas und sogar ihre
Theatergarderobe hin, um sie zu versetzen. Inzwischen arbeitete
er ohne Unterlaß, ohne sich von irgend jemand hineinreden zu
lassen, da er niemanden in dieser Stadt als überlegen an-
erkannte. Von unbezwinglichem Willen getragen, begann er
eine Faust-Ouvertüre, die ihm vor allem den Glauben an
sich selbst wiedergeben sollte. Als Motto wählte er die Goethe-
Verse, in denen der Optimist, der er so lange gewesen war,
zum erstenmal seinem Pessimismus Ausdruck verlieh:

> Der Gott, der mir im Busen wohnt,
> Kann tief mein Innerstes erregen,
> Der über allen meinen Kräften thront,
> Er kann nach außen nichts bewegen.
> Und so ist mir das Dasein eine Last,
> Der Tod erwünscht, das Leben mir verhaßt.

II

Die Schule des Hasses

In der Buchhandlung von Brockhaus und Avenarius in der Rue de Richelieu, im Schatten der königlichen Bibliothek, nur wenige Schritte von der Rue Le Peletier, wo die Opernhochburg seiner Gegner steht, findet Richard Wagner einen Freund. Es ist ein Mann von ungefähr fünfzig Jahren, der aus Bonn stammt, einer der merkwürdigen und bescheidenen deutschen Gelehrten, der in der Bibliothek einen kleinen subalternen Posten bekleidet. Dieser weise Mann, ein gebildeter Musikhistoriker ohne jeden Ehrgeiz und ohne einen Schatten von Energie, lebte schon lange in den großen Sälen der Bücherstadt, in denen er nicht mehr Geräusch machte als ein Nachtschmetterling. Niemand wußte etwas von diesem geheimnisvollen Geistesarbeiter, als daß er mit philosophischer Resignation durch das Leben ging, nachdem er jede Hoffnung, jede Illusion und sogar seinen Namen verloren hatte. Er nannte sich „Anders", ein Pseudonym, das er sich ausgedacht, um eine Vergangenheit, die, wie Avenarius sagte, einmal glänzend gewesen war, ganz in Vergessenheit zu tauchen. Von einem großen Vermögen, das er verloren, hatte er nur seine Bibliothek gerettet, welche die Wände seiner kleinen Wohnung in der Rue de Seine mit ihren schönen Bänden bedeckte. Er war Beethovens Landsmann und ein genauer Kenner des Werkes, das der Meister hinterlassen hat; nun befreundete er sich mit dem jungen, gerade angekommenen Sachsen und führte ihn bald zu seinem andern Ich, Herrn Anders II, dem Philologen Lehrs.

Lehrs ist auch Deutscher, von jüdischer Abstammung; seine Eltern haben ihm den heroischen Namen Siegfried gegeben; man nennt ihn aber gewöhnlich Samuel, was auch besser für den ausgezeichneten und bescheidenen Kenner der Antike paßt, der er war. Er schreibt die Anmerkungen für Ausgaben Homers, Hesiods und Nicanders, die im Verlag Didot herauskommen sollen. Philologe und Musikhistoriker leben zusammen, sind außerordentlich besorgt umeinander, von äußerster Sparsamkeit und ebenso welt- und menschenfremd wie Balzacs Figuren Pons und Schmücke, denen sie als Modell gedient haben könnten. Trotz ihrer andauernd elenden Lage versichert Lehrs, daß es keinen Ort in der Welt außer Paris gäbe, in dem er leben könne. Er arbeitet den ganzen Tag, besucht am Abend die fliegenden Buchhändler am Seinekai und führt Anders, der sich beim Gehen auf einen Spazierstock oder einen Regenschirm stützen muß, am Arm, wenn sie zusammen zur kleinen Wohnung des Ehepaars Wagner emporsteigen. Dann werden sogleich alle möglichen Zukunftspläne entworfen, denn diese beiden Unglücklichen, die für sich selber keinen Ehrgeiz haben, als ihr ganzes Leben lang ihren bescheidenen Beruf ausüben zu dürfen, fühlen im Verkehr mit dem vor Ehrgeiz glühenden Richard alles Verlangen wieder in sich erwachen, das sie einst empfunden hatten, als ihre Herzen noch hoffnungsfreudig schlugen. Beide sind krank und verbraucht (Lehrs starb kurze Zeit darauf an der Schwindsucht). Die Pläne für die „Eroberung von Paris" werden nicht weniger eifrig entwickelt als einige Monate vorher die für die „Eroberung Londons". An einer Ecke des Tisches bereitet Minna ein kärgliches Abendessen, von dem der große Hund Robber, Anders' Schrecken, nicht einmal die schäbigen Reste sehen wird. Leider verschwand Robber kurze Zeit darauf, vielleicht weil er nicht genug zu fressen bekam, vielleicht verlief er sich oder wurde gestohlen. Seit Wochen freuten sich die Kinder im Palais Royal, seinem Lieblingsspielplatz, an dem treuen Kameraden; er apportierte aus dem Springbrunnenbassin die Gegenstände, welche die Jungen für ihn hineinwarfen. Aber eines Tages kam er nicht nach Hause zurück und blieb trotz allem Suchen unauffindbar.

Wagner stand infolge dieses Mißgeschickes lange Zeit unter dem Eindruck einer bösen Vorbedeutung.

Indessen hatten Lehrs und Anders einen so festen Glauben an die Zukunft ihres Schützlings, daß sie ihm rieten, seine dunkle Behausung zu verlassen und eine helle Wohnung in der Rue du Helder zu mieten. Um in Paris Erfolg zu haben, muß man, wie ihm Lehrs versicherte, ein gewisses Ansehen wahren. Richard wartete nur darauf, auf diesen etwas kostspieligen Weg geführt zu werden, denn Schulden machten ihm keine Angst (auf irgendeine Weise würde man sich schon wieder heraushelfen), und ein wenig Wohnungsluxus schien ihm unentbehrlich. Ein paar gute Möbel, einige hübsche Kunstgegenstände dünkten ihm ebenso notwendig wie die tägliche Nahrung, und außerdem glaubte Dumersan von Tag zu Tag des Renaissancetheaters sicherer zu werden. Außerdem war Laube von neuem aufgetaucht — der Laube der „Zeitung für die Elegante Welt" und des „Jungen Europa", der Laube aus Dresden und Berlin. Auf seine Verwendung hin erklärte sich eine kleine Gruppe von reichen Leipzigern bereit, dem jungen Wagner eine mäßige monatliche Rente auszusetzen.

Am 15. April 1840 zogen sie also in die vierte Etage der Nummer 25, Rue du Helder, fünfzig Schritte vom Boulevard des Italiens entfernt. Die Wohnung lag im elegantesten Viertel der Pariser künstlerischen und literarischen Welt. Aber am Tage ihres Einzuges bringt Lehrs eine schlimme Nachricht, die Wagner niederschmettert: das Renaissancetheater ist bankrott. Er fragt sich, ob Meyerbeer, der immer von allem

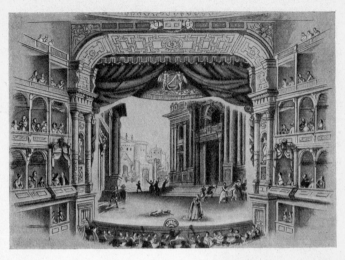

Bühnenbild der Uraufführung
des „Rienzi", Dresden 1842

Bayreuther Bühnenbild
zum „Fliegenden Holländer"

Wagners Nichte Johanna
in einer Bühnenrolle

so gut unterrichtet ist, ihn nicht gerade an dieses Theater emp=
fohlen hat, um ihn an der Großen Oper loszuwerden! Aber
trotzdem ließ er sich nicht entmutigen und setzte sich mit der
Energie, die ihn in schlimmen Zeiten nie verläßt, mit dem
festen Entschluß, das Werk zu vollenden, an den „Rienzi“.
Er folgte damit nur seinem künstlerischen Gefühl, da jeder
Schaffende Schwankungen des Gleichgewichts im Leben durch
seine Kunst auszugleichen sucht. Aber er wollte nun sein
Werk nicht mehr in Paris aufführen lassen, sondern in Dres=
den, wo der Architekt Semper damit beauftragt worden war,
ein neues Theater zu bauen.

Inzwischen mußte er aber für das tägliche Leben sorgen.
Wagner ging also zu Schlesinger, dem Herausgeber der
„Gazette musicale“, der Werke Liszts, Chopins und vieler
anderer Komponisten, und schlug ihm vor, seine „Beiden
Grenadiere“ zu veröffentlichen. Schlesinger war nur unter der
Bedingung einverstanden, daß fünfzig Franken als Sicher=
heit deponiert wurden. Da Wagner keine fünfzig Franken be=
saß, machte ihm Schlesinger den Vorschlag, die Summe durch
Artikel für seine Zeitschrift abzuarbeiten. Wagner ging also
nach Hause und wurde Schriftsteller: da er aber die Artikel
nicht in französischer Sprache schreiben konnte, so mußte er
sie natürlich auf seine eigenen Kosten übersetzen lassen. Nun,
das tat nichts. Er warf sogleich eine ziemlich lange Abhand=
lung „Über deutsches Musikwesen“ auf das Papier, die Auf=
sehen erregte. Schlesinger veranlaßte ihn aber, eine Folge von
Artikeln zu veröffentlichen, und Wagner schrieb in wenigen
Monaten für ihn „Der Virtuose und der Künstler“, „Eine
Pilgerfahrt zu Beethoven“, „Das Ende eines Musikers in
Paris“; in der letztgenannten Novelle rächte er sich für die
Erniedrigungen, die er erdulden mußte.

„Not und Sorge, du Schutzgöttin des deutschen Musikers,
falls er nicht etwa Kapellmeister eines Hoftheaters geworden
ist — Not und Sorge, deiner sei auch bei dieser Erinnerung

aus meinem Leben sogleich die erste rühmendste Erwähnung
getan! Laß dich besingen, du standhafte Gefährtin meines
Lebens!"

So beginnt die „Pilgerfahrt zu Beethoven" — eine im
übrigen ganz imaginäre und symbolische Pilgerfahrt, da
Wagner niemals den über alles Verehrten gesehen hat. Aber
er gibt in seiner leidenschaftlich beseelten Darstellung ein Bild
des einsamen Genies, läßt Beethoven von „Fidelio" und
„Adelaide" sprechen und legt ihm Worte in den Mund, die
Wagners eigenen Glauben ausdrücken: „Die menschliche
Stimme ist . . . ein bei weitem schöneres und edleres Ton-
organ als jedes Instrument des Orchesters . . . sie repräsentiert das menschliche Herz und dessen abgeschlossene, individuelle Empfindung. Ihr Charakter ist somit beschränkt, aber
bestimmt und klar. Man bringe nun diese beiden Elemente
zusammen, man vereinige sie! man stelle den wilden, in das
Unendliche hinausschweifenden Urgefühlen, repräsentiert von
den Instrumenten, die klare, bestimmte Empfindung des
menschlichen Herzens entgegen, repräsentiert von der Menschenstimme. Das Hinzutreten dieses zweiten Elements wird wohl-
tuend und schlichtend auf den Kampf der Urgefühle wirken,
wird ihrem Strome einen bestimmten, vereinigten Lauf geben;
das menschliche Herz selbst aber wird, indem es jene Ur-
empfindungen in sich aufnimmt, unendlich erkräftigt und erweitert, fähig sein, die frühere unbestimmte Ahnung des
Höchsten, zum göttlichen Bewußtsein umgewandelt, klar in
sich fühlen." Das ist in kurzen Worten die Lehre eines Wagner,
den Not und Elend in wenigen Monaten von Grund aus verändert hatten. Niemals vorher hatte er sich seinem geliebten
Meister so nahe gefühlt: er zeigte ihm den Berg, von dessen
Höhe man, ohne Schwindel zu empfinden, den Versuchungen
dieser Welt ins Auge zu sehen vermag. Nur nicht sich verkaufen, sich erniedrigen, dem banalen Publikumsgeschmack
nachgeben und Kitschiers nachlaufen! Er schonte weder sich

noch die arme Minna, die völlig zum „Mädchen für alles“ geworden war; sie wischte die Fußböden auf, tat alle Hausarbeit und besorgte die Küche für ein paar deutsche Damen, denen Wagners den größten Teil ihrer Wohnung vermietet hatten. Nach einigen Wochen reisten diese ab, und an ihre Stelle trat ein Geschäftsreisender, der leider in seinen Mußestunden die Flöte blies. Aber muß man nicht alles erfahren, um alles ertragen zu lernen. Richards Schreibtisch steht zwei Schritt von seinem Bett. Er braucht nur den Stuhl umzudrehen, wenn er essen will, und er verläßt seinen Platz erst spät in der Nacht, um ins Bett zu gehen. Alle vier Tage bloß schöpft er Luft und macht entweder mit Lehrs oder mit zwei neuen Freunden, die sich angefunden hatten, einen kurzen Spaziergang.

Der eine war ein Maler mit Namen Ernst Kietz, Schüler Paul Delaroches, des Modeporträtisten; der andere, Friedrich Pecht, war auch Maler und ebenfalls Schüler Delaroches. Kietz ist eine Art großes wildes Kind von sehr mangelhafter Erziehung, anhänglich und zutraulich wie ein treuer Hund. Seiner Ansicht nach hat ein Künstler fünfzig oder sechzig Jahre Zeit, um malen zu lernen; vorläufig ist er über den Versuch, Palette und Pinsel zum Malen fertig zu machen, kaum hinausgekommen. Diese Aufgabe fesselt ihn den ganzen Tag, so daß er gerade erst anfangen will, wenn es Abend wird — und so verschiebt er die Arbeit „auf morgen“. Da er jedesmal wieder dieselben Vorbereitungen treffen muß, beklagt er sich, daß seine Modelle nicht lange genug leben: „Sie sterben unter seinem Pinsel.“ Er bringt trotzdem ein Bildnis Richards in geblümtem Schlafrock zustande, da er den größten Teil seiner Zeit bei Wagners ist, um Minna zu zerstreuen. Er bekam es auch fertig, ein Bildnis seines Hauswirtes zu malen, mit dem er seine Miete bezahlte.

So beschaffen war die kleine Tafelrunde von deutschen Bohemiens, die die erste Gruppe aller „Wagnerianer“ bildeten.

Sie trafen sich, wenn zufällig einer von ihnen Geld hatte, um die anderen freizuhalten, im italienischen Restaurant von Brocci gegenüber der Oper am Stammtisch des berühmtesten aller freiwillig in der Verbannung lebenden Deutschen: Heinrich Heines. Heine ging es damals beruflich ausgezeichnet; seine Erfolge als Schriftsteller waren in Frankreich ebenso groß wie in Deutschland, er sah etwa aus wie ein behäbiger Abbé des 18. Jahrhunderts und benahm sich dementsprechend; aber außerdem besaß er eine entzückende junge Frau, die an Schönheit sogar Minna übertraf; und schließlich bezog er eine sehr willkommene Rente von einem Onkel in Hamburg, ganz zu schweigen von der Unterstützung von 6000 Franken, die ihm vom Minister Guizot aus dem Geheimfonds des Ministeriums bezahlt wurden.

Natürlich sah Wagner mit Achtung und Verehrung zu dem berühmten Manne auf, um so mehr, als er entdeckt hatte, daß er in einem seiner Bücher (in den „Memoiren des Herrn von Schnabelewopski") ein Thema behandelt hatte, das ihn seit der Reise mit der „Thetis" nicht mehr loslassen wollte: die Geschichte vom fliegenden Holländer. Er war von Heinrich Heines Ironie entzückt, der in deutscher Sprache und mit pariserischem Witz die Operndirektoren verspottete, da diese den genialen Gedanken hatten, die Augen der Opernbesucher so zu entzücken, daß ihre Ohren die dazu gemachte Musik nicht störend empfanden. Heine meinte auch, daß Meyerbeer so lange unsterblich sein würde, als er lebte und vielleicht sogar noch ein wenig länger, weil er dafür im voraus bezahlt habe...

Wagner ließ sich indessen selten im Theater oder Café sehen; es war ihm zu teuer. Es drängte ihn zur Musik des „Fliegenden Holländer"; so beeilte er sich denn, mit dem „Rienzi" fertig zu werden. Seine materielle Not wurde inzwischen immer größer und ließ ihn nicht zu seinem eigentlichen Werk kommen. Er sah sich gezwungen, so peinliche und demütigende Arbeiten zu übernehmen, daß er noch später im Gedanken an sie rot wurde — unwürdige Beschäftigungen, die aber erst in besseren Zeiten zur Tragikomödie werden. So mußte er zum Beispiel für Schlesinger 14 Stücke für das Cornet à piston setzen, ein Instrument, das sich bei den jüngeren Leuten damals großer Beliebtheit erfreute. Als sie fertig waren, behauptete Schlesinger, daß sie alle zu hoch geschrieben seien; Wagner mußte sie also alle umarbeiten, was ihn den halben Gewinn kostete. Zorn und Angst vor der Zukunft brachten ihn manchmal zum Weinen. Er merkte die Tage, an denen solche Dinge passierten, in seinem kleinen Notiz-buch an, das der verschwiegene Zeuge dieses Sommers war.

„Am 23. Juni 1840: Unwillkürlich waren mir eben wieder Tränen gekommen. Ist man feig oder ist man unglücklich, wenn man sich gern den Tränen hingibt? — Ein kranker deutscher Handwerksbursche war da; — ich bestellte ihn zum Frühstück wieder; Minna erinnerte mich bei dieser Gelegen-heit, daß sie eben für Brot das letzte Geld würde wegschicken müssen. Du Armste! Wohl hast du recht — es steht schlimm mit uns; denn wenn ich alles recht überlege, so kann ich mit Sicherheit eigentlich nur die größterdenkliche Misere für meine Lage voraussehen. Die einzige Hoffnung wäre schmählich, wenn ich überzeugt sein müßte, daß ich gerade nur auf Almosen rechnete!“ „Am 29. Juni: Was den künf-tigen Monat werden soll, weiß ich nicht ... 25 Franken habe ich nur noch. Davon soll ich am Ersten einen Wechsel von 150 Frks., am Fünfzehnten aber auch noch die Viertel-jahresmiete zahlen! Meiner armen Frau halte ich immer noch geheim, daß es schon so schlimm mit uns steht, aber am Fünfzehnten werde ich es ihr nicht mehr verheimlichen können.“

„Am 30. Juni abends: Habe heut meiner Frau auf dem Spaziergang erklärt, wie wir mit unseren Geldangelegenheiten stehen; ich bedaure die Arme im Grunde der Seele! Es ist ein trauriger Akkord! — Will arbeiten!“

Aber nun arbeitete er wirklich, denn mitten in all diesen Kümmernissen legte er die letzte Hand an den „Rienzi"; allerdings dachte er nicht, daß er damit die längste seiner Opern, das „kriegerischste" und zugleich das erste seiner Werke vollendet hatte, welches der Welt mit leidenschaftlicher Glut den seine Seele ganz erfüllenden künstlerischen Ehrgeiz verkündete. Verkörpert sich in ihr ein sterbendes Zeitalter oder ist sie die Verkünderin einer Zukunft? Er weiß es nicht und fragt auch nicht danach. Er begreift noch nicht, daß diese riesige Partitur nur die Frucht einer Erkenntnis ist, welche ihm die Werke Webers, Beethovens, Donizettis und Spontinis vermittelt haben; er weiß noch nicht, daß er nun erst den Pfad beschreiten wird, der zu ihm selbst, zu Richard Wagner, führen soll. Wenigstens war das Werk endlich fertig. Nun erhob sich die Frage, wie es herauszubringen wäre. So bot er es dem Dresdner Hoftheater an und schrieb einen ganzen Haufen empfehlender Briefe an Freunde in Dresden; an Frau Schröder-Devrient, die berühmte Sängerin; an den Tenor Tichatschek, ja sogar an den König von Sachsen. Wenn sie nur endlich einsehen würden, daß sie Vertrauen in ihn haben müssen! Wenn ihm doch sein alter Freund Theodor Apel zu Hilfe käme, der auch durch die Schule des Leids gegangen war; Richard hatte gehört, daß Apel infolge eines Sturzes vom Pferde blind geworden war. Aber er ist ein Dichter geblieben — er ist gut geblieben — er wird Mitleid haben — er wird helfen.

Niemand antwortete auf seine Briefe. Dann schrieb Minna an den Blinden. Auch sie hatte viel Unglück erfahren; ihr Brief war ruhig und einfach gehalten. Sie meinte, es bedürfe nur einer Handbewegung, um den Künstler, der vor dem Untergang stünde, zu retten. Sie bittet, sie wirft sich Apel brieflich zu Füßen, weil an diesem Morgen des 28. Oktober ihr Mann verhaftet worden ist und sich nun in Schuldhaft befindet. Alles war vergeblich versucht worden, um das

Herz eines unerbittlichen Gläubigers zu erweichen (noch dazu eines Deutschen! Schande über ihn!). Lehrs, Anders und Kietz haben ihre letzten Groschen zusammengekratzt, aber nichts hat Richard vor der Schmach dieser Verhaftung retten können. Trotzdem sind Wagners im Unglück zu stolz, um sich noch einmal vor der Familie Brockhaus zu demütigen.

Endlich schickte der blinde Dichter das Geld; Wagner kehrte nach Hause zurück und setzte am 19. November den Schlußpunkt unter die Oper, an der er seit den Tagen von Riga arbeitete. Vor Winden und Wellen der Ostsee hatte er sie gerettet und sie schließlich Meyerbeer vorgelegt: nun schrieb er seinen Namen gerade an dem Tage der Haftentlassung auf die letzte Seite; zur selben Stunde erschien seine „Pilgerfahrt zu Beethoven" in der „Gazette musicale". Und gleich als ob dieser erste Hoffnungsstrahl endlich bessere Zeiten heraufführen sollte, erschien Schlesinger eines Morgens eilig in der Rue du Helder und schrieb voller Selbstgefälligkeit folgende Zeilen auf ein Blatt Papier: „‚Die Favoritin‘, vollständiger Klavierauszug, Klavierauszug ohne Worte zu zwei Händen, dito zu vier Händen; vollständiges Arrangement für Quatuor; ebenso für zwei Violinen, dito für Cornet à piston. Für diese Arbeiten 1100 Franken. Sofort Vorschuß von 500 Franken."

Das war die angenehme Folge des Triumphs, den Donizetti soeben mit seiner Oper gefeiert hatte. Wagner war sich über das „Elend, das er mit dieser Bezahlung übernahm", keineswegs im Zweifel, aber er sah auch sehr deutlich die 500 Franken vor sich. Er willigte also ein und ging fort, um das Geld zu holen. Als er es nach Hause gebracht hatte, häufte er es auf dem Tische auf und überzählte es wieder und wieder. So begann die harte Fron von neuem; viele Stunden jedes Tages mußte er der geisttötenden Arbeit widmen; nur kurze Stunden blieben ihm, die er für die Instrumentierung seiner Faust-Ouvertüre verwenden konnte. Aber trotz allen diesen

Quälereien brachte es Wagner fertig, seinen Ansichten über die dramatische Musik in Frankreich und Deutschland ganz objektiven Ausdruck zu verleihen.

„Dadurch, daß sich beide Nationen", sagt er, „die Hände reichen und sich gegenseitig ihre Kräfte leihen, ist jedenfalls eine der größten Kunstepochen vorbereitet worden. Möge diese schöne Vereinigung nie gelöst werden, denn es ist keine Mischung zweier Nationen denkbar, deren Verbrüderung größere und vollkommenere Resultate für die Kunst hervorbringen könnte."

Aber das Dunkel dieses langen und traurigen Spätherbstes sollte sich nicht für lange erhellen. Wagner hatte in dieser Zeit eine erschütternde Begegnung, die er selbst als einen der außerordentlichsten Zufälle seines ganzen Lebens bezeichnet. Eines Tages ging er zeitig am Morgen dringender Geschäfte halber aus; er mußte einige Gläubiger besuchen, die von ihm unterschriebene Wechsel in Händen hatten; er mußte diese unter allen Umständen zurückkaufen und befand sich auf dem Wege zum Büro eines dieser Herren, eines Käsehändlers in der inneren Stadt. Unter seinem allzu dünnen Mantel hielt er ein Metronom in der Hand, das ihm jemand geliehen hatte, um die Tempi im „Rienzi" festzulegen. Jetzt wollte er dieses seinem Eigentümer zurückgeben. In den Straßen lag dichter Nebel. Er hatte erst eine geringe Entfernung von seinem Hause zurückgelegt, als aus dem Dunst ihm das Gespenst eines riesigen Hundes entgegenkam. Einen Augenblick lang standen Mensch und Tier regungslos einander gegenüber, denn sie hatten sich sofort erkannt; aber ob Robber fürchtete, wegen seines Davonlaufens von seinem früheren Herrn geschlagen zu werden, vielleicht weil er ihn für ein Wesen ohne Gefühl gehalten haben mag, oder ob Richard glaubte, in dieser Erscheinung den mephistophelischen Pudel zu sehen: sie näherten sich mit ebensoviel Freundlichkeit wie der Teufel und Doktor Faust. Wagner ging mit ausgestreckten

Armen auf Robber zu, während dieser langsam zurückwich. Dann machte der Hund kehrt, und beide begannen zu laufen. An jeder Ecke blieb der Hund stehen und sah sich scheu um, um dann, sobald er den Mann aus dem Nebel auftauchen sah, nur um so schneller weiterzujagen. Eine Zeitlang ging das Rennen so weiter: bald war Robber ganz außer Sicht, dann war er wieder da, endlich verschwand der Hund, und Wagner sah ihn niemals wieder. Als er sich umsah, merkte er, daß er vor der Sankt=Rochus=Kirche stand. Er holte tief Atem und wurde sich plötzlich bewußt, daß er das Metronom noch immer fest umklammert hielt. Sein Herz schwoll ihm vor Bitterkeit; er sah in dieser Begegnung und in der frucht= losen Verfolgung wieder eine unglückliche Vorbedeutung. Erst spät am Abend kehrte er erschöpft nach Hause zurück. Minna erwartete ihn: sie hatte sich von ihrem flötenspielenden Mieter ein wenig Geld geliehen, um ihrem Mann eine an= ständige Mahlzeit vorsetzen zu können. Nun blieb Richard nichts anderes übrig, als sich an seine Arrangements und an seine Schriftstellerei zu setzen — und das tat er denn auch mit Eifer. Er schrieb „Das Ende eines Musikers in Paris". Es war die Geschichte eines verzweifelten Kampfes, aber trotz alledem das Testament eines Gläubigen. Ein deutscher Musiker legt sein Glaubensbekenntnis ab, ehe er in der Stadt, die seine Hoffnung gewesen war, besiegt und aller Aussichten beraubt, den letzten Atemzug tut:

„Ich glaube an Gott, Mozart und Beethoven, in Gleichem an ihre Jünger und Aposten; — ich glaube, daß, wer nur einmal in den erhabenen Genüssen dieser hohen Kunst schwelgte, für ewig ihr ergeben sein muß und sie nie verleugnen kann! — ich glaube, daß alle durch diese Kunst selig werden, und daß es daher jedem erlaubt sei, für sie Hungers zu sterben; — ich glaube, daß ich durch den Tod hochbeglückt sein werde! — ich glaube, daß ich auf Erden ein dissonierender Akkord war, der so= gleich durch den Tod herrlich und rein aufgelöst werden wird."

Eine neue Welt · „Der fliegende Holländer"

Das Jahr 1841 versprach kaum besser zu werden als das vorhergehende. Für Wagner begann es mit einem verunglückten Konzert, das unter dem Protektorat der „Gazette musicale" gegeben wurde: die Ouvertüre zu „Columbus" bildete einen Teil des Programms. Aber die Blechbläser des Valentino=Orchesters detonierten so entsetzlich, daß das Publikum seine üble Laune gleichmäßig an den Ausführenden und dem Komponisten ausließ — ein paar Leute pfiffen sogar. Minna wurde beinahe ohnmächtig, und Berlioz, der der Probe beigewohnt hatte, sprach sich nicht weiter aus, sondern begnügte sich, mit einem Seufzer zu konstatieren, „daß in Paris alles recht schwierig sei". Das war die Haltung eines Kollegen. — Die Freunde waren über den Mißerfolg aufrichtig bekümmert. Nur Richard nahm die Sache leicht und spielte bei einem kleinen Abendessen, das er am Abend des Konzerts in der Rue du Helder gab, in bester Laune den Wirt, so daß die Festlichkeit erst nach vielen Reden und mancherlei Liedern ihr Ende fand. Immerhin kam ihm an diesem Abend ein Gedanke, der ihn nicht mehr verlassen sollte: er sah vollkommen ein, daß es keinen Sinn habe, den Aufenthalt in Paris zu verlängern. Er mußte also an die Rückkehr nach Deutschland denken, wenn sie nicht lieber nach Amerika auswandern wollten. Unglücklicherweise waren selbst für die Ausführung der einfachsten Absichten einige Geldmittel von=

nöten, und das schlimme Schicksal lockerte seinen Griff nicht; im Gegenteil, es packte noch fester zu. Natürlich konnte er versuchen, sich an Franz Liszt zu wenden, dessen Großmut sprichwörtlich war: die Idee war gut, aber... Wagner begab sich in das Haus, in dem der berühmte Pianist zu wohnen pflegte. Obgleich er von dem jungen, nur zwei Jahre älteren Mann, der bereits eine Weltberühmtheit war, mit größter Freundlichkeit empfangen wurde, konnte Richard sich nicht überwinden, ihn anzuborgen. Liszt bot ihm ein paar Billetts für das Konzert an, das er zum Besten des Beethovendenkmals geben wollte. Wagner nahm sie, wohnte einige Wochen später dem Konzert bei und schrieb für die „Dresdener Abendzeitung" eine ziemlich abfällige Kritik darüber. Sieben Jahre mußten vergehen, bevor diese beiden im Wesen so verschiedenen Männer endlich einsahen, daß sie einander nähertreten müßten: wie sollte im Frühling 1841 sich irgend etwas Gemeinsames zwischen dem berühmten Pianisten und dem armen gescheiterten Komponisten ergeben haben? „Was könnte Liszt sein", rief Richard aus, „wenn er nicht berühmt wäre!" Hieß das nicht ein Sklave sein? Wie sollte er dem nach einigen Beethovenschen Sonaten zehnmal hervorgerufenen Virtuosen verzeihen, daß er sich wieder ans Klavier setzte, um seine „Phantasie über Robert den Teufel" zu spielen, und dabei laut versicherte: „Ich bin natürlich der Diener des Publikums." Das zeigte nicht nur, wie verschieden ihre Veranlagungen waren, sondern machte auch den Unterschied der Gesinnung deutlich und offenbarte schließlich das vollkommene Auseinandergehen ihrer künstlerischen Ansichten. Für Wagner aber gab es keine Vergebung der Sünden wider die Kunst und ihren Geist.

Die bloße Erwähnung des Namens Beethoven ließ ihn vor Begeisterung — und vor Empörung beben. Also: da das Schicksal aus ihm einen Schriftsteller gemacht hatte — warum sollte er seine Zeit und seine Kenntnisse nicht dazu

verwenden, ein Leben Beethovens zu schreiben? Ein Künstler-
dasein, eine Biographie dieses großen Komponisten in Roman-
form. Anders bestärkte ihn in seiner Absicht; dieser hatte
eine große Menge unpubliziertes Material über den Meister
gesammelt, das er doch nicht mehr verwerten würde. Eine
solche Arbeit würde bestimmt mehr Wert haben als seine neuen
Zeitungsartikel „Das Ende eines Musikers in Paris", „Pariser
Amüsements", „Der Künstler und die Öffentlichkeit", „Pariser
Fatalitäten für Deutsche" und die Aufsätze, die er für die
„Gazette musicale", sowie die Berichte, die er für deutsche
Zeitungen schrieb. Im übrigen sollte das Werk in seiner
Weise ein Denkmal in zwei Bänden werden und die erste
vollkommene und chronologische Aufzählung von Beet-
hovens Werken, eine Menge Musikbeispiele und sorgfältige
Analysen enthalten. Ein Jahr Arbeit vor sich und Anders'
große Sammlung zur Verfügung — das war ein verlockendes
und vernünftiges Unternehmen. Sie schrieben an die drei
größten deutschen Verleger, und alle drei lehnten, als ob
sie sich verabredet hätten, ab. Wieder einmal zwang ihn das
Schicksal zum Komponieren.

Er nahm also die Idee des „Fliegenden Holländer" wieder
auf; für den Direktor der Oper, Léon Pillet, hatte er eine
Skizze des Werkes angefertigt. Dieser war mit dem Entwurf
so zufrieden, daß er die Komposition sofort einem seiner
Lieferanten für kleine Opern, einem gewissen Louis Dietsch,
übertrug. Er meinte, es könne keine Rede davon sein, Wagner
vor Ablauf von sieben Jahren irgendeinen Auftrag zu geben,
da die Direktion erst ihren anderen Verpflichtungen nachkommen müsse. Hatte nicht außerdem Paul Foucher, ein
Verwandter Victor Hugos, erklärt, daß die Idee des „Fliegenden Holländer" für Frankreich nicht neu sei? Es würde
also das beste sein, jeden Gedanken an das Werk aufzugeben.
Foucher erbot sich indessen, die Angelegenheit zu regeln und
dem jungen Deutschen seine Rechte für 500 Franken abzu-

kaufen. Das war ein sehr schmeichelhaftes, großzügiges und unerwartetes Angebot. Wagner schwankte einen Augenblick. Er sah wohl, daß sein Wunsch, in Paris eine Oper aufführen zu lassen, in das Reich der Träume gehörte; also nahm er das Angebot an. Aber gleichzeitig beschloß er, mit diesen Schmarotzern abzurechnen und seine Dichtung mit der dazugehörigen Musik für eine deutsche Bühne zu schreiben. Empörung, Enttäuschung und Bitterkeit brachten ihn in einem Augenblick zu sich selbst zurück und bestärkten ihn in der Absicht, wieder auf ein Talent zurückzugreifen, das er bereits verloren zu haben fürchtete. Aber es war während einiger Monate, die er wie im Halbschlaf verbracht, auf dem harten, von seinen Tränen benetzten und seinem Lachen gepeitschten Boden nur gereift.

Wagner ist jetzt ein ganz anderer geworden. Paris hatte ihm tiefere Einsichten gegeben, als allein die Tragödie des Kampfes um das tägliche Brot zeitigt; unter anderem auch ein gewisses gleichmütiges Über=allem=stehen. Ferner war sein kritisch=ironischer Sinn außerordentlich geschärft worden, so daß seine geistigen Kräfte gewachsen, seine Eigenliebe gestärkt und sein Wesen zugänglicher geworden waren. Nun sah er ein, daß es keinen Sinn hatte, seinem Zorn, den er auf Paris hatte, Luft zu machen, indem er Drohungen in Rienzis Mund legte, die der Tribun gegen Rom schleudern mußte. Er hatte sich zu der Nachsicht durchgerungen, die der Schwache gegen den Starken zeigt. Er verstand, daß nicht unbedingt immer geschwollen geredet werden muß, daß die Anmut ihren Wert, die Komik ihre Schönheiten hat und selbst das Leiden sein leises Lächeln nicht verbirgt. Wagner ist nicht mehr der Melodramatiker des „Rienzi“: er ist der Dichter des „Fliegenden Holländer“ und der zukünftigen „Meistersinger“ geworden.

Er wollte gerade dem Hausverwalter die Hausschlüssel übergeben, um eine Wohnung auf dem Lande zu mieten, als er zu seinem Erstaunen hörte, daß die Kündigungsfrist um einen Tag überschritten sei und der Wirt keine Entschuldigung gelten lassen, sondern ihn noch ein ganzes Jahr für die Miete haftbar machen wollte. Nach endlosen Schwierigkeiten und Wirrnissen gelang es dem Hausmeister, eine andere Familie aufzutreiben, die sich bereit erklärte, die Wohnung als Wagners Untermieter zu übernehmen. Wagners begannen nun sogleich, sich nach einer möglichst einfachen Wohnung auf dem Lande umzusehen; Bekannte machten sie auf das seltsame Haus eines alten Malers in der Umgebung von Paris, zwischen Bellevue und Meudon, aufmerksam. Es gefiel ihnen, obgleich die Zimmerwände mit fürchterlichen Malereien bedeckt waren, Werken des Besitzers Jadin. Sie zogen ohne Aufschub um und nahmen ihren flötenspielenden Untermieter Brix mit, dem es ebenso schlecht ging wie ihnen selbst; aber sie weigerten sich, ihn seinem Schicksal zu überlassen. Ihre Lage wurde so schwierig, daß Richard einmal einen ganzen Tag lang in Paris herumlaufen mußte, um fünf Franken aufzutreiben. Aber es gelang ihm nicht, und so schleppte er sich zu Fuß nach Meudon heraus, wo Minna seine Rückkehr erwartete, wie sie es so oft an den Fenstern der Rue du Helder getan hatte. Nun mußten Wagners sogar beim Dorfkrämer borgen. Glücklicherweise kamen die 500 Franken Fouchers für den „Fliegenden Holländer" gerade in diesen schlimmen Tagen an. Die Lieferanten konnten bezahlt und ein Klavier konnte gemietet werden. Wagner hatte seit Monaten kein Instrument. Da die Dichtung zum größten Teil schon niedergeschrieben war, beschloß er, sogleich mit der Komposition zu beginnen, hatte aber Angst, das Klavier aufzuklappen, da er fürchtete, Kopf und Herz leer und verödet zu finden. Aber kaum hatte er sich an die Arbeit gemacht, als ihm sogleich das Lied des Steuermanns einfiel, dem dann das Spinnerlied nicht weniger leicht folgte. „Er war über diese Entdeckung", daß er noch komponieren konnte, „ganz unsinnig vor Freude."

Man kann sich vorstellen, welche Erleichterung das Bewußtsein seiner Schöpferkraft für ihn bedeutete. Er fühlte sich wie ein neuer Mensch und war von strahlend guter Laune, denn endlich hatte er den ganzen musikalischen und dichterischen Aufbau seines Werkes deutlich vor Augen. Das Unwirkliche und Übernatürliche wirkten nun natürlich und hatten durch die geheimnisvolle Kraft der Kunst feste Gestalt angenommen. In zehn Tagen war der Text und in sieben Wochen die Musik fertig. Richard lief vor lauter Freude durch die Wälder, sammelte eine Menge Champignons und verfaßte ein Gedicht an Minna, die ihm zu seinem Geburtstag ein Paar schöne, grüne Pantoffeln geschenkt hatte. Für eine kurze Weile war er mit der ganzen Welt versöhnt, selbst gegen seine vernachlässigte Frau, gegen die Vorstadt-Spießbürger und gegen Meyerbeer hatte er keinen Groll, denn dieser hatte bei der Intendanz der Sächsischen Hoftheater ein gutes Wort für den „Rienzi" eingelegt. Im Juli erhielt er auf einmal die geradezu überwältigende Nachricht, daß seine Oper in Dresden angenommen war; man hoffte, sie während des nächsten Winters im Opernhaus zu geben.

Was kümmerten ihn nun noch Entbehrungen und Armut, diese ganze Pariser Misere, die für sein Selbstbewußtsein so hart gewesen war, nun, da die Sonne am deutschen Horizont aufging! Sein Nationalgefühl erwachte wieder beim Klang von Rienzis Trompeten, die er schon von ferne zu hören glaubte. Der Brief des Generalintendanten hatte Wagner mit seinem undankbaren Vaterland versöhnt. Nach Jahren des Schweigens schreibt er an seine Mutter; er erzählt ihr von seinem Leben, erklärt ihr den unwiderstehlichen Ruf, dem er seiner Bestimmung nach folgen müsse, und spricht von seinem Elend; aber klagt niemand und nichts an, nicht einmal Paris, wo er den Weg zu sich selbst gefunden hat. Und nun soll Dresden, die ebenso verabscheute wie geliebte

Stadt, das Sprungbrett werden, von dem aus er abermals sein Glück versuchen will.

Alles freute ihn während der Wochen seiner seelischen Gesundung, selbst der alte Jadin, der Besitzer des Hauses, amüsierte ihn. Der achtzigjährige Royalist und „Legitimist", der Louis Philippe haßte, wusch sich ganz nackt in einem Springbrunnen, den er in seinem Garten angelegt hatte, fertigte sich seine Perücken, von denen er eine große Auswahl „vom jugendlichen Blond bis zum ehrwürdigen Weiß" besaß, selbst an und trug sie, seiner Stimmung entsprechend, den Farben nach. Leider spielte er mit Vorliebe auf einer Art „Harfenklavier seiner Erfindung", wie Brix seine Flöte blies: eine neue Strafe des Himmels!

Nun aber kam der Herbst und mit ihm neues Unglück. Das Geld Paul Fouchers war verbraucht. Die Sorge um das tägliche Brot begann von neuem so groß zu werden, daß er das Ende der Holländer=Partitur=Kopie mit folgendem Aufschrei signierte: „In Nacht und Elend. Per aspera ad astra. So sei es." Diesmal half ihm der gute Kietz wieder auf die Beine; er brachte gerade zur richtigen Zeit 200 Franken, die er sich, wer weiß woher, verschafft hatte. So konnte Richard seine Schulden bezahlen und wieder nach Paris ziehen, wo er so lange bleiben mußte, bis es Zeit war, die Reise nach Dresden anzutreten. Mit den letzten Resten ihrer Einrichtung aus der Rue du Helder bezogen Wagners eine kleine Wohnung in der Jacobstraße 14. Wieder half ihnen Kietz „fünf= und zehnfrankenweise" aus, Geld, das er einem alten geizigen Onkel einzeln aus der Nase zog. „Ich zeigte um diese Zeit", so schrieb Wagner, „häufig mit heiterem Stolze meine Stiefel, welche endlich buchstäblich nur noch eine Scheinbekleidung für meine Füße abgaben, da die Sohlen zuletzt vollständig verschwanden."

In dem kleinen Kreis dieser armen Deutschen wurde viel gelesen. Die „Worte eines Gläubigen" von Abbé de La=

Richard Wagner
Porträt von Kietz, 1842

Richard Wagner
Porträt von Stockar-Escher, 1853

Landgraf

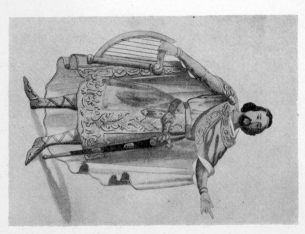

Tannhäuser

Figurinen zum „Tannhäuser", von F. Heine, 1853. Im Besitz des Richard Wagner-Museums in Eisenach

mennais war eines der Bücher, über das viel gesprochen wurde; noch mehr interessierte sie das Werk Proudhons „Was ist Eigentum?", dessen Verfasser zufällig Nachfolger der Wagners in ihrer Wohnung in der Jacobstraße wurde, einer Wohnung, deren Wände also bestimmt waren, die Armut selbst und den Kampf gegen die Armut zu sehen.

Richard mußte wieder für sein Selbstbewußtsein greuliche Arbeiten übernehmen: Korrespondenzen für die „Dresdener Abendzeitung" und die Anfertigung von Klavierauszügen. Halévys „Königin von Cypern" war gerade mit unerwartet großem Erfolg aufgeführt worden; Richard mußte daher aus der neuen Modeoper möglichst großen Gewinn schlagen und die „Königin" in den verschiedensten musikalischen Saucen servieren. Wenigstens hatte er die Befriedigung, mit dem Verfasser, dessen klare und lebendige Begabung er schätzte, in persönliche Beziehungen zu treten; seine Werke waren von anderer Qualität als die Sirupsüßigkeiten Donizettis! Wagner besuchte ihn und fand ihn beim Frühstück. Er lernte in ihm einen Mann kennen, den der Ruhm langweilte; er machte Schlesinger für den ganzen Rummel verantwortlich und meinte, der Verleger habe diesen nur organisiert, um ihn zu quälen. Die beiden Komponisten waren über den Niedergang der Bühne und die Minderwertigkeit des Publikumgeschmackes ganz einer Meinung. Infolge dieses Besuches zeigte sich Halévy immer dem Werk des jungen Komponisten wohlgesinnt, aber unglücklicherweise blieb sein Interesse vollkommen platonisch, und das Leben in der Jacobstraße war weiter so schwierig, wie es in der Rue du Helder gewesen war. Es gelang Wagner nicht einmal, als Chorist an die Oper zu kommen, wo er sich eingefunden hatte, um abends drei Franken zu verdienen. Die ganze kleine Kolonie erfuhr, was es heißt, gegen Zeit und Welt zu kämpfen.

Wagner begann, von Lehrs ermutigt, die „Geschichte der Hohenstaufen" von Raumer zu studieren; sofort fielen ihm eine Reihe von Opernstoffen auf. Er beschloß, die Geschichte von Manfred, dem Sohn Kaiser Friedrichs II., in Musik zu setzen, ließ aber die Idee bald wieder fallen, als ihm Lehrs die alte Dichtung vom „Sängerkrieg auf der Wartburg" wie die Sagen vom Tannhäuser und Lohengrin borgte: „Eine ganz neue Welt war mir hiermit aufgegangen." Das also verdankte er jedenfalls Paris: das Glück, diese Bücher gefunden zu haben, die Berührung des Künstlers, in dessen Adern schöpferische Kraft pulsierte, mit dem Stoff, der diese Kraft zu triumphierendem Leben erwecken sollte; so konnte er später sein überwundenes Elend besingen: „Es leben die Schmerzen von Paris, sie haben uns herrliche Früchte getragen!"

Niemals hatte er sich sehnlicher gewünscht, nach Deutschland zurückkehren zu können, als in diesem letzten Winter in Paris, und wenn auch die Aufführung des „Rienzi" von Monat zu Monat verschoben wurde, schrieb er doch von neuem an den Intendanten, den Chordirigenten, den Inspizienten, den Kapellmeister und die Sänger des Dresdener Theaters. Er bot Dresden ebenso wie Breslau und Leipzig den „Fliegenden Holländer" an; überall wurde er abgelehnt, München hielt ihn einfach „ungeeignet für Deutschland"! Dann wandte er sich an Friedrich Wilhelm IV. von Preußen und bat um die Erlaubnis, ihm das Werk zu widmen. Keine Antwort! Zweifellos schrieb er zu viel und zu oft. Die offizielle Welt kümmerte sich keinen Deut um sein Werk, und er machte alle Menschen von vornherein mit seinen ewigen Fragen, seiner Genauigkeit und seinen endlosen Hinweisen auf dieses und jenes ungeduldig. Er langweilte sie mit langen Listen, die, wie er sagte, gut durchgearbeitet werden müßten, so daß selbst die ihm Wohlgesinnten entmutigt wurden. Kurz, er verstieß gegen die Regeln der Bescheidenheit und Zurückhaltung, die die Machthaber von den Anfängern verlangen. Sein Selbstgefühl, sein Ehrgeiz, selbst seine Existenz standen auf dem Spiel.

146

Seine ganze künstlerische Zukunft, an die er immer noch glaubte, setzte er auf eine Karte und unterließ nichts um der beiden Ziele willen, deren Erreichung er sich durch die Qual der Lehrjahre in Königsberg, Riga und Paris verdient zu haben glaubte: eine szenisch glänzende Vorstellung des „Rienzi" und die Annahme des „Fliegenden Holländer".

Endlich bekommt er vom Grafen Redern die Nachricht, daß der „Holländer" von der Berliner Oper angenommen ist: „In Anerkennung der erfindungsreichen und wirksamen Musik." Meyerbeer hatte auch hier seinen Einfluß geltend gemacht, und Wagner war sich bewußt, daß er, koste es was es wolle, diesen günstigen Umstand ausnutzen und die Rückkehr nach Deutschland erzwingen müsse. Sein Schwager Avenarius, der dem Paare in seiner Not oft beigesprungen war, hatte Luise Brockhaus brieflich aufgefordert, ihrem Bruder das nötige Geld vorzustrecken, und siehe da: die Unterstützungen, auf die er kaum zu hoffen gewagt, waren sogar zweimal eingetroffen, und zwar zuerst in Form einer Fünfhundertfrankennote. Richard kaufte eine Gans und steckte ihr das Geld in den Schnabel; so schenkte er sie am Tage nach Weihnachten seiner Frau. Dann erlaubte ihm eine zweite Sendung, wenigstens einen Teil seiner Schulden zu bezahlen und alle Vorbereitungen zu treffen, um während der Osterwoche Paris zu verlassen.

Endlich schlug die Stunde der Erlösung. Es war Frühling, in den Straßen lärmten die Spatzen; Wagners Herz strömte von Dankbarkeit über gegen die Stadt, in der er mit neunundzwanzig Jahren geistig mündig geworden war, aber auch von der Wehmut des Abschiedes. Er bedauerte, die aufopfernden Freunde zurücklassen zu müssen, welche in der „Stadt der Guten Hoffnung" beinahe drei Jahre in seiner bescheidenen Wohnung verkehrt hatten.

Alle waren sehr bewegt, „beinahe erschüttert", als es hieß, von dem Jüngsten und Heißblütigsten ihrer kleinen Gesell=

schaft Abschied zu nehmen. Es war am 7. April 1842. Anders ging gebückt wie ein Greis, dessen Ende nicht fern ist; auch Lehrs wußte, daß er bald sterben müsse, und nahm für immer von dem jungen, an Hoffnungen und Vertrauen noch reichen Ehepaare Abschied. Auch Avenarius, seine Frau und ihr kleiner Sohn Max waren gekommen, um den abreisenden Verwandten Lebewohl zu sagen. Kietz war da, ein großer, bärtiger und warmherziger Junge wie immer; im letzten Augenblick ließ er ein Fünffrankenstück, das einzige, das er besaß, in Wagners Tasche gleiten: dieser sollte sich damit unterwegs einige kleine Annehmlichkeiten verschaffen, die er sonst hätte entbehren müssen. Endlich ging der Postwagen ab.

Auch dieses Mal war Wagners Koffer voll von Papieren — die Entwürfe seiner Arrangements aus „Robert dem Teufel", den „Hugenotten", „Zanetta" und der „Königin von Cypern", die er noch nicht beendet hatte, und noch an Schlesinger zu liefern verpflichtet war. Das schwere alte Fuhrwerk rasselte über die Brücken, rollte über die sonnenbeleuchteten Boulevards und passierte endlich die Stadttore, „von denen wir diesmal vor reichlich fließenden Tränen nichts mehr gewahrten".

IV

Die Lorbeeren Rienzis

Eines der schönsten und verständlichsten Beispiele für die menschliche Inkonsequenz bedeutet der Kultus mit dem Schmerz und die Tränenseligkeit. Freuden lassen nur wenig Spuren zurück; unser Gedächtnis bewahrt sie nur schwer auf. Aber das Leiden erweitert das Feld unserer Erinnerungen, erfüllt uns mit Achtung vor uns selbst und verleiht dem Unglück seine Poesie.

Kaum hatten sie Paris, die Stadt des Unglücks und der Enttäuschungen, verlassen, als diese den Wagners bereits wie ein verzaubertes Land der Freiheit, der Freundschaft und der gewinnbringenden Arbeit erschien. „Mir fiel ein, daß die französischen Reisenden, welche, wenn sie aus Deutschland zurückkehrten, beim Betreten des französischen Bodens leichter atmend sich die Röcke aufknöpften, als ob sie nun aus dem Winter in den Sommer kämen, doch nicht so ganz unrecht hätten..." Auch ihnen war der Abschied sehr schwer geworden. Minna weinte beständig und vermochte von nichts, als von einem neuen Aufenthalt in Frankreich zu sprechen; sie hoffte, um einen Vorwand zu finden, nach Paris zurückzukehren, die Opern ihres Gatten würden Mißerfolge sein.

Der Empfang, der sie bei ihren Verwandten in Leipzig erwartete, war indessen freundlicher, als sie zu hoffen gewagt hatten. Frau Geyer war jetzt eine alte Dame, die von den Brockhausschen Kindern verwöhnt und zärtlich geliebt wurde.

Zur Feier der Ankunft des verlorenen Sohnes wurde ein Fest gegeben; alle waren freundlich zu Richards Frau, trotzdem sie von geringer Herkunft und vier- oder fünfunddreißig Jahre alt war. Die guten Nachrichten über „Rienzi" erregten große Freude; die Familie legte zusammen und lieh dem bedürftigen Paar 200 Taler, die diesem über die nächste Zeit hinweghelfen sollten, bis wieder bessere Tage gekommen wären. Aber trotz alledem brach Richard eines Abends, als er bei seinem, jetzt auch in Leipzig lebenden Schwager Hermann Brockhaus zum Essen war, in Tränen aus. „Ich schien von meiner guten Schwester, welche vor fünf Jahren in Dresden mich in der höchsten Bedrängnis meiner jugendlichen Ehe kennengelernt hatte, verstanden zu werden." Während der freiwilligen Verbannung hatte sich Minna tapfer und ergeben gezeigt; die andauernden Mißerfolge ihres Gatten gaben diesem auch kaum das Recht, scharfe Kritik an ihrem Benehmen zu üben. Aber mit dem Augenblick der Rückkehr in sein Vaterland und in die alte, vertraute Umgebung löste sich das Phantasiebild, das die Fremde ihm vorgegaukelt hatte, in nichts auf, und Richard litt nun, da er sie wieder sah, wie sie wirklich war, grausame Qualen. Minnas Fehler traten deutlich hervor, ebenso wie die Schattenseiten in Richards Charakter.

In solcher Lage ist Arbeit die einzige Rettung; wir müssen uns vor unseren Gedanken in die Tätigkeit flüchten. So reiste Richard nach Berlin, um für die Aufführung des „Holländers" etwas zu tun. Flüchtige Begegnungen brachten ihn mit Meyerbeer, Mendelssohn und dem Hoftheaterintendanten Grafen Redern zusammen. Aber es hatte nicht den Anschein, als ob die Angelegenheit trotz aller Versprechungen vorwärtskommen würde. Richard nahm also den Rückweg über Halle, wo er seinem Bruder Albert einen kurzen Besuch abstattete. Dieser war jetzt in untergeordneter Stellung am Stadttheater engagiert. Seine Tochter Johanna hatte eine schöne Stimme, die zu den besten Erwartungen berechtigte; Richard freute sich, sie singen zu hören. Dann fuhr er mit seiner Mutter und seiner Frau nach Teplitz, dem hübschen böhmischen Badeort, in dem er vor acht Jahren das unselige „Liebesverbot" konzipiert hatte. Mit Freude versenkte er sich wieder ganz in die Natur, welche die Spannung seiner Nerven löste. Er sehnte sich weder nach Paris, noch nach Leipzig, noch nach Berlin, noch überhaupt nach irgendeiner Stadt ... „Ich vermute", schrieb er an Lehrs nach Paris, „keinen Ort der Welt lieben zu können; mein Herz kann sich an Steinen und Menschen nicht erlaben — ich will Natur und — Freunde ..." Er machte große Touren ins Gebirge, wohnte allein eine Zeitlang in dem kleinen Gasthaus zum Schreckenstein und lief jeden Tag in den Wostrai-Bergen herum. Als er eines Tages in ein kleines Tal dieser romantischen Gegend einbog, hörte er einen Hirten, der fröhlich irgendeinen ländlichen Tanz vor sich hin pfiff. Augenblicklich stellte sich Wagner vor, daß er mit einer Prozession von Pilgern durch diese Einsamkeit wandere; der Venusberg stieg aus den Tiefen seiner Erinnerung auf: er fertigte sofort eine flüchtige Skizze an und notierte sich die Hauptmotive. Die Gegend ist seiner Phantasie scheinbar außerordentlich günstig — ist es wirklich Inspiration? Vielleicht nur das freudige Bewußtsein der eigenen Stärke, daß ein zufälliges Zusammenklingen von äußeren Umständen und einer passenden Melodie einen rhythmischen Widerhall in der Seele erweckt. Um solche Beute bereichert, kehrte Richard nach Dresden zurück und beeilte sich, zu Taten zu schreiten.

Endlich begannen die „Rienzi"-Proben wirklich, und Wagner tauchte in die Welt der Sänger, der Musiker und der Intrigen unter, in der er, wie er wohl wußte, sich allein wohl zu fühlen vermochte. Hier atmete er Heimatluft, hier war die Welt, die er nach seinem Bilde formen konnte und wollte. „Natur" gewiß, aber eine gestaltete Natur mit geträumten Städten und Zauberwäldern, von Künstlern bewohnt, die sich seinem Willen ganz und gar unterwarfen, seinem Willen, der

allen Geschöpfen seiner Phantasie Form und Sprache geben
sollte. Mit dem angeborenen Talent zum Befehlen und Organisieren, das sich immer mit starken Energien paart, prüfte
Wagner die künstlerischen Kräfte des Theaters, die ihm zur
Verfügung standen, merkte sich ihre Fehler und dachte darüber
nach, wie diese zu verbessern seien.

An der Spitze des Theaterstaates stand der Generalintendant
von Lüttichau, ein liebenswürdiger Herr und ein vorsichtiger
Beamter. Als Regisseur, Maler und Kostümier: Ferdinand
Heine, ein alter Freund der Familien Wagner und Geyer, eine
zwerghafte, verwachsene, aber nützliche, Richard vollkommen
ergebene Persönlichkeit. In Heine fand er die verständnisvolle
Liebe, die ihm so wichtig war. Chordirigent: Wilhelm Fischer,
ein schon alter Mann, aber welch ein Greis! So voll feuriger
Begeisterung, daß er Wagner beim ersten Besuch mit geöffneten Armen entgegenkam — eine solche Begeisterung versetzte
Wagner „in eine hoffnungsvolle Atmosphäre". Erster Kapellmeister war Reissiger, ein Mann von 44 Jahren, fruchtbarer
Komponist von Banalitäten, der eine Reihe von zweitklassigen
Opern geschrieben hatte; der Walzer „Webers letzter Gedanke"
ist das einzige seiner Stücke, das nicht der Vergessenheit an-
heimgefallen ist. Es war kaum zu erwarten, daß Reissiger
die Ankunft eines so jungen Kollegen in seinem Theater mit
Freuden begrüßen würde; zudem war er ein sehr indolenter
Mensch, den Wagner zum Arbeiten zu bewegen viel Mühe
hatte. Da Reissiger ein Libretto suchte, um „sehr viel Melodie",
die er in sich habe, zu verwerten, und nichts Passendes finden
konnte, versprach ihm Wagner für jede Probe eine Seite Verse.
Er hielt Wort und brachte jedesmal das gewünschte Blatt mit
— Wagner hatte den Operntext früher einmal nach einem Roman von König „Die hohe Braut" geschrieben. Das Orchester
war mittelmäßig; es bestand aus siebzig Musikern. Leider fehlte
den Streichern Tonstärke und Wohlklang der Pariser Ensembles vollkommen. Dagegen waren die beiden ersten Sänger,

der Tenor Tichatschek und Frau Schröder Devrient, wirklich ausgezeichnet und rechtfertigten die schönsten Hoffnungen.

Tichatschek, sehr musikalisch und von herrlicher Stimme, war unglückseligerweise gerade so faul wie Reissiger und lernte nie seinen Text; indessen hoffte Richard, daß sein großartiges Stimmaterial alle seine Fehler aufwiegen würde. Von Anfang an war er für seine Rolle begeistert, und Richard hatte seinet= wegen keine Besorgnisse. Frau Schröder=Devrient: eine alte Bekannte; als er sie wiedersah, war er vor Freude und Auf= regung ganz außer sich. Sie hatte ihn begeistert, als er ein Knabe von 16 Jahren war. Als Schuljunge hatte er ihr gelobt, daß sie ihn eines Tages wiedertreffen sollte; dann hatte er sie während der Zeit des Magdeburger Mißerfolges wiedergesehen. Nun aber standen sie sich als Gleichgestellte gegenüber und ver= handelten miteinander wie eine Großmacht mit der anderen. In den dazwischenliegenden dreizehn Jahren hatte ihre Stimme an Umfang verloren, ihre Figur dafür an Fülle zugenommen. Sie schleppte die Tempi, und ihr Spiel war unangenehm ge= künstelt. Wenn auch Richard diese Fehler nur allzu gut be= merkte, erfüllte ihn die feurige Leidenschaft ihres Gesanges mit hoher Freude. So gingen die Proben in einer Atmosphäre von außerordentlicher Spannung und Aufregung weiter, die immer größer wurde, als die Ensembles sich besserten und die großen Stellen von Chor und Orchester in der richtigen Weise herauskamen. Nach kurzer Zeit waren alle Mitwirkenden vom Erfolg der Oper überzeugt.

Trotz der anstrengenden Arbeit, die er zu leisten hatte, ver= gaß Richard nichts, schrieb an die Familie Avenarius, an seine Freunde in Paris, schickte Schlesinger die versprochenen Ar= rangements der „Königin von Cypern" und beweinte den Tod des Herzogs von Orléans:

„Im übrigen ist uns Paris noch unvergeßlich, und so Hartes wir auch dort litten, so überwiegt doch fast die Erinnerung des Großartigen des dortigen Lebens."

Sogar Minna (die einen Teil des Sommers in Teplitz geblieben war) fehlte ihm jetzt; allerdings nicht so sehr als Geliebte wie als Hausfrau, als gute Kameradin, die alles Ungemach geteilt hatte. Wie immer brachte ihm ihre Abwesenheit zum Bewußtsein, wie er an sie gewöhnt war, so daß er sie nicht mehr entbehren konnte.

Während des ganzen August und September wurde geprobt. Wagner arbeitete für viele, machte die Striche und fügte die dadurch notwendig gewordenen Übergänge ein, stachelte die Trägheit Reissigers auf, sprang überall in die Bresche, war da und dort und überall zu sehen und suchte jedermann nach Kräften zu helfen. Endlich, Ende Oktober, war alles fertig. Sämtliche Mitwirkenden waren vom Fieber der Erregung ergriffen, wie Wagner selbst, denn bis herab zum kleinsten Angestellten liebten und bewunderten ihn alle; ja, die meisten hielten ihn für eine Art Halbgott. Wohl konnten sie von seinem zukünftigen Ruhm nichts ahnen, aber trotzdem fühlten Schauspieler und Statisten, daß dieser kleine Mann mit dem großen Kopf fähig war, ihre künstlerischen Kräfte außerordentlich zu heben. Er bezauberte sie alle so, daß ihn eines Tages einer der Sänger auf der Straße anhielt, ihm nur staunend und erregt in das Gesicht sah und in sonderbarer Ergriffenheit hervorbrachte, „sich zu vergewissern, wie ein Mensch aussähe, der einem so ungewöhnlichen Schicksal entgegenginge". Wagner fühlte sich ein wenig schwindlig, als er diesen etwas zu Kopf steigenden Schnaps auf nüchternen Magen zu sich genommen hatte (es ist übrigens eine Tatsache, daß er manchmal nur eine Mahlzeit am Tage zu sich nahm); aber er kam sich wie ein mit geheimnisvollen Kräften begabtes Wesen vor. „Ich lächelte und dachte, nun müsse es doch wohl seine Bewandtnis mit mir haben." Welche Bewandtnis? Was denn? Welch düsterer Zauber oder welch wohltätiges Wunder sollte sich in ihm offenbaren? Er hatte gerade an seinen Schwager Avenarius geschrieben: „Ja, liebster Eduard, den 19. geht

der Teufel los mit Sturm und Gewitter . . ." Der Teufel? —
Nein, flüstert die Devrient in sein Ohr: das Genie.

Am 20. Oktober 1842 hob sich der Vorhang zum ersten Male
über „Rienzi, der letzte der Tribunen. Große tragische Oper
in fünf Akten von Richard Wagner". Natürlich hat der
heroisch-jugendliche Text nicht viel mit der historischen Wahrheit zu tun. Aber das Leben des Rienzi hat das Zeug in sich,
die Phantasie eines Menschen zu entflammen, der selbst ein
großer Reformator sein will. „Vielleicht hat niemals die
Energie eines einzelnen Menschen so starke Wirkungen ge-
zeitigt", sagt der englische Historiker Gibbon von dem Tribunen
in seinem „Niedergang und Fall des römischen Reiches". Er
zeigt ihn als einen ausgezeichneten Regisseur (wie es alle
Politiker sein sollten), einen Mann, der die Revolution wie
ein Theaterstück aufführte und dessen einziges Reich im Herzen
der Menschen lag. Auch Wagners Überzeugung war, daß eine
Revolution nur durch das Herz in Fluß gebracht werden kann.
So behandelte er die Geschichte ebenso frei wie Bulwer
Lyttons Roman und legte allen Nachdruck auf den sittlichen
Gehalt des Dramas, den er mit einem epischen Freskogemälde
großartiger Worte umgab. Die beiden Tribunate Rienzis
legte er in eins zusammen und beschränkte die Handlung auf
den Schauplatz Rom. Im Gegensatz zu Bulwer gibt Wagner
seinem Helden keine Gattin, sondern läßt ihn seine ganze
Liebe auf die Ewige Stadt, „seine hohe Braut", konzentrieren.
Seiner Schwester Irene, der Verkörperung seiner Ideale, wird
die Ehre zuteil, ihr Leben freiwillig für das Heil eines er-
träumten Vaterlandes zu opfern. Der Retter Roms verkündet unmöglich zu verwirklichende Ideale, aber er glänzt
als Stern erster Größe am Himmel der Opernwelt. Er strahlt
den ganzen verführerischen Glanz des Helden aus, wie man
ihn sich erträumt. Zudem war das Werk mit einem großen
Aufwand von Fanfaren und Umzügen ausgestattet, mit einem
Ballett versehen und mit Vorspielen und Finales à la Meyer-

beer und Spontini geschmückt. Ferner wies es bereits Leit=
motive auf, in denen das aufs höchste erregte Publikum alte
und neue Schönheiten entdecken sollte, ohne sie sogleich zu
verstehen. Überraschend Neues wie Althergebrachtes findet sich
in dem riesigen Werk; beides aber trug zum Erfolge bei.

Der Komponist nahm mit seiner Frau und seiner Schwester
Klara Wolfram in einer Loge der Bühne gegenüber Platz.
Es war ihm weder ängstlich noch freudig zumute, sondern es
schien ihm, als wäre er gar nicht er selbst, als habe er nur
einen Astralleib. Er hörte das dumpfe Geräusch der im Pu=
blikum geführten Unterhaltung, wagte aber nicht, sich um=
zusehen, und zog sich in den dunkelsten Winkel der Loge zurück,
während er an die Schwächen seiner Partitur und an ihre
Längen dachte, die ihm von Augenblick zu Augenblick lastender
und unerträglicher vorkamen. Er wurde sich nicht einmal
bewußt, daß er sich am Ende des ersten Aktes erhoben hatte
und daß man ihn auf die Bühne führte; er hörte nicht den
Beifall, der sich beim Anblick des jungen unbekannten Mannes
verdoppelte; er verstand nur, daß er seit ein paar Augenblicken
berühmt geworden war. Dieser Beifall konnte doch nicht für
ihn, den Unglücklichen sein, dem nichts gelang, der sich so
selten satt aß, der in seiner Tasche nicht einmal zwei Taler
als Trinkgeld für die Bühnenarbeiter hatte, für ihn, der weder
glücklich noch groß war, nichts hatte als diese viel zu lange
Oper, die gerade wie seine Ouvertüren, seine Konzerte, sein
„Liebesverbot", seine Pariser Träume, seines Weibes und
sogar seines Hundes Liebe zusammenbrechen und in nichts
verschwinden würde! Es ist wahr, Tichatschek besaß einen
hinreißenden Schwung, und die Schröder=Devrient zeigte sich
wiederum als unvergleichliche tragische Sängerin: aber war
nicht alles ein „gutmütiges Gaukelspiel", um den Autor zu
täuschen und den Mißerfolg zu bemänteln? Man hatte um
6 Uhr angefangen, und um 10, um 11 war die Oper immer noch
im Gang: es würde Mitternacht und später werden, bevor man

die ganzen fünf Akte durchgeackert hatte. Ja, der alte Fischer hatte recht gehabt, als er Striche verlangte; wenn er nur seinem Rate gefolgt wäre! Trotzdem war im Theater vor der letzten Szene noch kein leerer Platz zu sehen. Dann fiel endlich zum letzten Male der Vorhang. Noch einmal mußte Richard sich samt allen Mitwirkenden auf der Bühne zeigen, glücklich, aber vollkommen erschöpft. „Ein Spuk!" Das Publikum war ganz außer sich. „Größer als Donizetti!" sagte der dicke Graf Solms, der als Kenner galt. Im Saale aber saß ein dreizehnjähriger Gymnasiast, der für Musik schwärmte; seine Erregung war so stark, daß er während eines ganzen Aktes fast nichts zu hören vermochte. In Tränen erwachte er aus seiner Erstarrung und schwur sich, daß er in Zukunft dem fremden Magier im braunen Rocke folgen wolle, der ihn bezaubert hatte.

Es war Hans von Bülow.

Wagner ging als berühmter Mann zu Bett. Er schlief, wie er niemals vorher geschlafen, und merkte nicht einmal, daß die gute Minna Lorbeerblätter auf sein Lager gestreut hatte.

Sicher gibt es keinen wichtigeren Tag im Leben eines Künstlers als den, an dem sein erstes großes Werk vom Publikum anerkannt wird und seine bisher unbekannte Persönlichkeit die Bedeutung annimmt, die ihm die Nachwelt geben wird. Zwar ist sein Wesen in den Umrissen noch unbestimmt; die Zeit muß ihm erst noch ihren Stempel aufdrücken, aber schon jetzt möchte sich die Welt selber in diesem Zeitgenossen wiedererkennen und lieben. Dieser zarte und flüchtige Schein über dem Haupt des gestern noch Unbekannten ist das Zeichen einer Würde, die ihm die Menge überträgt, damit er von nun ab ihre Träume und Gefühle gestalte. Das ist eine Art von mystischer Würde, deren tragisches Gewicht sich die Menschen niemals erklären können. Denn entweder wird die Welt diesen Erwählten als Instrument ihres Willens benutzen, um ihn dann, wenn sie ihm das

Geheimnis seiner Meisterschaft entrissen hat, schnell wieder fallen zu lassen, oder sie wird, über seine Kraft erstaunt, einen harten Kampf gegen den führen, den sie erst auf ihren Schild gehoben hat, und versuchen, ihn sich ihren Wünschen gefügig zu machen. Sie wird nicht eher zufrieden sein, als bis er sich ihr unterworfen hat und bereit ist, seine einsame Größe mit dem Preis seines Lebensglückes zu bezahlen. Die Geschichte des Genies ist nichts als ein solches immer wiederholtes Geschäft.

Wenn nach diesem Abend des 20. Oktober 1842 Wagner, wie es seine Anhänger wünschten, einen zweiten „Rienzi" komponiert hätte, wären wir heute gezwungen, ihn den Epigonen Spontinis und Meyerbeers zuzurechnen. Statt eines solchen Werkes aber hat er den „Fliegenden Holländer" geschrieben. Er begann den Kampf mit sich selbst und betrachtete seine Entwicklung als keineswegs abgeschlossen; er fühlte zur selben Zeit ein heftiges Verlangen nach Vergnügungen in sich aufsteigen, in der ihn merkwürdigerweise ein Ekel gerade vor den begehrten Genüssen ergriff. Er möchte sich ausleben und hat doch noch niemals stärker den Zwang empfunden, zu schaffen. Schon jetzt will er das Werk verbessern, das den Erfolg gerade seinen brutalen Eigenschaften verdankt, den Schwulst beseitigen, Längen herausnehmen. Er läuft zu den Kopisten, behandelt ganze Seiten mit dem Rotstift, sucht Tichatschek im Theater auf und will sofort seine Rolle zusammenstreichen. „Ich lasse mir nichts streichen", protestierte der Sänger, „es ist zu himmlisch." Alle diese Zeugnisse für einen Erfolg, an den er selbst noch kaum zu glauben vermochte, lösten in ihm ein seltsames Gefühl der Stärke — und der Lächerlichkeit aus; er fragte sich unwillkürlich, ob er sich glauben solle oder den anderen. Der Intendant von Lüttichau schrieb ihm einen offiziellen Dankbrief: er erhielt für seine Oper 300 Taler, ein außerordentlich hohes Honorar, da die Komponisten gewöhnlich nur 20 Louisdor bekamen. Der König und die Prinzessinnen besuchten die Oper, über die alle Welt sprach. Die Intendanz versuchte, die Vorstellung auf zwei Abende zu verteilen, um sie auf die für solche Aufführungen übliche Länge zu bringen, da sie mit Recht fürchtete, das Publikum zu ermüden. Aber die Unzufriedenheit der Zuschauer erwies sich als so groß, daß, nachdem der Versuch dreimal gemacht worden war, die ganze Oper wieder an einem Abend gegeben werden mußte.

Natürlich konnte nach diesem Erfolg nicht mehr länger davon die Rede sein, den „Holländer" in Berlin aufführen zu lassen: er wurde nach Dresden zurückgeholt, und die Proben begannen sofort. Diesmal fand die Schröder=Devrient als Senta alle Möglichkeiten, ihre Stimme und ihr schauspielerisches Können in gleicher Weise zu entfalten. Richard war von ihrer Leistung erschüttert, denn diese leidenschaftliche Frau lehrte ihn nicht nur die ganze Kunst der Oper, sondern das Drama des Lebens, die Tragödie der Liebe selbst. Sie machte Wagner zu ihrem Vertrauten und erzählte ihm von den „wahrhaft fatalen Vorgängen in ihrem Herzen", und gestand ihm, daß sie einem Manne hörig sei, den Wagner für ihrer gänzlich unwürdig hielt (wie jung dieser Mann von beinahe 30 Jahren noch immer war!). Aber sogar ihre Kapricen interessierten Richard sehr, so neu und hell war das Licht, das sie auf das Frauenherz warfen. Frau Schröders einziges Mittel, ihrer unseligen Leidenschaft Herr zu werden, war die Arbeit, und so probte sie die Rolle der Senta mit feuriger Hingabe, so daß Richard einmal vom Klavierstuhle aufsprang und sie um Selbstschonung bat. Sie beruhigte ihn, wies lächelnd auf ihre Brust und dehnte die Muskeln ihres immer noch schönen Körpers. Sie könne nichts umbringen, versicherte sie, nein, ihre Stärke werde nicht gebrochen, und die Leidenschaft verzehrte ihre Kräfte nicht, sondern verdoppelte ihre Möglichkeiten. „Ich mußte bekennen, daß diese absurde Leidenschaft zu einem faden, nichtswürdigen Menschen meiner ‚Senta' merkwürdig zugute kam." Eine solche Gabe, die Dinge in ihrem hellsten Licht zu sehen, war unter den klugen Künstlern jener Tage eine Seltenheit. Er erkennt jetzt, daß die Liebe in Umarmungen gewöhnlichster Art Befriedigung finden kann, auch, wenn es einem mit Verstand begabten Menschen unmöglich ist, sich noch irgendwelchen falschen Vorstellungen über die Art seiner Empfindungen hinzugeben. Liegt also der einzige Vorteil der Liebe und die einzige Entschuldigung für sinnliche Leidenschaft in ihrer Fähigkeit, den Willen aufzupeitschen, in der größeren Stärke, die sie den von ihr Ergriffenen verleiht? Um sie in geistiger Hinsicht zu rechtfertigen, muß sie also verfeinert und in höhere Regionen versetzt werden. „Mein Drang ging nach dem unbekannten Reinen, Keuschen, Jungfräulichen als dem Elemente der Befriedigung für ein edleres, im Grunde aber dennoch sinnliches Verlangen ... Ich wollte entfliehen ... der trivialen Sinnlichkeit eines bestimmten Lebens, des Lebens der modernen Gegenwart." Diese Erkenntnis beginnt aus Wagners wachsendem Ruhm zu erblühen, dessen Nachteile er übrigens bereits zu empfinden anfängt.

Die Tage nach dem Erfolg des „Rienzi" waren Plänen für die Zukunft und Briefen gewidmet (denn natürlich mußten Avenarius, Kietz, Lehrs und Anders geziemend in Kenntnis gesetzt werden). Wenn aber auch seine Umwelt eine andere, wenn er selbst plötzlich der Mann des Tages geworden war, drehte sich alles nur um berufliche Dinge. Kein Abenteuer mit einer Frau lenkte ihn ab, er beschäftigte sich mit der Inszenierung des „Fliegenden Holländer", der ihm dem „Rienzi" überlegen, einheitlicher und seiner Persönlichkeit entsprechender erschien. Er zweifelte nicht am Erfolg, da die Begeisterung der Sänger, des Orchesters, des Personals und des Intendanten stets auf der gleichen Höhe blieben.

Bedeutete also die Erstaufführung des „Fliegenden Holländer" am 2. Januar 1843, kaum zehn Wochen nach der „Rienzi"-Premiere, ein neues Blatt in seinem Ruhmeskranz? Ja und nein.

160

1ste Vorstellung im vierten Abonnement.

Königlich Sächsisches Hoftheater.

Montag, den 2. Januar 1843.
Zum ersten Male:

Der fliegende Holländer.

Romantische Oper in drei Akten, von Richard Wagner.

Personen:

Daland, norwegischer Seefahrer.	—	Herr Risse.
Senta, seine Tochter.	—	Mad. Schröder-Devrient.
Erik, ein Jäger.	—	Herr Reinhold
Mary, Haushälterin Dalands.	—	Mad. Wächter.
Der Steuermann Dalands	—	Herr Bielezizky.
Der Holländer.	—	Herr Wächter.

Matrosen des Norwegers. Die Mannschaft des fliegenden Holländers. Mädchen.

Scene: Die norwegische Küste.

Textbücher sind an der Casse das Exemplar für 2½ Neugroschen zu haben.

Krank: Herr Dettmer.

Einlaß-Preise:

	Thlr.	Ngr.
Ein Billet in die Logen des ersten Ranges und das Amphitheater	1 Thlr.	— Ngr.
= = = = Fremdenlogen des zweiten Ranges Nr. 1. 14. und 29.	1	—
= = = = übrigen Logen des zweiten Ranges	—	20
= = = = Sperr-Sitze der Mittel- u. Seiten-Gallerie des dritten Ranges	—	12½
= = = = Mittel- und Seiten-Logen des dritten Ranges	—	10
= = = = Sperr-Sitze der Gallerie des vierten Ranges	—	8
= = = = Mittel-Gallerie des vierten Ranges	—	7½
= = = = Seiten-Gallerie-Logen daselbst	—	5
= = = = Sperr-Sitze im Cercle	—	20
= = = = Parterre-Logen	—	15
= = = das Parterre	—	10

Die Billets sind nur am Tage der Vorstellung gültig, und zurückgebrachte Billets werden nur
bis Mittag 12 Uhr an demselben Tage angenommen.

Der Verkauf der Billets gegen sofortige baare Bezahlung findet in der, in dem untern
Theile des Rundbaues befindlichen Expedition, auf der rechten Seite, nach der Elbe zu, früh
von 9 Uhr bis Mittags 12 Uhr, und Nachmittags von 3 bis 4 Uhr statt.

Alle zur heutigen Vorstellung bestellte und zugesagte Billets sind Vormittags von 9 Uhr bis
längstens 11 Uhr abzuholen, außerdem darüber anders verfügt wird.

Der freie Einlaß beschränkt sich bei der heutigen Vorstellung blos auf die
zum Hofstaate gehörigen Personen und die Mitglieder des Königl. Hoftheaters.

Einlaß um 5 Uhr.   Anfang um 6 Uhr.
Ende gegen 9 Uhr.

Theaterzettel der Uraufführung des „Fliegenden
Holländer" in Dresden

Jedenfalls ist es ein Erfolg ganz anderer Art. Wagner wußte wohl, daß er vom Zuschauer viel mehr Phantasie verlangte, da der Stoff weniger klar war und gleichsam aus einer Märchenstimmung geschaffen zu sein schien. Andererseits hatte er alle billigen Effekte vermieden und eine Oper geschrieben, die alle großen Ensembles, Chöre und Finales ausschloß, und doch hatte er sich als wunderkräftiger Zauberer bewährt. „Rienzi" glich nur einem hohen und kühnen Flug, der dem Tenor die Möglichkeit gab, auf dem Hintergrund eines historischen Dramas seine Stimme zur Geltung zu bringen. Dagegen verkörperte der „Holländer" Wagners neue Mystik der Verzauberung und der Behexung des Herzens. Es handelte sich nicht mehr um etwas Übernatürliches à la Mozart, das sich nur als Symbol der göttlichen Macht darstellte, sondern um eine sozusagen vermenschlichte Zauberei, in der das Wunderbare für alle greifbar und zugleich ansteckend war wie eine Krankheit. Wurde auch die Seele von ihr geheilt, so war sie doch auf immer verdorben für die harte Welt der Wirklichkeit, die keine Lieder hat.

Das Publikum schien zwar interessiert, wußte aber offenbar nicht recht, was es mit der Oper anfangen sollte. Die bewundernswerte Leistung der Schröder-Devrient begeisterte es mehr als die Leistung des Komponisten. Wir können den Halberfolg wohl einen Achtungserfolg — ein gefährliches Kompliment — nennen. Denn in der Tat bedeutete er den ersten Schritt auf jene Einsamkeit zu, von der wir eben sprachen — der Künstler hat den ersten Meilenstein auf dem Wege erreicht, der ihn von der Masse entfernen und der Erkenntnis seiner wahren Natur näherbringen sollte. Nach vier Vorstellungen war bereits die Neugier der Musikliebhaber befriedigt; Wagner ließ sich indessen keineswegs durch ihren Mangel an Interesse entmutigen, und wenn er schrieb, „daß es eine merkwürdige Divergenz zwischen innerstem Streben und äußerem Erfolg gibt", drei Tatsachen trösteten ihn doch:

zunächst das feste unumstößliche Vertrauen der Schröder in seine Zukunft; dann eine Flut von Briefen aus Magdeburg, Königsberg, Riga und Paris, die seine Gläubiger losgelassen hatten; drittens, daß man ihm die Stelle des ersten Kapellmeisters am Königlichen Theater in Dresden anbot.

Die greulichen Schulden, die er so lange Jahre hindurch hinter sich herschleppte, konnte er nun dank einem Darlehen der großherzigen Frau, als welche sich die Schröder-Devrient erwies, regeln; ihre Bewunderung machte nicht vor ihrem Portemonnaie halt. (Wie froh war er, dem armen Kietz die sechshundert Franken wiedergeben zu können, welche dieser ihm geborgt hatte!) Aber Richard überlegte es sich sehr, ob er die Dirigentenstelle annehmen sollte. Er glaubte durch Übernahme des immerhin gut dotierten Postens (1500 Taler jährlich) sich die alte Kette um den Hals zu legen, der er all sein Elend verdankte — die Narben, die sie hinterlassen, waren nach acht Jahren noch nicht verschwunden. Sollte er wieder damit anfangen? Eine Freiheit aufgeben, die er um den Preis der Pariser Entbehrungen erkauft hatte? „Es ist dir vom Schicksal bestimmt", würde es heißen. Immer das gräßliche Dirigentenpult, die „weltbedeutenden" Bretter, die Zugluft von der Bühne, der Modergeruch, die Sänger in plundrigen Samtkostümen, mit einem Wort: die „Dekadenz des modernen Theaters!" Die groteske Maske der Tragödie stülpte sich über sein Haupt, und er hörte ihre warnende Stimme. Aber seine Schwestern redeten ihm zu und meinten, daß eine sichere Stellung zunächst das Wichtigste sei; der Intendant versprach ihm, daß er seine künftigen Werke auf der Dresdener Bühne erproben könne, und die Witwe Karl Maria von Webers sagte zu ihm: „Denken Sie sich, wie ich einst Weber wiedersehen soll, wenn ich ihm davon zu berichten habe, wie bisher das von ihm so aufopferungsvoll gepflegte Werk, da, wo er es wirkte, verwahrlost worden."

Endlich seufzte Minna voller Seligkeit: „Oh, welches Glück, endlich einen geregelten Hausstand zu haben, gutes Leben führen zu können und obendrein die Protektion des Königs zu genießen! Oh, die Ehre, Frau des ersten Hofkapellmeisters zu sein!"

All das hätte vielleicht nicht vermocht, ihn umzustimmen. Aber alle diese Stimmen übertönte ein Wort, das er als seine eigene Überzeugung erkannte, und zwang ihn zur Nachgiebigkeit: „Das Unmögliche schaffen!" Sein Optimismus siegte: am 2. Februar wurde im Bureau der Königlichen Intendanz vor dem um Herrn v. Lüttichau versammelten Stab der Kapelle das Ernennungsdekret verlesen. Richard Wagner wurde vom König Friedrich August von Sachsen in Audienz empfangen; er mußte bei dieser Gelegenheit eine Hofuniform anlegen und leistete den Treueid.

Nun war er von neuem Gefangener und bewegte sich wiederum in dem Kreis von Widersprüchen, in denen er sich immer verstrickt finden sollte und denen er immer zu entrinnen bestrebt war.

Er kennt sein tiefstes Wesen noch nicht, das den Tod sucht und diesen ebensowenig zu finden vermag, wie der ewige Jude der Meere, sein Holländer, ihn auf der Suche nach der „Erlösung" erreichen kann. Wagner ahnte noch nicht, daß ihm die Sirenengesänge des Todes von allen Liebesliedern die teuersten sind.

V

Tannhäuser, „Die todesduftige Blume"

„In Paris ist bei der Aufführung deutscher Kompositionen durchgängig der Fehler herrschend, daß die langsamen Tempi viel zu langsam, die raschen viel zu rasch genommen werden, und Herr Wagner war von Anfang bis zu Ende der Oper (Don Juan) in denselben Fehler verfallen... Die Tempi, wie wir sie gestern von ihm vernommen haben, sind die französischen..."

„Richard Wagner, der mit Einsicht und Sorgfalt einzustudieren und zu leiten versteht, wenn ihm auch noch hier und da die nötige Ruhe, Klarheit und Besonnenheit zu mangeln scheint..."

„Richard Wagner hat mit seinem ‚Rienzi‘ eine neue Ära der Musik eröffnet; und ein Fluten und Wogen gewaltiger rauschender Klänge, die selten sich runden zu einer lieblichen, leicht verständlichen Melodie..."

„Ein Chaos von Tönen... ein Rätsel... einen Schritt weiter, und es gibt gar keine Musik mehr... Als dramatischer Dichter hätte er vielleicht Glück gemacht, als Komponist muß ich es bezweifeln..."

Das sind die Urteile einiger Kritiker über den neuen Dresdener Kapellmeister. Er tat so, als höre er sie nicht. Wie Berlioz tröstete er sich mit dem Beifall des Publikums und sprach viel von dem Lob, das ihm Theaterdirektoren, seine abwesenden Freunde und sogar Schumann gespendet hatten, obgleich dieser in der „Rienzi"=Partitur Anklänge an Meyerbeer zu finden glaubte … „Der blöde Kerl!" Auch Laube verstand augenscheinlich, trotz einem sehr schönen biographischen Artikel in seiner Zeitung, nur sehr wenig von Wagners Musik, und der in seiner Eigenliebe verletzte Reissiger gab ihm bereits den Judaskuß.

So häufte sich die Bitterkeit in Wagners Herzen, wurde manchmal zum schneidenden Weh und produzierte die ersten Giftstoffe eines Übels, an dem er von nun an immer leiden sollte: des Verfolgungswahns. Er litt nicht gerade an Neurasthenie, aber doch verließ ihn jene ruhelose Angst niemals, die den Schwachen, für seine Sicherheit Zitternden erschreckt und den Starken sich gegen die Fesseln des Herkommens und der Obrigkeit auflehnen läßt. In seiner Seele tobten Schmerzen, für die es keine andere Heilung gab als Musik. Trotz allem aber erwartete man, daß von Wagner eine Erneuerung der Bühnenkunst ausgehen und er in den Bahnen Webers fortschreiten würde. Aber das war nur die Meinung des Publikums — nicht die seiner Kollegen und Vorgesetzten.

Als Berlioz nach Dresden kam, um dort zwei Konzerte zu dirigieren, hörte er „Rienzi" und den „Holländer"; seine Eindrücke über die beiden Opern teilte er seinem Freund Ernst in folgenden Worten mit: „Nachdem Wagner in Frankreich unendlich viele Entbehrungen und alle die Leiden erduldet hatte, die einem unbekannten Künstler nicht erspart bleiben, kehrte er nach Sachsen, in sein Vaterland, zurück; er hatte die Kühnheit und das Glück, Dichtung und Komposition einer fünfaktigen Oper zu unternehmen und zu vollenden. Das Werk erfreute sich in Dresden eines außerordentlichen Erfolges … Ich entsinne mich eines sehr schönen Gebetes im letzten Akt und eines gut gemachten, sehr originellen Triumphmarsches … Die Partitur des ‚Fliegenden Holländer' erschien mir wegen ihrer düsteren Stimmung und verschiedener Sturmeffekte, die durch den Stoff motiviert sind, recht be=

merkenswert; aber ich mußte auch einen Mißbrauch des Tremolo feststellen, der um so mehr zu bedauern ist, als er mir schon im ‚Rienzi‘ aufgefallen war und eine gewisse Geistesträgheit des Verfassers bedeutet, vor der er sich nicht genug in acht nimmt.“ Dieses Tremolo, das Berlioz ablehnt, ist aber der Pulsschlag des Orchesters und bedeutet bei Wagner ein Vorwegnehmen der durch chromatische Schritte bereicherten Harmonien, die später im ‚Tristan‘ ihre höchste Vollendung erreichen sollten. Aber Berlioz gehörte bereits der älteren Generation an und vermochte die neuen Klänge voll unerhörten Reichtums nicht zu fassen, in denen sich Wagner aller musikalischen Mittel bediente, um die zartesten Seelenregungen auszudrücken. Er hörte wahrscheinlich nicht einmal die ganz neuen Wirkungen, welche der junge Wagner durch unerwartete Übergänge aus den Komplementär= harmonien zog. Alle diese neuen Tonbilder mußten auch von der Menge abgelehnt werden oder wenigstens unbemerkt an ihr vorübergehen. Selbst den zünftigen Musikern mußten sie mißfallen, deren Ohr, ohne Vorbereitung, sich weigerte, diese offenbaren „Fehler“ gutzuheißen, die in einem harmonischen, aus raffinierten Dissonanzen gebildeten Klangschema wur= zelten. Wer hätte in dem Wagner von damals den Erben des griechischen Dramas erkennen sollen, das von Monteverdi, Gluck und Weber wieder aufgenommen und entwickelt worden war und sich nun zu der seltenen Blüte des „Fliegenden Holländer“ entfaltete? Außerdem kann es eine ganz un= parteiische, objektive Musikkritik nicht geben, weil sie nicht einem theoretischen Streit über Inhalt und Form entspringt, sondern dem Temperamente des Hörenden.

Wagners Ansicht über Berlioz’ Besuch war folgende: „Der Erfolg meiner Opern war ihm höchst unangenehm. Er ist ein unglücklicher Mensch.“ Hatte es Berlioz an Begeisterung fehlen lassen? Bestimmt nicht. Aber Richard war mißtrauisch geworden; er fand jetzt seine Feinde allein heraus und wünschte sie sich mächtiger, als sie waren, damit der Kampf gegen sie um so ehrenvoller erschien. „Wir Komponisten können keine Europäer sein; wir müssen wählen: deutsch oder französisch". Im Grunde seines Herzens glaubte er das gar nicht. Aber Paris, das ihm nur Undankbarkeit und Härte gezeigt hatte, haftete in der Erinnerung wie ein Dorn in seinem Fleische. Er glaubte auch, daß Mendelssohn ihn nicht leiden könne, weil der berühmte Leipziger und Berliner Dirigent ebenfalls eine Oper komponieren wollte; er mußte also über den Erfolg des ‚Rienzi' vor Neid grün geworden sein! Er war es auch, der Schumann daran hinderte, nach Dresden zu kommen! Um diesen erfolgreichen Juden bildete sich eine Clique, die ihm natürlich feindselig gesinnt war! Aber die vorsichtigen Herren veranlaßten Moritz Hauptmann, den Chefredakteur der „Allgemeinen Musikzeitung", einen Vorkämpfer Mendelssohns, die Führung im Kampf zu übernehmen. Er war also Antiwagnerianer, denn, wie es sich von selbst versteht, „wer nicht für mich ist, der ist gegen mich". So viel Feindschaft, so weitverzweigte heimliche Verschwörungen lassen den Gegner größer erscheinen, gegen den sie gerichtet sind: Richard kommt sich vor, als sei er unverwundbar, seitdem er das Ziel für die Angriffe so mächtiger Fürsten im Reiche der Kunst und der ihnen ergebenen Presse geworden ist. Dennoch kam er Schumann aufs neue entgegen, lud ihn nach Dresden ein und schickte ihm die Partituren des „Rienzi" und des „Holländer". Aber nur Schweigen antwortete.

Dann ging Wagner von neuem an die Arbeit. Minna und er bezogen endlich eine hübsche Wohnung, Ostraallee Nr. 6, mit dem Blick auf den Zwinger (in derselben Ostraallee, in der er als Kind gehört hatte, wie eine Statue ihre Violine stimmte). Er mußte sich natürlich wieder etwas Geld borgen und seine zukünftigen Einnahmen aus seinen Opern diskontieren, um sich das unbedingt Nötige und auch das, wenigstens in den Augen dieser Philister, nicht unbedingt nötige Mobiliar anzuschaffen: ein Klavier von Breitkopf, einen „majestätischen“ Schreibtisch und einen Stich von Cornelius, der später als Titelblatt der „Nibelungen“ dienen sollte. Aber wie sollten auch die braven Dresdener Bürger verstehen, was einem Künstler wirklich notwendig ist, um die Schöpferkraft anzuregen? Eine gewichtige und gut zusammengestellte Bibliothek kam hinzu, in der neben den griechischen, lateinischen, französischen und italienischen Klassikern, einer ausgezeichneten Shakespeare=Ausgabe und den modernen Dichtern die Literatur über das deutsche Altertum und Mittelalter reich vertreten war. Selbst seltene und teure Werke wie der alte „Roman der zwölf Ritter“ und andere Sagen aus dem Mittelalter fanden sich in ihr. Richard glaubte, daß er, so ausgerüstet, imstande sei, alle Unannehmlichkeiten seiner neuen Stellung zu ertragen. Sie kamen denn auch bald in Hülle und Fülle. Denn nicht nur seine eigenen Werke wurden einer scharfen Kritik unterzogen, sondern auch seine Auffassungen von „Don Juan“, der „Entführung“, der „Euryanthe“, des „Freischütz“ und der „Pastorale“, trotzdem er sich die größte Mühe gegeben hatte, die ursprünglichen Zeitmaße wieder aufzunehmen. In Glucks „Armida“ zeigte Wagner indessen eine so ungewöhnliche Meisterschaft der Orchesterbeherrschung, daß sein musikalischer Ruf von nun an auf lange Zeit mit dem Beinamen „Gluckist“ verbunden war.

Ein paar gute Freundschaften mit netten Leuten trösteten ihn über die Mißerfolge im Beruf: vor allem lag ihm viel an dem jungen Doktor Pusinelli und an August Roeckel; dieser war achtzehn Monate jünger als Richard und aus Weimar als Hilfskapellmeister nach Dresden geschickt worden. Roeckel sprach englisch und französisch, spielte ausgezeichnet Klavier, las Partituren vom Blatt und behauptete sogar ein Komponist zu sein. Sobald er aber Wagners Musik gehört und den Mann selbst kennengelernt hatte, erkannte er ihn sogleich

als seinen Meister an. Er war der erste der ergebenen und tat=
kräftigen Freunde Wagners, die gern die Last der „frei=
willigen Knechtschaft", wie La Boétie es ausdrückt, auf sich
nahmen; Wagner verstand es ausgezeichnet, ihm leidenschaft=
lich ergebene Menschen in seinem Kreise zu vereinen. Wenn
er aber seine große Anziehungskraft sehr geschickt zu ge=
brauchen verstand, so erfüllte er sie auch mit der feurigen Glut
seiner heißen Seele. Freundschaft, wie er sie verstand, kam
immer von ganzem Herzen und kannte keine Berechnung;
er stellte sie stets an die Spitze aller Verpflichtungen, an die
ein Mann gebunden sein kann. „Je reifer ich werde, desto
weniger kann ich mir eine Freundschaft ohne Liebe vorstellen."
Seine Freundschaft brachte ihm ebensoviel Leiden wie sein
Lieben; Lehrs' Tod, der ungefähr in diese Zeit fiel, erfüllte ihn
mit so tiefer Trauer, daß er eine Zeitlang zu jeder Tätigkeit
unfähig war.

Im Monat Mai war die Dichtung des „Tannhäuser"
vollendet; während der Sommerferien suchten Wagners
wieder ihr geliebtes Teplitz auf, wo Wagner das Magenleiden,
das er sich in der feuchten Wohnung der Jacobstraße zuge=
zogen hatte, auf eine ganz neue Art behandelte. Jeden Morgen
machte er einen Spaziergang; unter dem Arm trug er eine
Flasche mit Teplitzer Wasser und einen dicken Band, die
„Deutsche Mythologie" von Grimm. Dieses Werk begeisterte
ihn außerordentlich, obwohl es unübersichtlich war und
wissenschaftlich auf ziemlich schwachen Füßen stand. Aber
Wagner betrat an dessen Hand eine Welt, die immer,
wie es ihm vorkam, seine Heimat gewesen war, ein sagen=
haftes Land, in dem er sich bedeutend freier bewegte als in
den Koloratur= und Belkantogegenden, aus denen sich seine
Zeitgenossen ihre künstlerischen Anregungen holten. Hier aber
fand er das Material für eine deutsche Oper fix und fertig vor.
Nach Dresden zurückgekehrt, fühlte er sich in seiner hübschen
Wohnung in der Ostraallee beinahe ganz zufrieden. Sein

Glück wäre vollkommen gewesen, wenn er dort seine Pariser
Freunde bei sich gehabt hätte. Er haßte Paris, das seine
Lieblingsschwester Cäcilie von ihm fernhielt, er haßte Wien,
die Stadt Donizettis. Liebte er aber Dresden? Nein, die
Stadt, die er liebt, liegt in der Traumwelt, die jetzt wieder
seine Heimat geworden ist: in der Welt Tannhäusers.

„November 1843." Dieses Datum schreibt er auf das erste
Blatt eines Stoßes weißen Papieres. Der Tag bezeichnet
gleichsam eine neue Geburt, ein neues Werden; es sollte
das ganze ungeordnete Durcheinander von Gedanken zusammenfassen, das jetzt in ihm war. Aber eine Unterbrechung
der Arbeit, die er sich vorgenommen hatte, folgte der andern:
die Vorstellungen des „Fliegenden Holländer" in Kassel und
in Riga (außer seinen Gläubigern erinnerte sich kein Mensch
mehr dort an ihn). Dann kam die erste Aufführung seiner
Oper in Berlin. Man hätte wohl erwarten können, daß dort
das aufsteigende Talent des jungen Sachsen, über das so viel
verschiedene Urteile geäußert wurden, richtiger beurteilt werden
würde, aber das war keineswegs der Fall. Denn trotzdem in
Berlin die Luft mit Elektrizität geladen war, trotz der eigen-
artigen und geheimnisvollen Stimmung, die der Komponist dem
ganzen ersten Akt verliehen hat, um die Hörer sofort in eine
Art von Hypnose zu versetzen, trotzdem der König von Preußen
die Vorstellung mit seiner Gegenwart beehrte, waren die Meinungen über das Werk außerordentlich geteilt. In einem
Briefe an seine Frau schrieb Richard allerdings von einem
Triumph, wie es Berlioz getan haben würde: nach seinen
Worten war der Erfolg noch größer als der des „Rienzi".
Das ganze Publikum vom Parkett bis zum obersten Rang
sei in tosenden Beifall ausgebrochen, auch habe er unzählige
Male vor dem Vorhang erscheinen müssen. So etwas war
noch nie da! Ein unvergleichlicher Abend! Wenn nur die
Devrient gut durchhält! Wie war es nur möglich, daß sich

die Presse so feindlich zeigte? Der gräßliche Kerl, der Rell=
stab, hatte die Frechheit gehabt, in seiner Kritik von großem
Talent und großen Fehlern zu sprechen: „kein Stück echte
Musik", „ein flüssiges Werk, aber voll schriller Mißklänge",
„der Komponist macht die Ausnahme zur Regel".

Waren etwa böse Geister im Theater gewesen? Mendels=
sohns blasses Gesicht war allerdings in einer der Logen auf=
getaucht — der Teufel im Frack, wie aus einer Erzählung von
Hoffmann entsprungen.

In der zweiten Vorstellung war es nicht besser: Zischen
deckte den spärlichen Beifall zu. Nach der Vorstellung suchte
Wagner mit zwei Freunden Vergessenheit im Wein. Als er,
ein wenig unsicher auf den Beinen, in sein Hotel zurückkam,
trat dort ein Herr auf ihn zu, der schon lange auf ihn ge=
wartet hatte und ihn jetzt mit höflicher Verbeugung begrüßte.
Richard bat, ihn entschuldigen zu wollen, da sein Besucher
ohne Zweifel sehen könne, daß sein Zustand ihm für den
Augenblick eine geschäftliche Unterhaltung zu führen nicht
erlaube. Der andere wollte aber nichts davon hören und
bestand auf einer Unterredung. So nahmen sie also in dem
eiskalten Schlafzimmer Platz, wo beim Licht einer einzigen
Kerze Professor Werder seinen Namen und seinen Beruf
nannte; darauf erklärte er, daß ihn an diesem Abend „eine
neue und ungeahnte Hoffnung für die Zukunft der deutschen
Kunst gefaßt habe". Richard verstand von alldem nichts.
War dieser Besuch etwa die Fortsetzung einer von „Hoff=
manns Erzählungen", die vorhin angefangen hatte? Er
konnte kaum ein vernünftiges Wort herausbringen und bat
den sonderbaren Enthusiasten, seinen Namen auf ein Blatt
Papier zu schreiben. Dann warf er sich auf das Bett und
schlief ein. Am nächsten Tage kehrte er nach Dresden zurück;
erst dort tauchte die Erscheinung des Professors Werder wie
aus einem Traum in seinem Gedächtnis wieder auf. War es
nicht ein sonderbarer Umstand, daß sein von der Musikkritik

so hart beurteiltes Werk dennoch imstande war, einen gebildeten Zuhörer derartig zu begeistern, daß dieser sich be-
müßigt fühlte, mitten in der Nacht zu ihm zu kommen, um
den ausgepfiffenen Komponisten seiner ernsten und rührenden
Bewunderung zu versichern?

In Hamburg hatte „Rienzi" einen größeren Erfolg als
„Der fliegende Holländer" in Berlin. Aber die allzu prun-
kende Vorstellung mit ihren kitschigen Dekorationen gefiel
dem Komponisten so wenig, daß der Direktor, der Wagners
Tierliebe kannte, ihm einen schönen Papagei schenkte, um
ihn zu besänftigen. Minna war bei Richards Rückkehr über
den prächtigen Vogel entzückt, denn „an diesem schönen
grauen Papagei ward es doch ersichtlich, daß ich es in der Welt
zu etwas bringen sollte..."

„Es war eine verzehrend üppige Erregtheit, die mir Blut
und Nerven in fiebernder Wallung erhielt, als ich die Musik
des ‚Tannhäuser' entwarf und ausführte." Wagner hatte den
Stoff in einem alten Volksbuch, bei Heine, in Tiecks „Ge-
treuem Eckart", im „Sängerkrieg" von E. Th. A. Hoffmann
und in den „Deutschen Sagen" der Brüder Grimm gefunden.
Aus diesen verschiedenen Quellen, zu denen wir noch zwei
Epen aus dem 13. und 14. Jahrhundert rechnen können, schuf
er seine große balladeske Oper. Mit dem unbeirrbaren Blick
des großen Dramatikers erkannte er sofort die Möglichkeiten,
die sich aus jeder der beiden Erzählungen schöpfen ließen, die
er zusammenzog: den Sagen vom „Sängerkrieg" und vom
„Tannhäuser". Er vereinigte sie mit den „Legenden der
heiligen Elisabeth von Ungarn" und der vom „Verwunschenen
Ritter". Das Ganze ähnelt einem bunten Glasfenster mit
fünf oder sechs Bildern, auf denen als Gegensatz oder als
Parallelwirkung das Blau des Glaubens, das Weiß der Reinheit, das helle und dunkle Rot des Leidens und der Liebe

abwechseln. Es gelang Wagner in dieser Folge von Gemälden, auf fast seherische Art, nicht nur gewisse Eigenheiten seiner zukünftigen Kunst, sondern auch die vielfältig verwobenen Fäden seiner Wünsche, seiner Versuchungen, seines Mystizismus, seiner Sinnlichkeit und seines Heimwehs nach dem Lande des Geistes darzustellen. Obgleich er also die Idee und die äußeren Geschehnisse der Dichtung alten Volkssagen oder einem Heineschen Gedicht entnommen hatte, so ist deren innere Entwicklung doch ganz und gar sein Eigentum. Um Wagners Lebensdrama vollkommen zu verstehen, so wie es sich uns heute darstellt, müssen wir nur die Tannhäuser-Mystik ganz erfaßt haben.

Sieben Jahre lang hat der Ritter in freiwilliger Gefangenschaft bei Frau Venus zugebracht, allein mit ihr in ihrem verzauberten Berg. Endlich aber kommt ein Tag, an dem sich sein Sinn wandelt; die traurige Erkenntnis der übersättigten Sinne erweckt in ihm die Sehnsucht nach den Leiden der Menschheit, welche die Seele läutern. Er glaubt im Traum die Glocken seines Vaterlandes zu hören; die leise Hoffnung, daß ihm, wenn er jetzt bereue, vergeben werden mag, erfüllt ihn, er verlangt nach Erneuerung seines Lebens und ruft nach dem Tode. Während er mit der Göttin kämpft, die ihm seine Seele geraubt hat und ihn doch in festen Banden hält, befreit er sich plötzlich selbst, indem er die Jungfrau Maria anruft. Die Verzauberung weicht von ihm. Die verzückte Welt der Sinne schließt ihre Pforten hinter dem Flüchtling, der am Fuß der seligen Berge seiner Kindheit erwacht. Das unerfüllte Verlangen seiner Jugend, seine Wanderungen, seine Verbannung, die Asche seiner ausgebrannten Liebe, in alle vier Winde zerstreut — all das gehört der Vergangenheit an; der Dichter atmet hier die reine Luft seiner geistigen Heimat, die er noch einmal wiedergefunden hat. Der Venusberg entschwindet seinem Gedächtnis; in der Ferne heben sich die vertrauten Formen der Wartburg vom Himmel ab, ein

Hirtenknabe bläst auf seiner Schalmei und grüßt die Wieder=
kehr des Frühlings, der die Erde mit frischem Grün bekleidet.
Chorgesang steigt in die Lüfte: es sind Pilger auf ihrem Wege
nach Rom, wo sie Absolution für ihre Sünden suchen; sie
loben Jesus und Maria, während sie vorüberschreiten. Tann=
häuser steht wie in einer Verzückung verloren, aus der ihn erst das
Erscheinen des Landgrafen von Thüringen mit seinen Rittern
und Sängern wieder in die Wirklichkeit zurückführt. Sie er=
kennen ihren alten Freund, freuen sich, ihn wiederzusehen, und
bestürmen ihn mit Fragen, woher er denn nach so viel Jahren
eines rätselhaften Schweigens komme? Der Geliebte der
Venus gibt keine Antwort; aber er kehrt mit der glänzenden
Gesellschaft auf die Wartburg zurück.

Dort hat die Nichte des Landgrafen sieben Jahre lang auf
die Rückkehr des Sängers gewartet, der in früheren Tagen die
Liebe in ihrem Herzen geweckt hatte. Mit ausgestreckten Armen
eilt sie ihm entgegen. Aber die beiden sprechen kein bindendes
Verlöbnis aus, sondern wechseln nur einen Blick des Ver=
trauens, der Hoffnung, der ohne Leidenschaft ist. Das Band,
das sich um sie schlang, war zwar stark, aber doch nicht fest
genug, um den Ritter Tannhäuser für den Ruf des Venus=
berges taub zu machen. Es ist vielleicht der bitterste Fluch, der
auf einem Mann ruhen kann, daß er mit furchtbarer Energie,
in demselben Atem zwei Dinge festhalten will, die ihm ein
Wesen allein nicht zu geben vermag: Anmut der Seele und
Leidenschaft des Fleisches.

Um die Rückkehr des Wanderers festlich zu begehen, befiehlt
der Landgraf, einen Wettkampf der Dichter zu veranstalten,
dessen Thema die Liebe sein soll; Wolfram von Eschenbach
beginnt den „Sängerkrieg". Er singt von der reinen Liebe,
die ihrer Pflicht bewußt in der Gottesfurcht wurzelt, er singt
von der unnahbaren Jungfräulichkeit:

> „Und nimmer möcht' ich diesen Bronnen trüben,
> Berühren nicht den Quell mit frevlem Mut..."

Aber schon tauchen im Orchester die fernen Klänge des Venus-
zaubers auf; Tannhäuser, den die Erinnerung an ersehntes
Liebesleiden erbeben läßt, fühlt, wie fast gegen seinen Willen
sich halberstickte Seufzer der Lust auf seine Lippen drängen. Er
kann sich nicht länger beherrschen und bricht in das leidenschaftliche Bekenntnis aus, das ihm seine Sehnsucht erpreßt.
Die andern Sänger erheben Einspruch, der Streit wird
heftiger, Tannhäuser gerät immer mehr außer sich, während
gerade Elisabeth von ihrem Ehrensitz aus — Ehre dem liebenden
Frauenherzen! — auf die halbirren Worte Tannhäusers ein-
geht. Nun kennt Tannhäuser keine Hemmungen mehr,
kümmert sich nicht um die Drohungen der Höflinge und gibt
seinen wahren Empfindungen unverhüllten Ausdruck. Er
schwärmt vom Liebesglück, das er in der Verborgenheit genossen, verlangt die völlige Hingabe an die Sinnenlust und
beginnt sein Lied „Dir, Göttin der Liebe". Alle Anwesenden
werden von Wut gegen den Sünder gepackt: Die Ritter ziehen
ihre Schwerter und dringen auf den „Verfluchten" ein, der
die Freuden der Hölle gekostet hat, aber Elisabeth wirft sich
ihnen in den Weg, um den Geliebten mit ihrer Reinheit zu
schützen:

> „Zurück von ihm! Nicht ihr seid seine Richter! —
> Der jubelnd er das Herz zerstach,
> Ich fleh' für ihn, ich flehe für sein Leben,
> Reuevoll zur Buße lenke er den Schritt!
> Ich fleh' für ihn . . ."

Tannhäuser erkennt plötzlich, in welche Tiefen der Sünde er
sich verstrickt hat, fällt vor der Heiligen auf die Knie, küßt
den Saum ihres Kleides und ruft, gleich als ob die Hoffnung
auf ein neues Leben sich nur mit zwei kurzen Worten ausdrücken ließe, den Anwesenden zu: „Nach Rom!"

Von da an kann, wie wir fühlen, der Ritter der sündigen
Liebe nur durch den Tod erlöst werden. Er hat nur ein Verlangen: zu sterben, um zu leben. Verführt und besessen von

Venus, hat er sich ihrer Umarmung entrissen, um zu den Menschen und ihren Leiden zurückzukehren: als er das irdische Leid in den traurigen Augen einer Frau erblickt, nimmt er seine Zuflucht zu Gott. Aber Gott weist den reuigen Sünder ab. Als Pilger im Bußkleid kehrt er im nächsten Jahre aus Rom zurück, die Kirche hat seine Reue nicht für aufrichtig genug befunden. Elisabeth erwartet ihn mit dem ganzen Vertrauen ihres unschuldigen Herzens im Gebet am Wege, erblickt ihn aber nicht im Zug der Pilger, denen der Papst ihre Sünden vergeben. Voller Verzweiflung bietet sie Gott ihr Leben als Opfer dar und tritt ihren Todesweg an. So findet der einsame Pilger, der dem heiligen Zuge von weitem folgt, nur Öde und Leere. Er erzählt Wolfram von den Stationen seiner fruchtlosen Pilgerfahrt und bricht in bittere Klagen und Verwünschungen aus. Da seine Reue umsonst war, will er wiederum den Venusberg und die seelenlose Göttin aufsuchen. Noch während er spricht, füllt sich die Luft mit unirdischer Musik, und in den Abendnebeln erscheint das Bild der Liebesgöttin. Aber Wolfram spricht den Namen Elisabeth aus, wie eine Beschwörung, vor der alle bösen Geister entfliehen. Tannhäuser bleibt wie angewurzelt stehen: in der Ferne ertönt eine Hymne, mit der der Leichenzug der Heiligen begleitet wird. Die höllische Vision verschwindet mit den Nebeln, und der Trauerzug erscheint. Die irdische Hülle der Seligen wird zu Füßen Tannhäusers niedergelegt, den Elisabeth durch ihr freiwilliges Opfer gerettet hat. Nun haucht auch dieser seine Seele aus, da ihm Schmerz und Reue die Sicherheit der göttlichen Vergebung schenken; sein Pilgerstab, den der Papst verflucht hatte, schmückt sich mit jungem Grün, ein Wunder, das der Glaube vollbracht hat.

Diese Handlung, in der heidnische Lust und das Paradies der Heiligen Jungfrau einander gegenübergestellt werden, ist das jugendliche Bekenntnis eines Mannes, der nur von seinem Verlangen nach Leiden und Tod singen kann. „Bis zum endlichen Erblühen der todesduftigen Blume", sagt er selbst ausdrücklich, „bis zur Selbstvernichtung." „Als er von Rom wiederkehrt, fühlt er nur noch Grimm gegen eine Welt, die ihm wegen der höchsten Aufrichtigkeit seiner Empfindungen das Recht des Daseins abspricht; und nicht aus Sehnsucht nach Freude und Lust sucht er wieder den Venusberg auf, sondern der Haß gegen jene Welt, der er hohnsprechen muß, die Verzweiflung treibt ihn dahin ... So liebt er Elisabeth, und diese Liebe ist es, die sie erwidert. Was die ganze sittliche Welt nicht vermochte, das vermochte sie ... Und sterbend dankt ihr Tannhäuser für diese empfangene höchste Liebesgunst. An seiner Leiche steht aber keiner, der ihn nicht beneiden müßte, und jeder, die ganze Welt und Gott selbst — muß ihn seligsprechen."

Wie alle großen Seelen, die auf der Suche nach dem höchsten Gut begriffen sind, ist Wagner von der Todesidee besessen. „Die todesduftige Blume", — mit mystischer Begeisterung atmet er ihren Duft ein. Von nun an ist es nur diese Blume, welche ihm den Sinn des Lebens, seiner ganzen Musik, seiner leidenschaftlichen Ausbrüche, mögen sie prophetisch oder leidenschaftlich sein, bedeutet. Im „Tannhäuser" hat Wagner das erste wahrhaftige Bild seiner eigenen Natur, das Symbol des in ihm tobenden Kampfes zwischen dem Verlangen nach der Lust und dem Abscheu vor niederziehenden Begierden gegeben. Nur das Leid ist nach seiner Ansicht wirklich, wie auch Schopenhauer glaubte, dessen Lehre er sich bald zu eigen machen sollte. Der Zufall wollte es, daß in demselben Jahre, in dem er den „Tannhäuser" komponierte, in demselben sächsischen Land sein künftiger Schüler, Friedrich Nietzsche, geboren wurde, der 44 Jahre später von Wagner sagte: „Da ist ein Musiker, der mehr als irgendein Musiker seine Meisterschaft darin hat, die Töne aus dem Reich leidender, gedrückter, gemarterter Seelen zu finden; ... ja, als Orpheus alles heimlichen Elendes ist er größer als irgendeiner."

Zu jener Zeit aber hatte der Komponist des „Fliegenden Holländer" und des „Tannhäuser" erst angefangen, sich seiner wahren Kräfte bewußt zu werden. Er betrachtete das Leben immer noch ein wenig mit den verwunderten Augen eines Jünglings und vielleicht sogar mit einem gewissen Dilettantismus vom Standpunkte eines Zeitalters, das sich aus Kunst nicht viel machte — der Epoche, in der das religiöse Empfinden vollkommen zu schwinden begann. Aus all diesen verschiedenen Elementen baut er seinen Hymnus an das Nichts auf; Nirwana und Tod bedeuten für ihn, der wie ein Buddhist denkt, die letzten und einzigen Freuden. In diesen „Haß gegen die Welt" senkt er die ersten Keime seiner Liebe zur Menschheit.

Das ganz der Komposition des „Tannhäuser" gewidmete Jahr 1844 war infolge verschiedener Ereignisse bemerkenswert: zunächst die erste Veröffentlichung der Wagnerschen Werke durch den Verleger Meser in Dresden; dann das Engagement seiner Nichte Johanna an die Königliche Oper; die Überführung von Webers Asche aus London nach Dresden und endlich der Besuch Spontinis in der sächsischen Hauptstadt. Die Veröffentlichung seiner Werke, auf die er sich ziemlich leichtsinnig eingelassen hatte, wurde bald zu einer Quelle des Ärgers. Ursprünglich wollte er sie auf eigene Kosten unternehmen, da ihm von seinen Freunden Pusinelli, Kriete und Frau Schröder-Devrient ein neues Darlehen versprochen war. Die Letztgenannte ließ sich indessen gerade zu dieser Zeit in ein Verhältnis mit einem Gardeoffizier ein, der sogleich begann, sich in ihre Angelegenheiten zu mischen. Der vorsichtige und kluge Mann wollte nichts davon hören, daß sie ihr Geld in einer gewagten Spekulation anlege. Wagner war daher gezwungen, sich an Wucherer zu wenden, um mit der Herausgabe der drei Opern, auf die er alle seine

Hoffnungen setzte, keine Zeit zu verlieren. Da in der Tat seine beiden ersten Werke jetzt von den Theatern der großen deutschen Städte angefordert wurden und ihr Ruf jeden Tag wuchs, schien Wagners Plan ganz vernünftig.

Johanna, Albert Wagners Tochter, hatte mit ihrer Stimme von Anfang an großen Erfolg, so daß ihr Onkel ihr ohne Schwierigkeit das Dresdner Engagement besorgen konnte. Er beabsichtigte sogleich, sie die Rolle der „Elisabeth" kreieren zu lassen.

Das erstaunlichste und lehrreichste Ereignis der Saison aber war die Vorstellung der „Vestalin", die Spontini selbst dirigierte. Der alte Maestro war seit Jahren in jeder Weise gekränkt und zurückgesetzt worden; endlich hatte er sich entschlossen, Berlin den Rücken zu kehren. Der Intendant, Herr von Lüttichau, und Wagner hatten ihn gemeinsam nach Dresden eingeladen und ihn gebeten, sein Werk selbst zu dirigieren. In einer „majestätischen" Antwort an den jungen Komponisten, der sich als sein Schüler bezeichnet hatte, sprach der alte Mann mit wohlwollender Herablassung seine Zustimmung aus. Da die berühmte Schröder-Devrient sich unter den Darstellern befand, das Theater ganz neu war, und der Chor auf großer Höhe stand, würde, wie er schrieb, das Orchester auch eine genügende Zahl begabter Musiker vereinen, „und doch jedenfalls mit 12 guten Contrabässen garniert" sein. Diese letzten Worte lösten mit ihrer Voraussetzung eines außerordentlichen technischen Apparates bei der Theaterleitung solchen Schrecken aus, daß beschlossen wurde, die Einladung rückgängig zu machen. Aber an dem ursprünglich festgesetzten Tage hielt vor Wagners Haus eine Equipage, welcher der verehrungswürdige, in blauem Rock sehr imponierend aussehende Meister entstieg. Bei der Intendanz geriet alles in die höchste Aufregung. Es blieb indessen nichts anderes übrig, als sich dem höheren Willen des reizbaren alten „verwöhnten Kindes" zu beugen und seine Forderungen zu erfüllen. Er wurde infolgedessen damit betraut, die Ensembleproben zu leiten, eine Aufgabe, die ihn in ziemliche Verwirrung zu setzen schien. Er verlangte Richards Taktstock zu sehen, geriet in große Aufregung und erklärte, daß es ihm nur möglich sei, seine Truppen zu kommandieren, wenn er einen Ebenholztaktstock mit einem Elfenbeinknopf an jedem Ende bekomme. Der Theatertischler wurde also damit beauftragt, möglichst schnell ein solches Tambourmajorszepter herzustellen, da der „spanische Grande" nicht ohne ein solches am Pult erscheinen wollte. Der Mann fertigte den gewünschten Stab in der Nacht an, so daß die Arbeit am nächsten Tage beginnen konnte.

Die erste Tat Spontinis bestand in der Umgruppierung des Orchesters nach seinen eigenen Ideen. Er verteilte die Streicher gleichmäßig auf beide Seiten, trennte die Blechbläser und das Schlagzeug so, daß jede der beiden Gruppen gesondert auf einem Flügel des Orchesters stand, während die Holzbläser die Verbindung zwischen den ersten und zweiten Violinen bildeten. Wagner lernte durch die Anordnung eine ganze Menge und nahm Spontinis Prinzip an, das völlig im Gegensatz zu der deutschen Orchesterverteilung stand, da nach dieser Streicher und Holzbläser in getrennten Gruppen aufgestellt waren. Er dirigiere, sagte Spontini, das Orchester nur durch den Blick seines Auges: „Mein linkes Auge ist erste Violine, mein rechtes zweite Violine; um mit dem Blick zu wirken, muß man daher keine Brille tragen, wie schlechte Dirigenten es tun, selbst wenn man kurzsichtig ist. Ich sehe nicht einen Schritt weit, und doch bewirke ich durch meine Augen, daß alles nach meinem Willen geht." Mit diesen Worten ergriff er seinen Taktstock in der Mitte wie einen Feldmarschallstab und begann zu dirigieren. Sogleich ging alles drunter und drüber. Der Regisseur war wütend, weil Spontini darauf bestand, daß der Chor mit derselben militärischen Präzision sänge, wie er es von seinen preußischen

Sängern gewöhnt war. Immer und immer wieder ließ er sie anfangen. Endlich kletterte der Komponist selbst auf die Bühne; sogleich flüchteten die Sänger, da ihre Nerven bereits allzu mitgenommen waren, hinter die Kulissen und ließen den stattlichen alten Herrn von über 70 Jahren vor Lampenputzern und Theaterarbeitern eine Vorlesung über die „Erfordernisse der wahren theatralischen Kunst" halten. Richard bewunderte die Energie des Greises, „mit welcher hier ein unserer Zeit fast unkenntlich gewordenes Ziel der theatralischen Kunst verfolgt und festgehalten wurde".

Trotz seinem exzentrischen Benehmen und seinem phantastisch gebrochenen Deutsch wußte Spontini das Orchester und die Sänger für sich zu gewinnen. Sie überwanden bald ihr anfängliches Befremden und standen in den folgenden Proben wie ein Mann hinter ihm. Die erste Vorstellung der „Vestalin" bedeutete indessen für den berühmten Komponisten nur einen Achtungserfolg; als er gerufen wurde, kam er im Schmuck seiner sämtlichen Orden auf die Bühne. Ein glücklicher Zufall wollte, daß ein unerwartetes Ereignis Balsam auf die frische Wunde legte, die seiner Eigenliebe durch die kühle Aufnahme der Oper zugefügt worden war. Spontini erhielt in Dresden die Nachricht, daß der Papst ihn zum Grafen von San Andrea ernannt und der König von Dänemark ihm den Elefantenorden verliehen habe. Zu seinen Ehren wurden einige Banketts gegeben, in deren Verlauf er in kindlicher Eitelkeit ein paar seiner beliebten Orakelsprüche zum besten gab. Die Schröder-Devrient und Frau Spontini (eine Tochter des berühmten Klavierfabrikanten Erard) sprachen und lachten zusammen, als der alte Mann sie heftig zur Ordnung rief und sagte: „Ich liebe es nicht, wenn man in meiner Gegenwart lacht. Ich lache selbst nie und habe es gern, wenn man ernsthaft ist." Dann wandte er sich an Wagner und bemerkte: „Als ich Ihren ‚Rienzi' hörte, sagte ich mir: der Mann hat zwar Genie, aber er hat schon mehr getan, als er eigentlich zu tun fähig ist ... Nach Gluck war ich es, der ich mit meiner ‚Vestalin‘ das Theater revolutioniert habe. ‚Cortez‘ bedeutete einen, ‚Olympia‘ drei, aber ‚Agnes von Hohenstaufen‘ hundert Schritte vorwärts; in dieser Oper habe ich die Orgel vollkommen durch das Orchester ersetzt. Wie soll denn jemand noch irgend etwas Neues schaffen, wenn ich, Spontini, selbst meine Werke nicht mehr übertreffen kann? Seit der ‚Vestalin‘ hat niemand auch nur eine Note geschrieben, die nicht aus meinen Partituren gestohlen wäre. In der ‚Vestalin‘ habe ich einen römischen, in ‚Cortez‘ einen spanischen, in ‚Olympia‘ einen griechisch-mazedonischen, endlich in ‚Agnes von Hohenstaufen‘ einen deutschen Stoff behandelt: alles andere taugt nichts. Oh, glauben Sie mir, solange ich noch Kaiser der Musik in Berlin war, gab es noch Hoffnung für Deutschland — seitdem aber der König von Preußen mein Reich den beiden ‚ewigen Juden‘ überliefert hat, die er an Berlin zu fesseln wußte, ist alle Hoffnung verschwunden.“ Über diese Anspielung auf Meyerbeer und Mendelssohn mußte Wagner unwillkürlich lächeln; er bewahrte auch sein ganzes Leben lang Spontini ein gutes Andenken.

Kurz nach der Abreise des Italieners legte Wagner, als das Jahr sich seinem Ende zuneigte, die letzte Hand an den „Tannhäuser“. Am 29. Dezember war nur noch die Instrumentation fertigzumachen. Die Intendanz gab der Firma Despléchin & Cie. in Paris eine Bestellung für verschiedene Szenenbilder auf. Endlich am 13. April 1845 konnte er das ganze Werk datieren und signieren. Jede Seite war sofort nach ihrer Vollendung lithographiert worden, ein Verfahren, das löbliche Voraussicht des Autors verrät, aber teuer ist. Es kostete nämlich 500 Taler ... Wagner mußte also an die praktische Seite der Angelegenheit denken, d. h. er mußte sich darum kümmern, daß das Werk aufgeführt und angezeigt wurde.

Die Proben begannen im Herbst; sofort gab es Schwierig-
keiten. Es unterlag keinem Zweifel, daß die Schröder-
Devrient eine ziemlich dickliche Venus abgeben würde,
aber es war ganz unmöglich, ohne sie auszukommen. „Um
Gottes willen, was soll ich denn als Venus anziehen?
Mit einem bloßen Gürtel geht es doch nicht. Nun wird eine
Redoutenpuppe daraus; Sie werden Ihre Freude haben."
Tichatschek hatte von der tieferen Bedeutung seiner Rolle
keine Ahnung, verließ sich aber, wie gewöhnlich, auf seine
Stimme, die, wie er glaubte, für seine Mängel genügende
Entschädigung bieten würde. Johanna Wagner war für die
Rolle der Elisabeth noch sehr jung, aber ihre mädchenhafte
Frische sollte für ihren Mangel an Erfahrung entschädigen.
Der beste von der ganzen Gesellschaft war der Bariton Mit-
terwurzer, der den Wolfram sang; er als einziger verstand
die Absichten des Komponisten und brachte sie zum Ausdruck.
Er hatte vollkommen begriffen, daß er die bis dahin übliche
altmodische Art des Rezitativsingens gänzlich fallen lassen
müßte, und daß die Oper im modernen Sinne gleichbedeutend
mit dem Begriff des Dramas sei.

Die Premiere fand am 19. Oktober 1845, fast auf den
Tag drei Jahre nach der ersten Vorstellung des „Rienzi"
statt. Sie brachte eine neue Enttäuschung, darüber konnte
kein Zweifel bestehen. Der „Holländer" hatte es „Rienzi"
nicht gleichtun können, und nun blieb der „Tannhäuser" sogar weit hinter dem „Holländer" zurück! Ein beunruhigendes
Decrescendo! Richard war sich vollkommen darüber klar,
daß das Werk Fehler habe, wenn er auch wahrscheinlich nicht
einsah, wie groß diese waren. Er hielt die Venusbergszene
nicht für hinreichend durchgearbeitet, die Rolle der Venus
schien ihm zu wenig ausgeführt, und außerdem merkte er
wohl, daß es seiner Partitur zum Teil an Schlagkraft fehlte.
Tichatschek enttäuschte außerordentlich, besonders im dritten
Akt, da sein gänzliches Unvermögen, Tannhäusers Schmerz

auszudrücken, die psychologische Entwicklung des Charakters fast unverständlich machte. Auch Johanna vermochte keine wirkliche Leidenschaft in das Gebet der Elisabeth zu legen; kurz, der Oper fehlte es von Anfang bis zu Ende an hinreißender Darstellung. Das Publikum verstand einfach das Werk nicht. Es war selbstverständlich, daß die Hörer dem Finalsextett des ersten Aktes, dem Einzugsmarsch, dem Lied an den Abendstern und dem Pilgerchor Beifall spendeten, aber keine dieser Stellen drückte infolge ihrer starken Ähnlichkeit mit den alten Bühnenwirkungen Wagners wirkliche Absichten aus. Der wahre Sinn des Werkes lag im Gegenteil in der inneren Entwicklung des Hauptthemas, die im Adagio des zweiten Finale und in der langen Romerzählung Tannhäusers gipfelt. Aber gerade Elisabeths Wille, ihr Leben für Tannhäusers Erlösung hinzugeben, und ihr kühnes Dazwischentreten im zweiten Akt wurden, ebenso wie die Romerzählung, vom Publikum ganz mißverstanden. Der Gedanke, daß ein Komponist sich so weit von dem gewohnten Leben der Musik entfernen sollte, sich als Philosoph und noch dazu als pessimistischer zu zeigen, war für die Hörer ganz ungewöhnlich. Nach ihrer Ansicht diente die Musik zur Unterhaltung und zur Erheiterung, war aber nicht dazu da, daß man über sie nachdenke. Die Menge verlangte nach Tänzen und Liedern, aber Wagner setzte ihr eine „dramatische Handlung" vor. Keine einzige der Ideen, die Wagner in sein Werk gelegt hat, wurde begriffen, und zwar war dies bis zu einem Grade der Fall, daß die Sänger gegen alle genauen Anweisungen des Komponisten das ganze Werk für die Galerie spielten, um in einem engen Kontakt mit dem Publikum zu bleiben. Die Intendanz hätte ein ganzes Buch Kommentare herausgeben müssen, um die geistigen Feinheiten zu erklären, mit denen der Komponist seine Zuhörer auf neue Wege führen wollte. Es wäre notwendig gewesen, dem Publikum klarzumachen, daß Orchester, Stimmen, Gesang, Handlung,

Szenerie und Kostüme, mit einem Wort die ganze Tragödie in ihren verschiedenen Ausdrucksformen in Wahrheit nur ein einziges geschlossenes Ganze bilde, von dem nicht das kleinste Teilchen abgesprengt werden konnte, ohne den Charakter des Werkes zu beeinträchtigen. Es handelte sich hier nicht nur um eine neue Ästhetik, sondern um eine neue Ethik, die Wagner verkündete: die Unterordnung des einzelnen unter die Gesamtheit, wie die der Ausführenden unter den Schöpfer des Werkes. Es war, um die Wahrheit zu sagen, eine harte, aber ausgezeichnete Lehre für das Wissen um die Bescheidenheit, die vom Menschen verlangt, die eigene Person zum Besten der Sache selbst vollkommen zurückzustellen.

All dieses Neue aber ging für das Publikum verloren. Wagner sah sich gezwungen, für die nächsten Vorstellungen Striche vorzunehmen und die Handlung zu vereinfachen. Er tat es, ohne mit der Wimper zu zucken, versuchte aber auf alle mögliche Weise, den ursprünglichen Plan unentstellt zu erhalten. Erst mehrere Jahre später erhielt das Werk nach verschiedenen Änderungen und Verbesserungen seine endgültige Form. Immerhin bedeutete die Woche, während der er mit dieser behelfsmäßigen Umarbeitung beschäftigt war, eine große Qual für ihn; sie gewann aber, wie sich herausstellte, die höchste Wichtigkeit für seine Lebensgeschichte. Diesmal war nicht nur sein Stolz verwundet worden, er hatte außerdem vom geistigen Standpunkt aus eine schmerzliche Enttäuschung erfahren, deren Bedeutung er jetzt klar genug erkannte: das Publikum war noch nicht reif genug, um seine Absichten zu verstehen; er begriff, daß seine Kunst, seine Ziele, sein ganzes Werk der Erneuerung sich an ein ideales Publikum richteten, das es eben noch nicht gab; er sah, daß es noch Jahre dauern würde, bis diese mit Gott und der Welt zufriedenen Bürger zu einer auch nur dumpfen Erkenntnis der Wahrheit gebracht werden könnten, daß die geistige Freude an einem Kunstwerk im Aufnehmenden ein tiefes Interesse an seinem eigenen

Schicksal, an dem Geheimnis des eigenen „Woher" und „Wohin" voraussetzt. Er zog aus seiner Erkenntnis die Folgerung, daß diese idealen, aber noch nicht existierenden Zuschauer zunächst einmal geschaffen werden müßten, wenn der Prophet nicht zugrunde gehen wollte, ehe der Gott, dessen Prophet er war, seine Gebote verkündet hatte. Die Reform, deren Durchführung Wagners Aufgabe bedeutete, reichte weit über die Bühne des Dresdner Hoftheaters hinaus. Wie Moses mußte er an den alten Felsen der Erfahrung schlagen, ehe die Wasser der Erleuchtung hervorsprudeln konnten; er mußte seiner Herde zeigen, daß die Kunst als reiner Zeitvertreib nur etwas für Dumme, ein täuschendes Irrlicht, das bedauernswerte Symptom eines unfähigen und kraftlosen Zeitalters ist. Denn die Gesundheit der Welt beruht nur auf zwei Dingen, auf der Liebe und dem Leid, — — wenn man nicht die Kraft des Entsagens hinzurechnen will. Nur im Liebesimpuls entdeckt der Mensch die Kraft, die ihm vollkommene Erlösung bringt. Der Held der Zukunft schwebt hoch über der Welt, wie das Schicksal selbst; seine Seele ist göttlich und sein Körper vom Leiden verzehrt.

Roeckel wußte um diese Dinge. Trotz dem mäßigen Erfolg des „Tannhäuser" hielt er an seinem Glauben fest. Er war der festen Überzeugung, daß nichts seinen Freund überwinden könne, über dessen Haupt er „es mehrmals vollständig leuchten gesehen habe". Die Kritiker befanden sich in ihrem wahren Element; Wagners künstlerische Isolierung war niemals vollkommener als damals, obwohl er jetzt mit vielen Dresdner Künstlern befreundet war: mit den Bildhauern Rietschel und Hähnel, mit dem Dramatiker Gutzkow, mit dem Architekten Semper und mit Auerbach. Aber Bewunderung und Sympathie scheinen nicht ebenso stark auf den Menschen zu wirken wie Bosheit und Unfreundlichkeit. „Die Mängel des Textes springen in die Augen", schrieb die „Allgemeine Zeitschrift für Musik", „die Ouvertüre ist unverständlich und hat ebensowenig Farbe wie das ganze Werk." Richard hatte keine Gelegenheit, die Briefe zu lesen, in denen Schumann und Mendelssohn ihre Ansichten über die lithographierte Partitur aussprachen, die Wagner ihnen geschickt hatte. „Gewiß ein geistreicher Kerl und keck über die Maßen", sagte der Komponist des „Manfred" und des „Karneval", „aber er kann wahrhaftig nicht vier Takte schön, kaum gut hintereinanderweg schreiben und denken. Eben an der reinen Harmonie, an der vierstimmigen Choralgeschicklichkeit — da fehlt es ihnen allen. Die Musik ist um kein Haarbreit besser als ‚Rienzi', eher matter, forcierter." Erst als Schumann später den „Tannhäuser" gehört hatte, änderte er seine Meinung und gestand, daß ihn die „dramatischen Qualitäten der Musik" doch gefesselt hätten. Aber gerade in dieser Kraft, den Hörer zu fesseln, ja vollkommen in Banden zu schlagen, liegt die Bedeutung der neuen Kunst; aus ihr steigt die Hoffnung auf, eine neue Kunst der Oper aus der Asche der alten zum Leben zu erwecken. In ihr liegt aber auch der Todeskeim, der die absolute Musik — das Reich Bachs und der Beethovenschen Quartette — aus den hohen Regionen des Geistes hinwegführen und zur Sklavin der Leidenschaften machen sollte. Schumann und Wagner haben sich übrigens trotzdem niemals gut verstanden. „Wagner ist unmöglich", sagte Schumann, „er redet die ganze Zeit." „Schumann ist unmöglich", sagte Wagner, „er redet nie etwas." Wagner hatte ein besonders feines Gefühl, die ihm feindselige Gesinnung eines Menschen zu spüren; sein Verfolgungswahn scheint in diesem Falle tatsächlich gerechtfertigt. Er richtete sich danach, zog sich zurück und vergrub sich von neuem in seine Bücher über das deutsche Mittelalter.

Für das große Palmsonntagkonzert setzte er die Neunte Symphonie an. Das erforderte einigen Mut, wenn man daran denkt, wie Beethovens großes Werk damals beurteilt wurde; er befand sich auch sofort im Widerspruch zur Intendanz, zu Reissiger und zu den Orchestermitgliedern, die ihm eine Abordnung schickten, da sie glaubten, daß die Wahl eines solchen Stückes ungünstig auf den Billettverkauf wirken würde. Richard sah es nun als Ehrensache an, ihnen ihren Irrtum zu beweisen. Er schloß sich in sein Arbeitszimmer ein und brütete über den geheimnisvollen Seiten der Partitur, deren Anblick allein ihn in den Zeiten Flachsens mit über= irdischer Begeisterung erfüllt hatte; gleich als ob dieser Par= titur eine okkulte Kraft innewohne, fühlte sich Wagner auch jetzt sogleich wie verzaubert. Alle bösen Ahnungen, die ihn wegen seiner Zukunft quälten, verschwanden sogleich, und das Vertrauen zu sich selbst kehrte zurück. Was er in seiner Jugend nur mit „dem Auge der Seele" angesehen, entstand nun, bereichert durch die erregende Fülle des Daseins, die gereifte Kenntnis und die erhabene Bitterkeit, die ein einsames Leben verleiht, aufs neue in ihm. Wenn Wagner also bei der Betrachtung des furchtbar=großartigen Werkes weint, so ist es, weil er in wenigen Nächten, ganz ausgereift, nun im wahrsten Sinne des Wortes ein Meister geworden ist. Er mußte sich ganz vom Buchstaben frei machen und ganz den Geist der Musik begreifen, den Gedanken des Werkes vom Anfang bis zum Ende verfolgen, die melodischen Zu= sammenhänge erfassen. Er verstand, daß, wenn man die Symphonie einst für unspielbar hielt, dies nur der Fall war, weil Beethoven nicht für das Mozart=Orchester seiner Tage, sondern für den größeren Instrumentalkörper einer späteren Zeit geschrieben hatte. Wir können uns vorstellen, daß sich das Klangbild Beethoven nach dem Eintreten seiner Taub= heit so lebhaft einprägte, daß er den Blick für die dynamischen Möglichkeiten des damaligen Orchesters verlor und von diesem Wirkungen verlangte, von denen noch niemand zu träumen gewagt hatte. Um die musikalischen Gedanken des Werkes mit der größten Genauigkeit zu erfassen und herauszubringen, sah sich Wagner sogar gezwungen, den von Beethoven vor=

geschriebenen Notentert zu ändern, der natürlich für die damals einzig bekannten Naturhörner und Naturtrompeten gedacht war. An ihre Stelle setzte er die Ventilinstrumente mit ihrer chromatischen Skala und trieb die Kühnheit sogar so weit, die für die Holzbläser am Anfang des letzten Satzes geschriebenen Takte auf die Trompeten zu übertragen. Nur so war es möglich, den Ausbruch einer furchtbaren Verzweiflung klar herauszubringen und zu zeigen, wie alles miteinander zusammenhängt. Dann wird der Satz verständlich, und die Tertworte als letzter erhabener Anruf der Freude erhalten ihre höchste Bedeutung.

Wagner suchte zu Beethovens Drama eine Parallele im Faust und schrieb für das Publikum ein Programmbuch. „Ein im großartigsten Sinne aufgefaßter Kampf der nach Freude ringenden Seele gegen den Druck jener feindlichen Gewalt, die sich zwischen uns und das Glück der Erde stellt, scheint dem ersten Satz zugrunde zu liegen." Und als Überschrift gibt er diesem Hauptthema Goethes Worte:

„Entbehren sollst du, sollst entbehren!"

Es war der Wahlspruch Tannhäuser-Wagners selbst. „Eine wilde Lust ergreift uns, sogleich mit dem ersten Rhythmus des zweiten Satzes, ein unbekanntes Glück zu erjagen." Der dritte ist „himmlisch besänftigend" und gibt einem „Sehnen der Liebe" Ausdruck. Es scheint, daß sowohl Beethoven wie Goethe die Liebe nicht nur als eine die Herzen bewegende Macht, sondern auch als ein Mittel zur Stärkung der schöpferischen Kraft ansahen.

„Ein unbegreiflich holdes Sehnen
Trieb mich durch Wald und Wiesen hinzugehn,
Und unter tausend heißen Tränen
Fühlt' ich mir eine Welt erstehn."

Der vierte Satz endlich beginnt mit einem Aufschrei, der nicht mehr rein instrumentalen Charakters ist, und läßt dann das ergreifende Rezitativ der Kontrabässe folgen; es scheint eine Menschenstimme zu suchen und steigert sich zu einem stürmischen Höhepunkt triumphierender Freude. „Da tritt die menschliche Stimme mit dem klaren sicheren Ausdruck der Sprache dem Toben der Instrumente entgegen, und wir wissen nicht, ob wir mehr die kühne Eingebung oder die große Naivität des Meisters bewundern sollen, wenn er diese Stimme den Instrumenten zurufen läßt: ‚Ihr Freunde, nicht diese Töne! sondern laßt uns angenehmere anstimmen und freudvollere!‘ Es ist, als ob wir nun durch Offenbarung zu dem beseligenden Glauben berechtigt worden wären: jeder Mensch sei zur Freude geschaffen.“

Ein solcher Gedanke, der plötzlich ein helles Licht auf den Seelenzustand des „Sängers aller Leiden“ wirft, läßt uns einen Blick auch in das Innere Wagners tun, der nun einen der allerwichtigsten Punkte seiner künstlerischen Entwicklung erreicht hat. Der Dirigent, der die Neunte Symphonie an jenem Palmsonntag des Jahres 1846 leitete, hat kaum noch etwas mit dem Komponisten des „Rienzi“ zu tun. Jetzt ist er ein fertiger Künstler, der seine festgefügte Form gefunden hat, der Dichter des „Lohengrin“, den er bereits begonnen, der Schöpfer einer ganzen Musikwelt, die er noch in seinem Inneren verschlossen mit sich herumträgt. Aber dieses wundervolle Hochgefühl, das er in Gedanken an diese Welt empfand, gab ihm, auch wenn es ihn ein für allemal von der großen Masse trennte, den unumstößlichen Glauben an seine Mission und fesselte ihn immer enger an das einzige Vorbild, dem zu folgen er sich vorgenommen hatte. Er verstand Beethoven nicht nur, sondern war so vollkommen in dessen Ideen eingedrungen, daß er imstande war, Druckfehler und dergleichen zu verbessern, die sein Werk verunstalteten; er war in der Lage, seine eigene Auffassung durchzusetzen und den Chor zu ekstatischer Höhe zu führen.

Die Ankündigung der Symphonie hatte auf das Dresdner Publikum ebenso wie auf die übrige musikalische Welt einen ungeheuren Eindruck gemacht. Musikliebhaber, Musiker und Dirigenten strömten aus Leipzig, Freiberg und ganz Sachsen in Dresden zusammen, um der Auferstehung dieser Symphonie, die so lange begraben gewesen war, beizuwohnen. Die Bühne des alten Opernhauses war eigens in ein Amphitheater verwandelt, der Chor durch Gymnasiasten der Kreuzschule, der „Richard Geyer" einst selbst angehört hatte, vermehrt worden. Diesmal merkte das Publikum, daß in diesem Mann mit seinem gereiften Sinn für musikalische Werte, seiner feurigen Energie und seinem fanatischen Streben nach der Wahrheit das verborgene Feuer der Revolution schwelte. Das eröffnete gefährliche Möglichkeiten; Wagner selbst hatte einmal gesagt, daß der Tag kommen würde, an dem man die Kunst unter polizeiliche Aufsicht stellen müsse, aber er ließ sich nicht träumen, ein wie guter Prophet er gewesen war. Bereits pflegten junge Leute in der Ostraallee vorbeizugehen, wo der von ihnen geliebte Meister wohnte, und durch Hutabnehmen ihren angebeteten Führer zu ehren.

VI

Die Arbeit am Ideal · „Lohengrin"

Je einsamer ein Mensch im Kampfe steht, desto leichter wird er die Sympathie aller derer gewinnen, die seinen Kampf als für ihre eigenen Ziele gekämpft ansehen. Mag es ein angefeindeter Politiker, ein verkannter Philosoph oder ein unverstandener Künstler sein, der für das nationale, sittliche oder geistige Wohl seiner Zeit arbeitet, die jüngere Generation wird ihn bald genug als einen der ihrigen erkennen, der ihnen ihr eigenes Wollen und ihre eigenen Kämpfe zeigt. Der seltsame Dresdner Kapellmeister besaß eine Kraft, die einzudämmen der Polizei nicht leicht gefallen wäre. Er stellte eine merkwürdige Verbindung von Mensch und Zauberer dar. Seine persönliche Anziehungskraft begann zu wirken, nicht nur auf einige wenige Kollegen vom Theater und vom Orchester, wie August Roeckel und Theodor Uhlig, sondern auch auf ganz Unbekannte, vor allem auch auf Frauen. Er erfuhr die schüchternen Beweise der Bewunderung und Achtung, die einen Künstler für Stunden der Einsamkeit entschädigen müssen.

Eines Tages fragte in Groß=Graupen, einem kleinen, „zwischen Pillnitz und dem Eintritt in die Sächsische Schweiz" gelegenen Ort, ein junger Mann nach dem Hause, in dem der Herr Hofkapellmeister seine Ferien zuzubringen pflegte. Man wies ihn nach einem Gutshof, ein wenig entfernt vom Dorf; dort hatte Wagner ein großes Zimmer gemietet, dessen ganze Einrichtung in einem Flügel und einem Sofa bestand. Während

der junge Mann sich noch diese Einzelheiten einprägte, kehrte
der Meister selbst von einem Waldspaziergang zurück; er trug
einen großen Strohhut, sein Hund Peps lief hinter ihm her.
Der Besucher stellte sich vor: sein Name war Hans von Bülow;
sechzehn Jahre, Gymnasiast, der Musik leidenschaftlich ergeben
und der aufrichtigste Bewunderer des Meisters. So trat dieser
um siebzehn Jahre Jüngere in das Leben Wagners, der sein
vergötterter Meister und sein furchtbarer Quäler zu werden
bestimmt war.

> „Traft ihr das Schiff im Meere an
> Blutrot die Segel, schwarz der Mast?
> Auf hohem Bord der bleiche Mann,
> Des Schiffes Herr, wacht ohne Rast.
> Hui! Wie saust der Wind! Johohe!
> Wie pfeift's im Tau! Doch kann dem bleichen Mann
> Erlösung einst noch werden,
> Fänd er ein Weib, das bis in den Tod getreu ihm auf Erden.
> Ach! Wann wirst du bleicher Seemann es finden?"

So singt Senta im „Fliegenden Holländer", und dieser ant=
wortet mit folgenden Worten:

> „Die düstre Glut, die ich hier fühle brennen,
> Sollt' ich Unseliger sie Liebe nennen?
> Ach nein: die Sehnsucht ist es nach dem Heil..."

Erik und der Holländer sehen sich in dieser waldigen und
sonnenbeschienenen Landschaft, in der Richard an seinem
„Lohengrin" arbeitet, zum erstenmal von Angesicht zu An=
gesicht.

Wie es ihm mit dem „Tannhäuser" und dem „Holländer"
gegangen war, so ging es ihm jetzt mit „Lohengrin": er hatte
ihn im letzten Jahre zu planen begonnen, als er in Marienbad
am Busen der Natur den Sommer genoß. Er trug stets zwei
Bücher in seiner Tasche, aus denen ihm zwei Ideen für neue
Dramen gekommen waren: die Sage von Lohengrin und die
Geschichte von den Meistersingern von Nürnberg. Da sie ihm
alle beide gefielen, wußte er nicht, mit welcher er sich zuerst

beschäftigen sollte. Bald fesselte ihn die Legende des Schwanen=
ritters, bald zogen ihn die treuherzigen Züge Hans Sachsens
an, der die reinste Verkörperung der Volksdichtung darstellte.
Die ganze Komödie nahm vor seinem geistigen Auge Gestalt
an, so daß er sie schnell von Anfang bis zu Ende skizzierte,
aber dann kam am gleichen Tage, als er gerade badete, die
Erzählung von Lohengrin ihm wieder ins Gedächtnis zurück;
er brachte sie also, um sie gleichsam loszuwerden, ebenfalls zu
Papier. Dann mußten während des nächsten langen Winters,
infolge der Proben für „Tannhäuser“ und die Neunte Sym=
phonie, sowie wegen der vielen, sich aus dem allen ergebenden
Mißhelligkeiten die neuen Pläne in den Hintergrund treten.
Aber nun war er in der Stille der hübschen Gebirgslandschaft
endlich dazu gekommen, die letzte Hand an den „Lohengrin“
zu legen und die Dichtung zu vollenden, die von Trennung
und Verzicht singt. Denn Wagner, der noch so wenig — und
mit so geringem Erfolg — geliebt hatte, war fest davon über=
zeugt, daß die Liebe etwas für ewig Unerreichbares bleibt und
ihr einziger Wert darin liegt, daß die Liebenden zur Über=
windung der in ihrem Weg liegenden Hindernisse gezwungen
werden. Der tiefe Sinn der Lohengrin=Dichtung liegt in der
Erkenntnis, daß die Berührung einer übersinnlichen Er=
scheinung mit der menschlichen Natur nur von kurzer Dauer
sein kann.

„Der liebe Gott täte klüger, uns mit Offenbarungen zu
verschonen, da er doch die Gesetze der Natur nicht lösen darf.
Die Natur, hier die menschliche Natur, muß sich rächen und
die Offenbarung zunichte machen.“ So schrieb er aus Groß=
Graupen an Dr. Hermann Franck, einen der wenigen ihm
gewogenen Kritiker, der in der Augsburger Abend=Zeitung für
Wagners Werke kämpfte. Franck hätte den Schluß des „Lohen=
grin“ weniger tragisch gewünscht, aber Wagner fühlte die
innere Notwendigkeit, auf seinem Standpunkt zu beharren.
So blieb „Lohengrin“, wie er es gewollt hatte, die Geschichte

einer irrend=suchenden Seele. Niemand kann das Geheimnis des „Warum" und „Woher" der Gefühle, des Ursprungs der Liebe enthüllen, denn es ist die unfaßbare Folge tiefer Ent= zückung. Aber diese Entzückung löst sich wie Musik, wie die Liebe, wie Lohengrin selbst in nichts auf, sobald wir versuchen, sie uns klarzumachen. Es ist die ewige Wiederholung der alten Sage von Zeus und Semele: der Liebe eines Gottes zu einer Sterblichen, die er vernichten muß, um sich zu retten vor dem ewigen, unaufhörlichen Verlangen ihrer Liebe, immer mehr und mehr von ihm zu wissen und in sein tiefstes Inneres einzudringen.

Das Problem, dem Wagner sich nicht entziehen konnte, bestand in der Frage, ob Lohengrins Scheiden den Anfor= derungen des tragischen Gefühls mit Berücksichtigung der dramatischen Wirklichkeit entsprechen könne. Da das Leben ihm keine andere Lösung gab, suchte er sie in der Musik. Wenn er im „Tannhäuser" ganz instinktiv die Rettung des Mannes in der Reinheit und Keuschheit der Frau gefunden hatte, und zwar eines Mannes, der ganz einsam „auf der höchsten Höhe seines lebensfreudigen Triebes" stand, so verlangte es ihn jetzt danach, sich in neue seelische Tiefen zu stürzen, um in der zärtlichen Umarmung einer Frau Zuflucht zu suchen. Lohen= grin wartete auf das Weib, das an ihn glaubte, „... das nicht früge, wer er sei und woher er komme, sondern ihn liebte, wie er sei, und weil er so sei, wie er ihm erscheine ... Er suchte nicht nach Bewunderung und Anbetung, sondern nach dem einzigen, was ihn aus seiner Einsamkeit erlösen, seine Sehn= sucht stillen konnte, — nach Liebe, nach Geliebtsein, nach Verstandensein durch die Liebe. Mit seinem höchsten Sinnen, mit seinem wissendsten Bewußtsein, wollte er nichts anderes werden und sein als voller, ganzer, warm empfindender und warm empfundener Mensch, also überhaupt Mensch, nicht Gott, d. h. absoluter Künstler. So ersehnte er sich das Weib ... Und so stieg er herab aus seiner wonnig öden Einsamkeit, als er den Hilferuf dieses Weibes, dieses Herzens, mitten aus der Menschheit da unten vernahm."

Hören wir nicht bereits unter den Lärchenbäumen den Fußtritt Zarathustras? Aber es ist ein freundlicherer und hellerer Zarathustra, nicht der von Portofino und Rapallo, welcher nach der Weisheit des Ostens sagen sollte: „Schaffen heißt über sich selbst hinausgehen...", ein nordischer Zarathustra, der an den Ufern der Schelde das Land betritt. Für ihn heißt Schöpfung Liebe, Leben und Selbstaufgabe: eine unmögliche Gabe, ein unmöglicher Tausch der Seelen, denn Elsa ist ihrem tiefsten Wesen nach Lohengrins schärfster Gegensatz, die andere Hälfte seiner Natur; sie bedeutet das weibliche Element in ihm. Sie ist der unbewußte Teil seines Selbst, in dem Lohengrin Erlösung sucht, und in ihrer Eifersucht auf alles, auch auf seine Vergangenheit so befangen, daß sie die verhängnisvolle Frage tut und sich mit Entzücken der Wohltat des Todes hingibt, den Wagner wieder einmal für die höchste Krönung der Liebe ansieht.

„Ich mußte Lohengrin verloren geben, um mit Sicherheit dem wahrhaft Weiblichen auf die Spur zu kommen, das mir und aller Welt die Erlösung bringen soll, nachdem der männliche Egoismus, selbst in seiner edelsten Gestaltung, sich selbstvernichtend vor ihm gebrochen hat. — Elsa, das Weib, diese notwendigste Wesensäußerung der reinsten sinnlichen Unwillkür, hat mich zum vollständigen Revolutionär gemacht. Sie war der Geist des Volkes, nach dem ich auch als künstlerischer Mensch zu meiner Erlösung verlangte."

Wir sehen also, daß Wagner aufs neue von zwei entgegengesetzten Strömungen ergriffen ist, mit denen er kämpft; am Tage seiner Hochzeit hatte er sie kennengelernt: die Sehnsucht nach Liebe, nach dem Licht und dem Wirbel, der ihn unablässig zu allem Dunklen und Rätselhaften seines Schicksals hinzog. Jetzt stellen ihn auch seine Werke immer wieder vor dieses zwiespältige Verlangen, auf dessen anderer Seite er nur den

Tod zu erblicken vermag. Er ist entschlossen, endlich eine Frau zu finden, die ihn versteht; er sehnt sich dumpf nach einer Erleuchtung, die den Aufruhr seiner Sinne besänftigen, nach einer künstlerischen Revolution, die seinen Werken Anerkennung schaffen, nach einer politischen Revolution, die das rückständige Beamtentum, von dem er abhängig ist, vernichten, nach einer wirtschaftlichen und sozialen Umwälzung, die ihm einen Ausweg aus seinen Geldnöten zeigen soll. Denn sein Verleger wollte andauernd Geld von ihm haben, und die Schröder-Devrient hatte ihn als ihren Schuldner verklagt, da sie über die Erfolge Johanna Wagners, von der sie mehr und mehr in den Schatten gestellt wurde, vor Eifersucht außer sich war. Trotz all dieser wachsenden Mißhelligkeiten hatte er die Zeit gefunden, Glucks „Iphigenie in Aulis" auf die Bühne zu bringen, die Partitur dieser Oper gründlich zu überarbeiten (so daß er sogar als Bearbeiter auf dem Zettel genannt war), seine Studien der griechischen Literatur und Geschichte wiederaufzunehmen und endlich die Komposition seines „Lohengrin" zu beginnen. Die Intendanz, bestehend aus Herrn von Lüttichau und dem neuen Schauspieldirektor Gutzkow, ist Wagner jetzt in aller Öffentlichkeit feindlich gesinnt; auch das trug nicht dazu bei, die Arbeit zu erleichtern. Um seine Ausgaben einzuschränken, beschloß er, seine Wohnung in der Ostraallee aufzugeben und eine kleinere in dem alten Palais Marcolini in der Friedrichstadt zu beziehen; dort entschädigte ihn die Annehmlichkeit eines Gartens für den Verlust der größeren Räume. Damit der Druck seiner Werke keine Unterbrechung erlitte, nahm er eine Lebensversicherung auf und ließ sich die Police sogleich beleihen.

Gerade in dem unruhigen Jahr 1847 wandte er sich ganz dem „Lohengrin" zu, dessen dritten Akt er zuerst in Musik setzte. Im Mai, als sich die Schröder-Devrient in der Rolle der Iphigenie vom Dresdener Publikum verabschiedete, um ihren Leutnant zu heiraten, vollendete er den ersten, zwischen dem

18. Juni und dem 2. August den zweiten Akt, und am 28. dieses Monats beendete er das ganze Werk mit der Komposition des Vorspiels. In diesen wenigen Wochen war Wagner erst eigentlich zum Mann gereift. Allerdings hatten Kummer und Leid noch nicht in dem Maße, wie es später geschehen sollte, sein Schicksal geformt; aber als Künstler war er an dem entscheidenden Punkt seiner Entwicklung angelangt. Seine Erscheinung hebt sich klar und scharf gegen den hellen Himmel ab, einsam, stolz und sicher, wie niemand vorher oder nachher gewesen war.

„Die Wahrheit gegen sich selbst", schrieb er damals an Roeckel, „das ist die Freiheit. Wer wahr und aufrichtig gegen sich selber ist, vollkommen im Einklang mit seiner Natur, der nur ist frei."

Das war keine Banalität, wenn es auch so erscheinen könnte; denn ist auch das Gerede von der Treue gegen sich selbst nicht mehr ganz neu, so müssen wir uns doch daran erinnern, daß es im Jahre 1847 weit davon entfernt war, ein Gemeinplatz zu sein. Außerdem dürfen wir den kleinen Zusatz: seinem Wesen gemäß, „im Einklang mit seiner Natur" nicht vergessen; er gibt dem Satz eine spezifisch Wagnerische Note. Wagner stand an der Schwelle seines Ruhmes; aber in seinem Bestreben, sich selbst treu zu bleiben, war er bereit, alle die zu enttäuschen und zu erzürnen, die in ihm einen „Helden" sehen wollten. Er strebte nicht mehr nach dem vorlohengrinschen romantischen Heldentum eines Schiller und Rousseau, sondern suchte Mensch zu sein, der seine Schwächen eingesteht, seinen Egoismus offen bekennt und, wenn nötig, seine kämpferischen Eigenschaften entfaltet. Immerhin mußte die Rechtfertigung für eine solche, manchmal schwer errungene Freiheit in der Pflicht zum Dienen bestehen. Aber wem wollte er dienen? Das hatte er noch nicht klar ausgesprochen, doch in seiner Rückkehr zum Volk, in seinem Verlangen nach einer uneigennützigen, nicht nach Gewinn strebenden Kunst, in der Reinheit, mit der dieser

Liebhaber ohne Geliebte und dieser Gläubige ohne Gott seine symbolischen Schöpfungen gestaltete: in all dem glühte das schöpferische Feuer eines, der das Ideal kennt, dem er zustrebt.

Da ist noch ein anderes veraltetes Wort; aber ich kann in unserer modernen Sprache nur e i n e n Ausdruck finden, um es zu ersetzen: Ehrgeiz. Denn dieser bedeutet heute im materiellen Sinne für uns dasselbe, wie für die Menschen vor hundert Jahren im geistigen. Wenn aber, wie Jean Richard Bloch in seinem „Schicksal des Jahrhunderts" sagt, der Geist des 20. Jahrhunderts angefangen hat, seinen Ausdruck in der Verachtung dessen zu finden, was dem 19. Jahrhundert teuer war: Kultur, Intelligenz, Feinfühligkeit, Uneigennützigkeit; wenn es nichts mehr von geistigen Dingen wissen, sondern im materiellen Sinne zerstören und wieder aufbauen will: dann ist das Wort „ideal", das zu Beginn des Jahres 1848 so voll praktischer Wirklichkeit schien, heute ein blutloser Schemen und nur eine jener Wortleichen, die noch im Sprachstrom der Völker treiben. Für Wagner hatte es aber im Jahre 1848 die Bedeutung, der inneren Stimme zu folgen, es hieß: Volks= erziehung, geistige Freiheit, Reformen — alles Dinge, die für die Zukunft eines neuen Deutschland wichtig und für Richard Wagner unumgänglich notwendig schienen, wenn er ein Recht auf eigene Gedanken, auf seinen Glauben und auf sein künf= tiges Schaffen haben sollte. So entwarf er den Plan zur „Reorganisation der Königlichen Kapelle"; schlug den Bau eines Konzertsaales vor, ein neues Programm für den Spiel= plan und eine gerechtere Besoldung der Orchestermitglieder. Natürlich erhielt er seine Eingabe mit einer höflichen, aber leicht ironischen Antwort zurück: der Herr Kapellmeister solle sich um seine eigenen Angelegenheiten kümmern und das tun, was seine Kollegen stets getan hätten und bis in alle Zukunft tun würden: alles beim alten lassen und daraus das Möglichste herausholen, oder seine Entlassung nehmen. Wenn jemand

bis über die Ohren in Schulden stecke, solle er sich nicht um
Reformen kümmern... Erst mal bei sich selbst anfangen
Ordnung zu schaffen.

Wagners einzige Freunde waren damals Roeckel, Uhlig,
Doktor Pusinelli und ein paar unbekannte junge Leute, unter
denen sich der 16jährige Hans von Bülow befand, ferner ein
Jüngling von 18 Jahren, Karl Ritter, Sohn einer reichen
kurländischen Familie, die sich in Dresden niedergelassen hatte,
endlich eine 20 Jahre alte Engländerin, Miß Jessy Taylor.
Sie besuchten ihn, baten ihn um Autogramme, kauften seine
Kompositionen und umgaben ihn mit einer Atmosphäre von
Verehrung und Bewunderung, die ganz nach seinem Geschmack
war, da er dadurch nun doch endlich etwas vom Weihrauch
spürte, den die Menschen dem Künstler opferten. Es handelte
sich dabei nicht um die vorübergehende Begeisterung, die ein
öffentlicher Erfolg mit sich bringt; es war die lebendige Teil=
nahme von Menschen, die das Geheimnis seines Herzens ent=
rätseln wollten, da sie erkannt hatten, daß er sich vor der Welt
verstellte. „Die Frauen sind eben die Musik des Lebens", sagte
er in einem Briefe an Uhlig, als er von der eben genannten
Jessy Taylor sprach. Frauen hören die Melodie einer Seele
und vermögen jede irdische Erscheinung nach dem Bild ihrer
Träume zu formen. Zweifellos sahen die Augen dieser seiner
jungen Bewunderer, die sich wie Fenster auf die klaren Tiefen
ihrer Seelen öffneten, Wagner mit viel reicherer und tieferer
Erkenntnis, sie verstanden Wagner mit seiner Liebe für
alles Lebende besser, als es die Kollegen trotz seiner großen
Popularität in der Bühnenwelt jemals vermocht hatten.

Dann regten sich seine revolutionären Ideen in ihm, er
fühlte das Verlangen, sich von einer langsam faulenden Ver=
gangenheit zu lösen, und die Sehnsucht nach einer Art körper=
lichen Wiedergeburt, nach dem Kommen einer neuen unbe=
kannten Welt, in der er leise von ferne die Stimme Elsas zu
hören glaubte. Schließlich erblickte er auf Hans von Bülows

Hut und dem seines Vaters zum erstenmal die schwarz-rot-
goldene Kokarde des alten einigen Deutschlands, Symbol für
alle, die auf das neue Reich hofften.

So ruhten die Dinge im Schoß der Zeiten: allerdings
nicht hier in dem schläfrigen alten Dresden, auch nicht in
Berlin, das wie immer eine Enttäuschung war. König Friedrich
Wilhelm IV. befahl zwar, den „Rienzi" aufzuführen, be-
willigte aber dem Komponisten des Werkes keine Audienz,
trotzdem dieser sich unablässig um eine solche bemühte. Denn
Wagner hielt damals immer noch viel von der Macht und
Würde der Herrscher. Indessen sah er nun wohl, daß sie
nicht ganz so herrlich waren, wie er sie sich vorgestellt hatte,
und daß ihre laue Begeisterung Hindernisse nicht zu überwinden vermochte. Er mußte sich also damit begnügen, mit
einem höflichen, aber ironischen alten General zu sprechen, der
für die Zerstreuung seiner Majestät zu sorgen hatte. Nur
nichts überstürzen! Nur keine Neuerungen! Der alte Dichter
Tieck erzählte ihm im Vertrauen, daß der König von Preußen
Glucks „Iphigenie" und Donizettis „Lucrezia Borgia" gleich
hoch schätzte; „Rienzi" würde also nur ein Repertoirestück mehr
bedeuten. So verlor Richard alles Interesse an einer Vorstellung, die doch nur, wie er von vornherein wußte, ein Mißerfolg sein würde. Wären nicht seine Verehrer Alwine From-
mann und Professor Werder (der nächtliche Besucher nach der
„Holländer"-Vorstellung), dem er jetzt seinen „Lohengrin"
widmete, in Berlin gewesen, so hätte die Erinnerung an diese
Wochen nur im Gedenken an Regen und unendliche Langeweile bestanden. Außerdem bedeutete die Tatsache, daß die
preußische Regierung sich — wie gut unterrichtete Kreise
behaupteten — gerade so schwach zeigte wie die anderen
deutschen Staatsleitungen, eine ebenso große politische wie
künstlerische Enttäuschung. Weder Friedrich Wilhelm, auf
den Wagner alle seine patriotischen Hoffnungen gesetzt hatte,
noch der König von Sachsen würden imstande sein, Deutsch-

land zu retten, wenn die Unruhen, die jetzt überall schwelten, einmal zum offenen Ausbruch kommen würden.

Am Ende des Jahres 1847 starb Mendelssohn plötzlich, und zu Beginn des Jahres 1848 verschied Frau Geyer. Die alte, immer noch reizende Dame entschlief friedlich am 8. Januar in Leipzig, während die ganze Familie Brockhaus um sie versammelt war. Bei ihrem Begräbnis traf Richard seinen Freund Laube wieder, mit dem er ein politisches Gespräch über die allgemeine beunruhigende Lage Europas führte. Als er am Grabe stand, in das man eben den gebrechlichen Körper seiner Mutter, das Haupt der überall verstreuten Familie, versenkt hatte, fühlte er sich einsamer denn je.

Richard Wagner stand jetzt in der Mitte seiner Laufbahn. Weder der Ruhm noch das Glück hatten ihm ihre Versprechungen gehalten. Liebe? Seine Zeit für die Liebe war vermutlich vorbei. War es nicht zu spät? „Der tiefste Kummer oder der größte Ekel" —das war das Resultat seiner seelischen und materiellen Rechnung, bevor der Sturm ausbrach. Warum sollte ihn der Tod nicht auch dahinraffen? Er mußte nur etwas haben, wofür er sterben konnte. Aber man stirbt nicht an der Trauer des Herzens, und auch nicht, weil einem alles gleichgültig ist. Indessen zogen sich überall am Himmel die politischen Gewitter zusammen. Wenn er um sich blickte, konnte er nur seine noch allzu jungen Freunde sehen: Roeckel, der sich bereits tief in politische Machenschaften eingelassen und sich ihm also ein wenig entfremdet hatte, oder eine ganze Reihe von Kollegen und Vorgesetzten, die ihm feindlich gesinnt waren. Nur ganz von ferne schien ihn ein schönes Gesicht mit Lächeln, Erstaunen und Neugier zu betrachten — nein, besser noch mit brüderlichem Verständnis: es war das Antlitz des Klaviervirtuosen und Komponisten Franz Liszt.

Die beiden hatten sich bereits ein oder zweimal getroffen, zuerst in Paris; es hatte sich aber aus ihrer Bekanntschaft noch nichts Weiteres ergeben. Damals hatte sich Richard in der schlimmsten Lage befunden; er erinnerte sich jetzt, deshalb ungerecht gewesen zu sein. Ein anderes Mal hatten sie sich in Berlin gesehen, als er der Hauptstadt wegen der „Holländer"= Aufführung einen flüchtigen Besuch abstattete. Wagner unter= hielt sich im Hotelzimmer mit der Schröder=Devrient, als Liszt hereinkam. Die Erinnerung an Wagners scharfe Kritik über Liszts Pariser Konzert hätte eine gewisse Verlegenheit verständlich gemacht, aber Liszt bat mit einer so entwaffnen= den Liebenswürdigkeit um Verzeihung für seinen Ruhm, daß er Richard sofort für sich gewann. Der Zauber, der von Liszt ausging, tat sogleich seine Wirkung. Neben all seiner Freundlichkeit, seinem Humor, seiner Bescheidenheit und seiner Ungezwungenheit trat die Vornehmheit seiner Seele zutage, die sich in seinen Bewegungen, in seinem Lächeln und in seinem Gesichtsausdruck verriet; sie verlieh ihm in der Tat eine Art von engelhafter Anmut. Richard kam es vor, als ob er einen Gott träfe, und vor seinem inneren Blick verschmolz der Ritter Lohengrin mit dem liebenswürdigen Pianisten, der sich kürzlich in Weimar niedergelassen hatte. Es hieß, daß er dort gemeinsam mit einer Frau, die er liebte, ganz seiner Arbeit lebte; und Wagner wußte, daß er alles tun würde, was in seinen Kräften stand, dem Komponisten des „Tannhäuser" zu helfen. Er hatte kürzlich die Partitur dieser Oper gelesen, und sie hatte ihm einen tiefen Eindruck gemacht.

Der Phantasieheld, von dessen Liebe und traurigem Ende er in seiner Oper erzählt und der märchenhafte Musiker, dessen Seele sein „Tannhäuser" so gewaltig erregt hat, erfüllten seine Gedanken, als der Februar des Jahres 1848 im Kalender erschien.

VII

Apollo und Marsyas · Die Revolution
in Dresden

Die Revolution von 1848 begann, wie die von 1830, in Paris, wo das Volk neue Ideen fast noch mehr liebte als die Liebe, ja sogar mehr noch als das Geld oder die Freiheit. „Die Februarunruhen, die zur Gründung der demokratischen Republik führten, stellten die natürliche Folge der doppelten Erkenntnis des 18. Jahrhunderts dar, die den gebildeten Schichten der Bevölkerung Freiheit des Denkens und den Arbeitermassen Freiheit des Handelns verlieh. Die republikanische Verfassung war die logische Fortsetzung der philosophischen, kritischen, nur mit dem Verstande urteilenden liberalen oder revolutionären Regierung, wie wir sie auch immer nennen mögen; sie hatte ihren Ursprung in den höchsten Schichten der Gesellschaft und untergrub allmählich den Glauben, auf dem in den Zeiten des feudalen, katholischen und monarchischen Staates das göttliche Recht des Herrschers beruht hatte. Die Ersetzung des göttlichen durch das menschliche Recht, mit einem Wort die Grundlage der Demokratie, ist das deutlichste Zeichen der instinktiven Bewegung der Volksmassen seit 1791."

Eine Frau von 40 Jahren schrieb diese Worte und wurde so, ohne es zu wollen, die klassische Historikerin der erregenden Ereignisse, die sich vor ihren Fenstern in Paris abspielten. Sie war immer noch schön, aber ihr Stolz und ihr Gemüt waren durch ein Liebeserlebnis schwer verwundet worden, das von Anfang an zur Aussichtslosigkeit verurteilt war. Nun rächte sie sich an der Gesellschaft, die sie ausgestoßen, und an dem Mann, der die Größe ihres sozialen Opfers nicht verstanden hatte. Sie hieß Gräfin Marie d'Agoult, und der Name ihres Geliebten, der nach sieben Jahren enger Verbundenheit seine Beziehungen zu ihr gelöst hatte, war Franz Liszt. In früherer Zeit war sie mit George Sand befreundet gewesen und stand noch immer in guten Beziehungen zu den Politikern, die vor kurzem die sozialistische Bewegung begonnen hatten und denen es gelungen war, die schwankende und ewig in Schwierigkeiten steckende Regierung des Pazifisten Louis Philippe vorzeitig zu stürzen. Sie war ohne Zweifel eine ungewöhnlich kluge Frau, die wohl imstande war, einen verständnisvollen Blick aus der Vogelperspektive auf den großen politischen Hexenkessel zu werfen, in dem Ledru=Rollin, Louis Blanc, Arago und Lamartine ihre verschiedenen Rollen spielten. Wenn wir die ersten Seiten ihrer Erzählung lesen, in der sie die Ursachen der revolutionären Bewegung zu erklären versuchen will, müssen wir uns über ihre gesunden Ansichten und ihre beneidenswerte Fähigkeit wundern, Ereignisse zu ahnen, deren Zeugen wir 80 Jahre später geworden sind. „Mit der Rückkehr friedlicher Zeiten auf dem Kontinent", schreibt sie, „bekamen die Dinge ein ganz anderes Gesicht. Mit der Befestigung der öffentlichen Sicherheit und der Bevölkerungszunahme erfuhr das Wirtschaftsleben einen kräftigen Auftrieb. Große Werkstätten und riesige Fabriken wurden eröffnet, in denen mit Hilfe neuentdeckter Verfahren und wunderbarer Maschinen die Industrieprodukte schneller und billiger und in einer bis jetzt ungeahnten Vollendung hergestellt wurden. Die schnell zusammengerafften Vermögen der Fabrikanten bildeten ein erstaunliches Phänomen, das zu weiterem wilden und rücksichtslosen Konkurrenzkampf anspornte. Die hohen Arbeiterlöhne zogen große Teile der Landbevölkerung in die Industriestädte, so daß eine Überproduktion unvermeidlich wurde. In kurzer Zeit war die Aufnahmefähigkeit für die Fabrikate überschritten, und das Mißverhältnis zwischen Nachfrage und Angebot wurde deutlich. Die Märkte waren mit den Produkten der Fabriken überfüllt und das Gleichgewicht schien gestört." Über den alten König Louis Philippe sagt sie: „Er bemühte sich eifrig, den Frieden aufrechtzuerhalten, ohne etwas anderes als eine Scheinblüte zu erreichen. Er verliebte sich immer mehr in die Mittelmäßigkeit seiner bürgerlichen Ideen, als er sah, daß seine Umgebung sie teilte. Er verlachte alle guten Ratschläge, die man ihm gab, und überschätzte sein eigenes königliches Ansehen, das er mit dem eifersüchtigen Eigensinn des Alters aufrecht zu halten versuchte; der unglückliche Fürst wurde schließlich seinem Land und seiner Zeit vollkommen entfremdet."

Lamartine spricht vom Aufstand des Jahres 1848 als von der „Revolution der Verachtung". Sie kostete die Orléans' ihren Thron; zum zweitenmal ging das alte Regime in einem kleinen Pariser Aufstand unter. Ein Dichter wurde französischer Außenminister, ein Arbeiter Ministerpräsident, und während man auf die Rückkehr einer gesetz= und rechtmäßigen Regierung wartete, erweckte die zweite Republik während einiger Monate in Europa eine Begeisterung, die sich von Paris nach Mailand, Berlin, Wien, München und Dresden ausbreitete. Wieder wurde, genau wie im Jahre 1830, die Befreiung Polens zu einer Art geheimnisvollem Losungswort; aber „der Geist dieser europäischen Revolution" war vor allem ein nationaler. Er ließ das Bevorstehen der großen nationalen Einigungen, Italiens und des Deutschen Reiches, ahnen, die nur dadurch verwirklicht werden konnten, daß die alten Grenzen Europas zerbrochen und große Kriege geführt wurden.

Lange Zeit hindurch war Dresden von allen möglichen Gerüchten durchschwirrt. Der König war sehr gegen seinen

Willen gezwungen worden, sein konservatives Kabinett mit einem liberalen zu vertauschen. Ein Parlament wurde gewählt. Überall bildeten sich patriotische Vereinigungen, und in den Zeitungen standen jeden Tag alle möglichen, an das Volk gerichteten Aufrufe. Diese wunderbaren Ereignisse vollzogen sich indessen unter königlichem Schutz und beim Schein nächtlicher Illuminationen. Der alte Geist der Ordnung verschwand leise mit der Person Metternichs, der gezwungen war, Wien zu verlassen; und König Ludwig I. von Bayern dankte in aller Ruhe um so lieber zugunsten seines Sohnes ab, als ihm am Thron weniger lag als an der Gunst der Tänzerin Lola Montez. Ein schneller innerer und äußerer Umschwung kam über die Welt. Das „tolle Jahr" verdrehte in jenem Frühling allen Leuten mehr oder weniger den Kopf. Wie sollten also die Künstler der allgemeinen Besessenheit entgehen, vor allem, da die neue Wendung der Dinge so lange von ihnen ersehnt war?

Roeckel betätigte sich sehr eifrig im revolutionären Sinne, und Wagner folgte seinem Beispiel. Er hatte die Taschen voller Gedichte, die Fürsten und Volk gegen die russische Tyrannei zu den Waffen riefen, während Roeckel dem radikalsten der politischen Klubs, dem „Vaterlands=Verein" beigetreten war, und Wagner durfte an dessen Sitzungen teilnehmen. Der Moment schien ihm günstig, eine Audienz bei dem neuen ganz links stehenden Minister Oberländer zu beantragen, um ihm seine geplanten Reformen vorzuschlagen; sein Eifer verminderte sich auch nicht, als sein Freund, der einen Artikel über die Volksmiliz veröffentlicht hatte, ohne weiteres seine Entlassung vom königlichen Theater erhielt. Das hätte Richard eine Warnung sein können, aber er kümmerte sich so wenig darum, daß er auch dem „Vaterlands=Verein" beitrat. Dort machte er sogleich eine Reihe von Vorschlägen für die Frankfurter Nationalversammlung: 1. Aufhebung des bisherigen alten Bundestages und Wahl eines neuen Parlamentes, 2. Ein-

führung der Volksbewaffnung, 3. ein Schutz= und Trutzbünd=
nis mit Frankreich.

Aber damit noch nicht zufrieden, schickte er ein Gedicht mit
dem Titel „Gruß aus Sachsen an die Wiener" an die All=
gemeine österreichische Zeitung, die es unter seinem Namen
abdruckte. Es war ein gefährliches Spiel, aber er kümmerte
sich nicht darum, sondern schrieb im „Dresdner Anzeiger"
einen Leitartikel: „Wie verhalten sich republikanische Be=
strebungen dem Königtum gegenüber?", in dem er den, vielen
Liberalen so teuren Gedanken einer republikanischen Monarchie
vertrat. Da Roeckel wußte, daß Richard ein guter Redner war,
veranlaßte er ihn, im Klub vor 3000 Menschen zu sprechen.
Wagner las mit außerordentlichem Erfolg seinen Aufsatz
vor, denn er enthielt nach Ansicht der Hörer nicht mehr
und nicht weniger, als einen unerhört heftigen Angriff
auf den König, den Adel und die Erste Kammer. Eine
Aufforderung, das allgemeine Wahlrecht zu verlangen,
folgte, damit die Macht allein vom Volke ausgehen solle.
„Je ärmer ein Mensch ist, um so natürlicher scheint sein
Recht, selbst die Gesetze zu geben, die ihn schützen sollen."
Es war aber auch eine scharfe Kritik des Kommunismus
darin enthalten, durch dessen Prinzipien jeder höhergesinnte
Geist, jedes ungewöhnliche Talent zur Sterilität verdammt
seien.

Der Erfolg war riesig. In wenigen Tagen war Wagner
berühmt, jedenfalls sehr viel bekannter geworden als durch
seine Kapellmeistertätigkeit. Der Wirkungskreis schien ihm
neu und im nationalen Sinne wichtig, ließ seinem Ehrgeiz
freien Lauf und gab ihm die Möglichkeit, schnell hochzu=
kommen. Nun konnte er sich für die kalte Aufnahme des
„Holländer" und des „Tannhäuser" rächen, aber wenn
Wagner, der Politiker, auch ein neues Publikum gewann, so
hatte es doch den Anschein, als ob Wagner, der Komponist,
seine alte Zuhörerschaft verlieren sollte.

Das Aufsehen, das seine Rede machte, war so groß, daß die Intendanz es für richtig hielt, „Rienzi" vom Spielplan abzusetzen, da sie Störungen von der Seite des Publikums befürchtete. Außerdem erschien in den Zeitungen eine Flut von übelwollenden Artikeln. Die Hofbeamten und Angestellten bekundeten ihm offen ihre feindliche Gesinnung; schließlich erhielt er eine Herausforderung zum Zweikampf von einem Offizier der Kommunalgarde. In den Zeitungen wurde er „der kleine Blechkönig" oder „Doktor Richard Faust" genannt und in folgenden Versen verspottet:

> „Die Neunte Symphonie, was wär' sie ohne ihn,
> Was ohne ihn die Zeit, der Thron, das Haus Wettin?
> Steht er nicht größer da als Lamartine?
> O lasset im Triumph uns seinen Wagen ziehn
> Und vor dem größten Geist der Mit= und Nachwelt knien."

Wagner suchte sich in einem Brief an den König zu rechtfertigen, aber Herr von Lüttichau hielt es für besser, seinem geistreichen Kapellmeister einen Luftwechsel zu gönnen; so beschloß Richard, nach Wien zu gehen. Da er aber infolge seiner stetig wachsenden Geldschwierigkeiten zur Verzweiflung gebracht worden war, kam es ihm ein paar Tage vor seiner Abreise in den Sinn, den glücklichen Zauberkünstler um Hilfe zu bitten, der seit einigen Monaten nur auf einen Hilfeschrei seines zukünftigen Freundes gewartet zu haben schien. So geschah es, daß Liszt den ersten der später berühmt gewordenen Briefe — datiert vom 23. Juni 1848 — erhielt, in dem der Komponist des „Tannhäuser" ihm erst seine Opern zum Kauf anbot, um sich ihm schließlich mit Haut und Haar zu verschreiben.

„Mir geht es schlecht, und wie ein Blitz kommt mir der Gedanke, daß Sie mir helfen könnten. — Die Herausgabe meiner drei Opern ist von mir selbst unternommen worden... Die Summe, um die es sich handelt, ist 5000 Taler .. Wäre es nicht sehr interessant, wenn Sie der Verlagseigentümer meiner Opern würden?... Und wissen Sie, was daraus erfolgen würde? Ich würde wieder ein Mensch werden, ein Mensch, dem die Existenz möglich geworden ist — ein Künstler, der nie in seinem Leben wieder nach einem Groschen Geld fragen würde... Lieber Liszt, mit diesem Gelde kaufen Sie mich von der Sklaverei los! Dünke ich Ihnen als Leibeigener soviel wert?..."

Während er ungeduldig auf die Gelegenheit eines persönlichen Zusammentreffens mit dem Mann wartete, der seine Gedanken unausgesetzt beschäftigte, begab sich Wagner nach Wien; dort herrschte volle Revolution, aber es war eine lustige, literarische, theatralische Revolution, die sich sogar auf Modefragen erstreckte. Achttausend Studenten der akademischen Legion marschierten mit Federhüten auf dem Kopf durch die Straßen: „Wie schön sie alle waren!" Welche Eleganz, welcher Reichtum, was für reizende Frauen! Im Theater An der Wien, in dem Strauß vor siebzehn Jahren sein Orchester geleitet hatte, wurden „Szenen aus dem Leben Napoleons" aufgeführt. Der Dichter Grillparzer ging in Beamtenuniform spazieren, und die ganze Bevölkerung der fröhlichen Stadt, Musikbanden, Offiziere, Arbeiter, Generäle, trieb sich Arm in Arm auf den Straßen umher. Nur Wagner wußte nicht, was er mit sich anfangen sollte. Was konnte er denn tun? Er dachte daran, eine Fusion von fünf Theatern zustande zu bringen, arbeitete die Statuten für einen Verband der Operntheater aus und träumte davon, Impresario zu werden; aber nach wenigen Tagen hatten sich sämtliche Pläne in nichts aufgelöst, denn die Wiener sind zwar begeisterte Tänzer und Redner, aber für die höhere Musik haben sie nicht viel übrig! Sie hatten Wagner zwar sehr freundlich empfangen, aber er mußte nach Dresden zurückkehren, ohne etwas erreicht zu haben, außer — daß er Geld losgeworden war.

Nun blieb ihm augenscheinlich nichts anderes übrig, als nach Weimar zu gehen. So treffen wir also Wagner in

Ilm-Athen im Hotel Erbprinz, wo Liszt sein Quartier aufgeschlagen hatte. Sie gingen zusammen im großherzoglichen Park spazieren, der einst die Liebe Goethes und der Frau von Stein gesehen hatte, und liefen an der Altenburg vorbei, einem stattlichen Haus, in dem Marie d'Agoults Nachfolgerin im Herzen Liszts ihren Wohnsitz aufgeschlagen hatte. Der berühmte Pianist war jetzt siebenunddreißig Jahre, zwei Jahre älter als Wagner. Er lebte seit kurzem, protegiert von der Großherzoginmutter, einer Schwester des Zaren, in Weimar und hatte die Leitung des Weimarer Orchesters und des gesamten Musikwesens übernommen. Indessen war ihm seine eigene künstlerische Ausbildung das Wichtigste geblieben: nach zwanzig Wanderjahren sehnte er sich nach Ruhe, um Zeit zum Arbeiten zu haben. Sein zurückgezogenes und geistiges Leben versprach ihm mit Hilfe einer energischen und ihm ganz ergebenen Frau in Zukunft mehr einzutragen als nur den Beifall der Menge. Die Tatsache, daß Wagner gerade zu dieser Zeit in sein Leben trat, in der er seine Laufbahn als Komponist begann, schien Liszt von der Vorsehung gewollt und vom Schicksal bestimmt zu sein. Denn, wenn Wagners Phantasie während der letzten Zeit von Liszts Gestalt in merkwürdiger Weise angeregt worden war, so hatten auch in Liszt die merkwürdige Vorahnung irgendeines wichtigen Ereignisses, die selbstgewählte Verbannung, die Schönheit Weimars, das seinem unruhigen Geist endlich Ruhe gebracht hatte, den Wunsch erweckt, zu erfahren, welch neue Aufgabe ihm das Schicksal stellen würde. Der siegreiche Pianist mußte sein Haupt neigen und in dem kleinen Sachsen einen Mann von europäischer Bedeutung anerkennen, weit größer als seine eigene. Es war vom Schicksal bestimmt, daß der Ruhm, der Reichtum, die Beziehungen und die gesellschaftlichen Talente des weltbekannten Virtuosen dem Manne aus Genieland zu Diensten stehen sollten, der mit seiner einzigartigen Persönlichkeit die Menschen gegen sich aufgebracht hatte.

Wir müssen zur Ehre der wie eine Zigeunerin aussehenden Fürstin Karoline von Sayn-Wittgenstein, die seit einem Jahre mit Liszt intim verbunden war, hinzufügen, daß sie zunächst die beginnende Freundschaft der beiden unterstützte. Während dieses ersten und flüchtigen Zusammenseins spannen sich zwischen Wagner und Liszt Bande einer Freundschaft, die trotz allen späteren, nicht voraussehbaren Unstimmigkeiten bis zum Tode Wagners dauerte. Mit einem Wort: Apollo und Marsyas hatten sich endlich getroffen. Im Vertrauen auf seine Kraft hörte der Lichtgott den armen Flötenspieler aus der Welt der Unglücklichen an. Wenn dieser mit einer langen, qualvollen Zeit sein Selbstvertrauen büßen mußte, so war es ihm auf der andern Seite vergönnt, den ewigen Jüngling in Erstaunen und Entzücken zu versetzen, der mit erschrecktem Blick das ungewohnte Schauspiel menschlichen Leidens betrachtete. Das Merkwürdigste in diesen ersten Beziehungen zwischen den beiden so ganz verschiedenen Menschen von entgegengesetztem Charakter scheint mir die fast unerklärliche Anziehungskraft zu sein, die sie aufeinander ausübten. Der Tag sollte kommen, an dem es klar wurde, daß, wenn sie nicht eine Freundschaft auf den ersten Blick geschlossen hätten, sie dazu verdammt gewesen wären, sich zu hassen. Es wäre das auch beinahe in der Tat so gekommen. An jenem Tage aber vermieden sie es instinktiv, einander zuviel Fragen vorzulegen — sie benahmen sich gerade umgekehrt, wie Lohengrin und Elsa es tun: es gab kein „Wie" oder „Warum" in ihrem Gespräch. Über sich selbst sagten sie nichts, sondern überließen es der Musik, die Fäden zwischen ihnen zu spannen, die bestimmt waren, eine seelische, auf allem Unerklärlichen im Menschen beruhende Gemeinsamkeit zu schaffen. Es handelte sich dabei nicht um eine reine Gefühlsangelegenheit, auch nicht um die Vereinigung parallel laufender Energien, sondern eher um eine physische und geistige Hypnose. Von ihrer ersten Begegnung an wirkte der Zauber, und Liszt und Wagner gehörten von nun an zueinander. Ihr Gefühl war Liebe. Und auch Musik. Das beleuchtet noch einmal Wagners Ausspruch, den wir bereits zitiert haben: „Ich begreife den Sinn der Musik nur in der Liebe."

In Dresden machten sich die Anzeichen der Revolution immer mehr bemerkbar. Roeckel war auf der Seite des Volkes tätig. Er war wegen eines Aufrufes an die Soldaten der sächsischen Armee verhaftet, aber gegen Kaution wieder entlassen worden; nun begann er die Herausgabe einer populären Wochenschrift und verkündigte der Menge nach Proudhons Lehre das Evangelium des Sozialismus. Sein Hauptbestreben war, das Kapital abzuschaffen und an dessen Stelle die Arbeit zu setzen. Ferner wollte er die Ehegesetze ändern, um so einer neuen Moral die Wege zu ebnen. Die sächsische Wählerschaft stimmte Mann für Mann radikal, die königliche Zivilliste wurde einer strengen Revision unterworfen, und auch Wagner, da er an eine baldige Volkserhebung glaubte, der sofort eine Erneuerung des künstlerischen Lebens folgen würde, stimmte so. Wie schon bei früheren politischen Krisen, sprudelte er von dichterischen und historischen Ideen über und skizzierte hintereinander ein Drama „Friedrich Barbarossa", ein anderes, dem er den Titel „Siegfrieds Tod" gab, sowie eine Abhandlung über die „Wibelungen", in der er die Nibelungensage und die Geschichte der Gibellinen in eins verwob. Es blieb aber in der Hauptsache bei Notizen, die ihm später als Unterlage für seine Kompositionen dienen sollten. Außerdem hatte er schon mehr geschaffen, als er jetzt verwerten konnte, da in Dresden trotz allen Versprechungen und trotz den guten Einnahmen, die seine frühern Opern brachten, „Lohengrin" noch nicht aufgeführt wurde. Die Dekorationen waren allerdings bestellt; aber aus irgendeinem Grunde schien sich Lüttichau zu scheuen, das Werk auf die Bühne zu bringen.

Immer wieder schob er es auf die lange Bank, bis er eines Tages damit herausplatzte, daß er es überhaupt nicht geben wolle. Das war für Wagner ein harter Schlag, so daß er sofort seine Entlassung einreichen wollte. Nur mit Rücksicht auf Minna unterließ er es. In der Tat spiegelte Lüttichaus Haltung genau die Gefühle des Hofes gegen Wagner wider, wo die republikanischen Ansichten des Kapellmeisters allgemeine Empörung verursacht hatten. Die Königin ließ sich nicht von der Überzeugung abbringen, daß er „Norma" schlecht dirigiert und in „Robert der Teufel" ganz falsche Tempi geschlagen hätte. Immer größere Bitterkeit ergriff Richards Herz; er trat einem aus Orchestermitgliedern bestehenden Ausschuß bei, sprach in Versammlungen, die auf den Umsturz hinarbeiteten, schlug eine Menge Neuerungen vor und hatte schließlich einen entsetzlichen Krach mit Lüttichau. Das bedeutete natürlich das Ende. Die Behörden wollten wegen der unruhigen Zeiten noch nichts gegen ihn unternehmen, aber sie ließen Wagner nicht im Zweifel, wie sie über ihn dachten. Sie übertrugen die Leitung der Konzerte Reissiger und zeichneten diesen in auffälliger Weise mit dem Verdienstorden aus.

Während all dieser Wirrnisse und Unannehmlichkeiten tröstete ihn nur die Nachricht, daß Liszt in Weimar die „Tannhäuser"-Proben angesetzt hatte. Es war ihm, als ob plötzlich ein heller Stern in seinem künstlerischen Leben aufginge: er faßte wieder Mut zum Durchhalten, außerdem bot ihm „Siegfrieds Tod" eine Zuflucht gegen alle Nadelstiche, die er im Berufe auszuhalten hatte. Er vertiefte sich in sein Werk wie in ein Heiligtum, in dem er allem Verdruß und allen politischen Sorgen entgehen könne; denn es war Tatsache, daß ein schwerer Druck der Reaktion die Blütenträume der Demokratie zum Welken brachte. Da er seinen Glauben an den Begriff einer reinen, verjüngten, begeisterten und naiven Menschheit geknüpft hatte, wie sie durch den jungen Siegfried, das Urbild des wahren und ganzen Menschen, repräsentiert wird, mußte er wiederum den Ausweg, die Erlösung durch den Tod, ja durch den Selbstmord suchen. Die alten Strömungen und Gegenströmungen in seiner Seele zeigten sich aufs neue: auf der einen Seite sehnte er sich, zu glauben und zu leben; auf der andern Seite zeigte ihm der Verzicht der modernen Welt auf das große Glaubenserlebnis das selbstgewollte Ende als einen ganz gesunden und natürlichen Vorgang, ja als ein unentbehrliches Mittel zur Flucht vor allen Widerwärtigkeiten. Als Symbol der Menschlichkeit betrachtete er Jesus: „Ich erlöse euch von der Sünde, indem ich euch das ewige Gesetz des Geistes verkünde...! Dieses Gesetz aber ist die Liebe, und was ihr in der Liebe tut, kann nie sündig werden." Das war das Thema einer anderen Skizze, die er neben dem „Siegfried" entwarf und „Jesus von Nazareth" nannte.

So lautete das Evangelium seines Christus: die Ehe ist nur so weit heilig zu halten, als sie der Liebe entspringt. Wo keine Liebe herrscht oder niemals geherrscht hat, oder wo sie zu Ende gegangen ist, verlangt das natürliche Gesetz und damit das Gesetz Gottes, daß die Frau sich den Mann sucht, der ihr das ersehnte Glück zu bringen vermag. Die Gesetze der Menschen haben nur Ärgernis und Sünde in die Welt gebracht. Wenn die Menschen aber nach dem Gesetz der Liebe leben würden, würde die Furcht vor dem Tode schwinden, die nur eine Folge der Zivilisation ist. Der Tod kann angesichts der Lüge und der Heuchelei, welche die moderne Gesellschaft beherrschen, nur eine Wohltat und eine Befreiung sein. Der Künstler muß, da er zu einsam und zu machtlos ist, um diesem Übel abzuhelfen, auf den eigenen Untergang hoffen.

Wir sehen also, daß Wagner die seelische Einheit bis in ihre letzten, scheinbar widersprechenden, aber trotzdem logischen Konsequenzen verfolgt, denn er spricht beide Ansichten in seiner Kunst offen aus. Wenn Wagner die Pläne, die während des

Winters 1848—1849 entstanden, nicht zu einem fruchtbaren
Abschluß brachte, so war es, weil die Revolution das Problem
für ihn löste und ihm die Klarheit brachte, die er suchte.

Eines Abends machte er bei Roeckel die Bekanntschaft eines
bärtigen jungen Mannes mit großen Augen, die so schwach
zu sein schienen, daß er genötigt war, sie mit der Hand vor
dem Lampenlicht zu schützen. Die düsteren und heftigen
Äußerungen dieses Fremden erregten sogleich sein größtes
Interesse. Der junge Mensch nannte sich Dr. Schwartz, aber
jedermann wußte, daß dies nur ein Pseudonym war, hinter
dem sich der bekannteste politische Feuerkopf Europas verbarg.
Es war in der Tat niemand anders als Michael Bakunin,
der russische Revolutionär. Von der österreichischen Regierung
wegen seiner Teilnahme am Prager Aufstand gesucht, mußte
er von einem Versteck ins andere flüchten. Dabei schürte er
überall den Brand, aus dessen Asche die Vereinigten republikanischen Staaten Europas hervorgehen sollten. Bakunin war
ein Mann von ungewöhnlicher Körpergröße, ein Weltbürger,
der viele Sprachen beherrschte. Während er in ganzer Länge
auf Roeckels Sofa ausgestreckt lag, philosophierte er in
der alten bewährten Weise des Sokrates und setzte seine Zuhörer auch durch die revolutionäre Wildheit seiner Ansichten
in Erstaunen. Er ist ein Doktrinär, sagte Wagner zu sich
selbst. Bakunin verachtete indessen die Intellektuellen: er
wollte Taten und keine Worte. Der frühere Offizier und
Aristokrat, mit Rousseauscher Weltanschauung genährt, liebte
seine Mitmenschen so sehr, daß er sie am liebsten alle gefressen
hätte. „Einen zur Kultur erwachten Barbaren" nannte ihn
Wagner, einen Apostel „der Vernichtung um jeden Preis".
Bakunin meinte, den russischen Bauern sei nur beizubringen,
daß die Verbrennung der Schlösser ihrer Herren, mit allem,
was darin und daran, vollkommen gerecht und Gott wohl-
gefällig sei, um eine Bewegung über die Welt hervorzurufen,
aus welcher die Zerstörung aller Zivilisation hervorgehen müsse.

Das seinem Enthusiasmus vorschwebende Ziel: niederreißen! bedeutete ihm mehr als aufbauen. Sein schlimmster Feind war indessen nicht der Zar, nicht der Tyrann, sondern der behagliche Philister, unter dem er als Typus den protestantischen Pfarrer verstand. Wagner erzählte ihm die Handlung seines „Jesus von Nazareth", denn Bakunin war, wie jeder echte Russe, ein Musikfreund. Er lehnte es zwar ab, das Werk zu lesen, versuchte aber Wagner zu bestimmen, „Jesus jedenfalls als schwach erscheinen zu lassen". Was die Musik anbetraf, so hielt er es für das richtige, alle möglichen Variationen über das Thema „Köpft ihn, hängt ihn, Feuer, Feuer!" anzubringen. An einem anderen Abend spielte ihm Wagner den „Holländer" vor; Bakunin hörte entzückt und aufmerksam zu und sagte schließlich: „Das ist ungeheuer schön." Von Beethoven sagte er: „Alles wird untergehen, nur eins wird ewig leben: die Neunte Symphonie." Es ist also kein Wunder, daß Wagners Ansicht über ihn „zwischen unwillkürlichem Schrecken und unwiderstehlicher Angezogenheit" schwankte.

Das war der Verschwörer, dessen Anwesenheit in Dresden die Lunte an das Pulverfaß legen sollte. Die Auflösung des Landtages durch die reaktionäre Regierung Beust gab den Revolutionären Gelegenheit zum Handeln. Das neue Kabinett, das die Regierung übernommen hatte, verstand die Zeichen der Zeit so gut, daß es die preußische Regierung bat, zwei Divisionen an der sächsischen Grenze zu mobilisieren. Klubs und Deputationen aller politischen Schattierungen beschworen die Regierung, die Versprechungen des Königs einzulösen und sich für ein parlamentarisch regiertes einiges Deutschland auszusprechen. Die Regierung lehnte dies ab. Am 3. Mai ging Wagner an Stelle Roeckels zu einer Versammlung des Vaterlandsvereins; Roeckel war gezwungen gewesen, zu flüchten. Die Debatte ging unter dem größten Tumult vor sich. Als Wagner auf seinem Nachhauseweg vor dem Postgebäude angekommen war, erklang plötzlich die Sturmglocke vom Turm der Annakirche. „Es war an einem sehr sonnigen Nachmittag, und sogleich stellte sich bei mir fast dasselbe Phänomen ein, welches Goethe beschrieb, als er die Eindrücke der Kanonade von Valmy auf seine Sinneswahrnehmung zu verdeutlichen sucht. Der ganze Platz vor mir schien von einem dunkelgelben, fast bräunlichen Lichte beleuchtet zu sein, ähnlich wie ich es bei einer Sonnenfinsternis in Magdeburg wahrgenommen. Die dabei sich kundgebende Empfindung war die eines großen, ja ausschweifenden Behagens; ich fühlte plötzlich Lust, mit irgend etwas zu spielen." Auf dem Altmarkt traf er Frau Schröder=Devrient, die gerade aus Berlin gekommen war. Sie hatte soeben in Berlin einem mit Waffengewalt unterdrückten Aufstandsversuch zugesehen und war nun empört, in ihrem friedlichen Dresden dasselbe wiederfinden zu müssen. Der Stadtrat gab eine Proklamation heraus, die sich gegen die Zuziehung fremder Truppen (gemeint waren die Preußen) wendete; so begannen die Unruhen von neuem. Einige Anhänger der Volkspartei versuchten das Zeughaus zu besetzen, aber die Regierungtruppen beschossen sie mit Kartätschen. Zum ersten Male wurde Blut vergossen. Ein paar Bürger fielen, und eine ganze Menge wurde verwundet. Wagner sah einen Mann der Bürgergarde, der über und über mit Blut bedeckt war, an sich vorbeigehen. Es war ungeheuer aufregend: von allen Seiten tönten Rufe: „Auf die Barrikaden!" Wagner wurde von der Menge mitgerissen; er bemerkte einen Buckligen, der sich mit gespenstischer Lust die Hände rieb. Der Anblick erinnerte ihn an den Schreiber Vansen aus Goethes „Egmont". Theater, immer Theater! „Es hatte lange genug gedauert, bis die Revolution kam, aber nun endlich war sie da!"

Die Aufständischen schlugen ihr Hauptquartier im Rathaus auf. Der König war nach der Festung Königstein geflüchtet; so sandten die Revolutionäre eine Abordnung an die Regie=

rung. Aber die Regierung hatte sich dem Hof angeschlossen: das bedeutete also den Bürgerkrieg. Wagner lief schleunigst zu dem Mann, der Roeckels Zeitung gedruckt hatte, und veranlaßte ihn, Plakate mit den Worten „Seid ihr mit uns gegen fremde Truppen?" herzustellen, die an den Ecken und vorn an die Barrikaden angeklebt werden sollten, um die sächsischen Truppen anderen Sinnes zu machen. Wagner selbst gab den Soldaten, die vor der Oper auf Wache standen, ein paar solcher Plakate, ohne sich um die Todesgefahr zu kümmern. Plötzlich erschien Bakunin, der einen Gehrock trug und über Steinhaufen und hölzerne Planken sprang. Er war außer sich vor Wut, hielt eine Zigarre zwischen den Zähnen und fluchte, weil nach seiner Ansicht die ganze Revolution eine Operettenangelegenheit, ein Kinderspiel sei, das von harmlosen Bürgern und Soldaten aufgeführt würde, die „zu Befehl" sagten, wenn der Hauptmann sie anrief. Es sei kein Feuer, kein Schwung hinter der ganzen Sache. Inzwischen war ein Waffenstillstand auf fünf Stunden abgeschlossen und eine provisorische Regierung unter dem Vorsitz des Freiberger Amtmanns Heubner, eines einsichtigen und gemäßigten Mannes, gebildet worden. „Im übrigen verstrich die Zeit gemütlich; am herrlichen Frühlingsabend promenierten vornehme Damen mit ihren Kavalieren durch die verbarrikadierten Straßen. Alles schien nur ein Schauspiel zur Unterhaltung zu sein. Auch mich erfaßte diesem ungewohnten Anblick gegenüber ein völliges Behagen." Auf dem Nachhausewege dachte er an ein neues Drama „Achilleus", das er während dieser Zeit plante.

Am 4. Mai ergriffen die Truppen die Offensive und eröffneten das Feuer vom königlichen Schlosse aus. Ein paar Barrikaden wurden beschädigt; aber erst am 5. Mai zogen die Preußen in die Stadt ein. Nun wurde das Feuer heftiger; Wagner beschloß, auf den Turm der Kreuzkirche zu steigen, um einen besseren Überblick zu bekommen. Das unangenehme war nur, daß er auf diesem Wege den Altmarkt überschreiten mußte, der unter dem Feuer der Soldaten vom Schlosse aus lag. Wagner konnte aus irgendeinem merkwürdigen Grunde der Versuchung, ganz langsam über den Markt zu gehen, nicht widerstehen. Vielleicht kam ihm gerade damals der Gedanke an den Tod nicht in den Sinn, der sonst immer über seinem Werke schwebte. Aber die „blauen Bohnen" schwirrten um den Mann, der da seines Schicksals so sicher über den Markt ging. Dann stieg er auf den Turm, den sich die Preußen als besonderes Ziel ausgesucht hatten. Eine Anzahl anderer Leute war auch hinaufgeklettert, um zu sehen, was los war; Richard verlor sich mit einem Schullehrer in eine ernsthafte philosophische Diskussion. Über ihnen blaute der Himmel; unter ihnen schwamm die Stadt in Menschenblut; in der Ferne floß die Elbe durch Felder und Obstgärten, die in Blüte standen: gerade unter ihnen läutete die Sturmglocke das heilige Frühlingsfest ein! Es war, als ob die guten alten Tage von 1813 wiedergekommen seien. Wenn einer seiner Freunde ihm zur Vorsicht riet und ihn bat, sein Leben nicht aufs Spiel zu setzen, so antwortete ihm Wagner mit Napoleons Worten: „Die Kugel, die mich niederstrecken soll, ist noch nicht gegossen." Ein ungeheuer aufregender Tag! Und erst die Nacht — Künstler, der er war, hätte er sie um keinen Preis missen wollen! Das war etwas, hier oben Soldat zu spielen, Wache zu stehen und den Märchen zu lauschen, die ihm die Sterne unermüdlich erzählten.

Er erwachte am frühen Morgen vom Lied einer Nachtigall, das aus dem Schützeschen Garten von unten herauftönte. Es war Sonntag. Wie wundervoll friedlich alles schien! Ein leichter Nebel schwebte in der Luft, durch den von weitem leise, aber klar die Töne der Marseillaise drangen. Dann konnten die Beobachter auf dem Turm einen langen Zug bewaffneter Männer unterscheiden, der sich auf einer der zur Stadt führenden Straßen Dresden näherte. Es waren Bergleute aus dem

Erzgebirge, die zur Verteidigung Dresdens nach der Hauptstadt eilten und vier kleine Böller mit sich führten, die sie auf dem Platz vor dem Rathaus aufstellten. Ungefähr um elf Uhr schlugen die Flammen aus dem alten Opernhaus, wo Wagner vor kurzem noch die „Neunte" dirigiert hatte. In wenigen Augenblicken war das ganze Gebäude ein Raub der Flammen geworden — ein Anblick, der Bakunins Herz im Hauptquartier der Revolutionäre erfreuen mußte! Dann übernahmen bewaffnete Verteidiger die Wache auf dem Kreuzturm, und Wagner beschloß, nach Hause zu gehen.

In seiner Wohnung fand er lauter aufgeregte Frauen: Minna, seine hübschen Nichten Klara und Ottilie Brockhaus, sowie Frau Roeckel, die sich in größter Angst befand, weil sie gerade gehört hatte, daß ihr Mann nach Dresden zurückgekehrt sei. Aber die Mädchen und ihr Onkel waren durch die Schießerei in solcher Aufregung, die ganze Gesellschaft so außer sich und der Tag so voller Überraschungen, daß dieser Sonntag wie ein Familienfest gefeiert wurde. Roeckel war in der Tat zurückgekehrt; am nächsten Tag marschierte er an der Spitze einiger hundert Studenten durch die Stadt. Bakunin wollte einen Aufstand in den ländlichen Bezirken organisieren, und Wagner nahm die Idee sofort auf, da sie versprach, der Bewegung eine breitere Grundlage zu geben. Er entschloß sich, Dresden mit Minna zu verlassen und sein Hauptquartier bei seiner Schwester Klara Wolfram in Chemnitz aufzuschlagen. Der Plan wurde in wenigen Augenblicken gefaßt und ausgeführt. Richard ging als erster mit dem Hund Peps fort (jedesmal, wenn Wagner mit seinem Hund eine Reise antrat, war dies ein Zeichen, daß seine Laufbahn an einem Wendepunkt angelangt sei). „Es war ein lachender Frühlingsvormittag, als ich zum letztenmal die so oft auf einsamen Spaziergängen durchschrittenen Pfade mit dem Bewußtsein, nie wieder sie wandeln zu werden, dahinschritt. Während die Lerchen über mir schwirrten und aus den Furchen der Felder sangen, donnerte unablässig das große und kleine Geschütz" in den Straßen, denen Wagner den Rücken gewandt hatte. Aber kaum in Chemnitz angelangt, änderte er seine Meinung und fuhr nach Dresden zurück, wo der Aufstand seine letzte, tragischste Phase erreicht hatte.

Der Kampf ging jetzt um die einzelnen Häuser, von Barrikade zu Barrikade, unter Lärm und Geschrei, während die Fackeln rauchten und brennende Häuser düsteren Glanz verbreiteten. Im Rathaus traf er ältliche Ratsdiener, die in verstaubten Uniformen „Butterbröte schmierten" für die Kämpfer; Heubner hielt trotz seiner Erschöpfung einen Kampf noch aufrecht, der in jedem Augenblick weniger Hoffnung bot. Bakunin kaute an seiner erloschenen Zigarre und machte den Vorschlag, das Gebäude in die Luft zu sprengen, wenn die Preußen versuchen sollten, es zu stürmen. Wiederum machte sich Wagner auf den Weg, diesmal nach Freiberg, um Verstärkung heranzuholen und ihnen Heubners Befehle zu übermitteln. Aber noch unterwegs hörte er, daß die Lage der Aufständischen verzweifelt sei und daß die Provisorische Regierung sich nach dem Erzgebirge zurückzöge. Und da — großer Gott! — ja, da kamen sie bereits in einem hübschen Dresdner Lohnfuhrwerk an: Heubner, Bakunin und Martin. Ein paar Bürgergardisten, die völlig erschöpft waren, versuchten, sich zur Verzweiflung des Kutschers hinten und vorn an den Wagen zu hängen. Bakunin war entzückt. „Die Tränen eines Philisters", sagte er, „sind Nektar für die Götter." Ein Kriegsrat wurde abgehalten. Heubner und sein russischer Freund, dessen Namen er nicht genau verstanden hatte, da er ihn immer Bukanin nannte, beschlossen, allein weiter zu kämpfen, obgleich auch der Herr Kapellmeister voller Begeisterung immer nur „Krieg, Krieg bis aufs Messer!" rief. Inmitten der allgemeinen Verwirrung verfaßten sie einen Aufruf. Die Truppen der Aufständischen strömten in wildem Durcheinander auf Freiberg zurück. Wagner suchte, ihre Scharen zu vermeiden.

Die Extrapost, die nach Chemnitz zurückkehren wollte, kam zufällig vorbei, er stieg ein, um sich zu Wolframs zu begeben; da er erst spät in Chemnitz ankam, ging er in das nächste beste Gasthaus, schlief ein paar Stunden und war vor Tagesanbruch wieder auf den Beinen. Er hatte Glück gehabt, denn Heubner, Bakunin und Martin befanden sich bereits in Haft, da die Chemnitzer Behörden der Monarchie treu geblieben waren. Als ihm sein Schwager die Neuigkeit mitteilte, blieb Richard vor Erstaunen stumm; er sah plötzlich die lange Reihe von Gefahren, denen er entgangen war — von der lange vergangenen Zeit angefangen, da der „Riese" Degelow gerade am Tage vor dem Duell starb, das wahrscheinlich dem Leben des Studiosus musicae ein Ende gesetzt hätte. Jetzt mußte er wieder einmal fliehen und die rätselhaften Kräfte, die ihn vor all diesen Gefahren bewahrt hatten, preisen, obgleich er die Natur dieser Kraft nur ganz dunkel und traumhaft zu erkennen vermochte.

Im Wagen seines Schwagers Wolfram versteckt, gelangte er nach Weimar und sah Liszt und die Fürstin Wittgenstein wieder. Aber auch dann war es ihm immer noch, als träume er. Trotzdem las er ihnen das Szenarium seines „Jesus von Nazareth" vor; aus ihrem Schweigen erkannte er die moralische Verwirrung, in die er geraten war. Immerhin gab es während seiner Anwesenheit einen Trost für ihn: eine „Tannhäuser"-Probe unter Liszts Leitung. Liszt war der erste Musiker, der das Werk ganz verstanden und alle Absichten des Komponisten klar herausgebracht hatte. So fand nun das zuversichtliche Gefühl, das ihn bei seinem ersten Besuch in Weimar erfüllt hatte, seine volle Bestätigung. „Liszt — mein Wundermann! ... Diese Reise hat meinen künstlerischen Lebensmut ungemein erfrischt und gesteigert, und ich bin über das, was ich zu leisten habe, nun vollkommen mit mir einig ... Noch vor vier Wochen hatte ich davon keine Ahnung, was ich jetzt als meine höchste Aufgabe er-

224

Extra-Beilage zu Eberhardt's Allgem: Polizei-Anzeiger.
Band XXXVI. N°. 47.

Richard Wagner

ehmal. Capellmeister und politischer
Flüchtling aus Dresden.

Wagners Steckbrief 1853

Porträt

Im Besitz des Sächs. Hauptstaatsarchivs

am 30. v. M. aus derselben aber entlassen und an das Landgericht zu Cam-
burg, behufs Einleitung einer neuen Untersuchung, abgeliefert worden. 11/6. 53.

651) Kahlert, Georg Bernhard, Webergeselle aus Apfelstädt bei
Gotha. Alter: 27 Jahr; Größe: 5′ 8″; Haare: dunkelblond; Augen:
braun. Besond. Kennz.: eine Narbe über dem linken Auge und eine
dergl. am rechten Handknöchel. Er kam kürzlich nach Altenburg, trat
dort als Hochstapler auf und erregte zunächst dadurch die Aufmerksamkeit der Polizei, daß er zwei Erinnerungszeichen an den schleswig-holstei-
nischen Krieg in Kreuzesform auf der Brust trug, weshalb er zur Haft
kam. Bei der wider ihn eingeleiteten Untersuchung hat sich etwas Weiteres nicht ergeben, als daß Kahlert, wie auch seine Heimathsbehörde
ihn bezeichnet, ein Vagabond und Schwindler ist; er zeigte sich aber in
Altenburg während seiner Untersuchung auch als frecher Lügner, weshalb
er körperlich gezüchtigt wurde. Am 30. Mai d. J. ist er unter Anrech-
nung des Arrests als Strafe, in seine Heimath abgeschoben worden.
11/6. 53.

Politisch gefährliche Individuen.

652) Wagner, Richard, ehemaliger Kapellmeister aus
Dresden, einer der hervorragendsten Anhänger der Umsturzparthei, welcher wegen Theilnahme an der Revolution in Dresden im Mai 1849
(Bd. XXVIII, S. 220 und Bd. XXXII, S. 306) steckbrieflich verfolgt
wird, soll dem Vernehmen nach beabsichtigen, sich von Zürich aus, wo-
selbst er sich gegenwärtig aufhält, nach Deutschland zu begeben. Behufs
seiner Habhaftwerdung wird ein Portrait Wagner's, der im Betretungs-
falle zu verhaften und an das königl. Stadtgericht zu Dresden abzuliefern
sein dürfte, hier beigefügt. 11/6. 53.

653) v. Wittenburg, Mar, aus Neisse (zul. Bd. XXXIII,
S. 230), ist am 18. April d. J. aus Breslau, wohin er am 17. April
zurückgekehrt war, ausgewiesen worden. Der Aufenthalt im Reichen-
bacher Kreise ist ihm verboten worden. 11/6. 53.

Erledigungen.

a) **Heinecke,** Eduard, aus Eisenberg (Bd. XXXVI, S. 217), ist ergriffen.
b) **Töpfer,** Amalie Antoinette, aus Oppurg (Bd. XXXVI, S. 231).
c) **Hut,** Carl Friedrich, aus Zembschen (Bd. XXXVI, S. 265), ist zu Marburg
verhaftet worden.

Redacteur: H. Müller. — Druck der Teubner'schen Officin in Dresden.

Hierzu eine Extra-Beilage.

Wagners Steckbrief 1853

Textblatt

kenne: meine tiefsinnige Freundschaft zu Liszt läßt mich die Kräfte in und außer mir finden, diese Aufgabe zu lösen. Es soll unser gemeinschaftliches Werk sein."

Er war nicht länger allein; eine neue Welt aber eröffnet sich dem Mann, der sich von seiner Einsamkeit befreit hat.

Wagner besuchte die damals noch nicht restaurierte Wartburg und bedachte die letzte Wendung seines Schicksals, als er das bedeutungsvolle Gebäude ansah, das so eng mit seiner Geschichte verbunden war; er sah sie in dem Augenblick zum erstenmal, da er gezwungen war, sein Vaterland zu verlassen: denn wieder lag die Verbannung als einzige Zuflucht vor ihm. Ein Haftbefehl war gegen „Richard Wagner, Königlichen Kapellmeister", wegen aktiver Beteiligung am Dresdner Aufstand erlassen worden. Auch eine Haussuchung bei ihm hatte stattgefunden, und Minna schrieb, daß kein Augenblick zu verlieren sei. So sollte also aus der Ferne, zu der sich sein Blick wandte, seine Sehnsucht, sein Verlangen aufsteigen, das allmählich seine geistige Heimat werden sollte: sein Werk, in das er all seine leidenschaftlichen Wünsche, alle Gestalten der Liebe und des Todes, von denen er geträumt hatte, bannen würde.

Bevor er aber von neuem Abschied nahm, mußte er Minna noch einmal sehen. Wie weit sie sich auch in vieler Beziehung auseinandergelebt hatten — sie blieb doch immer seine Gefährtin im Kampf und in schweren Zeiten. Natürlich würde sie ihm Vorwürfe machen, daß er sich in die Politik eingelassen und eine Stellung verloren, die er so schwer errungen und so tapfer verteidigt hatte. Aber nun, da er wieder seine Wanderung durch die Welt aufnehmen mußte: wann würden sie einander wiedersehen? Da Liszt ihr das nötige Geld geschickt hatte, mietete sie einen Wagen und traf ihren Gatten auf dem Kammergut Magdala, drei Stunden von Weimar entfernt. Frau Wagner kam mitten in der Nacht an und störte den Flüchtling im Schlaf. „Was?" rief Richard aus. „Das Weib?"

Mann und Frau begrüßten sich ziemlich kalt. „Du meintest, ich solle kommen, und da bin ich. So sei dankbar dafür und mach dich nur wieder auf den Weg ... Ich? Oh, ich werde sofort nach Dresden zurückfahren." Trotzdem blieb sie 48 Stunden da, um Richards Geburtstag zu feiern. Es war ein ziemlich melancholisches Fest, sie verstanden einander immer weniger. Er wußte, was sie über ihn dachte, und fühlte die Bitterkeit und schweigende Verachtung, mit der sie ihn ansah, da sie nun für immer des Friedens und der Ruhe beraubt war. Jetzt hieß es eben handeln. Liszt meinte, er solle sein Glück noch einmal in Paris, und zwar allein, versuchen. Gott — und Liszt — würden sich schon um Minna kümmern. Vielleicht konnte sie auch eine passende Stelle in Weimar, eine bescheidene Zuflucht für sich und ihre Tochter Natalie finden — vielleicht auf einer der großherzoglichen Domänen.

Vorsichtigerweise trennte sich das Paar zunächst; Minna fuhr nach Jena zurück, wo Richard sie wieder traf, der den Weg zu Fuß zurückgelegt hatte. Sie besprachen im Hause eines Freundes von Liszt ihre Lage, und Wagner begann mit einem Paß, der auf den Namen eines Professors Widmann ausgestellt war, seine gefährliche Reise mit der bayrischen Post, um sich nach der Schweiz zu begeben.

Er kam ohne Unfall in Lindau an und segnete den Gendarmen, der ihm seinen Paß nach der Visitation ohne weiteres zurückgab; endlich bestieg er das Dampfboot, über dem die Schweizer Flagge im Winde flatterte. In einem Augenblick war all seine Angst verflogen. Dort lag Rorschach, das erste Dorf der Schweizer Eidgenossenschaft! Wie wunderschön war der Frühlingshimmel! Dann fuhr er durch das hübsche Sankt Gallener Land; nun kamen die Glarner Alpen in Sicht; welch unaussprechliche Erleichterung! „Mit nichts kann ich das Wohlgefühl vergleichen, das mich durchdrang, als ich mich frei fühlte, als mich, den Geächteten und

Verfolgten, keine Rücksicht mehr band zu einer Lüge irgend=
welcher Art, als ich der Welt laut und offen zurufen konnte,
daß ich, der Künstler, sie aus tiefstem Grunde des Herzens
verachte: da fühlte ich mich zum ersten Male in meinem
Leben durch und durch frei, heil und heiter, mochte ich auch
nicht wissen, wohin ich den nächsten Tag mich bergen sollte,
um des Himmels Luft atmen zu dürfen."

So war sein Widerstand gebrochen. Ein neues Band schlang
sich um ihn und das Leben, trotzdem er noch kurz vorher den
Tod so sehr geliebt hatte. Er streifte seine ganzen Empfindungen
und Gefühle ab, wie man einen alten Rock auszieht, und er=
neuerte in der friedlichen Dämmerung, die ihn umgab, noch
einmal das heilige Gelöbnis, das ihn an sein Schicksal band,
das Gelöbnis, immer sich selbst treu zu bleiben.

Dritter Teil

Tristan

(1849—1864)

I

Kunst und Revolution

Die Frage war, wo sich Wagner niederlassen sollte. Nun war der Dichterkomponist frei von beruflichen Fesseln und entbunden seines Eides, den er dem König geschworen hatte, da ein Haftbefehl gegen ihn vorlag; jetzt war er auch, vielleicht durch seine Frau selbst, von dem toten Gewicht erlöst, das Minna und Natalie für ihn bedeutet hatten. — Wo sollte er nun seine Zelte aufschlagen? Zürich gefiel ihm; es war eine freundliche, heitere Stadt, in der sein alter Freund Müller lebte; mit ihm hatte er sich in früheren Zeiten in Würzburg so gut verstanden. Aber Zürich besaß weder ein gutes Orchester noch eine gute Oper. Liszt hatte ihm in Paris den Weg geebnet, Wagners wegen an seinen früheren Sekretär Belloni geschrieben und im „Journal des Débats" einen ausgezeichneten Bericht über „Tannhäuser" veröffentlicht. Würde es nicht klug sein, sich diese günstigen Umstände zunutze zu machen?

Wagner reiste also sogleich nach dem modernen Babylon ab, der Stadt, die er haßte, die mit den Erinnerungen an all das dort erlittene Elend beladen war; trotzdem blieb sie die Stadt, nach der er sich sehnte, die uneroberte, „ein häßliches Bild", das aber trotzdem sein Herz immer wieder bezauberte. Als er in Paris ankam, herrschte dort die Cholera, gerade wie vor einigen Jahren in Wien. Überall war der Trauerklang gedämpfter Trommeln zu hören, wenn die Nationalgarden die Verstorbenen zur letzten Ruhe geleiteten. Überall konnte man Kassenboten mit Geldsäcken oder großen Porte- feuilles sehen, „als ob gerade damals im siegreichen Kampfe gegen die zuvor so gefürchtete Propaganda des Sozialismus die alte Kapitalherrschaft mit fast verhöhnendem Pompe das öffentliche Vertrauen wiederzugewinnen auf das eifrigste sich anließ". Von der Revolution war nichts mehr zu merken. Die großen Ideale schienen begraben, und die Gräfin d'Agoult schrieb resigniert an ihren Freund Herwegh: „Die Menschen sind dumm und werden es immer sein. Sokrates wird immer den Schierlingsbecher trinken und Jesus bis an das Ende der Zeiten gekreuzigt werden. Die Menschen werden immer köpfen, hängen oder ihre Brüder zu Tode quälen. Es ist eine eintönige Geschichte, die mit Kain anfängt." Aus alter Gewohnheit ging Wagner zu Schlesinger und traf dort Meyer- beer, der glaubte, daß sein alter Schützling wieder nach Paris gekommen sei, um dort sein Glück zu versuchen. Lieber Gott, nein! „Was tun Sie denn dann hier? Wollen Sie Parti- turen für die Barrikaden schreiben?"

Da Belloni seine Ferien in La Ferté-sous-Jouarre ver- brachte, mietete sich Wagner ein Zimmer in dem benachbarten Reuil im Hause eines Weinhändlers. Was sollte nun werden? Er mußte es abwarten und verbrachte seine Zeit mit Lesen und Briefeschreiben. So schrieb er an Liszt, an seinen Schwa- ger Avenarius, der nun wieder in Leipzig lebte, und an Minna. Der erste Brief war an Liszt gerichtet:

„Mein teurer Freund!

... an Dich muß ich mich wenden, wenn mir das Herz einmal wieder aufgehn soll ... Ach, wenn Du begreifen könntest, was Deine Freundschaft mir alles ist! ... Dieses ganze hiesige Kunstgetriebe ist so niederträchtig, so verfault und todesreif, daß es nur eines mutigen Schnitters bedarf, der den richtigen Hieb zu führen versteht. Fern von aller politischen Spekulation fühle ich mich aber gedrungen, unverhohlen herauszusagen: auf dem Boden der Antirevolution wächst keine Kunst mehr; sie würde auf dem Boden der Revolutionsvorschrift zunächst auch nicht wachsen, wenn nicht beizeiten — dafür gesorgt werden sollte. Kurz heraus, ich setze mich morgen darüber, für irgendein bedeutendes politisches Journal einen tüchtigen Artikel über das Theater der Zukunft zu schreiben ... im übrigen liegt dieses greuliche Paris zentnerschwer auf mir ... Mir wird es nämlich zumute wie damals, als ich vor zehn Jahren hierherkam, und sich oft Spitzbubengedanken meiner bemächtigten, wenn ich die heißen Tage aufsteigen sah, die mir in den leeren Magen scheinen sollten."

An Avenarius schrieb er:

„Bald ist es nun vier Wochen, daß ich von meiner Frau Abschied nahm, und nicht die geringste Nachricht ist mir noch von ihr zugekommen ... Meine Angst ist grenzenlos: warum erhalte ich nirgendsher ein Lebenszeichen meiner Frau?"

Minna antwortete endlich mit einem langen Brief voller Klagen. Hatte sie nicht mit ihm seine ganze wilde Jugend durchlebt? Hatte sie ihm nicht stets beigestanden, war sie ihm nicht immer Stütze und Halt in schweren Zeiten gewesen? Nun hatte er, da ihm das Glück endlich eine gute Stellung in Dresden in den Schoß geworfen hatte, in leichtsinnigster Weise alle Würde und materielle Sicherheit seiner Stellung törichten politischen Ideen geopfert. Niemand könne verlangen, daß sie ihrem Mann durch dick und dünn bei allen seinen Abenteuern folge!

Richard mußte ihr recht geben: schließlich war es auch besser so. Da Minna als erste auf ihr eheliches Zusammenleben, das auf Sand gebaut war, zu verzichten schien, — gut, so mag der Sturm es hinwegfegen. „Eben in dem Bewußtsein vollständiger Verlassenheit fand ich bei meiner gänzlichen Armut einen mich stärkenden Trost."

Liszt meinte, daß eine Zeit der Ruhe unbedingt notwendig sei. „Weg also mit den politischen Gemeinplätzen, dem sozialistischen Galimathias und den persönlichen Zänkereien — ... Belloni empfängt von mir den Auftrag, Dir 300 Frcs. als Reisegeld zu übergeben. Ich hoffe, daß Deine Frau sich dort zu Dir wird begeben können, und vor Beginn des Herbstes werde ich Dir eine kleine Summe zukommen lassen, welche Dich über Wasser halten wird ... Die wundervolle Partitur des ‚Lohengrin‘ hat mich tief eingenommen, ich würde jedoch für die Aufführung die hochideale Färbung fürchten, welche Du beständig beibehalten hast. Du wirst mich für einen Krämer halten, teurer Freund, aber ich kann nichts dazu ...“

Was war das für ein Mann! Nun, da das Reisegeld gekommen war, ade Paris! — Es lebe Zürich!

Wagner kehrte sofort dorthin zurück, schlug sein Quartier bei Müller auf und lernte einige hervorragende Menschen kennen, unter denen sich Jakob Sulzer, der junge Kantonskanzler, befand, der soeben seine philosophischen Studien zum glänzenden Abschluß gebracht hatte. Er war gerade der Richtige, um den „Siegfried“ schätzen zu lernen. Sie schlossen sich eng aneinander an; musikalische Abende wurden in der alten Kanzlei oder in dem „Literarischen Café“ am Weinplatz abgehalten. Baumgartner, Sulzer, der Advokat Spyri und andere gebildete und freidenkende junge Leute bildeten mit einigen Flüchtlingen aus Sachsen und Baden eine außerordentlich nette Kumpanei. Wagner fühlte sich dem Leben neu geschenkt. Die Freiheit entzückte ihn so, daß seine alte Fähigkeit für paradoxen Ausdruck wieder neu erstand und Epigramme leicht aus seiner Feder flossen. In zwei Wochen vollendete er eine Abhandlung, welcher er den kühnen Titel „Kunst und Revolution“ gab; er sandte sie dem Leipziger Verleger Wigand, der von ihr begeistert war und ihm sogleich fünf Louisdor schickte.

Das ist nicht weiter verwunderlich, denn Wagner sprach in dieser Schrift aus, was in den Herzen und Sinnen fast aller Künstler des Jahres 1848 die größte Rolle spielte; er machte sich zum Sprachrohr ihrer Ideale und Wünsche. Er glaubte nicht allein an die Revolution, sondern fühlte sich berufen, sie auf den Weg der Rettung zu führen; den unabweisbaren Drang, „das herrlichste, reichste Gebäude der wirklichen schönen Kunst der Zukunft" zu zeichnen, das eines Tages auf den Ruinen einer lügenhaften, heuchlerischen Kunst entstehen sollte. Es war nicht nur ein Feuerwerk von Worten, sondern das ehrliche Bemühen eines starken Temperamentes, sich selbst auszudrücken, weil es nicht anders konnte, und weil es entschlossen war, der Welt seine lebendige Kraft zu zeigen. Indem Wagner seine Gedanken über Kunst niederschrieb, redete er nur für sich selbst, zu seiner Verteidigung. Nach Nietzsches Ausspruch ist alle Philosophie eine Art von sehr persönlichem und unwillkürlichem Bekenntnis, eine Reise, die man unternimmt, um sich selbst zu entdecken. Wagner hatte in Schriften und Kompositionen nur ein Ziel, nämlich, neue Zusammenhänge zwischen Kunst und Leben zu entdecken — das heißt zwischen seiner Kunst und seinem Leben, so daß diese sich gegenseitig rechtfertigten. Der bemerkenswerteste Zug von „Kunst und Revolution" ist Wagners Eingeständnis, daß er als Dramatiker dem griechischen Begriff der Ananke, der unerbittlichen Notwendigkeit, verpflichtet ist: dem Begriff, der in der griechischen Tragödie die vornehmsten Eigenschaften des Menschen mit dem Schicksal des Volkes als Ganzem zusammenbringt. So kam er auch dazu, die Römer als Landsknechte, als „diese brutalen Weltbesieger" zu verachten, deren Kunst in einem Verfall endigte, einem Zustand, der Selbstverachtung, Ekel vor dem Dasein, Grauen vor der Allgemeinheit war und also den Weg für ein mit Neurasthenie belastetes Christentum ebnete. Denn der Christ muß eine „unnütze, jämmerliche Existenz des Menschen" anerkennen und auf jeden Versuch verzichten, seine Lebensbedingungen zu verbessern, aus denen nur die „wunderbare Liebe Gottes" ihn erlösen kann. „Die Heuchelei ist überhaupt der hervorstechendste Zug, die eigentliche Physiognomie der ganzen christlichen Jahrhunderte bis auf unsere Tage" gewesen. Aber die „Natur, so stark, so unvertilgbar immer neu gebärend, hat gesundes Blut in die siechenden Adern der römischen Welt gegossen: das der germanischen Nationen". Hieraus erhob sich der „Kampf der weltlichen Gewalt gegen den Despotismus der römischen Kirche". Der neue Geist betrat als Gegner des Christentums die Arena; „ein Abgrund klaffte zwischen dem wirklichen Leben und der eingebildeten Existenz". Es war eine neue Renaissance: aber aus der Erniedrigung, welche die Kirche verlangte, entstand die „freie Kunst, die den Fürsten und vornehmen Herren diente, und die falsch verstandene, den Griechen abgelernte Künste in ihren Sold nahm". Aus dieser schlimmen Vereinigung ging das Zeitalter Ludwigs XIV. hervor, das wegen seiner Heuchelei in nichts zergehen mußte, und nun verkaufte sich die Kunst an eine viel schlimmere Herrin: die Industrie.

„Merkur, Gott der schachernden und wuchernden Kaufleute, ist auch der Gott der Diebe und Spitzbuben ... Krönet sein Haupt mit dem Heiligenschein christlicher Heuchelei, schmückt seine Brust mit dem seelenlosen Abzeichen abgestorbener feudalistischer Ritterorden, so habt ihr ihn, den Gott der modernen Welt, den heilig-hochadligen Gott der fünf Prozent ... Das ist die Kunst, wie sie jetzt die ganze zivilisierte Welt erfüllt! Ihr wirkliches Wesen ist die Industrie, ihr moralischer Zweck der Gelderwerb, ihr ästhetisches Vorgeben die Unterhaltung der Gelangweilten."

Nun sank sie zum Geschäft herab und ist nicht mehr wie in den Tagen der Griechen eine Religion, eine Philosophie — sie kommt nicht mehr aus den Tiefen des Nationalbewußtseins. Die Kunst der antiken Völker war aus dem Boden des Volkes gewachsen, dramatisch, kurz der Kollektivausdruck des nationalen Geistes. Die moderne Kunst ist individualistisch, volksfeindlich und revolutionär in ihren Zielen. Aber gerade aus dieser Revolution soll eine neue Menschenliebe entspringen, die uns dazu helfen soll, uns selbst zu lieben und die Lebensfreude wiederzugewinnen. Aus dieser Liebe, welche die Griechen noch nicht verstanden haben, wird eines Tages der schöne und starke Mensch entstehen, der weiß, daß er den letzten und einzigen Zweck seines Daseins verkörpert.

„Die Liebe der Schwachen unter sich kann sich nur als Kitzel der Wollust äußern; die Liebe des Schwachen zum Starken ist Demut und Furcht; die Liebe des Starken zum Schwachen ist Mitleid und Nachsicht: nur die Liebe des Starken zum Starken ist Liebe, denn sie ist freie Hingebung an den, der uns nicht zu zwingen vermag. In jedem Himmelsstriche, bei jedem Stamme werden die Menschen durch die wirkliche Freiheit zu gleicher Stärke, durch die Stärke zur wahren Liebe, durch die wahre Liebe zur Schönheit gelangen können: die Tätigkeit der Schönheit aber ist die Kunst.“

Utopie, sagt ihr? Warum? Weil die Utopie des Christentums in brutalem Gegensatz zu seinem Anfang und Ende steht. Weil „die Idee des Christentums krank, der momentanen Erschlaffung und Schwächung der menschlichen Natur entkeimt war und gegen die wahre, gesunde Natur des Menschen sich versündigte“.

Die Kunst muß also völlig befreit und ihrer eigenen Würde überlassen, den Ausbeutern und Geldmachern entzogen und dem Theater zurückgegeben werden, das seine größte Vollkommenheit und Wirksamkeit wieder erhalten muß.

„Die Frage des Theaters und des Schauspiels sollte von jeder Regierung mit der größten Sorgfalt behandelt werden, da ihre Lösung auf die Dauer den Bürger mit dem besten geistigen Rüstzeug versehen und seine Phantasie auf das

237

reichste befruchten wird." So schreibt achtzig Jahre nach Wagner Jean Giraudoux.

„So laßt uns denn den Altar der Zukunft, im Leben wie in der lebendigen Kunst, den zwei erhabensten Lehrern der Menschheit errichten: — Jesus, der für die Menschheit litt, und Apollon, der sie zu ihrer freudevollen Würde erhob!"

Mit dieser Aufforderung schließt Wagner „Kunst und Revolution".

Bereits früher haben wir die reine, ironische Stimme Zarathustras zwischen den Trompetenstößen „Siegfrieds" zu hören geglaubt: hier vernehmen wir sie wieder, aber mit dem Klang des ganzen Wagnerschen Orchesters fällt sie hart wie eine ungelöste Dissonanz ins Ohr. Etwas Heidnisches, etwas Feurig-Antichristliches lebt in ihr; ein Ton, der, um die Wahrheit zu sagen, etwas gekünstelt klingt und kaum mit Wagners ästhetischem Glaubensbekenntnis in Einklang zu bringen ist. In der Tat suchte Wagner seinen Weg durch die Gebiete der Literatur und der Sage, die er zu Symbolen seiner Lehre machen wollte, um sich selbst zu finden, denn er kannte sich bis jetzt nur sehr oberflächlich. Ungeduldig wartete er auf einen Funken vom Himmel, der ihm das Geheimnis seines Herzens enthüllen und seinen zukünftigen Weg erleuchten sollte: nichts kam — nur Minna, die noch einmal ihr Leben mit ihm teilen wollte! Minna, nach der er sich gesehnt, die er gebeten hatte, zu ihm zurückzukehren — er hatte sogar Liszt angefleht, sie ihm zurückzuschicken, „liebe, treue Frau, die sie war". Aber es war eine traurig gealterte Minna, die mit ihrem ganzen kleinen Haushalt in Zürich ankam; sie brachte ihre Tochter-Schwester Natalie, Peps den Hund und Papo den Papagei mit. Die Reste der Dresdner Einrichtung waren mit Liszts Geld nach Zürich geschickt worden: das ziemlich abgespielte Klavier und der Nibelungenstich von Cornelius im gotischen Schnitzrahmen. Seine Bücher hatte alle Heinrich Brockhaus als Pfand für die früher geliehenen

500 Taler zurückbehalten. Sulzer mietete eine Wohnung für seine Freunde, und Wagner erklärte sich bereit, ein Konzert für die Musikgesellschaft zu dirigieren.

So begann von neuem ihr ziemlich erbärmliches Eheleben; täglich gab es kleine Quälereien, dazwischen gleichgültige Zerstreuungen, schriftstellerische Arbeit und philosophische Studien. Minna war ständig in gereizter Stimmung, schalt auf die Freunde ihres Gatten, ließ ihrer Verachtung für Zürich freien Lauf, jammerte nach den guten alten Tagen in Dresden und sehnte sich nach ihnen. Richard vergrub sich in Ludwig Feuerbachs Werke und schrieb als Fortsetzung des ersten ein neues Buch, das er „Das Kunstwerk der Zukunft“ nannte.

Auch dieses Buch ist das Werk eines Dichters. Wagner besaß die philosophischen Kenntnisse nicht, die es ihm ermöglicht hätten, in einen Kampf um Ideen einzugreifen, auch war seine Bildung auf dem Gebiet der Kulturgeschichte nicht umfassend genug, um für seine künstlerischen Theorien eine sichere Grundlage zu bilden. Trotzdem ist diese von vorgefaßten Meinungen und unter dem direkten Einfluß Feuerbachs wie Schlegels entstandene Abhandlung ein außerordentlich geistreiches Werk. Wagner entwickelt in ihm wiederum Ursprung und Entwicklung jener wunderbaren Blüte, die wir hellenische Kunst nennen; sie ist mehr als alle anderen die Kunst der reinen Menschlichkeit, eine sichtbare Darstellung der Religion. Auf dieser Erkenntnis beruht Wagners Glaube. Tanzkunst, Tonkunst und Dichtung sind drei unzertrennliche Schwestern, deren harmonische Vereinigung der Kunst Leben und Bewegung verleiht. Denn da nichts in der Natur ein unabhängiges Dasein führt, so besteht die einzige Freiheit des Menschen in der Vereinigung der Kräfte, durch die er seine Sehnsucht ausdrückt. Aus diesem Zusammenfassen des Willens wird das Drama geboren. „Das Kunstwerk der Zukunft ist ein gemeinsames, und nur aus einem gemeinsamen Verlangen kann es hervorgehen.“

Wagner beeilt sich indessen, für seine Auffassung vom Drama jede Verbindung mit dem willkürlich entstandenen, unwürdigen Zwitterwesen, das „moderne Oper" heißt, zu leugnen, in dem, da jede Kunst wieder ihre isolierte Form angenommen hat, „Musik zwischen Tanzbein und Textbuch schwimmt". Die Erlösung der Musik kann nur durch die engste Verbindung der drei Grundelemente zu einer unteilbaren Dreieinigkeit, einer unauflöslichen Vereinigung erfolgen.

„Wer also wird der Künstler der Zukunft sein? Ohne Zweifel der Dichter. — Wer aber wird der Dichter sein? Unstreitig der Darsteller. — Wer wird jedoch wiederum der Darsteller sein? Notwendig die Genossenschaft aller Künstler. —"

Die dramatische Handlung ist somit „der Zweig vom Baume des Lebens, der unbewußt und unwillkürlich diesem entwachsen, nach den Gesetzen des Lebens geblüht hat und verblüht ist, nun aber von ihm abgelöst, in den Boden der Kunst gepflanzt wird, um zu neuem, schönerem, unvergänglichem Leben zu erwachsen". „Die Handlung ist aber erst vollendet in demselben Moment wie der Mensch, von dem diese Handlung vollbracht wurde." Hier haben wir wieder die Verherrlichung des Todes, nicht etwa des zufälligen Sterbens, sondern eines Endes, das nach der Weltordnung unvermeidlich ist. „Die Feier eines solchen Todes ist die würdigste, die vom Menschen begangen werden kann. Es ist ... die künstlerische Wiederbelebung des Toten durch lebensfreudige Wiederholung und Darstellung seiner Handlung und seines Todes im dramatischen Kunstwerk."

Nachdem Wagner in einem Atemzug diese Abhandlung über die Liebe zum All, die in der Seligkeit des Todes untergeht, geschrieben hatte, machte er ihren Inhalt zum Thema eines Librettos mit dem Titel „Wieland der Schmied"; er beschloß, es einem Pariser Theater anzubieten. Frau Ritter, die Mutter seines jungen Freundes Karl, lieh ihm 500 Taler, da sie von seiner pekuniären Notlage gehört hatte. Die Summe war gerade notwendig, um Minnas Lebensunterhalt für eine Zeitlang in Dresden sicherzustellen und ihm eine neue Reise nach Paris zu ermöglichen. Aber vielleicht verband Wagner auch noch einen anderen Zweck damit, wenn er sich entschloß, wieder den Pfad zu betreten, den er selber „schicksalhaft" nannte. Als er viele Jahre später sein „Leben" diktierte, ließ er ein paar kleine Andeutungen fallen, aus denen wir entnehmen können, daß der wahre Grund seiner Abreise ein von dem angegebenen sehr verschiedener war:

„Um dieselbe Zeit erhielt ich aus Bordeaux einen Brief jener Mme. Laussot, welche mich im vergangenen Jahre in Dresden besucht hatte, und die nun in wohltätig rührenden Ausdrücken mir ihre fortgesetzte Teilnahme bezeigte. Es waren dies die ersten Symptome einer neuen Phase, in welche von jetzt an mein Leben treten sollte, und in welcher ich mich gewöhnte, mein äußeres Schicksal von inneren Bestimmungen abhängig zu wissen, welche mich dem Kreise der bisher empfundenen häuslichen Enge entziehen sollten."

Und ein wenig später heißt es:

„In den ersten Tagen des Februar (1850) reiste ich wirklich nach Paris ab, jedoch mit sonderbaren Empfindungen, die, wenn in ihnen Hoffnung keimte, diese jedenfalls aus einer anderen Sphäre meines Inneren sich nährte, als aus dem äußerlich mir aufgedrungenen Glauben an einen Pariser Erfolg als Opernkomponist."

Die Sphäre seiner Seele, aus der eine neue Hoffnung blühte, verkörperte eben Mme. Laussot, eine junge Engländerin, die ihn mit Karl Ritter zusammen besucht hatte und in der Tat niemand anders war als das Mädchen, das er ein Jahr vorher in Dresden als Jessie Taylor gekannt hatte. Obgleich erst kurze Zeit verheiratet, schien sie sehr unglücklich zu sein. Ihr Gatte, ein streitsüchtiger und eingebildeter Mensch, hatte sie enttäuscht, so konnte sie die Erinnerung an den Musiker nicht aus ihrem Herzen bannen, dessen heißes Herz sie damals sogleich erkannt hatte. Jetzt wandte sie sich, nicht ohne tiefe Bewegung, dem Künstler wieder zu, in dem sie einen der seltenen Menschen erfühlte, die sich dem Leid vollkommen hinzugeben vermögen. So schrieb sie ihm einen Brief; vielleicht fuhr sie auch nach Paris, um ihn zu treffen. Jedenfalls lud sie ihn ein, nach Bordeaux zu kommen. Wagner nahm an, da auch seine dritte Pariser Erfahrung ihm nichts anderes als die üblichen Enttäuschungen zu bringen schien. Er sah den Maler Kietz wieder, der sich immer noch nicht mit seinen Pinseln zurechtfinden konnte und immer noch derselbe offenherzige reizende Kamerad war; er erhoffte von einer Revolution, daß sie ihn ein für allemal von seinem Hauswirt befreien würde. Er sah auch Anders, der immer noch über seinen Büchern in der Nationalbibliothek einschlief und die Überzeugung bewahrte, daß Wagner bald durch einen großen Erfolg das Gespräch der Boulevards bilden würde. Schließlich sah er auch Meyerbeer und seinen „Propheten", der in der Oper Triumphe feierte, „gleichsam wie die Morgenröte des nun angebrochenen schmachvollen Tages der Ernüchterung über die Welt dahinleuchten". Wagner stand vor dem Ende des ersten Aktes ostentativ auf und verließ das Theater; dann nahm er die Post nach Bordeaux.

Eugène Laussot und Frau erwarteten ihn. Der Mann war gut angezogen, gewöhnlich und ganz unbedeutend. Wie so viele junge Männer in dieser Gegend hatte er eine Weinhandlung — E. Laussot & Cie., Weingeschäft: 38, Cours du Jardin Public; Privatadresse: 136, Rue Terre=Nègre. Man erzählte, er sei vor seiner Heirat der Liebhaber seiner zukünftigen Schwiegermutter gewesen; hatte Jessie deshalb an Wagner geschrieben? Glaubte sie in ihm eine reinere und vornehmere Seele und also Schutz vor Menschen zu finden, die sie so wenig achten konnte, da sie sie so grausam betrogen hatten? Sie war noch nicht 22 Jahre alt, sprach gut deutsch, da sie

lange Zeit in Dresden zugebracht hatte, spielte mit bemerkens=
werter Technik Klavier und war klug und wohlerzogen.
Mrs. Taylor wohnte in der Nähe des jungen Paares. Sie
empfing Wagner so herzlich, daß er sich in diesem reichen Haus=
halt sogleich behaglich fühlte. Vielleicht um Wagners Freund=
schaft zu gewinnen oder um ihrer Tochter einen Gefallen zu
tun, erklärte sie sich bereit, ihm gemeinsam mit Frau Ritter
eine jährliche Rente von ungefähr 3000 Franken zu garan=
tieren. Welch große Erleichterung für sein Leben! Richard
freute sich so, daß er begeistert, in beinahe liebevollen Aus=
drücken an Minna schrieb. Indessen merkte er bald, daß sich
zwischen Jessie und ihm auf der einen, Mrs. Taylor und Laus=
sot auf der anderen Seite eine unübersteigliche Mauer erhob,
nämlich die schlimmste von allen: die Schranke, welche sich
die Herzen aufrichten. Wieviel Mißtrauen, Geheimnistuerei,
Verständnis und Mißverständnis erhob sich zwischen diesen
vier Menschen, die sich kaum kannten! War es Haß auf der
einen Seite und Liebe auf der anderen? Von Anfang an hatte
Richard gefühlt, daß ein leidenschaftlicher Ausdruck, irgend=
eine Erklärung einer heißen Liebe bevorstand: natürlich mußte
er also hoffen, daß eine junge Frau, die ihrem Gatten ebenso
entfremdet wie Minna ihm entrückt war, sich ihm hingeben
und von nun an alle Freude und alles Leid mit ihm gemeinsam
tragen würde!

Wenigstens glaubte Richard, daß dies so sei. Jessie spielte
für ihn Beethovens Hammerklaviersonate, und er las ihr die
Skizze seines „Wieland" und die Dichtung von „Siegfrieds
Tod" vor. Jessie gestand ihm ohne weiteres die Abneigung
ein, die sie gegen ihren Gatten empfand, und Laussot ging so
weit, daß er in Gegenwart von Gästen seiner Frau eine Szene
machte. Ohne daß sie es selbst merkten, verwandelten sich die
beiden Unzufriedenen in Liebende. Etwa zur gleichen Zeit
faßten sie den Entschluß, zu entfliehen, er vor seiner lang=
weiligen Hausfrau, sie vor ihrem brutalen Mann. Sie wollten

in irgendein Land, gleichgültig in welches, gehen, wo sie ihre Liebe in Freiheit genießen und ihren Gefühlen freien Lauf lassen, mit einem Wort wieder aufleben konnten. Besonders zog sie der Osten, Griechenland und Kleinasien an: vielleicht aber würden sie, wie sie dachten, auch noch entferntere Länder aufsuchen, um zu vergessen und vergessen zu werden. Er hatte an Minna geschrieben und schrieb nun an Frau Ritter, um ihr von seiner Liebe zu Jessie und von Jessies Liebe zu ihm zu erzählen und ihr davon vorzuschwärmen, wie wunderbar Jessies Einfühlungskraft wäre, da sie besser als irgendein anderer verstanden hätte, daß er immer noch durch die Erinnerung an schlimme Zeiten an seine Frau gebunden sei.

Um nichts zu verraten, verließ Richard Bordeaux und kehrte in den ersten Apriltagen nach Paris zurück, wo er im Hotel Valois ein paar Tage in großer Ungewißheit und Aufregung verbrachte, da er nicht wußte, wie er die ganze Angelegenheit, wenn sie auch grundsätzlich geregelt war, zu einem guten Ende bringen sollte. Er schrieb einen Brief an Liszt, in dem er sagte:

„Die letzten Bande sind von mir abgefallen, die mich an eine Welt fesselten, in der ich — nicht geistig — sondern physisch selbst nächstens hätte zugrunde gehn müssen. Unter ewigem Zwange gegen mich — durch meine nächste Umgebung mir aufgelegt — habe ich meine Gesundheit verloren, meine Nerven sind zerrüttet. Jetzt werde ich zunächst fast nur noch meiner Genesung leben: für mein Auskommen ist gesorgt; von Zeit zu Zeit sollst du von mir hören."

Was meinte er mit dem Wort „Zwang"? Wer zwang ihn denn? Wieder einmal war es die unglückliche Minna, die nicht verstehen konnte, warum er Paris verlassen hatte, warum es ihm nicht gelungen war, eins seiner Werke bei der Oper anzubringen, warum ihm nichts nach Wunsch ging — nun schrieb sie ihm einen langen Brief voll ungerechter Vorwürfe. Einen schlimmeren Fehler hätte sie nicht begehen

können; diesmal war der Becher zum Überlaufen voll. Wagner
ergriff die Feder; die frische, ihm auf so plumpe Weise zugefügte
Wunde sollte jedenfalls die letzte sein, die dieser ungeschickte
Arm ihm schlug. Er hatte es satt. Voller Bitterkeit ließ er
noch einmal sein Eheleben an sich vorüberziehen, erklärte ihr,
wie gräßlich ihm alles wäre, und schwor, daß er ein Ende
mit allem machen wolle. Er hatte genug von dem langen und
qualvollen Mißverständnis; es war so weit, daß eine Trennung erfolgen mußte; es blieb ihr also nichts übrig, als sich
mit der Scheidung einverstanden zu erklären und einzusehen,
daß es zu ihrem eigenen Besten war, wenn sie sich im guten
von ihm trennte. Er sprach seine Bereitwilligkeit aus, die
Rente, die ihm ausgesetzt werden würde, mit ihr zu teilen,
um sie vor den bittersten Sorgen zu bewahren.

„Unversöhnlich stehst Du da vor mir, — suchst die Ehre da,
wo ich fast die Schande erkennen muß, und schämst Dich davor,
was mir das Willkommenste ist ... Nur der Wunsch, Dich für
Deine mit mir nutzlos verlebte Jugend, für Deine mit mir
überstandenen Drangsale zu belohnen, Dich glücklich zu machen.
Kann ich das nur noch hoffen zu erreichen durch mein Zusammenleben mit Dir? — Unmöglich!"

Und wenige Tage später greift er wieder zur Feder:

„Die Nachricht, die ich Dir heute mitteilen darf, bestimmte
mich ganz besonders, noch einmal an Dich zu schreiben, weil
ich das Gefühl habe, als müsse sie geeignet sein, Dir vielleicht
alles Bittere unserer Trennung zu mildern. Soeben stehe ich
im Begriffe, nach Marseille abzureisen, von wo ich sogleich
mit einem englischen Schiffe nach Malta abgehe, um von da
aus Griechenland und Kleinasien zu bereisen ... Für jetzt
ist die moderne Welt hinter mir geschlossen, denn ich hasse
sie und mag nichts mehr mit ihr noch mit dem, was man
heutzutage in ihr Kunst nennt, zu tun haben ... Glaube mir!
Es mußte so sein. Es ist besser für Dich — wie für mich ...
So lebe denn wohl, liebe Minna! hartgeprüfte Frau ..."

Was ereignete sich nun? Hatte Mrs. Taylor das Geheimnis ihrer Tochter entdeckt und Frau Wagner davon Mitteilung gemacht? Oder hatte Jessie Angst bekommen? Wir können es nicht mit Sicherheit entscheiden. Aber jedenfalls war in ein paar Tagen der ganze Plan ins Wasser gefallen. Wagner hatte Paris verlassen, um ruhig und zurückgezogen in einem Gasthaus in Montmorency eine kurze Zeit zu verbringen, als Minna in eigener Person in Paris auftauchte. Das war natürlich eine Katastrophe, und Richard brachte den Mut nicht auf, ihr entgegenzutreten. Er schickte nach dem braven Kietz, der, wie er selbst sagte, „sich vorkäme wie die Achse, um welche sich alles Unglück der Welt drehe". Richard bat ihn, er möge der erzürnten Frau mitteilen, daß er Paris verlassen habe. Dann setzte er sich in die Post nach Clermont-Ferrand und Genf, fuhr aber gleich weiter nach Villeneuve, an das entfernteste Ende des Sees und verkroch sich in einem Zimmer des Hotel Byron. Dort traf er Karl Ritter und schrieb die Vorrede zu „Siegfrieds Tod". Dort erhielt er auch einen exaltierten Brief von Jessie, die ihm mitteilte, daß sie ihrer Mutter alles gestanden habe und daß ihr Mann nach dem Blut seines Nebenbuhlers dürste. So schien diese Liebesgeschichte, die eben erst begonnen hatte, nun doch noch unangenehme Konsequenzen nach sich zu ziehen, die sie wohl kaum überdauern würde. Wagner glaubte es jedenfalls nicht, denn das Verhältnis war zu kurz und flüchtig gewesen, um tiefere Wurzeln schlagen zu können; es war noch nicht bis zu jenem magischen Kreise vorgedrungen, in dem die einzige Tragödie des Lebens im Verlust einer Liebe oder in dem des geliebten Wesens zu finden ist. Aber hier schien alles auf Täuschung zu beruhen, denn diese Frau hatte ihn nicht so geliebt, daß sie alles getan und gewagt hätte, nur um wieder mit ihm vereinigt zu sein. Jetzt mußte er aber wenigstens sich als Heldenspieler zeigen. So kehrte er nach Bordeaux zurück, nachdem er an Eugène Laussot geschrieben hatte, daß es ihm unverständlich sei, wie ein Gatte es wagen könne, seine Frau mit Gewalt zurückzuhalten. Nach einer Reise von 3 Tagen und 2 Nächten mit der Post erreichte er Bordeaux, nahm ein Zimmer im „Hotel zu den vier Schwestern" und benachrichtigte Herrn Laussot von seiner Ankunft, bekam aber keine Antwort. Statt dessen wurde Wagner vor den Polizeikommissar gerufen, der seinen Paß prüfte. Was er denn in Bordeaux wolle? Familienangelegenheiten regeln. Wirklich! Nun, gerade wegen der Ehre dieser Familie wird er gebeten, sich so schnell wie möglich aus der Stadt zu entfernen. Diese Nachricht gab ihm sofort seinen Humor wieder. Herr Laussot selbst war jedenfalls so vorsichtig wie möglich gewesen: er hatte Bordeaux mit seiner Frau verlassen (Wagner wußte nicht, daß seine Briefe aufgefangen worden waren). Er adressierte einen Brief an Jessie und brachte ihn selbst nach ihrer Villa. Er klingelte; es wurde ihm auch geöffnet, aber niemand war zu Hause. Er stieg die Treppen hinauf — tiefes Schweigen. Er ging durch die leeren Zimmer und legte seine Botschaft ins Arbeitskörbchen Jessies nieder.

So wenigstens erzählt Wagner die Geschichte selbst später. Sie klingt ein bißchen zu merkwürdig, um ganz wahr zu sein. Vielleicht hielt es Wagner mit gutem Grund für ganz natürlich, daß Jessie wie ein Kind behandelt wurde. Ein bißchen Lesen, ein bißchen Musik, ein bißchen Liebe — und alle ihre Sehnsucht war gestillt. Sie war schwach und unfähig, sich zu opfern, denn gegen seine 17 Jahre eines harten Ehekampfes konnte sie nur 12 Monate eines langweiligen, ereignislosen Ehelebens in die Waagschale werfen. Warum sollten sie tragisch nehmen, was schließlich nur eine Laune, eine Kaprice, eine verhinderte Reise gewesen war? Wagner fuhr also nach Villeneuve in das Hotel Byron zurück, wo er mit der Mutter und den Schwestern seines Freundes Ritter den 37. Geburtstag feierte. Die großzügige alte Dame glaubte fest an seine Zukunft und stand ihm häufig hilfreich bei. Dann fuhr er mit Karl nach Zermatt, wo sie sich langweilten; von da gingen sie für eine

Zeitlang nach Thun, wo Karl einen entrüsteten Brief Jessies empfing, in dem sie sich über das Benehmen ihres Liebhabers beklagte, da sie von seiner Reise nach Bordeaux nichts wußte. Sie schrieb, daß sie von sich aus nun ein Jahr lang keine Nachricht mehr geben würde. Ein Jahr? „Ich bin nicht mehr jung genug, um ein Jahr von der Hoffnung zu leben", schrieb Wagner sogleich in einem Brief an Frau Ritter, die ihn zu trösten versucht hatte. „In einem Jahr! Großer Gott, haben wir nicht alle genug Erfahrung, um zu wissen, was ein Jahr heißt?"

Aber dieses Vorspiel einer verpaßten Leidenschaft war keine vergeudete Erfahrung. Er sollte sich bald daran erinnern, als er für die „Walküre" „Sigmunds und Siglindes Liebesduett" komponierte; da tat sich das Tor der Sehnsucht für eine Frühlingsnacht weit auf.

II

Oper und Drama · Die Ödipussage

Nun bringt die Macht der Gewohnheit, das Einerlei des täglichen Lebens mit seinen täglich wiederkehrenden Pflichten und seiner ewig gleichen Folge von Kleinigkeiten, die getan werden müssen, den Flüchtling wieder nach Hause, schlägt ihn in Fesseln und verschließt die eheliche Pforte hinter seinen getäuschten Hoffnungen auf Freiheit. Minna hatte während der Abwesenheit ihres Gatten am Ufer des Züricher Sees eine andere Wohnung in einem bescheidenen Hause genommen, das bald die „Villa Rienzi" heißen sollte; dank seiner Anpassungs= fähigkeit, die ihn oft vor sich selbst gerettet hatte, begann er wieder, wie es seine Gewohnheit war, zu arbeiten, während er noch immer die Hoffnung nicht aufgab, daß sich eines Tages seine Wunschträume erfüllen würden. Im großen und ganzen fühlte er sich erleichtert, daß er keine letzten Entscheidungen zu treffen hatte. Minna stellte ihm keine Fragen, die Landschaft war heiter und freundlich. Peps nahm wiederum den Platz hinter dem Stuhl seines Herrn ein, und Papo pfiff ihm zu Ehren das Thema des letzten Satzes der C=Moll=Symphonie oder ein Motiv aus der „Rienzi"=Ouvertüre. Leider hatten sich wieder neue Unstimmigkeiten zwischen Minna und Natalie ergeben, denn das Mädchen wollte sich von Minna, die sie für ihre Schwester hielt, nichts sagen lassen. Aber schließlich war er an das alles gewöhnt. Die Nachricht, daß Liszt seinen „Lohengrin" in Weimar aufführen wollte, gab der Zukunft ein rosiges Ansehen. Die Tatsache der Aufführung war für Wagner wichtig und verlangte einen eifrigen Briefwechsel mit dem ihm ergebenen Freunde. Der Verbannte glaubte sogar, daß sich ihm hier eine Möglichkeit eröffnete, nach Deutschland zurückzukehren, aber Liszt ließ ihn nicht im unklaren, daß dies nicht in Frage käme, und nahm die gesamte Verantwortung für die Proben und die Inszenierung auf sich, über die ihm Wagner mit gewohnter Lebhaftigkeit eine Menge dringlicher Vorschläge machte. Ich werde „mit Wärme und Energie Deine Angaben befolgen", antwortete der ältere Mann.

Die erste Vorstellung des „Lohengrin" fand am 28. August 1850 statt und hatte einen beträchtlichen Erfolg. Am Aufführungstage bestieg Wagner, um seine Nerven zu beruhigen, in Gesellschaft seiner Frau und Nataliens den Rigi; den Abend verbrachten sie im Hotel Schwan in Luzern. Der Komponist war mit seinen Gedanken weit fort und folgte im Geiste, seelisch vollkommen vereinsamt, den Szenen seines Werkes auf der großherzoglichen Bühne in Weimar. So wurde das weltschmerzlichste seiner Werke in seiner Abwesenheit aufgeführt — das Werk, in dem er deutlicher als in irgendeinem anderen die Geschichte seines eigenen Lebens, seiner künstlerischen Einsamkeit in einer Welt, die seine Bedeutung nicht erkannte, darstellt. Erst viele Jahre später sollte er „Lohengrin" hören. An seiner Stelle waren seine jungen Freunde Karl Ritter und Hans von Bülow sowie einige Ausländer zu den von Liszt zum Gedächtnis Herders arrangierten Festlichkeiten nach Weimar gekommen, unter ihnen Jules Janin, Gérard de Nerval und Meyerbeer. Wagners Dankbarkeit äußerte sich in der überschwenglichsten Weise: „Daß ich Dich gefunden habe, läßt mich meine Verbannung aus Deutschland nicht nur verschmerzen, sondern sie muß mir fast wie ein Glück erscheinen, da ich mir in Deutschland unmöglich so viel hätte nützen können, als Du es vermagst." Da aber nach der Meinung Ritters die Vorstellung nicht ganz einwandfrei gewesen war, schrieb er einen zwanzig Seiten langen Brief an Liszt, um ihm seine Ansicht über die Aufführungen von Musikdramen mitzuteilen: „Jeder Takt einer dramatischen Musik ist nur dadurch gerechtfertigt, daß er etwas die Handlung oder den Charakter des Handelnden Betreffendes ausdrückt." Aber Liszt läßt sich nicht beirren: „Dein ‚Lohengrin‘ ist von Anfang bis zu Ende ein erhabenes Werk. Bei mancher Stelle sind mir die Tränen aus dem Herzen gekommen. — Die ganze Oper ist ein einziges unteilbares Wunder." Er schickte Wagner aus eigenen Mitteln Geld, obgleich er so tat, als ob die Summe einen Vorschuß auf die Tantiemen darstellte, schrieb einen bedeutungsvollen Artikel über „Lohengrin", wie er schon einen über „Tannhäuser" veröffentlicht hatte, und wies mit prophetischem Finger „auf diesen neuen ruhmvollen Namen" hin, der bewiese, daß die Kette von großen Männern, Weimars unvergleichlicher Schmuck, auch heute noch nicht gerissen sei. Nun ist Wagner seinem „außerordentlichen" und liebenswürdigen Freund endlich ganz ergeben, er ist so gerührt, daß er keine Kritik mehr üben kann. Als Liszt ihm also zurief: „Und wann kommt ‚Siegfried‘?" wirkte dieses Wort so anregend auf ihn, daß er der gebieterischen Mahnung nicht widerstehen konnte. „Alles, was ich mir wünsche, ist das Glück, mit Dir zusammen und Dein zu sein, Herz und Seele, um nicht nur zu sagen, sondern auch tun zu können, was sich im Brief nicht ausdrücken läßt."

Unglückseligerweise war die Zeit noch nicht gekommen, um die neuen Werke zu beginnen, mit denen er sich bereits eingehend beschäftigte. Alle möglichen materiellen Fragen mußten erst gelöst werden — besonders quälte ihn die Sorge um das tägliche Brot. Da das Zürcher Theater Wagner aufforderte, sich bei Konzerten und Opernvorstellungen des Orchesters anzunehmen, willigte er unter der Bedingung ein, daß seine beiden jungen Schüler, Ritter und Bülow, ihm als Assistenten zur Seite stehen dürften.

Ritter benahm sich indessen so ungewandt und schüchtern und war durch seine Kurzsichtigkeit so gehemmt, daß Wagner einmal, als der „Freischütz" gegeben wurde, gezwungen war, selbst den Taktstock zu ergreifen und die Vorstellung zu leiten. Seine schwungvolle Orchesterführung, die dabei allen Feinheiten der Partitur gerecht wurde, hatte sogleich den Erfolg, den er gefürchtet hatte; die Theaterleitung wünschte ihn unter allen Umständen als Dirigenten fest anzustellen. Das hätte nichts anderes bedeutet, als die Erfahrungen von Riga, Königsberg und Magdeburg zu wiederholen. Nein, niemals! So dachte er an Hans von Bülow, der ihm gerade aus Konstanz geschrieben und mitgeteilt hatte, daß seine Eltern sich seinem Plan, Musiker zu werden, auf das heftigste widersetzten. Wagner sandte Karl mit einem Brief zu ihm, in dem er ihm auseinandersetzte, daß nach seiner Ansicht jeder Mensch das Recht habe, sein Leben seinen seelischen und geistigen Notwendigkeiten gemäß einzurichten. Er warf ihm Kleinmut vor, spottete über seine Schwachheit und bot ihm im Namen des Theaters eine Gage von 100 Franken monatlich. Es war das erstemal, daß sich Wagner ebenso energisch wie skrupellos in Bülows privates Leben mischte. So folgte der junge Mann dem Abgesandten des „bleichen Seemanns", des verehrten „Lohengrin"=Komponisten, und machte sich ohne Zögern auf den Weg. Die beiden wanderten in Wind und Regen zu Fuß nach Zürich, das sie am folgenden Abend erreichten.

„Der junge Bülow zeigte mir eine große, ja leidenschaftliche Ergriffenheit. Ich fühlte ihm gegenüber sofort eine große und tiefe Verpflichtung und zugleich ein wahrhaft inniges Mitleiden mit dem so krankhaft aufgeregten jungen Menschen." Es sieht beinahe so aus, als ob Wagner vergessen hat, daß er es selbst war, der ihn veranlaßt hatte, den langen Fußmarsch ohne einen Pfennig in der Tasche anzutreten, und daß er also wenig Ursache hatte, über eine gewisse Erregtheit in den Augen des jungen Menschen erstaunt zu sein, der seine Familie und seinen Beruf aufgegeben hatte, um seinem Herrn und Meister zu folgen. Es war in der Tat eine schwere Verantwortung, aber Wagner nahm sie leicht.

Im Winter wurden einige gute Orchesterkonzerte in Zürich und Sankt Gallen veranstaltet. Wagner hatte sich nicht getäuscht: Bülow zeigte sich sogleich als ein feinfühliger und gewissenhafter Dirigent von großer Qualität; allerdings bedurfte es Wagners ganzer Energie, um dem Orchester das „Kapellmeisterkind" aufzudrängen. Nachdem Bülow aber den „Barbier" und „Fra Diavolo" dirigiert hatte, wurde er in Sankt Gallen fest angestellt. Später ging er auf Wunsch seiner Mutter und aus eigenem Antrieb zu Liszt nach Weimar, um unter dessen Leitung Klavier zu studieren. Er brachte es auf diesem Instrument bald zu solcher Meisterschaft, daß zwei Jahre später Liszt sagen konnte: „Ich sehe ihn nicht als meinen Schüler, sondern eher als meinen Erben und Nachfolger an." Nun war Wagner wieder einmal allein; um die von allen Seiten an ihn herantretenden Wünsche zu erfüllen, dirigierte er mehrere Konzerte für die Zürcher Musikgesellschaft, unter anderem die C-Moll-Symphonie und die „Eroica"; unter seiner Leitung trat Bülow zum erstenmal mit glänzendem Erfolg öffentlich als Pianist auf und spielte Liszts Arrangement der „Tannhäuser"-Ouvertüre. Die starke Begabung Bülows wirkte auf Wagner mit der Kraft einer Offenbarung: der Jüngling war verschwunden und der Mann an dessen Stelle getreten; er zeigte sich von nun an stets als ein zuverlässiger Freund, den Wagner für würdig hielt, mit ihm, dem Meister, Geheimnisse der Kunst und des Lebens zu entschleiern.

Für Wagner selbst war seine Kunst immer noch ein Rätsel. Im „Tannhäuser" und „Lohengrin" hatte er sich erst angekündigt; was er in seinen Schriften ausgeführt, sollte erst seine spätere grandiose Musik lebendig machen. Wie immer gehen theoretische Erörterungen voraus, und so häufte sich in einem Zeitraum von 4 oder 5 Monaten ein Stoß beschriebener Blätter auf seinem Schreibtisch an: seine wichtigste Abhandlung „Oper und Drama". Sofort nach ihrer Beendigung schrieb er an Uhlig am 16. Februar 1851: „Lieber Freund! Hier hast Du mein Testament: ich kann nun sterben — was ich nun noch tun könnte, kommt mir wie ein unnützer Luxus vor! — Die letzten Seiten dieser Abschrift habe ich in einer Stimmung geschrieben, die ich niemandem verständlich schildern kann. —" Mit diesen Worten spielte er auf den Tod des Papageis Papo an. Der Vogel war einige Zeit krank gewesen und lag am Tage nach Beendigung der Abhandlung tot am Boden. Für Wagner war dies ein böses Zeichen: die innige Zuneigung, welche Richard und Minna für ihre Lieblingstiere empfanden, hatte lange Zeit hindurch das einzige Band zwischen ihnen gebildet. „Ja — wenn ich Dir sagen könnte, was mir mit diesem Tierchen gestorben ist!!" Es schien fast so, als ob er jedes neue Werk mit einem neuen herzzerreißenden Kummer erkaufen müßte. Auch der Tod des kleinen Vogels erschütterte ihn auf das tiefste. Jede Arbeit Wagners war mit seinem persönlichen Leben, mit seinem heiligen Zorn, mit seinem ewigen Kampf gegen die Schläge des Schicksals eng verbunden. Alles, was er schuf, ist autobiographisch. Daher kommt es auch, daß mit seinen Werken immer jener ganz persönliche seelische Ausdruck verbunden ist, der sie uns — je nach unserer eigenen Natur — sehr nahe bringt oder immer fern bleiben läßt.

Wie das „Kunstwerk der Zukunft" beginnt Wagner „Oper und Drama" mit der Geschichte der Oper, ja der ganzen Musik, die so weit zurückzuverfolgen ist wie das Drama selbst. Mit Ausnahme der Werke Mozarts sind früher die Opern, so meint Wagner, für ein gutsituiertes, elegantes Publikum geschrieben und dem musikliebenden Volke vorenthalten worden; ihr einziger Zweck war die „Melodie und nichts anderes, die in die Ohren gleitet — man weiß nicht warum, die man nach=

singt —, man weiß nicht warum, die man heute mit der von gestern vertauscht und morgen wieder vergißt — man weiß auch nicht warum..."

Durch Rossini ward das „Geheimnis der Oper offenbar"; sie wurde durch die wachsende Orchestertechnik, die Sänger und den Textdichter immer weiter ausgebildet; dieser hatte nur die Aufgabe, Situationen zu schaffen, die den Sängern die besten Möglichkeiten gaben, ihre Stimmen gehörig zur Geltung zu bringen. Aber gerade alle diese Forderungen erschöpften die Kräfte der Oper; sie würde zugrunde gegangen sein, wenn nicht infolge ihrer Fähigkeit, das Publikum durch eine Karikatur ihrer selbst zu unterhalten, einige dekadente Leute aus ihren Trümmern einige Stücke gerettet hätten. Es war also nötig, die Musik vollkommen neu zu schaffen. Die einzige Möglichkeit für ihr neues Wachstum wurde durch ihre Verwurzelung im Boden des Volkes gegeben; ihre eigenen lebendigen Säfte mußten wiederum hochsteigen und die innige Verbindung mit der Natur herstellen. Weber war der geniale Gärtner gewesen, aber auch er war dem Irrtum verfallen, in seinen Opern die Melodie zur Hauptsache zu machen. Nach seinem Tod fiel die Oper in die Hände eines Triumvirates — nämlich des Komponisten, der seine Melodiechen billig verkaufte, des Librettisten und des Garderobiers. Das einzige Ziel aller dieser Leute war, ein banausisches Publikum zu unterhalten — ja, sie scheuten sich nicht, zu diesem Zweck aus dem Theater eine Blasphemie der Kirche zu machen. Die „metaphysische" Musik wurde geschaffen; in ihr vermischen sich alle Stile: der historische, der hysterische und der neuromantische. In dieser Weise schrieb der Jude Meyerbeer, der „keine Muttersprache hatte", aber sehr geschickt Rossinis Sirenenklänge aufnahm; er verstand es, in einer „ungeheuer buntgemischten Phrase" alle Melodien zu vereinigen, die in Frankreich und Italien in der Luft lagen, und sie mit „betäubendem" Lärm in die Welt zu setzen. Im großen und ganzen ist die Opernmusik keine Kunst mehr, sondern nur ein Ausdruck der vorübergehenden Mode; der Künstler wird zum Spekulanten, der Textdichter zum Diener des Komponisten — die Frucht ihrer vereinigten Arbeit ist eine Fälschung des Musikdramas.

Wagner zeigt weiter, daß Lessing in seinem „Laokoon" der dramatischen Kunst keine Grenzen setzen wollte, da diese alle Möglichkeiten der bildenden Künste in den Momenten höchster Spannung vereinigt. Im Gegenteil, eine wirklich dramatische Darstellung ist nur möglich, wenn alle künstlerischen Möglichkeiten in einer Gemeinsamkeit zusammengefaßt werden, da ein Kunstwerk nur durch die Übertragung aus der Phantasie in die Wirklichkeit, d. h. in den Bereich der Sinne, geschaffen wird. Das Drama ist also nicht nur ein Zweig der Literatur wie das Epos oder der Roman; in ihm liegt die Idee und das Dichterische der Handlung, und das verlangt logischerweise Musik und szenische Darstellung. Das moderne Drama hat einen doppelten Ursprung, einmal unsere geschichtliche Entwicklung: den Roman; sodann fremde Kultur: das antike griechische Drama. Shakespeare ist der Sproß des einen, Racine der des anderen. Zwischen beiden schwebt unsere ganze übrige dramatische Literatur unentschieden und schwankend hin und her. Bis jetzt aber ist das wahre dramatische Kunstwerk nur dem griechischen Geiste entsprungen. Die Handlungen der hellenischen Tragödien sind der Mythologie entnommen; so müssen auch wir zur Mythologie zurückkehren, damit das Volk aufs neue Gott, den Helden und endlich den Menschen für sich wieder entdeckt.

Hier untersucht Wagner auf etwa zehn Seiten, die außerordentlich interessant sind, die Ödipussage. Die Stelle ist besonders aufschlußreich für ein Werk, das ihn damals sehr beschäftigte. Das Rätsel der Sphinx glaubte der Mann zu lösen, der, ohne es zu wissen, seine Mutter heiratete: es ist aber nichts mehr oder weniger, als die Geschichte des Menschen in seiner Verbindung mit der menschlichen Gesellschaft, die Geschichte seines Trotzes, mit dem er stets gegen das Schicksal kämpfte. Eteokles, der ältere Sohn des Ödipus und der Jocaste, der mit seinem Bruder Polyneikes abwechselnd über Theben herrschen sollte, stellt den Staat dar, „die Furcht und den Widerwillen vor dem Ungewohnten", während Polyneikes die Glut der Jugend, die Empörung, die Revolte, das „rein Menschliche" repräsentiert, den „schlechten Patrioten", der er auch in der Tat war, da er seine Vaterstadt bekriegte. In ihrem Kampf gegeneinander wurde der eine der feindlichen Brüder durch seinen gesunden Menschenverstand und seinen Sinn für Gerechtigkeit unterstützt, der zweite stützte sich auf die Heldenbegeisterten und die kühnen Freiheitskämpfer, die einer engherzigen, eigensüchtigen und schnell in der Staatsform verknöcherten Gesellschaft Trotz boten. Beide fielen auf den Wällen der Stadt; ihr Nachfolger war ihr Onkel, der kluge Kreon, der lange über diesen Ratschluß der Götter nachdachte. Er wurde sich über den Wert der öffentlichen Meinung klar und verstand, daß diese in der Gewohnheit sowie im Haß gegen Neues und Ungewohntes ihre Nahrung fand. Das sittliche Bewußtsein des Menschen steht nun in Gegensatz zu dem stärksten Interesse der Gesellschaft; es teilte sich also und erschien einerseits in abstrakter Form als Religion wieder, während andererseits die praktische Gesellschaft sich zum Staate gestaltete. Die „Sittlichkeit", welche bis jetzt im Staate etwas Warmes, Lebendiges gewesen war, wurde mehr und mehr zur reinen Idee, zum Gewünschten: „Im Staate handelte man dagegen nach praktischem Ermessen des Nutzens ..." „In diesem Staate gab es nur ein einsam trauerndes Herz, in das sich die Menschlichkeit noch geflüchtet hatte: — das war das Herz einer süßen Jungfrau, aus dessen Grunde die Blume der Liebe zu allgewaltiger Schönheit erwuchs. Antigone verstand nichts von der Politik: sie liebte ... Sie liebte Polyneikes, weil er unglücklich war... Was war nun diese Liebe, die nicht Geschlechtsliebe, nicht Eltern= und nicht Kindesliebe, nicht Geschwisterliebe war? Sie war die höchste Blüte von allen. Aus den Trümmern der Geschlechts=, Eltern= und Geschwisterliebe, welche die Gesellschaft verleugnet hatte, wuchs, von dem Unvertilgbaren aller jener Liebe genährt, die reichste Blume reiner Menschenliebe hervor... Antigone wußte, daß sie... dieser unbewußten zwingenden Notwendigkeit der Selbstvernichtung aus Sympathie zu gehorchen hatte, und in diesem Bewußtsein des Unbewußten war sie der vollendete Mensch, die Liebe in ihrer höchsten Fülle und Allmacht."

Nicht eine Hand hob sich zu ihren Gunsten, als sie zum letzten Gang geführt wurde, und dennoch weinten die Bürger, da sie sie zum Tode verurteilen mußten. Aber Gesetz und Ordnung verlangten ein Menschenopfer — „Der Liebesfluch Antigones vernichtete den Staat! So mögen denn die Götter untergehn, welche die Stimme des schmerzerfüllten Menschenherzens nicht hören!"

„Heilige Antigone! Dich rufe ich an! Laß deine Fahne wehen, daß wir unter ihr vernichten und erlösen!" Wagner fährt dann fort: „Den Ödipusmythos brauchen wir auch heute nur seinem innern Wesen nach getreu zu deuten, so gewinnen wir an ihm ein verständliches Bild der ganzen Geschichte der Menschheit vom Anfange der Gesellschaft bis zum notwendigen Untergange des Staates. Die Notwendigkeit dieses Unterganges ist im Mythos vorausempfunden; an der wirklichen Geschichte ist es, ihn auszuführen."

Ja — und vor allen Dingen am Künstler. Am Komponisten. Am Revolutionär. Mit einem Wort: an Wagner. Schon jetzt finden wir in dieser feurigen Prosa den Sang der Walküre, die um Siegfried und ihren Glauben an die Liebe trauert; wir vernehmen den Donner von Wotans ohnmächtigem Zorn, wir sehen Walhalla, die riesige Burg der Alten Welt, in ihren Grundfesten erzittern. Wagner ist nun imstande, das krönende Werk zu schreiben, in dem er all seinen Haß und sein Mitleid gestalten will. Er skizziert schnell die Nornenszene, mit der die „Götterdämmerung" anfängt, und entwirft den „jungen Siegfried", der zur Vervollständigung notwendiger= weise dem Drama von „Siegfrieds Tod" vorangehen muß.

Mehrere neue Freunde traten während dieser Zeit in seinen Kreis, nämlich die Dichter Georg Herwegh und Gottfried Keller, denen er natürlich seine ästhetisch=philosophischen Ab= handlungen über Literatur vorlas. Trotzdem er eilig andere Aufsätze hinwarf, um seinen Überfluß an Ideen loszuwerden („Mitteilung an meine Freunde", „Das Judentum in der Musik"), war Wagner vom dichterischen Stoff der „Tetralogie" besessen. Aber es fehlte ihm an Geld, das ihn in die Lage versetzt hätte, ruhig und in Frieden in der klösterlichen Abge= schlossenheit seines Studierzimmers zu arbeiten. Konnten Liszt und dessen Fürstin ihm nicht zu Hilfe kommen? Ohne falsche Scham bat er sie, flehte er sie an: „Die Not drängt mich." — „Seit dem Aufzehren des Honorars für Lohen= grin aus Weimar …" — „Ich wäre somit jetzt in dem Falle, um jeden Preis an Geldverdienst denken zu müssen." Liszt tat, was in seinen Kräften stand, und sandte ihm erst hundert, dann zweihundert Taler; außerdem schrieb er noch einen Artikel über ihn. Die Welt zeigte wieder ein freundliches Aussehen, und Richards Herz war leicht. „Nun trittst Du wieder zu mir, und hast mich auf eine Weise ergriffen, entzückt, erwärmt und begeistert, daß ich in hellen Tränen schwamm und plötzlich wieder keine höhere Wollust kannte — als Künstler zu sein und Werke zu schaffen. Es ist ganz namenlos, was Du auf mich gewirkt hast: überall sehe ich nur den üppigsten Früh= ling um mich her, keimendes und sprossendes Leben; und dabei einen so wollüstigen Schmerz, eine so schmerzlich be= rauschende Wollust, eine solche Freude, Mensch zu sein und ein schlagendes Herz zu haben, empfinde es selbst auch nichts als Leiden —, daß ich nur bejammere, Dir das alles schreiben zu müssen." Aus dieser Geistesverfassung heraus konnte er die Dichtung „Der junge Siegfried" in einem Zuge nieder= schreiben; aber er war so erschöpft, als er sie beendet hatte, daß ihm der Arzt eine Kur in Albisbrunn verschrieb, einem kleinen, etwa drei Stunden von Zürich entfernten Badeort.

Dort vollendete er, wenigstens in Gedanken, den ganzen Plan des „Nibelungenringes". Die Idee des Werkes hatte er bereits 1848 skizziert, aber erst jetzt, in der Zeit der dich= terischen Ernte, konnte er ihm die klare musikalische und drama= tische Form geben, die das Werk annehmen sollte. Gerade wie „Lohengrin" und „Die Meistersinger" in Marienbad konzipiert worden waren, so entstand die „Tetralogie" zwi= schen feuchten Einpackungen und kalten Bädern in einer kleinen schweizerischen Heilanstalt.

Er schrieb an Liszt: „Erfahre hiermit die Geschichte des künstlerischen Vorhabens, in welchem ich seit längerer Zeit begriffen bin... Im Herbst des Jahres 1848 entwarf ich zuerst den vollständigen Mythos von den ‚Nibelungen', wie er mir als dichterisches Eigentum fortan angehört. Ein nächster Versuch, eine Hauptkatastrophe der großen Handlung für unser Theater als Drama zu geben, war ‚Siegfrieds Tod': nach langem Schwanken war ich im Herbst 1850 end= lich im Begriffe, die musikalische Ausführung dieses Dramas zu entwerfen, als mich zunächst die wiederum erkannte Un= möglichkeit, es irgendwo genügend dargestellt zu wissen, von dem Beginnen abbrachte. Um mich dieser verzweifelten Stimmung zu entledigen, schrieb ich das Buch ‚Oper und Drama'. Im vergangenen Frühjahre machtest nun Du mit Deinem Artikel über ‚Lohengrin' einen so begeisternden Ein= druck auf mich, daß ich die Ausführung eines Dramas — Dir zulieb — schnell und freudig wieder aufnahm; ich schrieb Dir dies damals. ‚Siegfrieds Tod' aber, das wußte ich, war zunächst unmöglich; ich sah ein, daß ich durch ein anderes Drama erst auf ihn vorbereiten mußte, und so ergriff ich einen schon länger gehegten Plan, den „Jungen Siegfried‘ zunächst zum Gegenstand einer Dichtung zu machen ... Auch dieser „Junge Siegfried‘ ist nur ein Bruchstück ... Meiner nun gewonnenen innersten Überzeugung nach kann ein Kunstwerk — und deshalb eben bloß das Drama — nur dann seine volle Wirkung haben, wenn die dichterische Absicht in all ihren wichtigen Momenten an die Sinne mitgeteilt wird; und gerade ich darf und kann jetzt am allerwenigsten gegen die von mir erkannte Wahrheit sündigen. Ich muß daher meinen ganzen Mythos nach seiner tiefsten und weitesten Bedeutung, in höchster künstlerischer Deutlichkeit mitteilen, um vollständig verstanden zu werden ... Mein Plan geht nun auf drei Dramen aus: 1. die Walküre, 2. der Junge Siegfried, 3. Siegfrieds Tod: um alles vollständig zu geben, muß diesen drei Dramen aber noch ein großes Vorspiel vorangehen: der Raub des Rheingoldes ...

„Wo und unter welchen Umständen zunächst eine solche Aufführung zu ermöglichen sei, hat mich für jetzt gar nicht zu kümmern; denn vor allererst habe ich mein großes Werk auszuführen, und diese Arbeit wird mich, sobald ich auf meine Gesundheit einigen Bedacht nehme, mindestens drei Jahre beschäftigen. Ein glücklicher Vermögensfall in der mir sehr befreundeten Familie R. hat es nun gefügt, daß ich ruhig und von materiellen Sorgen ungestört diese Zeit, wie überhaupt mein Leben über, meinem künstlerischen Schaffen obliegen kann ... Jetzt ... übergebe ich denn Dir, mein lieber Freund und Bruder, die Dichtung meines „Jungen Siegfrieds‘. Vieles wird Dir darin auffallen, gewiß auch die große Einfachheit und die Verteilung der Szene an nur wenige Personen — denke Dir nun aber dieses Stück zwischen der „Walküre‘ und „Siegfrieds Tod‘, welche beiden Dramen eine bei weitem kompliziertere Handlung haben ... dieses Waldstück, mit seiner jugendlich kühnen Einsamkeit, wird gewiß einen eigentümlichen und wohlstimmenden Eindruck machen ...“

Und Liszt antwortet: „Dein Brief, mein herrlicher Freund, hat mich hocherfreut. Du bist auf Deinem außerordentlichen Wege zu einem außerordentlich großen Ziele gelangt ... Mach Dich nur heran, und arbeite ganz rücksichtslos an Deinem Werke, für welches man allenfalls dasselbe Programm nun stellen könnte, wie das Domkapitel in Sevilla bei Erbauung der Kathedrale dem Architekten stellte: ‚Bauen Sie uns solch einen Tempel, daß die künftigen Generationen sagen müssen, das Kapitel wäre närrisch, so etwas Außerordentliches zu unternehmen.‘ Und doch steht die Kathedrale da.“

Wagner beherzigte diesen Ratschlag, ließ aber den Winter vorbeigehen und machte sich erst im nächsten Frühling ans Werk. „Die Natur erwacht und ich erwache mit ihr aus winterlichem Mißmute“, schrieb er am 25. März 1852. Bis zum 4. April war das Vorspiel, das „Rheingold“, beendet. Zu Beginn des Mai siedelte er mit seiner Frau in ein kleines ländliches Wirtshaus oberhalb des Dorfes Fluntern am Abhange des Limmattales über. In der Ferne erhoben sich die noch mit Schnee bedeckten Glarner Alpen; ein Gefühl der Freiheit und des Friedens durchdrang ihn, das er selten gespürt hatte, und gab ihm Mut zur Arbeit. Am 22. Mai vollendete er das vierzigste Jahr; eine Woche später begann er die Dichtung der „Walküre“ und vollendete sie innerhalb eines Monats. Eine Last war von seiner Seele gefallen. „Wenn ich etwas fertig habe, so ist es mir immer, als hätte ich eine ungeheure Angst aus dem Leibe geschwitzt, eine Angst, die gegen das Ende der Arbeit wächst, eine Art von Furcht, daß ich etwas verdrehen könnte: meine Chiffre mit dem Datum schreibe ich immer mit wahrer Hast darunter, als stünde der Teufel hinter mir und wollte mich vom Fertigwerden abhalten.“ Darauf machte er zur Erholung allein eine Fußtour durch das Berner Oberland; Liszt hatte ihm hundert Taler geschickt, die er für den Ausflug verwendete.

Von Lauterbrunnen aus wanderte er durch Fichten= und Lärchenwälder nach Grindelwald; dort nahm er sich einen Führer, bestieg das Faulhorn, ging dann über die Grimsel auf das Siedelhorn und über den Col de la Formazza, dessen Felsenlandschaft für immer in der Szenerie des „Ringes" festgelegt worden ist. Eine Flasche Champagner, die er mitgenommen hatte, leerte er auf dem Gipfel des Siedelhorns auf das Wohl der Götter, die zwar noch in den Büchern der Gelehrten vergessen ruhten, aber bald mit Zauberkraft aus dem Schlafe geweckt die Erde wieder bevölkern sollten. Am Fuß der luftigen Höhen erwartete ihn Italien wie ein lockendes, mit lauem Wasser gefülltes Bassin, in das er sich fröhlichen Herzens gleiten lassen wollte. Er fühlte das Entzücken aller im Norden Geborenen, wenn sie das Heimatland der Schönheit und der Kunst zum erstenmal erblicken: Domodossola, Baveno, die Borromeischen Inseln und Lugano, wo einst Liszt der Stimme Marie d'Agoults gelauscht, die ihm Dantes „Göttliche Komödie" vorlas. Das Bild einer jungen Mutter, die, mit ihrem Kinde auf dem Arm, trällernd dahinschlenderte, blieb für immer in seinem Gedächtnis haften. Nicht weit von hier, am Ufer eines der grünblauen Seen, hatte Liszts Geliebte vor beinahe sechzehn Jahren ihrer Tochter Cosima das Leben gegeben.

Wagner war von den Borromeischen Inseln so entzückt, daß er seinen Augen kaum traute und sich selbst fragte, „wie er zu so etwas Anmutigem käme, und was er damit anfangen sollte". Er telegraphierte an Minna und Herwegh, die ihn zusammen mit Franz Wille, einem in Zürich ansässigen Hamburger aus Schweizer Familie*, besuchten. Endlich kehrte er über Chamonix und Genf nach Hause zurück; auf seinem Tisch

---

* Die Familie Wille, oder vielmehr Vuille, stammt aus La Sagne im Kanton Neuchâtel. Am Ende des 17. Jahrhunderts ließ sie sich in Hamburg nieder. Franz Wille kehrte nach der Schweiz zurück und nahm die Schweizer Nationalität wieder an. Sein Sohn war von 1914—1918 Oberbefehlshaber der Schweizer Armee.

fand er verschiedene Angebote einiger deutscher Theater, den „Tannhäuser" aufzuführen.

Dieser Umstand bedeutet einen weiteren Abschnitt in seiner Laufbahn; es ist der Beginn des bitter umstrittenen, hart errungenen Ruhmes, den er ebensosehr dem Mißtrauen des Publikums und der Gegnerschaft der Kritiker verdankte, wie der wohlwollenden Ermutigung seiner Freunde und derer, die seine Mission verstanden. Trotzdem aber freute er sich jetzt nicht, als er von dem wachsenden Interesse hörte, das sein Werk erregte: selbst vier Vorstellungen des „Holländer", der in Zürich mit noch nie dagewesenem Erfolge aufgeführt wurde, brachten ihm keine dauernde Befriedigung. Er war müde und bahnte sich seinen Weg mühselig durch eine moralische Wüste. „Ich habe keine Jugend mehr", schrieb er an Uhlig. „Zu leben steht mir nicht mehr bevor." War es das noch nicht vollendete Werk, das so schwer auf seiner Seele lastete? Oder war seine Schaffenskraft erschöpft? Hatte er es aufgegeben, sich der zeitgenössischen Welt entgegenzustellen und in völliger geistiger Vereinsamung zu leben, die er bis zum Ende mit der größten Rücksichtslosigkeit zu verteidigen gewillt war? Wagner schien von der schlimmsten nervösen Erschlaffung befallen, die den schöpferischen Menschen peinigen kann: von Ekel vor seiner eigenen Zeit. Seine Hoffnungen, von der Revolution eine künstlerische Förderung zu genießen, waren fehlgeschlagen; die Ideale von 1848 hatten sich in nichts aufgelöst; so vergrub er sich in eine sagenhafte Welt, die er selbst geschmiedet hatte: in eine Schöpfungsgeschichte, deren ihm lebensnotwendige Lehren er in Symbolen verkündete.

Aber diese ganze Fülle der Gesichte würde keinen wirklichen Wert für ihn haben, wenn er sie nicht anderen mitteilen, wenn er die Schar der Geister, die er erst lebendig machen will, nicht zwingen könnte, sich zu manifestieren. Das Wunderbare und das Wirkliche müssen sich vereinigen und eine neue

Lebensregel schaffen, welche nur er, der Künstler allein, bestimmen darf. Denn nur so kann der Mann der Zukunft zwischen der mechanisierten Weltauffassung und der Sehnsucht des Geistes die Harmonie herstellen, die seinen Wünschen und Hoffnungen keine Grenzen setzt. Solange aber das Werk noch ungeboren war, das diese Erlösung bringen sollte, wurde ihm alles zur Trauer und geistigen Qual. „Alles ist für mich Marter und Pein — Ungenügendheit." Die Verbannung dünkte ihm ebenso wie die Kunst eine Art Gefängnis zu sein: auch die Freundschaft, selbst die Liebe erschien ihm nicht anders, da niemand sich selbst entrinnen und den Gegenstand des Verlangens besitzen kann. Aber Liszt, der unvergleichliche Liszt, schrieb an ihn: „Meine Lebensaufgabe ist, Deiner Freundschaft wert zu sein." Unglücklicherweise war dieser unschätzbare Freund ebenfalls ein Gefangener, an Weimar, an eine Frau, an seinen Ruf, an das Theater und an die alten Opern von Berlioz gebunden.

Sah er nicht, daß der Künstler seine Stärke nur aus dem Leben selber ziehen kann. Aus was kann der Künstler schaffen, wenn nicht aus dem Leben selbst; und ist dies Leben denn nicht nur dann von künstlerisch produktivem Gehalte, wenn es immer zu neuen, dem Leben entsprechenden Gestaltungen treibt? „Kinder! Macht Neues! Neues! Und abermals Neues!" so lautet sein immer wiederholtes schweres Gebot. Aber trotz dieser Begeisterung ging Wagner durch eine Phase vollkommener musikalischer Unproduktivität. „Papier ist das einzige Bindeglied zwischen der Welt und mir." Aber wie manchmal ein gesunder Baum gerade an dem Tage, bevor er die schönsten Blüten öffnet, aussieht, als wolle er zugrunde gehen, so sehen wir Wagner aus der Qual des Nichtschaffenkönnens seine Arme gen Himmel strecken. „Mit mir geht es von Tag zu Tag einem tieferen Verfalle zu: ich lebe ein unbeschreiblich nichtswürdiges Leben! Vom wirklichen Genusse des Lebens kenne ich gar nichts: für mich ist Genuß des

Lebens, der Liebe nur ein Gegenstand der Einbildungskraft, nicht der Erfahrung. So mußte mir das Herz in das Hirn treten und mein Leben nur noch ein künstliches werden: nur noch als Künstler kann ich leben, in ihm ist mein ganzer Mensch aufgegangen." Tief in seiner Seele fühlte er sich ausgedörrt durch einen Durst, der eine andere Stillung verlangte als den Tau der Arbeit. Er wußte aus Erfahrung, was er verlangte, und auf was er wartete. Auf wessen Liebe konnte er noch zählen, welche Herzen noch sein nennen? Minnas Liebe war für immer verwelkt, Jessie Laussot von der Bildfläche verschwunden; drei Jahre lang hatte seine Schwester Luise kein Lebenszeichen von sich gegeben. Schon geraume Zeit war er mit seinem Bruder Albert und all seinen gut bürgerlichen Verwandten auseinandergekommen, weil er sich auf die Seite der Revolutionäre gestellt hatte. Als ihm endlich seine Nichte Johanna (seine Dresdener Elisabeth!) ihr Bild schickte, war er entzückt: „Wenn ihr wüßtet, wieviel Freude wir uns machen könnten, einfach dadurch, daß wir es zeigen, wenn wir uns lieben, wie könntet ihr so karg mit diesen Zeichen sein!... Mein einziges Bedürfnis ist — Liebe! Ruhm, Ehre — nichts von dem kann mich laben; aber Eines kann mich entzücken und mit dem ganzen Leben aussöhnen, ein Zeichen, daß ich geliebt bin, und komme dies Zeichen von einem Kinde!"

Aber die Stunde war noch nicht gekommen. Liebe und Zärtlichkeit existierten für ihn, der sich so nach ihnen sehnte, nur in Büchern, in der Philosophie und bei seinen fernen Freunden Liszt und Uhlig. Plötzlich flammte die Begeisterung für den persischen Dichter Hafis in ihm auf, wie in einem Traum sah er den Glanz des Orients vor sich, glaubte im Schatten der Palmen geistvolle und graziöse Gleichnisse zu hören und sah dort hoch erhaben über einer pomphaften europäischen Geisteskultur, wie in einer Vision, das höchste Gut, nach dem er strebte — heiter erhabene Geistesruhe. Wie gerne hätte er die schmale und kühle Hand des Dichters ergriffen und sie auf seine Stirn gelegt, um alle Wünsche und alle Sehnsucht seines Inneren zu beruhigen!

Der „Ring des Nibelungen" war endlich beendet, als der Herbst herannahte. „Das Gedicht enthält alles, was ich kann und habe." Er beeilte sich, es seinen Freunden vorzulesen, die sich alle in Willes Landhaus in Mariafeld wie zu einer religiösen Feier versammelt hatten.

Das „rein Menschliche" im Gegensatz zum Konventionellen, der Kampf zwischen Liebe und Gesellschaft, die Gefühle, die Empfindungen, die Sinne in all ihrer naturgegebenen Notwendigkeit: mit einem Wort, das individuelle Unterbewußtsein im Gegensatz zum Zwang der Gesetze (diesem Schutz der erbarmungslosen Allgemeinheit) — das war der Schlüssel zu der leuchtenden Kathedrale seiner Träume. Eine mit sich selbst zerfallene Welt, in der weder die Natur, noch der Mensch ein anderes Ziel als sich selbst, kein anderes Sittengesetz als das der ewigen Notwendigkeit kennt, welche das Weltall regiert — das ist sein Glaube, oder, wie wir besser sagen könnten, sein Unglaube, der Atheismus, der sein Wesen durchdringt. Die einzige Religion, die Wagner anerkennt, ist der Kultus der Menschlichkeit. Geschichte bedeutet für ihn nur Kampf um Macht und Herrschaft: das ist auch das Hauptthema des Ringes. Aber mitten in diesem Kampf erhebt sich der schöne und starke Mensch des heroischen Zeitalters, der durch Liebe und Mitleiden, Reinheit des Herzens und sogar durch Selbstsucht sein Reich heiligt. Das ist die Wagnersche Umformung des Sophokleischen Ödipus-Mythos. Aus Eteokles wird Alberich, der auf die Liebe verzichtet, um Gold und Macht zu besitzen; er ist der mächtige Herrscher alles Unheils; Polyneikes aber wird zum Siegfried, dem reinen und sündenlosen Helden; er bedeutet die Personifizierung des Volkes, das Ideal des Menschen der Zukunft. Kreon dagegen erscheint in der Gestalt Wotans, des Wanderers durch Himmel und Erde, dessen Seele von Menschen und Göttern gequält, zwischen Verlangen nach weltlicher Macht und den Wünschen des Herzens hin= und hergerissen wird. In Wotan selbst spielt sich die Tragödie der Menschen ab. „Er ist die Summe aller Intelligenzen der Gegenwart." Eines Tages werden ihn die Ruinen Walhalls begraben, damit er dem neuen Herrscher Platz mache.

Nach vier langen Jahren hatte Wagner endlich in mühevoller Arbeit das Werk vollendet (wie Michelangelo vier Jahre an den Deckenfresken der Sixtina gearbeitet hatte); es war ihm gelungen, zum größten Teil sein Problem, sein Rätsel zu lösen. Er fühlte sich in Wahrheit wie ein vom Tode Auferstandener: denn wenn uns etwas den Eindruck machen kann, als hätten wir den Tod überwunden, so ist es die Überzeugung, daß wir der Welt einen unvergänglichen Eindruck unseres Selbst zurückgelassen haben. Bis jetzt hatte Wagner nur Bruchstücke seines Genius vor die Öffentlichkeit gebracht; jetzt aber war es ihm gelungen, eine reiche, vielverschlungene Dichtung mit vielen einander gleichgestellten Themen, ein riesiges Gerüst für alle Dramen zu vollenden, die er mit dem ganzen Glanze seiner Musik umkleiden wollte. Wir müssen unwillkürlich an Buonarotti vor den Entwürfen zum letzten Gericht denken, das dem Präsidenten de Brosses den berühmten Ausruf entriß: „Welch eine Leidenschaft für das Anatomische!" Bei Wagner ist es eine Leidenschaft für Seelen, die noch nicht erlöst sind. Aber Leben? Daran hatte er noch kaum gedacht. In seiner eigenen Welt war er wohl der allmächtige Gott, aber er hatte noch nicht, wie Gottvater in der Sixtina, seinen Geschöpfen den erweckenden Finger des Geistes hingestreckt. Das Schicksal sollte ihn zunächst, ohne Zweifel, um ihn zum Verständnis seiner selbst zu bringen, in die Schule der Entsagung führen, deren Lehren für den Menschen notwendig sind, damit er die letzte Vollendung erreiche. Es führte zwei Schläge gegen sein Herz, erst mit der Hand des Todes, dann mit der Hand der Liebe.

268

Uhlig, einer der Männer, die Richard wie einen Bruder liebte, starb an der Tuberkulose. Das mächtige Gebäude der „Tetralogie", das noch nicht von seinen reichen Harmonien widerhallte wie später, wurde in seinen Grundfesten erschüttert. Sein Baumeister durchirrte es wie eine Ruine. „Ich stehe in einer Wüste, zehre nur von mir — und muß so verkommen!" Aber das Leben sollte sich ihm auch in diesem Unglück freundlich zeigen. Ein dumpfes Vorgefühl eines neuen, erregenden Erlebnisses ließ ihn an Liszt schreiben: „Nie war ich so einig mit mir über die musikalische Ausführung, als ich es jetzt und in bezug auf diese Dichtung bin. Ich bedarf nur des nötigen Lebensreizes, um zu dieser unerläßlichen heiteren Stimmung zu gelangen, aus der mir die Motive willig und freudig hervorquellen sollen."

Endlich wird er diese unbedingt notwendige Anregung zum Schaffen erhalten. Schon war er in den Gesichtskreis einer Frau getreten, deren Blick seiner Musik und seinem Schicksal eine neue Richtung geben sollte.

III

Die Schmiede des „Ringes"

„Herr und Madame Wesendonk sind zu Sonntag mittag freundlichst von uns eingeladen.

U. A. w. g.   Familie Wagner"

Otto Wesendonk, ein reicher aus dem Rheinland stammender Seidenhändler, zählte zu den begütertsten Mitgliedern der deutschen Kolonie in Zürich. Er war erst kürzlich nach der alten Industriestadt gekommen; Landsmann der Willes und Herweghs, vertrat er eine bedeutende Neuyorker Firma und freundete sich bald mit den Wagners an. Er war ihnen von dem Rechtsanwalt Marschall von Biberstein vorgestellt worden, einem politischen Flüchtling, der an Wagners Seite auf den Barrikaden in Dresden gestanden hatte. Wesendonk war jetzt 37 und hatte vor vier Jahren eine hübsche Elber= felderin mit Namen Mathilde Luckemeyer geheiratet, die jetzt etwa 24 Jahre zählte. Sie waren erst vor kurzer Zeit aus Amerika zurückgekommen und wohnten im Hotel Baur au Lac. Beide waren sehr musikalisch und besuchten regelmäßig die Konzerte; einige von Wagner geleitete Aufführungen hatten auf sie besonderen Eindruck gemacht. Wesendonk war ein liebenswürdiger und gastfreundlicher Mann, der in der an= genehmsten Umgebung lebte; Richard fühlte sich bald sehr zu ihm und nicht weniger zu seiner reizvollen Frau hingezogen, die wie ein Porträt der Romantik aussah. „Ein weißes Blatt", nannte sie Wagner und fügte lächelnd hinzu, „und ich habe mir vorgenommen, es zu beschreiben." Da er immer noch gerne anderen seine Kenntnisse mitteilte und Frau Wesendonk leicht lernte, machte es ihm Spaß, ihr ein paar Stunden in Kontrapunkt und Harmonielehre zu geben. Natürlich, meinte er, müsse sie lernen, Opern „à la Wagner" zu schreiben; auch ihr Mann müsse sich beteiligen und Gesangstunde nehmen. Ein neuer Begriff von Musik, eine ganze neue Lebensphilosophie war in Mathilde erwacht, seitdem der sonderbare, aus seinem Vaterland verbannte Kapellmeister in ihr Leben getreten war. Wie er, fühlte sie sich inmitten all der Beamten und Geschäftsleute von Zürich ein wenig verloren. Frau Wagner, deren Gesundheit ziemlich schwach war, blieb gern zu Hause, in ihrer Wohnung am Zeltweg (im Hause Escher*). Minna hatte sie sehr geschmackvoll eingerichtet, aber Wagner ging gern aus und liebte es, andere Leute zu besuchen. Da die Wesendonks sich in dem großen Luxushotel oft langweilten, brachten Wagners Besuche äußerst willkommene Abwechslung in Frau Mathildens ziemlich farbloses Dasein. Er las ihr sein Vorwort zu den drei Operndichtungen, dann seine politischen Schriften und seine letzten Abhandlungen vor; auch setzte er sich wohl ans Klavier und spielte Beethovens Sonaten für sie, oder gab ihr einen Begriff der Themen aus den Symphonien, die er für die Konzerte der Musikgesellschaft mit dem Orchester probte. Natürlich wurde sie in das Geheimnis der großen Nibelungendichtung eingeweiht, die er in dreißig Exemplaren hatte drucken lassen. Er sprach ihr von seinem Plan, den „Ring" in Zürich in einem, nach Plänen des berühmten Semper erbauten ganz neuartigen Theater aufführen zu lassen.

In diese Zeit fiel ein Wagner-Musikfest im Stadttheater; der Komponist leitete es persönlich. Es fand am 18., 20. und

---

* Das Haus steht noch, Am Zeltweg 13. 1853 gehörte es Frau Klementine Stockar-Escher, die das Erdgeschoß bewohnte. Sie malte ein Bildnis Wagners, das bei Hanfstaengl in Dresden als Lithographie erschien (s. Abbildung S. 144).

22. Mai 1853 statt und wurde feierlich mit einer Vorlesung des „Vorwortes zu den 3 Operndichtungen" eingeleitet. Eine Menge Sänger und Musiker waren aus Deutschland zu dem Fest gekommen. Im Vaterlande des Komponisten wuchs der Ruhm des Verbannten ständig, obgleich dieser mit einem gewissen Geheimnis umgeben war, das ihn in einigen Kreisen populär, in anderen aber geradezu verhaßt machte. In diesen Konzerten hörte Wagner zum ersten Male Stücke aus „Lohengrin" vom Orchester. Emilie Heim, eine Berufssängerin, die neben ihnen am Zeltweg wohnte, sang Sentas Ballade aus dem „Fliegenden Holländer", und freundete sich dann auch mit Wagner an. Seit einigen Wochen empfand er ein merkwürdiges Gefühl der Erwartung irgendeines erregenden Ereignisses; es war zwar zu unbestimmt, um eine Hoffnung genannt zu werden — vielleicht war er sich während dieser Zeit überhaupt noch nicht darüber klar geworden. Sein Verlangen nach Liebe war bis zu jenem Grad der Erregung gestiegen, in dem die Lust sich vom Schmerz fast nicht mehr unterscheiden läßt: es war so heftig geworden, daß seine neuerwachte Lebensfreude und sein altes Verlangen nach dem Tod nun in einem einzigen Fluß leidenschaftlicher Wünsche vereinigt waren. „Der Zustand der Lieblosigkeit ist der Zustand des Leidens für das menschliche Geschlecht", schrieb er an Liszt. „Die Fülle dieses Leidens umgibt uns jetzt und martert auch Deinen Freund mit tausend brennenden Wunden; aber sieh, gerade in ihm erkennen wir die herrliche Notwendigkeit der Liebe, wir rufen sie uns zu, und begrüßen uns mit einer Kraft der Liebe, wie sie ohne diese schmerzliche Erkenntnis gar nicht möglich wäre; sieh, so haben wir eine Kraft gewonnen, von der der natürliche Mensch noch nichts ahnte, und diese Kraft — erweitert zur allmenschlichen Kraft — wird dereinst auf dieser Erde den Zustand gründen, aus dem Keiner nach einem (ganz unnötig gewordenen) Jenseits sich hinweg sehnt, denn er wird glücklich sein — leben

Mathilde Wesendonk
Relief von J. Kopf

Villa Wesendonk in Zürich
Rechts das kleine Wagnerhäuschen

Titelblatt der „Fünf Gedichte"

von Mathilde Wesendonk

und lieben. Wer aber sehnt sich aus dem Leben fort, wenn er liebt?"

Wagner dachte immer noch, daß die Begeisterung, die ihn erhob, nur seiner Liebe zu Liszt entspränge: denn endlich sollte Liszt nach Zürich kommen, und der Frühling schien vom Versprechen künftiger Freuden erfüllt zu sein. Die Mühe, welche ihm die Organisation des Musikfestes gemacht, reute ihn nicht, und das Geld, das er dafür ausgegeben hatte, kümmerte ihn noch weniger (9000 Frs., die durch Subskription gedeckt waren). Was bedeutet das Geld im Vergleich mit dem Leben? Man kann immer welches borgen. Diesmal bat er Wesendonk, ihm gegen die Sicherheit der Tantiemen, die ihm die künftigen Aufführungen seiner Opern in Berlin sicher einbringen würden, 2000 Taler zu leihen: und Wesendonk erfüllte seinen Wunsch. Großartig! Begeisterte Dankbarkeit! Seine Zimmer mußten neu tapeziert werden, er brauchte neue Möbel, neue Teppiche! „Richard ist in der neuen Wohnung sehr glücklich", schrieb Minna und fügte hinzu: „Aber er konnte nicht anders als sich natürlich dabei in Schulden zu stecken. Auch dieses gehört zur Genialität! Er hat mich mit einem seidenen Schlafrock bedacht, in dem sich eine Königin nicht zu schämen brauchte."

Liszt kam also wirklich und blieb eine Woche: wahre Ausbrüche zärtlicher Liebe erfolgten von beiden Seiten. Dann begaben sich die so ganz verschiedenen und doch innerlich durch Bande unaussprechlicher Gemeinschaft gefesselten Freunde zusammen mit Herwegh auf eine Reise an den Vierwaldstätter See. Hier schworen sich alle drei ewige Freundschaft, sprachen miteinander über ihre Werke und spornten sich zu künftigen Taten an. Von dieser Zeit an begann neue Musik in Wagner zu arbeiten; und wie immer in den Anfängen einer großen Schöpferperiode, wuchs seine innere Erregung ständig. Bald sehnte er sich mit unersättlicher Gier nach Vergnügungen und Zerstreuungen, bald war er die Beute tiefster Verzweiflung.

Endlich reiste der geliebte Freund ab, und er war wieder allein. Wagner fuhr nach dem Engadin, fand aber dort nichts als eine schöne Landschaft: die Flügel seiner Phantasie schienen gelähmt. Alles war grau, düster und verlassen. Der heilige Georg (Herwegh), sein Reisekamerad, konnte den Vergleich mit dem heiligen Franz (Liszt) nicht aushalten. Wenn dieser ihm doch wenigstens sein Bild in einem Medaillon schicken wollte! Liszt wünschte, daß er für Brendels „Neue Zeitschrift für Musik" schriebe, aber das wollte und konnte er nicht, da er alles Interesse an solcher Art Arbeit verloren hatte. „Wenn man arbeitet, spricht man nicht über sein Werk." Nun zog es ihn nach Italien, er glaubte, daß er dort schreiben, komponieren und seinen Platz als Haupt der „Zukunftsmusiker" endgültig einnehmen könne.

Aber in Italien ging es ihm nicht besser als in der Schweiz. Trotzdem empfing er in Genua neue musikalische Anregung durch die Bauwerke der schönen Stadt, und ein Hoffnungs=strahl glomm in ihm auf. Er beschritt Nietzsches zukünftigen geistigen Weg: St. Moritz, Genua, „Asyle, welche mir die harmonische Ruhe zu neuem künstlerischem Schaffen gewähren sollten."

Aber er reiste bald wieder ab. In Spezia streckte er sich eines Nachmittags todmüde auf ein hartes Ruhebett in seinem Hotelzimmer aus. „Ich versank in einen somnambulen Zu=stand, in welchem ich plötzlich die Empfindung, als ob ich in ein stark fließendes Wasser versänke, erhielt. Das Rauschen desselben stellte sich mir bald im musikalischen Klange des Es=Dur=Akkordes dar, welcher unaufhaltsam in figurierter Brechung dahinwogte; diese Brechungen zeigten sich als melodische Figurationen von zunehmender Bewegung, nie aber veränderte sich der reine Dreiklang von Es=Dur, welcher durch seine Andauer dem Elemente, darin ich versank, eine unendliche Bedeutung geben zu wollen schien. Mit der Emp=findung, als ob die Wogen jetzt noch über mich dahinbrausten, erwachte ich in jähem Schreck aus meinem Halbschlaf. Sogleich erkannte ich, daß das Orchestervorspiel zum ‚Rheingold‘, wie ich es in mir herumtrug, doch aber nicht genau hatte finden können, mir aufgegangen war; und schnell begriff ich auch, welche Bewandtnis es durchaus mit mir habe: nicht von außen, sondern nur von innen sollte der Lebenstraum mir zufließen.“

Sofort kehrte er nach Zürich zurück, „um zu arbeiten oder zu sterben“. Er tat aber weder das eine noch das andere, sondern verabredete mit Liszt, der ihn in Basel treffen sollte, eine Reise nach Paris. Liszt kam auch mit seiner Freundin, der Fürstin Wittgenstein und deren Tochter Marie dorthin. Wagner las ihnen den „Siegfried“ vor, und die Damen nahmen an der Dichtung so viel Interesse, daß sie die ganzen „Nibelungen“ zu hören wünschten; als sie also in Paris angekommen und im „Hotel des Princes“ abgestiegen waren, blieben sie stundenlang in ihrem Zimmer, bis sie an das Ende des gewaltigen Werkes gekommen waren. Erst dann „trat endlich aber auch Paris in seine Rechte“; die Freunde frischten die verschiedenen Erinnerungen auf, die sie beide so innig mit dieser Stadt verbanden. Für Wagner verkörperte Paris die Erinnerung ebenso an hilflose Armut wie an geistige Befreiung, es war die Stadt des dritten Aktes „Rienzi“ und des „Holländer“, es war die Stadt, in der Lehrs und Kietz gelebt hatten; sie erinnerte ihn an die Neunte Symphonie und an Jessie Laussot — an die Hoffnungen, die ihn mit dieser Frau verbunden hatten, und schließlich an das Versteckspiel mit Minna. Welch neue Erfahrung erwartete ihn in dieser Stadt der Überraschungen, die scheinbar der Kunst Meyerbeers verfallen war, — sein Name prangte überall auf den Theaterzetteln der Oper: Robert der Teufel . . .

Ganz unerwartet traf er die Wesendonks, aber sie gingen aneinander vorüber, und Mathildens schönes Gesicht verschwand bald im Nichts. Dann kam das Morin=Chevillard=Quartett nach Paris; es machte auf Wagner einen fast ebenso tiefen Eindruck wie vor Jahren die Aufführung der Neunten Symphonie im Konservatorium. „Namentlich das Cis-Moll-Quartett, muß ich bekennen, erst hier innig genau vernommen zu haben, da seine Melodie erst jetzt mir deutlich erschlossen wurde." Liszts schöne Freundin, Frau Kalergi-Nesselrode, eine Lieblingsschülerin Chopins, lud Wagner zum Essen ein, aber trotz all ihrer schwanengleichen Schönheit und ihrer Unterhaltungskunst — sie beherrschte in bewunderungswürdiger Weise viele Themen, über die gern gesprochen wird — kam Wagner nicht in Schwung, sondern fühlte sich müde und bekümmert, ohne daß er nur die geringste Möglichkeit gehabt hätte, die graue Stimmung, die ihn gefangen hielt, zu überwinden. Er überließ sich ganz seiner schlechten Laune, obgleich man ihn für ungesellig und langweilig hielt, ihn, der, wenn ihm der Sinn danach stand, den witzigsten Erzähler auf das lustigste in den Schatten stellen konnte. Aber es bestand keine Beziehung zwischen der glänzenden Gesellschaft und dem von seinen Dämonen besessenen Mann: „Deine Wunde wird niemals heilen", sagte Liszt.

Eines Abends nahm Liszt seinen Freund und die Fürstin Karoline mit zu seinen Kindern, die in der Casimir-Périer-Straße Nr. 6 wohnten: zwei junge Mädchen, Blandine und Cosima, von 18 und 16 Jahren, und ein Junge von 14, Daniel. Sie lebten unter der Obhut einer bejahrten Erzieherin von der alten Schule in großer Zurückgezogenheit. Seit acht Jahren hatte der Vater die Kinder nicht gesehen; infolgedessen waren alle aufeinander sehr gespannt und aufgeregt. Der große Frauenkenner Liszt war entzückt, zwei so hübsche Töchter zu haben, die von ihrer Gouvernante Mme. Patersi sehr gut erzogen waren, unter Aufsicht ihrer Mutter, der Gräfin d'Agoult, die zwar oft von ihnen getrennt lebte, jedoch ihre geistige Ausbildung mit großer Aufmerksamkeit überwachte. Außerdem standen sie sehr gut mit ihrer Großmutter, der alten Frau Liszt, die Paris seit der Zeit, in der ihr Sohn jungen Aristokratinnen Klavierstunde zu geben pflegte, nicht mehr verlassen hatte. Ein Musikabend wurde arrangiert und Berlioz dazu eingeladen; Wagner las „Siegfrieds Tod" aus dem letzten Akt der „Götterdämmerung" vor. An den Mädchen fiel ihm nur auf, daß sie sehr schüchtern waren und die Augen die ganze Zeit zu Boden schlugen; indessen vergaß er bald das hübsche Bild, das sie boten. Aber die jüngere der beiden Schwestern, Cosima, vergaß niemals diesen Abend des 10. Oktober 1853, an dem ihres Vaters Freund mit den bereits ergrauten Schläfen zum erstenmal in ihr Leben getreten war.

Am Ende des Monats kehrte Wagner nach Zürich zurück. Die häuslichen Verhältnisse waren zur Arbeit so ungeeignet wie nur möglich: drückende Schulden, verwickelte Verträge mit dem Verleger Härtel wegen des Vertriebes seiner Opern, alle möglichen sonstigen Unannehmlichkeiten, seine nervösen Beschwerden, und dazu „fünf Jahre und ein halbes, in welchen ich vollständig von jeder musikalischen Produktion mich ferngehalten hatte", wie er schrieb, machten den Wiederbeginn seiner musikalischen Arbeit zu einer Art „Seelenwanderung" ins Reich der Töne. In weniger als drei Monaten entstand das ganze „Rheingold" samt den meisten Motiven, die den „Grundstock" der Tetralogie bilden. „Das ,Rheingold' ist fertig, aber ich bin auch fertig!!!" schreibt er an Liszt unterm 15. Januar 1854. Aber das war nicht wahr: seine momentane Verstimmung verdankte er einer schlechten „Lohengrin"-Vorstellung in Leipzig. Wagner legte immer den größten Wert auf eine gute Aufführung seiner Werke und hielt alle Fehler, die auf der Bühne gemacht wurden, nicht nur für einen Schaden, der ihm zugefügt wurde, sondern, was noch schlimmer war, für einen Schaden seiner „Mission". „Ich ersehe die höhnende Strafe für den Frevel, den ich an meinem Wesen, an meinem innern Gewissen beging, als ich vor zwei Jahren meinem Vorsatz untreu ward und in die Auf-

führung meiner Opern willigte." Entehrung, Erniedrigung —
und alles für ein Leben, „das er haßt und verflucht". Denn
vor allen Dingen braucht er Geld! Auf irgendeine Weise
mußte er 4000 Taler haben. Natürlich Liszt! Liszt, sein
„creator", sein „Erschaffer"! Er würde sie ihm geben und
verstehen, warum er gerade ihn um die Summe bat. „Mit
wahrer Verzweiflungswut habe ich endlich fortgefahren und
geendet: ach, wie auch mich die Not des Geldes umspann!
Glaub mir, so ist noch nicht komponiert worden: ich denke
mir, meine Musik ist furchtbar; es ist ein Pfuhl von Schreck=
nissen und Hoheiten."

Während dieser ganzen Zeit, in der ihn die tiefste Verzweiflung
gepackt hatte, wurden in Boston „Wagner=Abende" veranstaltet,
füllten die deutschen Theater ihre Kassen mit den Einnahmen,
die seine Werke brachten: während dieser ganzen Zeit litt der
Schöpfer dieser Werke die bitterste Not. Aber das tat nichts:
er wußte, daß er durchhalten würde. Allerdings verbanden
ihn nur die „Nibelungen" mit dem Leben: wie sehr wünschte
er sich nun, amnestiert zu werden und die Erlaubnis zur
Rückkehr nach Deutschland zu erhalten, um seine Werke selbst
dirigieren zu können. „Wo ist denn Energie, wo denn ein
wirklicher Wille zu finden? ... Ich kann nichts tun, —
nichts, als meine ‚Nibelungen' schaffen ..."

Und er schafft. Er arbeitet wie ein Besessener. Er brauchte
einen Kopisten, da seine Skizzen selbst für ihn fast unlesbar
geworden waren. Einen Sekretär! War das nicht ein Luxus
für einen Mann, der keinen Pfennig zu verschwenden hat!
Gibt es nicht irgendwo einen Mäzen? Einen Verrückten
vielleicht? Wenn er nur jemand finden könnte, der ihm das
nötige Geld leiht, so hätte er den schönsten seiner Träume ver=
wirklichen können: nämlich ein Wagner=Theater zu bauen,
„Lohengrin", das „Rheingold" und die „Walküre" darin
aufzuführen, um dann das Ganze in Brand zu setzen und
seine Partituren in die Flammen zu werfen.

Während das Schöpfungsfieber ihn verzehrte, ging das Leben in Zürich seinen ruhigen Gang weiter. Er mußte sich vom Schreiben wegstehlen, um Konzerte zu dirigieren, seine Freunde zu bewirten und mit dem Intendanten der Berliner Oper, Herrn v. Hülsen, scharfe Briefe zu wechseln, da dieser aus Wagners und Liszts Vorschriften für die Inszenierung des „Tannhäuser" und des „Lohengrin" in keiner Weise klug werden konnte. Schließlich mußte er auch Minna besuchen, die wegen ihres Herzleidens in Seelisberg in Behandlung war, und ihr Geld für eine Reise nach Sachsen verschaffen, auf der sie ihren alten Freund Roeckel wiedersehen sollte, der sein fünftes Gefängnisjahr in Waldheim abgebüßt hatte.

Am 28. Juni begann er die „Walküre", und schon vor Ende August war der erste Akt beendet. Die schöne Frau Mathilde Wesendonk schenkte ihm eine goldene Feder. „Das allermindeste was ich erwarten kann, wäre die Summe von 1000 Talern. Wer mir sie also leiht, dem stelle ich mit gutem Gewinn einen Wechsel auf drei Monate aus." Fort mit dem Zeug: fort mit „Ruhm" und all dem Unsinn! Auch die Hoffnung ist eine Lüge, „eine Lüge vor sich selbst". Am 26. September beendigt er die „zierliche Reinschrift" des „Rheingold"; um sich zu zerstreuen, ergriff er ein Buch, das er auf Empfehlung Herweghs gekauft — es hatte einige Zeit unbeachtet auf seinem Tisch gelegen. Sogleich war er gefesselt: er las, warf dann einen Blick auf die letzten Seiten und begann wieder von vorn — erstaunt, begeistert, vollkommen gefangen. Hier fand er in klarer und logischer Sprache alles, was er jemals über das Leid, über den Menschen, über das tragische Element im Leben, vor allem in seinem eigenen Leben, hatte sagen wollen. Schnell nahm er seine goldene Feder auf: „Lieber Franz... Neben dem — langsamen — Vorrücken meiner Musik habe ich mich jetzt ausschließlich mit einem Menschen beschäftigt, der mir — wenn auch nur literarisch — wie ein Himmelsgeschenk in meine Einsamkeit gekommen ist. Es ist

Arthur Schopenhauer, der größte Philosoph seit Kant, dessen Gedanken er — wie er sich ausdrückt — vollständig erst zu Ende gedacht hat … Sein Hauptgedanke, die endliche Verneinung des Willens zum Leben, ist von furchtbarem Ernste, aber einzig erlösend. Mir kam er natürlich nicht neu, und Niemand kann ihn überhaupt denken, in dem er nicht bereits lebt. Aber zu dieser Klarheit erweckt hat ihn erst dieser Philosoph. Wenn ich auf die Stürme meines Herzens, den furchtbaren Kampf, mit dem es sich — wider Willen — an die Lebenshoffnung anklammerte, zurückdenke, ja, wenn sie noch jetzt oft zum Orkan anschwellen — so habe ich dagegen doch nur ein Quietiv gefunden, das mir endlich in wachen Nächten einzig zu Schlaf verhilft; es ist die herzliche unsinnige Sehnsucht nach dem Tod: volle Bewußtlosigkeit, gänzliches Nichtsein, Verschwinden aller Träume — einzigste, endliche Erlösung!"

Natürlich mußte ein Mensch wie Wagner, der soviel Unglück erfahren hatte, in dem großen Philosophen des Weltschmerzes einen Freund seiner Kunst und einen — vielleicht etwas düsteren — Tröster finden. Von dieser Zeit an bedeutet Schopenhauer für Wagner eine geistige Zuflucht, von der er nicht mehr lassen sollte. Wohl predigte der Philosoph Pessimismus, aber gerade diesen empfand Wagner als Wohltat. Sein Begriff des allmächtigen, allschöpferischen Willens, der in jedem Augenblick stirbt und sich unaufhörlich erneuert, der endlose Wechsel zwischen Leben und Tod und Tod und Leben, der sich zu einem Kreise zusammenschließt: all dies warf ein helles Licht auf Wagners eigenes Wesen. Da alle lebenden Wesen nur Teile derselben Energiequelle sind und nur eine Art der Handlungsmöglichkeit kennen, da sie sich voneinander nur durch die Stärke ihres Verlangens und ihrer Vorstellung unterscheiden, muß der einzelne früher oder später zu der Erkenntnis kommen, daß das allgemeine Leiden nur das eigene Leiden widerspiegelt, um aus dieser Erkenntnis heraus den

280

einsamen Weg dessen zu gehen, der die Welt verstanden hat. Dann wird er das Leben als ein Übel und einen Irrtum von sich werfen und den eigenen Willen zum Leben verneinen, indem er alles Verlangen abtötet. Der Durchschnittsmensch befriedigt seine Wünsche, pflanzt sich fort und verschwindet. Aber der höher Organisierte, sei er ein Genie oder ein Heiliger, kämpft gegen den Willen zum Leben und ist nicht mehr sein Sklave. So gewinnt er die Kraft, die Welt in passiver, d. h. in ästhetischer Weise zu beurteilen: der Künstler im Menschen betrachtet sie kritisch. Was sieht er nun? Leid. Was fühlt er dann? Mitleid. Die naiven Heiligen des Christentums verlangten nur, nach ihrem fleischlichen Tode zu einem höheren Leben wiedergeboren zu werden, das frei von den Fesseln der Natur sei. Aber die Welt des Ostens kennt ein höheres Ziel als dieses: die Anhänger Brahmas in Indien belohnen die Seele mit dem Paradiese des Nichtseins. Allerdings bejahen sie den Mythos von der Erschaffung der Welt durch Gott, sind aber weit davon entfernt, diese Schöpfungstat gutzuheißen; im Gegenteil, sie betrachten Brahmas Tat als Sünde, welche dieser in verschiedenen Reinkarnationen sühnen muß. Er kann das Nirwana nur durch eine lange Seelenwanderung erreichen, durch die sein „geläutertes Ich" infolge einer immer fort= schreitenden Reinigung und Erneuerung allmählich zur voll= kommenen Seligkeit der ewig wunschlosen Existenz gelangt.

Bejahung des Todes, Mildtätigkeit, Mitleid: das waren die Hauptpunkte der Philosophie, die Wagner aus Schopen= hauer ableitete. Sie stimmte genau mit den Ansichten überein, die er selbst ausgesprochen, als er die intuitive Erkenntnis der Vernunft übergeordnet hatte, wie in seiner Schrift „Das Kunstwerk der Zukunft"; nach seiner Ansicht ist das ganze Leben schicksalsmäßig bestimmt, ist keine wahre Kunst jemals zufällig, sondern nur instinktiv entstanden und wird durch die treibenden Kräfte der genialen Begabung zur Vollendung gebracht. In seiner großen Nibelungen=Dichtung manifestiert sich seine Weltanschauung, da sie Grundsätze enthält, deren Tragweite ihm selber nicht bekannt war, als er sie aussprach. Er erinnerte sich an Sätze, die er in seinem Buch „Das Kunstwerk der Zukunft" niedergeschrieben und die klingen, als ob sie ihm der Philosoph von Frankfurt selber diktiert hätte.

Aber nicht nur Schopenhauers Philosophie fesselte Wagner; die Musiktheorie des Philosophen zog ihn in noch höherem Grade an. Für Schopenhauer bedeutet die Musik die allgemein verständliche Sprache, die Stimme alles Seienden, den feinsten Ausdruck alles dessen, was den Menschen bewegt. Die Musik ist also in gewissem Sinne das sicherste Mittel, um der Welt der Erscheinungen zu entfliehen, da sie nicht nur das Menschenleben, sondern das Leben an sich mit seinen geheimsten Wünschen, seinen Träumen und all den flüchtigen Helligkeiten bedeutet, die blitzartig die Seele erleuchten. Nun blickt Wagner plötzlich in die dunklen und verborgenen Tiefen des „Nibelungenringes" und sieht mit Erstaunen, daß auch die weniger wichtigen Motive mit dem Gebot einer unerbittlichen Notwendigkeit in Übereinstimmung stehen. „So verstand ich erst jetzt meinen Wotan." Er hatte geglaubt, ein optimistisches und revolutionäres Drama zu schaffen: nun stellte es sich heraus, daß ein pessimistisches Werk entstanden war, das vom ewigen Leiden sang und seiner zweiten, ihm selbst unbewußten Natur seinen Ursprung verdankte. Der „Ring" ist keine Sage, keine Allegorie, sondern lebende Wirklichkeit: trotz seinem Pessimismus konnte er optimistisch wirken, ja sogar einen Glauben erzeugen. Also rief Wagner mit der ganzen Sehnsucht seiner Seele die Liebe an, die einzige Kraft, welche die Herrschaft der Menschen über die sichtbare Welt zu rechtfertigen vermag. Sie allein ist das Maß, mit dem die Leistungen der Menschen gemessen werden; in ihr liegt auch der tönende Rhythmus der heroischen Welt — des Wagnerschen Heldentums. Da aber in seinem Leben die Inspiration immer der Erfahrung vorangegangen war, so wußte

282

er jetzt, daß die Liebe ihn berühren würde, wie der Ruhm, die Revolution, Liszt, das Leid und Schopenhauer den Weg zu ihm gefunden hatten. Auch deren Kommen hatte er vorausgefühlt. Da also seine Ahnung sich immer bestätigt hatte, so mußte er noch die eine große Vision dem Fresko seines Lebens hinzufügen: die letzte krönende Szene der Leidenschaft, die große Synthese zwischen Himmel und Erde. Noch ehe die Liebe sein Herz erfüllte, stieg sie schon als die Hauptfigur seines Triptychons aus den verborgenen Tiefen seiner Seele auf. Den einen Flügel des dreigeteilten Bildes nimmt Siegfried unter dem Bilde der ewigen Jugend ein, auf dem anderen steht Wotan, der nur noch das Ende ersehnt; in der Mitte aber erscheinen zwei Gesichte: Tristan und Isolde.

In demselben Briefe, in dem er Liszt seine Entdeckung Schopenhauers mitteilt, sagt er: „Da ich nun aber doch im Leben nie das eigentliche Glück der Liebe genossen habe, so will ich diesem schönsten aller Träume noch ein Denkmal setzen, in dem vom Anfang bis zum Ende diese Liebe sich einmal so recht sättigen soll: ich habe im Kopfe einen ‚Tristan und Isolde‘ entworfen, die einfachste, aber vollblutigste musikalische Konzeption; mit der ‚schwarzen Flagge‘, die am Ende weht, will ich mich dann zudecken, um — zu sterben."

Wieder fügte sich ihm das Schicksal. Die Frau, nach der er sich sehnte, um derentwillen er auf seine Kunst verzichtet haben würde, war kein Mythos: sie lebte in der Wirklichkeit. Er hatte sie noch nicht richtig gesehen, ihr Wesen noch nicht in sich aufgenommen; aber nun trat sie langsam und leise in sein Leben wie ein feiner Duft, wie eine schöne und liebe Gewohnheit. Ihr Verhältnis zueinander hatte nichts Verschwörerhaftes, nichts Gezwungenes oder Tragisches — es überraschte sie kaum. Das tägliche Leben erlitt keine Veränderung; ihr Gatte war so freundlich und großherzig wie immer — ein wahrer Freund. Minna, die leidend und traurig war, entfremdete sich dem ihr fernliegenden Schaffen ihres Mannes, den sie nicht verstand, immer mehr. Zur Abwechslung fuhr sie nach Deutschland und probierte mehrere Kuren aus, um ihr Leiden zu bessern; während dieser Zeit lenkte Richard jeden Abend, fast ohne zu wissen, wohin ihn seine Füße trugen, seine Schritte nach dem Hotel Baur au Lac, wo ihn Mathilde in ihrem Salon erwartete, den „Dämmerungsmann", wie sie ihn nannte, der nie in der gleichen Stimmung zu ihr kam; sie war verschieden, je nachdem er seinen Tag verbracht hatte. Wenn er froh war, sprach und scherzte er, war er ermüdet, ruhte er sich aus; floß sein Herz von Musik über, so erleichterte er es am Klavier. Einmal schenkte er ihr ein Manuskript des „Walküren"=Vorspiels, auf das er drei Buchstaben als Zeichen seines Dankes geschrieben hatte: G(esegnet) S(ei) M(athilde). Ein andermal widmete er ihr ein Albumblatt, das er für sie geschrieben hatte. Jetzt mußte er seine Mühsal nicht mehr allein tragen. Sein Werk war nun geheiligt, es hatte ein Ziel, ein geheimes Leben. All die Seiten voll neugeschaffener Musik, die bis jetzt ihre Schönheit ins Leere gesendet hatten, bekamen ihre Bedeutung, ihren reichen Sinn.

Am 27. Dezember 1854 war die Komposition der „Walküre" beendet. „Brünhilde schläft ... aber ich bin noch wach." Ein paar Tage später besuchte ihn der Schatzmeister der Londoner Philharmonischen Gesellschaft, der mit dem Auftrag nach Zürich geschickt worden war, Wagner zu fragen, ob er die Leitung der acht großen Frühlingskonzerte der altberühmten Musikgesellschaft übernehmen wolle. Wagner nahm die Einladung an. Da Deutschland nichts von ihm wollte, warum sollte er seine neuen Werke nicht nach England bringen? Er reiste allein ab und fand ein paar hübsche Zimmer in Portland Terrace; sofort stellten sich die ewigen Schwierigkeiten wieder ein, die der Zukunftsmusiker seit 20 Jahren aus seinen Kämpfen mit den Vergangenheitsmusikern kannte. Die Philharmonie war wohl damit einverstanden, daß er sieben Symphonien von Beethoven, einige Stücke aus „Lohengrin" und die „Tann=

häuser"=Ouvertüre auf die Programme setzte, aber sie bestand auf ihrer Forderung, daß auch Mendelssohn, Spohr, Cherubini, Onslow und — tiefste Erniedrigung! — Marschner und Meyerbeer vertreten waren. Nun, er mußte das Unvermeidliche eben auf sich nehmen. Das Orchester hing an seiner altmodischen Vortragsweise; seine Mitglieder amüsierten sich eher über die beißenden Bemerkungen dieses Kapellmeisters, der sich um alle Kleinigkeiten kümmerte, als daß sie sich ärgerten: sie nahmen ihn einfach nicht ernst. Sie kannten nur ein mezzoforte; piano und fortissimo standen nicht zu ihrer Verfügung, und die Endsätze wurden immer im Galopp gespielt: es war dasselbe in London wie in Paris und Berlin und in allen Theatern der Welt. Wagner gab also die Hoffnung auf, jemals eine würdige Aufführung seiner Werke zustande zu bringen. „Was ich jetzt schaffe, soll nie … in das Leben treten", schreibt er an Liszt. „… Sterbe ich, ohne diese Werke aufgeführt zu haben, so hinterlasse ich sie Dir, und stirbst Du, ohne sie würdig aufgeführt haben zu können, so — verbrenne Du sie: Das sei abgemacht!!"

Glücklicherweise entdeckte er im Orchester einen jungen Violinisten mit Namen Sainton aus Toulouse, der sich sehr für Wagner begeisterte und das Orchester zu seiner Ansicht zu bekehren verstand. Dank ihm nahmen die Dinge eine günstige Wendung; die Proben wurden nun gewissenhaft durchgeführt, und in kurzer Zeit entdeckten die ausgezeichneten Musiker des Orchesters die Seelengröße Beethovens und das hinreißende Temperament in Wagners Werken — eine Erkenntnis, die ihnen ganz neu war. Obgleich das erste Konzert beim Publikum großen Erfolg hatte, zeigte sich die Kritik offen feindlich gesinnt. Das zweite Konzert, auf dessen Programm die „Neunte Symphonie" stand, wirkte wie eine Offenbarung; nur nahm man es Wagner übel, daß er auswendig dirigierte. Man glaubte, daß die ernste Musik auf diese Weise nicht mit dem nötigen Ernst behandelt würde —

wenigstens schrieben das die Zeitungen. Wagner wollte sein Amt sofort niederlegen und abreisen; er ließ sich indessen doch zum Bleiben überreden und dirigierte von nun an die klassischen Stücke mit einer aufgeschlagenen Partitur auf seinem Pult. Leider vergaß er aber die Seiten umzuwenden, und so konnten die mit einem Opernglas ausgerüsteten Hörer voller Schrecken bemerken, daß die Noten auf dem Kopf standen. Immerhin hatte die „Tannhäuser"=Ouvertüre einen solchen Erfolg, daß die Königin und der Prinzgemahl sie im nächsten, dem siebenten Konzert, noch einmal zu hören wünsch= ten, bei welcher Gelegenheit sie dann den Komponisten be= glückwünschten.

Wenn diese vier Londoner Monate für Wagner auch höchst unerquicklich waren, so las er doch einige Bücher, die ihn ent= zückten; unter diesen waren zwei indische Legenden: Sawitri, „ein göttliches Buch", und Usinar, „das ist nun meine ganze Religion". Außerdem gewann er einige neue Freunde, die ihm ihr Leben lang treu blieben, und fand einen alten Kollegen wieder, den er schon lange kannte. Der erste dieser neu= gewonnenen Freunde war Karl Klindworth, ein ehemaliger Schüler Liszts, „der sich bereits dahin resigniert hatte, ledig= lich als tagelöhnerischer Stundengeber durch die Wüsten des englischen Musiklebens sich durchzuschlagen". Als Wagner die Instrumentierung des ersten Aktes der „Walküre" beendet hatte, beschloß er, sich zwei Ruhetage zu gönnen, und lud den jungen Schüler seines Freundes Franz zum Essen ein. Nach der Mahlzeit setzte sich Klindworth ans Klavier und begann das letzte Werk seines Meisters, die H=Moll=Sonate, zu spielen: sie bedeutet den glänzendsten musikalischen Ausdruck, den Liszts hochfliegende Seele gefunden hat. In diesen wun= derbaren Tönen liegt der ganze zukünftige Wagner: sie sind wie die Faust=Symphonie voll von „phonoästhetischen", also klanglich ausdrucksvollen Neuerungen, welche die Harmonien des „Tristan" und der „Götterdämmerung" ankündigen.

Wagner schrieb sogleich an Liszt: „Liebster Franz! Jetzt warst Du bei mir —. Die Sonate ist über alle Begriffe schön; groß, liebenswürdig, tief und edel — erhaben wie Du bist. Ich bin auf das tiefste davon ergriffen, und alle Londoner Misere ist mit einem Male vergessen."

Eine junge Deutsche, Malwida von Meysenbug, begeisterte sich während dieser Zeit der Londoner Konzerte für den Verfasser von „Die Kunst und die Revolution". Trotzdem sie aus adligem Geschlecht stammte — ihr Vater war Minister in einem kleinen deutschen Staat gewesen —, hatten ihre Sympathien den menschlichen und sozialen Zielen der Bewegung von 1848 gehört. Sie war der kommunistischen Jugend in Hamburg beigetreten, hatte eine Zeitlang eine „rationalistische", also weltliche Schule ohne Religionsunterricht geleitet und war mit Mazzini und Louis Blanc befreundet. Jetzt übertrug sie alle ihre Sorge auf die Kinder des russischen Revolutionärs Alexander Herzen, der, wie so viele andere politische Flüchtlinge, seinen Wohnsitz in London aufgeschlagen hatte. Malwida predigte einen hohen Idealismus, vertrat die Sache der Frauenemanzipation und verkehrte gern mit bedeutenden Männern. Einige gemeinsame Freunde luden sie zum Diner ein, um Wagner zu treffen, der aber nicht in der Stimmung war, über sich selbst zu sprechen, und nur von Schopenhauer redete. Malwida war aber trotzdem nicht enttäuscht und zweifelte nicht daran, daß sie ihn eines Tages vom Wert ihrer Freundschaft überzeugen könne. Das tat sie denn auch: er erkannte die Aufrichtigkeit ihrer Zuneigung, der sie bis zu ihrem Lebensende treu blieb.

Der „alte Kollege" war Berlioz, der nach London gekommen war, um die Konzerte der Neuen Philharmonischen Gesellschaft, eines Konkurrenzunternehmens der alten, zu leiten. Die beiden Komponisten freuten sich an den behaglichen kleinen Diners, die der treue Freund Sainton ihnen gab. Obgleich sie sich gut miteinander vertrugen, kann man doch kaum behaupten, daß sie auch einander verstanden. „Wir gingen in Wagners Wohnung und tranken dort nach dem letzten Konzert Punsch", erzählt Berlioz. „Er umarmte mich herzlich und sagte, daß er eine Menge Vorurteile gegen mich gehabt habe; er weinte und stampfte mit den Füßen. Er dirigiert in freiem Stil und ist anziehend durch seine Ideen und durch seine Unterhaltung." (Berlioz sagt nicht „durch seine Musik".) „Wagner hat für mich etwas ganz besonders Anziehendes, er besitzt hohe Begeisterungsfähigkeit und Herzenswärme; ich gestehe, daß auch seine heftigen Ausbrüche mir nichts ausmachen." Wagner seinerseits erzählt Liszt, daß er für Berlioz von neuem Freundschaft empfinde. Übrigens fühlten sie sich in jeder Beziehung als Leidensgefährten. Aber Berlioz war noch weniger glücklich als Wagner: unglücklich verheiratet, mißverstanden, allein und noch ärmer als er. „Ich gewahrte in ihm nur Ermüdung und Hoffnungslosigkeit und empfand plötzlich ein tiefes Mitleiden für diesen Menschen, dessen alle seine Nebenbuhler weit überragende Begabung mir andererseits so offen lag." Oft genug hat man von der Künstlereifersucht gesprochen, die Wagner gegen Berlioz empfunden haben soll; es scheint mir wichtig, dies hier einmal richtigzustellen. Wir wissen, daß er den Komponisten der „Trojaner" wiederholt selbst gebeten hat, ihm seine Partituren zu schicken, und auch Liszt veranlaßte, sie ihm zu übermitteln; wenn er sie nicht bekam, so ist das nicht Wagners Schuld.

Im letzten dieser acht Konzerte dankte das Publikum Wagner mit begeistertem Beifall für seine Leistung; das ganze Orchester stand auf und applaudierte mit, die Zuhörer in der ersten Reihe streckten dem Dirigenten ihre Hände entgegen, die Wagner mit Herzlichkeit ergriff. Es war das einzige Mal während dieser vier Monate „Zwangsarbeit", daß sich das Publikum begeisterte. Er war nicht traurig, im Gegenteil, sondern höchst erfreut, als er das Martyrium des Lon-

Mathilde Wesendonk

Gemälde von C. Dorner

Wagners Wohnhaus

in Triebschen bei Luzern

doner Aufenthalts beendet hatte und wieder nach Zürich, in den Sommer, zu seinen Manuskripten zurückkehren konnte, um den Verdienst, den er aus der „englischen Musik" gezogen hatte, in Ruhe zu genießen; allerdings war dieser nur klein, aber das tat nichts. „Aber soviel ist gewiß — zum Geld=verdienen bin ich nicht in der Welt, sondern zum Schaffen." Aber um in Ruhe arbeiten zu können, brauchte er Geld — er hatte sich niemals schaffensfreudiger gefühlt. Der Kampf zwischen ihm und der Welt glich einem Streit zwischen zwei Menschen, die mit den Köpfen gegeneinander rennen: wer den härteren hat, gewinnt, wie er an Otto Wesendonk schreibt: „Sie, liebster Freund, haben sich nun mit dem vortrefflichsten Willen zwischen uns beide gestellt, gewiß, um die Stöße ab=zuschwächen: nehmen Sie sich in acht, daß Sie nicht auch etwas mit abbekommen."

Leider wurde die Freude der Rückkehr von einer dunklen Wolke überschattet. Sein Hund Peps, der seit dem „Rienzi" sein treuer Begleiter gewesen war, starb in seinen Armen. Es war ein schrecklicher Schlag für Wagner und schien ihm ein Beweis, daß, wie Schopenhauer sagt, die Welt nur zum Leiden geschaffen ist. Der Sommer war schlecht und der Herbst nicht besser. Er ging nach Seelisberg, um die Kur dort zu gebrauchen, da ihn aufs neue die Gesichtsrose be=fallen hatte, die infolge der Londoner Aufregungen wieder ausbrach und seinen nervösen Zustand verschlimmerte. Trotz=dem fuhr er mit der Instrumentierung der „Walküre", so gut es gehen wollte, fort, „des tragischsten seiner Werke"; am 3. Oktober konnte er die beiden ersten Akte an Liszt abschicken. Sein Freund mußte wirklich bald zu ihm kommen und die Partitur mit ihm durchsingen und durchspielen — aber Liszt kam nicht. Die Fürstin und ihre Scheidung, die sich in die Länge zog, das Theater und der Großherzog von Weimar fesselten ihn an die Stadt, so daß er nur an seinen Freund schreiben konnte: „Ein Wunder — ein Wunder! Liebster

Richard, Du bist wirklich ein göttlicher Mensch ... Dein prachtvoll ungeheuerliches Werk, welches ich mit dem Horn=Rhythmus in D in ,großer innerer Aufregung' durchlese." Im Januar des nächsten Jahres (1856) telegraphierte er aus Berlin: „Gestern Tannhäuser. Vortreffliche Vorstellung. Wundervolle Inszenierung. Entschiedener Beifall. Glück zu!" Johanna Wagner sang die Elisabeth, und zwar nach Liszts Urteil ganz ausgezeichnet. Das konnte ihm beträchtlich weiterhelfen und versprach eine hübsche Einnahme aus den Tantiemen.

Da diese aber nicht umgehend einliefen und eine neue Behandlung für die greuliche Gesichtsrose notwendig geworden war, mußte er Liszt wieder um Hilfe bitten. „Mit dem mir zum Leben Ausgesetzten komme ich bei dem hiesigen teuren Leben nicht aus ... Hätte ich meine Frau nicht, so solltet Ihr jetzt Kurioses von mir erleben, und ich würde stolz darauf sein, als Bettler einherzuziehen." Wie sollte er sich aus der Klemme helfen? Sollte er vielleicht seine „Wohltäter" in einem Verein organisieren? Sollte er eine Hypothek auf die „Tetralogie" aufnehmen? Von neuem alte Freunde und Gläubiger in Dresden um Hilfe anflehen? Hieß nicht der einfachste und sicherste Ausweg aus allen Schwierigkeiten immer noch — Liszt? Liszt weiß das so gut wie er. Obgleich er aus seinen symphonischen Dichtungen keinen Pfennig an Tantiemen bezieht, obgleich all sein überschüssiges Geld für seine Mutter und seine Kinder in Paris verbraucht wird, verspricht er, Wagner 1000 Frank zu senden, die Wagner auch annimmt, weil Liebe eben alles annimmt, weil er un=glücklich ist und von dem heißen Wunsch verfolgt wird, in irgendeine deutsche Stadt, nach Berlin, Weimar, Leipzig, München — ganz gleich wohin — zurückzukehren, um seinen Werken szenisches Leben zu verleihen, sein langes Fernbleiben von der Bühne zu entschuldigen, seine pekuniären Verluste wieder auszugleichen und amnestiert zu werden. Alles ge=

borgte Geld wollte er doppelt zurückzahlen. Eine wirklich entscheidende „Lohengrin"=Aufführung wird ihm „die nötige Anregung verschaffen...". Seine Begnadigung soll Liszt ihm erwirken auf Grund seines „besonderen individuellen Charakters als Künstler..." Aber der König von Sachsen verzieh ihm nicht, die langersehnte Begnadigung traf nicht ein, und Liszts 1000 Franken wurden für eine Kur in Morner, einem nicht weit von Genf am Mont Salève gelegenen Badeort, ausgegeben.

In diesem entlegenen savoyischen Ort, in den ihn der Zufall verschlagen hatte, genoß er endlich die Freuden wirklicher Ruhe; nach dem ewigen Lärm von drei Klavieren und einer Flöte, die ihm das Leben in Zürich zur Hölle gemacht hatten, schien dies eine wahre Wohltat. Er wurde in einer Kaltwasserheilanstalt behandelt; der Chefarzt, Dr. Vaillant aus Paris, unterwarf ihn einer strengen Kur, deren wohltätige Folgen sich sogleich bemerkbar machten. Es waren nur wenige Fremde da; die Landschaft gefiel ihm außerordentlich. Er wohnte in einem Sommerhaus mit einem Balkon, der einen Blick auf den Mont Blanc und die Kette der Savoyer Alpen bot. Er hatte das ganze Haus, außer an den Sonntagmorgen, allein für sich; an diesen überließ er einem Genfer Pastor für den Gottesdienst das „Lokal, in welchem ich Gottloser die übrige Zeit mein Wesen treibe", wie er an Liszt schreibt. Es war sogar ein ziemlich schlechtes Klavier da, auf dem er Liszts symphonische Dichtungen trommelte, die, wie er sagte, ihm gleichsam als eine Monumentalisierung seiner persönlichen Kunst galten, und „hierin sind sie so neu und unvergleichbar, daß die Kritik lange Zeit brauchen wird, um nur irgendwie zu wissen, wohin damit." Dann las er, auf Schopenhauers Empfehlung hin, Walter Scott und entwarf einige Verse für den „Tristan" und eine neue Dichtung „Die Sieger", die ihm lange vorgeschwebt hat, „... für mich in höchster Deutlichkeit und Bestimmtheit, aber noch nicht für die Mitteilung." Mit diesen Worten meinte er die aus großartiger asiatischer Weltanschauung entstandene Sage von Çakyamouni, seinem Schüler Ananda und seiner Braut Tschandala, von denen er gerade in Burnoufs „Geschichte des Buddhismus in Indien" gelesen hatte.

In wenigen Wochen war Wagners Gesichtsrose trotz ihrer Hartnäckigkeit durch die Behandlung des ausgezeichneten französischen Arztes geheilt. Nur die, welche einmal daran gelitten haben, können sich seine außerordentliche Freude über die Befreiung von dem lästigen Übel vorstellen: „Du, Franz! Da habe ich einen göttlichen Einfall! — Du mußt mir einen Erardschen Flügel verschaffen!! —" Und damit nicht genug, er will auch ein Haus, einen Garten, fern allem Lärm der Welt. „Wie ein Rasender" brütete er über diesen Plan. Und warum sollen Härtels nicht seine beiden Nibelungenopern kaufen, „um von ihnen das nötige Geld zu erhalten"?

Ehe er noch eine Antwort auf dieses große Projekt erhalten hatte, kehrte Wagner nach Zürich zurück und machte sich in so freudiger Stimmung, wie er sie selten gekannt hatte, an die Komposition des „Siegfried". Die Arbeit hätte den besten Verlauf genommen, wenn sich nicht eine neue Qual zu dem Lärm der Klaviere und der Flöte gesellt haben würde: ein Schmied richtete seine Werkstatt gerade seinen Fenstern gegenüber ein! Wagner empfand den Lärm, als wenn ihm jemand auf dem Kopf herumhämmerte, so daß er bereits zu arbeiten aufhören und Papier und Feder wegwerfen wollte, als ihm seine Verzweiflung ein Motiv eingab: Siegfrieds Zorn auf Mime, den tückischen Schmied. Er setzte sich sogleich ans Klavier, spielte das Thema in G-Moll, sang es und brach in befreiendes Lachen aus. Wieder einmal hatte ihn eine Nervenkrise in eine Art schöpferischen Trancezustand versetzt. „Sonderbar! Erst beim Komponieren geht mir das eigentliche Wesen meiner Dichtung auf: überall entdecken sich mir Geheimnisse, die mir selbst bis dahin noch verborgen blieben."

Im Herbst statteten ihm Liszt und die Fürstin Wittgenstein einen langen Besuch ab; die mit so großem Eifer aufgenommene Arbeit am „Siegfried" wurde für eine Weile unterbrochen. Liszt spielte Wagner seine Dante-Symphonie und zwei seiner symphonischen Dichtungen („Orpheus" und die „Préludes") aus der Partitur vor; Wagner empfing durch diese Werke einen seine musikalische Entwicklung bestimmenden Eindruck. „Seitdem", schrieb er später an Hans von Bülow, „bin ich ein ganz andrer Kerl als Harmoniker geworden."

Nach ihrer Abreise ging er sofort wieder ans Werk, und im Februar 1857 war die Komposition des 1. Akts von „Siegfried" beendet.

Nun kam die Stunde, in der sich nach diesen langen ruhelosen Monaten die Lebensweise des Verbannten vollkommen verändern sollte. Härtel hatte es abgelehnt, die „Nibelungen" zu kaufen, — weil sie unspielbar, unsingbar und von vornherein zur Unaufführbarkeit verdammt seien! Damit war die letzte Hoffnung auf ein Asyl, in dem er seinen Seelenfrieden finden könnte, geschwunden, als Wesendonk plötzlich einen vollkommenen Umschwung in Wagners Leben herbeiführte. Wesendonk hatte vor ein paar Monaten in dem nahe bei Zürich gelegenen Enge ein schönes Grundstück auf einem Hügel am See gekauft und dort eine große Villa im Renaissancestil erbaut. Noch mit dem Ausbau und der Anpflanzung seiner Besitzung beschäftigt, hörte er eines Tages, daß ein Arzt das Nachbargrundstück erworben habe, um dort eine Irrenanstalt einzurichten. Nun mußte er es um jeden Preis verhindern, eine so peinliche Nachbarschaft zu bekommen. Wesendonk kaufte also unter der Hand um einen hohen Preis das kleine Haus, das von der Villa durch einen Feldweg getrennt war, und bot es „auf Lebenszeit" seinem Freund Richard gegen eine jährliche Miete von 800 Franken an.

Wagner saß gerade am Klavier und komponierte, als ihn der Brief mit der Nachricht erreichte, und war bei der Szene,

in der Siegfried Mime das Schwert entreißt, um es selbst
zu schmieden:

> Des Vaters Stahl
> Fügt sich wohl mir,
> Ich selbst schweiße das Schwert.

Welche Erleichterung muß er gefühlt haben, als er so unterbrochen wurde! Mit halblauter Stimme sang er das Notung-
Motiv:

> Nun wird die Klinge geschmiedet
> Blasebalg! Blase die Glut.
> Schmiede, mein Hammer, ein hartes Schwert!

„Wollen Sie nun wissen, wie ich heut die — wirklich ganz
unverhofft — Nachricht ... aufnahm? — Eine tiefe, tiefe
Ruhe bemächtigte sich meiner; bis auf den Grund meines
Wesens wurde ich von einer wohltätigen Wärme erfaßt, ohne
die mindeste Aufwallung zu erregen. Aber es ward mir auf
einmal so sonnig hell vor den Augen, daß ich die ganze Welt
ruhig verklärt vor mir liegen sah, bis mir eine ernste Träne
dieses Bild in tausend wunderbaren Brechungen zeigte.
Liebster, ich habe so etwas eben noch nicht erlebt! ... Alles
Schwanken hat ein Ende: ich weiß, wo ich nun hingehöre,
wo ich weben und schaffen, wo Trost und Stärkung, Erholung
und Labung finden soll ...“ Mußte er nicht in der Botschaft,
die er in seiner zitternden Hand hielt, das Gesicht, die Augen
Mathildens erblicken? Sie hatte monatelang seine Gedanken
beherrscht; nun bewies sie ihm zum erstenmal die Bedeutung
ihres praktischen Daseins und trat furchtlos in sein Leben.
Das „weiße Blatt“, das er hatte beschreiben wollen — fing
er nicht gerade jetzt erst zu schreiben an, und war sie es nicht
selbst, die ihm die Feder reichte? Wie jung, wie stark fühlte
er sich trotz seiner ergrauenden Haare! Welch zärtliche Anmut,
welch süße Entschlossenheit lag in Mathilde, die selbst noch
fast ein Mädchen war! 44 und 28! Nun, was tat das? Er
und sie hatten alles zu lernen; sie wollten einander gute

Lehrmeister sein. Von morgen ab würde die Welt ein anderes Gesicht zeigen, und das Leben auf den Flügeln der Liebe aus dem Grabe auferstehen.

Es war am Karfreitag des Jahres 1857; Wagner stieg auf den Hügel am See und blieb vor dem kleinen Hause stehen, das auf Wesendonks Kosten umgebaut worden war: er nannte es „Das Asyl". Es war ein klarer und heiterer Schweizer Morgen, die reine durchsichtige Luft schien wie ein zauberhaftes Glockenspiel in zitternden Klängen zu vibrieren. In kurzer Zeit würde alles zum Umzug fertig sein; an diesem Tage aber, an dem Christus am Kreuz gestorben war, sah Wagner mit freudigen Augen über die Welt, die ihm neu erstanden schien. Als er vor seiner zukünftigen Heimat stand, glaubte er eine innere Stimme zu hören, die von weit, weit her klang, eine Stimme aus dem Vaterlande seines „Lohengrin", von der Gralsburg, deren geheimnisvolle Geschichte er einst in den böhmischen Wäldern gelesen hatte. Diese Stimme flüsterte ihm zu: „Du sollst nicht Waffen tragen an dem Tage, da der Herr am Kreuze starb!"

Er konnte nicht daran zweifeln, daß der Himmel entgöttert war: denn die Liebe und die Wahrheit haben keinen anderen göttlichen Ausdruck als die Dichtung. Sein ungläubiges Herz kennt nur drei göttliche Wesen, die leben: Schopenhauer, Liszt und Mathilde. Wenn wir an diesem Tage Streit und Hader im Angesicht des Gekreuzigten vergessen sollen: mögen die Wunden des Menschensohnes, statt der trügerischen Hoffnung auf Erlösung, uns das schöne Wunder des wissenden Mitleids lehren!

An diesem Karfreitag, während die Primeln auf den Wiesen noch weiß von Reif in der Sonne leuchten, skizziert Wagner in großen Zügen seinen „Parsifal".

IV

Der Hügel des Glücks

Die vier Menschen, die jetzt auf dem Hügel des Glücks
lebten, bewahrten ihr verhängnisvolles Geheimnis gut. Nichts
verriet die Tragödie ihrer Herzen. — Ein großer Künstler
arbeitet am offenen Fenster, das auf die Aberli-Landschaft
hinausgeht; im Zimmer unter ihm sitzt seine Frau und lauscht
ängstlich auf seine Schritte, wenn er von Zeit zu Zeit ruhelos
umhergeht. Sie überwacht jede seiner Bewegungen, versucht
seine geheimsten Gedanken zu erraten und ihren Sinn zu
enträtseln. Was tut er? Was schreibt er? Welch neues
Mittel hat er nun gefunden, um allen Leiden, die er ihr zugefügt, die Krone aufzusetzen? Flüchtet er in das Land der
Dichtung, um dort für „die Andere" giftige Rosensträuße
zu pflücken? Schon lange hat sie erraten, was sich
zwischen den beiden begibt; früher hatte sie gefürchtet, daß
die Schröder-Devrient, die Pollert, die Heim, Jessie Laussot
und alle die ehrgeizigen Schauspielerinnen oder sittenlosen
Frauen ihr Richard abspenstig machen würden; aber jetzt
schien das kupplerische Schicksal selbst alles organisiert zu
haben.

In dem schön eingerichteten Hause auf der anderen Seite
des Weges sitzt eine junge Frau und erwartet die Stunde,
in der ihr Freund zu ihr kommt, um ihr ein weiteres Kapitel
ihrer Geschichte vorzulesen. Ihre Brauen sind zusammen-
gezogen, ihr Ausdruck ist entschlossen, und die Worte, die

sie gerade ihrem Gatten gesagt hat — kalte, ruhige, über-
zeugende Worte, scheinen noch in der Luft zu schweben. Otto
war heute, wie an vielen anderen Tagen, von bohrender Unruhe erfüllt, in sein Büro gegangen; niemand durfte von
seiner Herzenswunde etwas wissen. Er mußte in der Stille
leiden, damit kein Schatten die Ruhe Wagners trübe, dessen
Leben nur ein langes Leiden gewesen war. Denn die Seele
der jungen liebenden Frau kennt keine Feigheit und keine
Lüge, im Gegenteil nur furchtbare Aufrichtigkeit und jene
unaussprechliche Rücksichtslosigkeit, welche die Wahrheit, auch
wenn sie tödlich sein kann, dem Mitleid vorzieht. Mathilde
ist viel weniger schwach als Richard. Ihr Fraueninstinkt hat
eine Stärke, von der er nichts ahnt. Wenn er seit 20 Jahren
nur den Tod ersehnt, so hält sie es für ihre Ehrenpflicht, ihn
das Leben zu lehren, dem freudelosen Mann den Frieden zu
geben. Daß er sein Werk erfülle! Sie und ihr Gatte mögen
das Leid allein tragen, der Dichter darf nichts von dem Unglück wissen, das ihre Herzen zerreißt, und niemals, weder im
leidenschaftlichen Blick noch im freundlichen Lächeln, etwas
von den Tränen ahnen, die ihm seine Ruhe erkaufen. So
bringen die vier es fertig, mit Zärtlichkeit und Entschlossenheit auf der einen, mit Schweigen und unterdrückter Eifersucht auf der anderen Seite, einen Zustand zu schaffen, der
wie Glück aussieht.

Zu Anfang schien alles gut zu gehen; Minna fand Zerstreuung in der Gartenarbeit, während die Wesendonks mit
der kostbaren Einrichtung ihres Hauses und der Aufstellung
ihrer Gemäldesammlung beschäftigt waren. Wagner vollendete inzwischen den zweiten Akt „Siegfried“. Aber plötzlich ergeben sich neue Mißhelligkeiten: es wurde klar, daß
trotz der sonnigen Schönheit ihres neuen Heims die „Kriegs-
gefahr“, die bis jetzt heimlich zwischen den beiden Häusern
gedroht hatte, sich bald zu offenen Feindseligkeiten wandeln
würde. Minna, die von ihrem schlimmen Verdacht gequält

wurde, schloß keinen Waffenstillstand, sondern verfolgte mit unermüdlicher Energie ihre alte Methode der Nadelstiche und ewigen Vorwürfe. Otto verteidigte sein Heim mit der Geschicklichkeit eines erfahrenen Diplomaten; er zeigte der Welt die Maske scheinbarer Gleichgültigkeit, so daß niemand erraten konnte, was er vorhatte. Mathilde war mit Leib und Seele dem „bleichen Seemann" verfallen, „dem Mann, der nur Erlösung finden kann, wenn er ein Weib trifft, das ihm treu bis in den Tod ist". Sie ist Senta, Elisabeth, Elsa in einer Person; sie verkörpert die reine Liebe, die übersinnliche Liebe, die menschliche Liebe, sie wird zum hohen Urbild der Isolde, in der sich die Wollust und die Sehnsucht nach dem Tode vereinen. Schon läßt Wagner den „Siegfried" ruhen, den er „unter seiner Linde im zweiten Akt" verläßt. „Ich habe ... den ‚Siegfried' mir vom Herzen gerissen und wie einen lebendig Begrabenen unter Schloß und Riegel gelegt. Dort will ich ihn halten, und keiner soll ihn zu sehen bekommen, da ich ihn mir selbst verschließen muß ... So viel aber sehe ich, daß ich jetzt einmal wieder ein kleines Wunder tun muß, damit die Leute an mich glauben ..."

Aber das Wunder, das er ahnte, wird bei den Verlegern das Vertrauen nicht wiederherstellen, das sie seit dem „Rienzi" verloren haben. Es ist das „Tristan"-Wunder, das er notwendig braucht, um seine Entwicklung zu vollenden. Aus ihm soll später der mächtige Sohn, der Sproß der nach dem leidenschaftlichen Erlebnis wiedergewonnenen Ruhe entstehen: der „Siegfried" des dritten Aktes.

So also liebt er und schafft — er schafft, weil er liebt. Niemals vorher hatte ihn ein so heftiger Gestaltungswille beherrscht. Wenn er auch die Gegenwart seiner gekränkten und eifersüchtigen Frau den größten Teil des Tages über ertragen muß, so freut er sich um so mehr darauf, am Abend, in der Dämmerung, seine „Muse" wiederzusehen. In dem kleinen Salon, der ihr Reich geworden war, schlossen sie einander in die Arme. Dann zog Richard das Manuskript des „Tristan" aus der Tasche, das sie zusammen lasen. Mathilde gab ihm die fünf Gedichte, die sie gemacht hatte, er setzte sie in Musik: „Der Engel", „Träume", „Schmerzen", „Stehe still", „Im Treibhaus". (Zwei dieser Lieder enthalten die ersten Skizzen zum „Tristan": „Träume" für „Sink hernieder, Nacht der Liebe" im zweiten Akt, und „Im Treibhaus" für das Vorspiel zum dritten Akt.) Er kümmert sich nicht um Besuche, um Gesellschaften, um seine Freunde, um all die flüchtigen Schatten im großen Schattenspiel der Welt. Nichts konnte ihr leidenschaftliches Zwiegespräch unterbrechen. „Ein feierliches Schweigen" hüllte den Sommer des Jahres 1857 ein, in dem Wagner die Dichtung des „Tristan" begann und beendete. Trotzdem beherbergte er in dem hübschen, über seinem Arbeitsraum gelegenen Gastzimmer Eduard Devrient, den Intendanten des Karlsruher Theaters; Richard Pohl, den Komponisten Robert Franz. Eines Tages meldete auch Hans von Bülow, der sich gerade mit der jüngsten Tochter Liszts und der Gräfin d'Agoult verheiratet hatte, seine Ankunft an.

Das Paar war auf der Hochzeitsreise. Bülows hatten sich nur kurze Zeit in Genf und Bern aufgehalten und kamen dann nach Zürich. Gerade während der Arbeit am „Tristan", in den entscheidenden Tagen also des zwiefachen Dramas, der Kunst und des Lebens, führte Bülow, den er lange nicht gesehen hatte, dem Meister voller Freude seine junge Frau zu — ein schlankes Wesen von 20 Jahren mit einem Gesicht, das lebhafte Energie ausdrückte und dem Antlitz des geliebten heiligen Franz, ihres Vaters, sprechend ähnlich war. Auch sie sollte die Freundin des Verbannten werden, auch sie war vom Schicksal dazu bestimmt, der zauberhaften Anziehungskraft seines Genius zu unterliegen. So schuf der Zufall den dramatischen Moment, seine Isolde, Cosima, die junge, wenige Wochen verheiratete Frau, und Minna, das

Opfer des Schicksals, auf „dem grünen Hügel" zusammenzuführen. Zum erstenmal in seinem Dasein lebte Richard weder in der Vergangenheit noch in der Zukunft, nur die Gegenwart war wichtig; nur die Stunden, in denen seine Dichtung, in die Wirklichkeit des Lebens übertragen, Wort für Wort von den Lippen Mathildens tönte, zählten, nur die Augenblicke, die sie zusammen verbrachten, um Entzückungen zu genießen, die sie, wie sie wohl wußten, einst mit vielen Schmerzen bezahlen würden.

Aber nochmals — was tat das? Nach so heftigen Leidenschaften und der Vergessenheit, die sie brachten, was bedeutete da der Tod? „Ich lebe, ob ich gleich stürbe", heißt es bei Jesus von Nazareth. Selbstmord war das Ende, zu dem ihn alle seine Handlungen trieben; die Liebe ist nur der letzte und höchste Ausdruck seiner Sehnsucht nach dem Nirwana. Die Liebe Tristans und Isoldens — ihre eigene Liebe — bringt die Erlösung, nach der sich der fliegende Holländer so schmerzlich gesehnt hatte.

Als Hans ankam, war er krank; er litt an einem rheumatischen Fieber. Nachdem das junge Paar ein paar Tage im „Hotel zum Raben" gewohnt hatte, holte sie Richard in sein Haus und wies ihnen das über seinem eigenen Gemach gelegene Turmzimmer an. Er machte einen Besuch bei Wesendonks, kam bald wieder und ging dann mit Cosima spazieren; er war entzückt, in ihr einen so lebhaften Geist und trotz einer gewissen Schüchternheit, die sie nur schwer überwand (vielleicht war es sogar eine gewisse Zurückhaltung gerade ihm gegenüber, wie es manchmal scheinen mochte), einen festen Charakter und die gallische Anmut ihrer Mutter neben der nervösen Beweglichkeit ihres Vaters zu finden. Sobald Hans wieder genesen war, holten sie ihn ans Klavier; mit unvergleichlicher Meisterschaft spielte er das „Rheingold", die „Walküre" und den Entwurf zum „Siegfried" aus der Partitur. Jede Woche las Wagner seiner kleinen, aufs höchste gespannten Zuhörerschaft einen neuen Abschnitt der Tristandichtung vor.

„Am 18. September", schrieb Wagner später für Mathilde, „vollendete ich die Dichtung und brachte Dir den letzten Akt, Du geleitetest mich nach dem Stuhl vor dem Sofa, umarmtest mich und sagtest: ‚Nun habe ich keinen Wunsch mehr.' An diesem Tage, zu dieser Stunde wurde ich neu geboren. Bis dahin ging mein Vorleben. Nun begann mein Nachleben. In jenem wundervollen Augenblick lebte ich allein. Du weißt, wie ich ihn genoß: nicht aufbrausend, stürmisch, berauscht, sondern feierlich, tiefdurchdrungen, mild durchwärmt, frei, wie ewig vor mich hinschauend. Von der Welt hatte ich mich, schmerzlich immer bestimmter, losgelöst. Alles war zur Verneinung, zur Abwehr in mir geworden. Schmerzlich war selbst mein Kunstschaffen, denn es war Sehnsucht, ungestillte Sehnsucht, für jene Verneinung, jene Abwehr — das Bejahende, Eigene, Sich-mir-Vermählende zu finden. Jener Augenblick gab es mir ... Ein holdes Weib, schüchtern und zagend, warf mutig sich mitten in das Meer der Schmerzen und Leiden, um mir diesen herrlichen Augenblick zu schaffen, mir zu sagen: ich liebe Dich! So weihtest Du Dich dem Tode, um mir Leben zu geben: so empfing ich Dein Leben, um mit Dir zu leiden, mit Dir zu sterben."

Den 18. September ... Mathilde ... Das Asyl ... Cosima ... Tristan ... Scheidung ... Tod. Das waren die wilden schönen Schattenbilder, die vor seinen Augen schwankten und ihn mit solcher Schaffenslust erfüllten, daß er sofort nach der Abreise der Bülows in einem wahren Paroxysmus gestaltender Kraft die Komposition des Werkes begann, das an seinem Inneren zehrte. Jeder Morgen war ihm gewidmet; an den Nachmittagen machte er lange Spaziergänge in die nahe gelegenen Wälder, von Fips, einem Hund, den Mathilde ihm geschenkt hatte, begleitet. Am Abend besuchte er Wesendonks, oder Wesendonks kamen ins „Asyl". Krach mit Minna!

Auseinandersetzung — Versöhnung — neuer Streit. Arme Seele, die glaubte, auf diese Weise die Liebe des Mannes, von dem sie nicht lassen wollte, wiederzugewinnen, während er natürlich nur daran dachte, wie er ihr ein für alle Male entgehen könne. Trotzdem aber zögerte er noch, den letzten Schritt zu tun, da er das Opfer seines Mitleids war, das er so oft in seinen Werken verherrlicht hatte. „Ich muß mich entscheiden, und jede Wahl, die ich vor mir habe, ist so grausam, daß bei meiner Entscheidung ich den Freund zur Seite haben muß, den so einzig mir der Himmel geschenkt hat. Da ich hoffe, den Weg zu finden, auf dem ich am wenigsten Unheil verursache, gedenke ich, für jetzt nach Paris zu gehen ..." Aber Liszt trat diesmal nicht in Erscheinung, da er selber mit allen möglichen Dingen beschäftigt war: die Scheidung der Fürstin Karoline, seine Arbeit am Theater und einige leidenschaftliche Herzenserfahrungen ließen ihn nicht los. So lebte Wagner nur seinem bedrohten Glück; zu Weihnachten war die Musik für den ersten Akt „Tristan" entworfen. Seine Frau wurde ihm inzwischen immer mehr und mehr zur Last, und auch die Beziehungen zu Otto Wesendonk spannten sich. Er mußte ein wenig Ruhe und Zeit zur Überlegung haben und außerdem Geld auftreiben, um auf irgendwelche Weise aus der Sackgasse zu kommen, in die er geraten war. Im Januar 1858 entschloß er sich plötzlich, nach Paris zu reisen.

Berlioz, der damals an den „Trojanern" arbeitete, hieß ihn freudig willkommen und las ihm eines Abends den Text seiner Oper vor. Wagner fand seine Sprache trocken und gekünstelt; auch glaubte er nicht, daß der Stoff sich zur Komposition eigne. Er hoffte, Berlioz nicht noch einmal zu treffen, „weil ich mich und die Welt nicht so künstlich täuschen kann, als nötig ist, um wieder Berlioz in der Täuschung über mich und sich zu erhalten", wie er an Hans von Bülow schrieb. Dann besuchte er den Advokaten Emile Ollivier, der kürzlich Blandine Liszt, Cosimas ältere Schwester, geheiratet hatte.

Es war klug von Wagner, dies zu tun, denn sein neuer Freund vertrat ihn sogleich in einem Tantiemeprozeß. Olliviers Frau war hübsch und blond; er fühlte sich sogleich zu ihr hingezogen, und diese Zuneigung schien vollkommen gegenseitig zu sein. In einem Brief an Bülow nennt er sie „tief und ruhig". Dann schickte ihm Liszt wieder Geld; die ganze Familie des Freundes überbot sich in Freundschaftsbeweisen für den rast= losen und oft von düsteren Stimmungen gequälten „Wanderer", dessen Seele von innerem Feuer verzehrt wurde. Paris zeigte sich ihm von der angenehmsten Seite: man begann über den deutschen Komponisten und seine Opern zu sprechen, ja man behauptete sogar, daß diese eine Revolution auf dem Gebiete der Musik bedeuteten. Bei der Familie Hérold fand er die Tannhäuser=Partitur, und Frau Erard, die Gattin des be= rühmten Instrumentenbauers, schenkte ihm einen prachtvollen Flügel. Endlich war der Traum, den er in Mornex gehabt hatte, Wahrheit geworden: Paris war besser, als er angenommen hatte. Aber wie konnte er es ertragen, länger von seiner Geliebten, seiner Muse, getrennt zu sein? Wie konnte er es darauf ankommen lassen, in der lärmenden Stadt die ersten Motive des Tristan=Duettes, die ihm eingefallen waren, wieder zu vergessen? Er kehrte also in das „Asyl" zurück — wie er glaubte, um den zweiten Akt des „Tristan" zu beginnen: in Wahrheit aber war es der dritte und letzte Akt seines eigenen Lebensdramas, zu dem sich der Vorhang heben sollte. Der „Liebestod", den er so oft erbeten, so oft besungen hatte, er= wartete ihn jetzt.

„Entweder eine vollkommene Trennung oder eine voll= kommene Vereinigung" — so schreibt und sagt man oft; aber ist so etwas denn in Wahrheit möglich? Mathilde und Richard glaubten es zwar, aber der Gedanke war in diesem Falle der Vater des Wunsches. Als sie sich wiedersahen, kam es ihnen deutlich zum Bewußtsein, daß ein Verzicht auf ihr Glück ebenso unmöglich sei, wie das Schicksal dadurch zu zwingen, daß sie rücksichtslos das Leben anderer zerbrachen. Den letzten entscheidenden Schritt zu tun, alles zu wagen, würde für Minna den Tod bedeuten; einander aufzugeben, wäre einem Selbstmord gleichgekommen. Gab es kein Mittelding zwischen diesen beiden, den äußersten Fällen? Konnten sie ihre Liebe so vergeistigen, daß sie, die einander so nahe und doch so fern waren, von Herz zu Herzen in einer stillen begierdelosen Zuneigung vereint blieben? Um dieses Ziel zu erreichen, mußte die Flamme der Leidenschaft gelöscht werden: aber kein Liebender wird ohne Kampf auf das höchste Glück verzichten. Richard konnte es nicht über sich bringen, von einem Verlangen zu lassen, das noch so jung war, auf eine Leidenschaft zu verzichten, ohne die seine ganze Zukunft sinnlos erschien. Mathilde war zufrieden, wenn die Dämmerung kam und ihr die Freude seines täglichen Besuches brachte. Aber Minna beobachtete mit dem Zorn der alles Glücks Beraubten die geheimen Wege der Liebenden und war entschlossen, alles zu tun, damit diese nicht länger ihren Willen durchsetzen konnten. Sie spionierte das Kommen und Gehen zwischen den beiden Häusern aus; sie war innerlich fest überzeugt, daß nicht Eifersucht sie zu ihrer Überwachung veranlaßte, sondern nur die verhaßte Niedrigkeit und das heimliche Wesen der beiden; sie glaubte, daß wenigstens der äußere Schein gewahrt werden müsse. Aber der Zorn übermannte sie, und sie konnte ihre Rachsucht nicht länger zügeln. Endlich brach die Katastrophe herein.

Am 7. April bemerkte sie, daß ihr Gatte sehr aufgeregt und unruhig war. Jedesmal, wenn die Hausglocke tönte, kam er mit einem dicken Manuskriptbündel in der Hand aus seinem Arbeitszimmer. Es war die fertige Skizze zum ersten Akt „Tristan", die er zu Wesendonks hinüberschicken wollte. Ohne Zweifel erwartete er jemand, der kommen und das Manuskript holen sollte. Aber niemand kam, und so gab er die Papiere endlich dem Bedienten. Das war der Moment, auf

den Minna, hinter den Vorhängen ihres Zimmers versteckt,
gewartet hatte. Sie rief den Mann zurück und sagte ihm, daß
sie selbst die Papiere zu Wesendonks bringen wolle. Dann
öffnete sie das Paket und nahm den Brief heraus — sie
wußte, daß sie ihn finden würde. Es war der unglückliche
Brief eines Mannes, der selber unglücklich und eifersüchtig
(auf den italienischen Professor de Sanctis, damals in
Zürich und mit den Wesendonks befreundet), vor Ungeduld
zitterte, von Zärtlichkeit überfloß und von tiefer, aufrich-
tiger Liebe erfüllt war. Minna las den Brief mit kalter
Wut; vielleicht war sie sogar ein wenig enttäuscht. „O
nein, nein, es ist nicht de Sanctis, den ich hasse, sondern
mich selbst, weil ich immer so schwach bin. Kann der Zustand meiner Nerven und die sich aus ihm ergebende Unruhe
schuld daran und eine Entschuldigung für mich sein? Vor-
gestern mittag kam ein Engel zu mir und segnete mich ...
er tat mir so gut, machte mich so glücklich, daß ich am Abend
den brennenden Wunsch in mir fühlte, auszugehen und ein
paar Freunde an meiner Freude teilnehmen zu lassen ...
Während dieser Zeit war de Sanctis bei Dir ... Ich wartete
vergeblich ... Glücklicher Mann — er war bei Dir und hielt
Dich von mir fern ... Warum kümmerst Du Dich soviel um
diese Pedanten? Sie sind entsetzlich langweilig ... In dieser
Stimmung blieb ich die ganze Nacht. Am Morgen war ich
wieder vernünftig und konnte ein inniges Gebet an meinen
Engel richten; und dieses Gebet ist Liebe, ganz Liebe. Wie
froh bin ich in dieser Liebe! Sie bedeutet meine Erlösung.
Der Tag dämmerte herauf und brachte schlechtes Wetter. Die
Freude, Dich zu sehen, war mir versagt; mit meinem Werk
kam ich nicht weiter. So ging der ganze Tag in Kampf
zwischen meiner schlechten Stimmung und der Sehnsucht nach
Dir vorüber. Und immer, wenn ich fühlte, daß ich Dich sehen
müsse, stand unser schrecklicher Pedant zwischen uns — er,
der Dich mir gestohlen hat ... Ich mußte Dir das sagen,

ich konnte mir nicht helfen ... Aber sobald ich in Deine Augen sehe, kann ich nichts mehr sagen. Alle meine Worte scheinen ihren Wert zu verlieren — höre, alles wird für mich so unbeschreiblich wahr. Ich bin meiner so sicher, wenn Deine angebeteten heiligen Augen auf mir ruhen und ich in ihren Tiefen versinke, daß es sich nicht länger um die Frage nach dem Subjekt und dem Objekt handelt; beide werden eins; alles wird zur unendlich tiefen Harmonie. Oh, das ist der Friede und in diesem Frieden das höchste ideale Leben. Tor, der den Frieden und die Welt von außen her erobern wollte. Der Blinde! Er hat Deine Augen nicht gesehen und Deine Seele nicht in diesen gefunden ... Sogar zu Dir kann ich nur von mir sprechen, mich selbst erklären, wenn ich Dich nicht sehe ... Heute will ich, so wie ich Dich sehe, in Deinen Gärten kommen und hoffe, Dich dort für einen Augenblick allein zu finden. Nimm meine ganze Seele als Morgengruß."

Minna steckte den Brief in die Tasche, kreuzte den Hohlweg zum andern Haus hinüber und suchte Mathilde auf. „Wenn ich einen gemeinen Charakter hätte", sagte sie, „würde ich diesen Brief Ihrem Mann zeigen." Es war ihr nicht bekannt, daß Otto, den seine Gattin niemals über ihre Gefühle im unklaren gelassen hatte, alles wußte. Noch wichtiger aber war folgendes: sie konnte nicht ahnen, daß Ottos Liebe zu Mathilde so großmütig und selbstlos war, daß er sie verstand und entschuldigte, die Stunde erwartend, in der der Zauber enden und die verirrte Seele ihren Weg zu ihm zurückfinden würde. Wenn er auch die Geschichte von Isoldens Leidenschaft kannte, mag er doch in seinem Innersten gezweifelt haben, daß die Beziehungen seiner Frau zu diesem abgebrannten Bohème-Tristan, der schließlich nur als Friedensstörer in sein Haus eingebrochen war, über ein rein freundschaftliches Verhältnis hinausgingen. Mathilde nahm die Beleidigung nicht ruhig hin; zunächst begleitete sie die Besucherin höflich zur Türe und teilte dann Wesendonk die ganze Sache mit.

Wagner sah das Ehepaar am Nachmittag, als sie in ihrem Wagen ausfuhren; es fiel ihm auf, daß sie beide einen ziemlich bedrückten Eindruck machten, aber er glaubte trotzdem ein kleines, befriedigtes Lächeln um Wesendonks Lippen spielen zu sehen. Auch Minna sah mit einemmal ganz zufrieden aus. Er fragte sie, und die Aufklärung folgte — ein Strom von ärgerlichen Worten ergoß sich, da sich beide betrogen fühlten und keiner wußte, welche Folgen die häßliche Szene haben würde. Wagner ließ seiner Frau keinen Zweifel darüber, daß die Konsequenzen für sie schwer sein würden: Minna sollte das Haus verlassen und zunächst wegen ihres Herzleidens und ihrer angegriffenen Nerven eine Kur brauchen, die sie in der Tat sehr nötig hatte.

Minna fügte sich der Entscheidung willig, denn sie wußte, daß sie die Schlacht gewonnen hatte. Wenn sie teuer für den Sieg bezahlen mußte, so konnte sie es nicht ändern — ihr Stolz war gerettet, und das bedeutet für eine Frau: ihre Ehre. Nicht Richard hatte sie treffen wollen, sondern Mathilde. Nun konnte sie das Schlachtfeld räumen, da der Zauber gebrochen und der Kreis zerstört war, in dem die Liebenden, blind für alles außer für sich selbst, gelebt hatten.

Sie hatte in der Tat ihr Ziel erreicht; Mathilde empfand die Beleidigung tief, nicht nur weil sie ihr von der kleinen, ziemlich gewöhnlichen Frau zugefügt worden war — nein, sie war aufs schwerste verletzt, weil Wagner nicht genug Autorität oder Freimut besessen hatte, um ihr eine solche Erniedrigung zu ersparen. Otto erkannte die günstige Gelegenheit und reiste mit seiner Frau für einen Monat nach Piemont. Gerade vor ihrer Abfahrt kam der Erard=Flügel im „Asyl" an und brachte eine willkommene Entspannung, als die Krise auf ihrem Höhepunkt war. Wagner hatte ihn in sein Arbeits=zimmer stellen lassen und spielte bei offenem Fenster; Mathilde lehnte an der Balkonbrüstung ihres Billardzimmers und lauschte von ferne den Klängen, die ihr Geliebter soeben ge=

schaffen hatte: es war die Musik zur Liebesszene des zweiten Aktes „Tristan". Mathilde bewahrte die Erinnerung an die wunderbaren Töne, an den „Schwanengesang", stets in ihrem Herzen: denn Wagner taufte den Ebenholzflügel „Schwan", der unter seinen Händen den Tod ihrer Liebe gesungen hatte.

Minna begann sogleich ihre Kur in Brestenberg, wurde aber bald so krank, daß Wagner jeden Tag befürchten mußte, die Nachricht ihres Todes zu erhalten. Er war allein auf dem „Grünen Hügel" geblieben; auf langen Spaziergängen suchte er die Ruhe seiner Seele im Schweigen des strahlenden Sommers, unter dessen goldenem Glanz das benachbarte Haus mit seinen geschlossenen Fensterläden aussah wie ein verlassener Florentiner Palast. Die Vögel sangen in dem mit Blumen und Marmorstatuen geschmückten Garten; Skulpturen der Diana und Jupiters standen dort, die Otto aus Italien mitgebracht hatte. Sollte er so schnell den Ort verlassen, an dem er eben erst die bittersüßen Entzückungen des Lebens kennengelernt hatte? Würde Mathilde ihm vergeben? Er fragte Frau Wille, seine und Mathildens Vertraute, um Rat. Mit größtem Takt tat Frau Wille alles, was in ihren Kräften stand. Ja, Mathilde verzieh ihm, weil sie ihn liebte: eines Tages kam ein Brief von ihr, in dem sie dies aussprach. Seine Freude war tief und ernst. Mathilde schien die letzten egoistischen Regungen aus ihrem Herzen zu tilgen. Wenn ihn auch diese Treue im Unglück fast bedrückte, überkam ihn doch die Sicherheit, so geliebt zu werden, mit einer ungeahnten Stärke; diese allein konnte ihm helfen, seine Gefühle in die geheimnisvolle Welt zu übertragen, die zu erreichen von nun an sein Ziel blieb — die Stärke der Entsagung.

Dienstag früh, den 6. Juli 1858, schrieb er an Mathilde:

„… Mein Kind, ich kann mir nur noch ein Heil denken, und dieses kann nur aus der innersten Tiefe des Herzens, nicht aber aus irgendeiner äußeren Veranstaltung kommen. Es heißt: Ruhe! Ruhe der Sehnsucht! Stillung jedem Be=

gehren! Edle, würdige Überwindung! Leben für andere, für andere — zum Troste für uns selbst!

„Du kennst jetzt die ganze ernste, entscheidende Stimmung meiner Seele; sie bezieht sich auf meine ganze Lebensanschauung, auf alle Zukunft, auf alles, was mir nahe steht — und so auch auf Dich, die Du mir das Teuerste bist! Laß mich nun noch auf den Trümmern dieser Welt des Sehnens — Dich beglücken!... Ich werde Euch nicht oft besuchen, denn Ihr sollt mich fortan nur noch sehen, wenn ich sicher bin, Euch ein heitres, ruhiges Gesicht zu zeigen. — Sonst suchte ich wohl im Leiden und Sehnen Dein Haus auf: dorthin, von wo ich mir Trost holen wollte, brachte ich Unruhe und Leiden. Das soll nicht mehr sein. Siehst Du mich daher längere Zeit nicht mehr, so — bete für mich im stillen! — Denn dann wisse, daß ich leide! Komme ich aber dann, so sei sicher, daß ich Euch eine holde Gabe meines Wesens ins Haus bringe, eine Gabe, wie es vielleicht nur mir verliehen ist zu spenden, mir, der so viel und willig litt.

„Wahrscheinlich, ja — gewiß, tritt nun auch nächstens, ich vermute schon Anfang Winters, die Zeit ein, wo ich für länger mich ganz von Zürich entferne...

„Mein Kind, die letzten Monate haben mir an den Schläfen das Haar merklich gebleicht; es ist eine Stimme in mir, die mit Sehnsucht mir nach Ruhe ruft — nach der Ruhe, die ich vor langen Jahren schon meinen ‚Fliegenden Holländer‘ sich ersehnen ließ. Es war die Sehnsucht nach — ‚der Heimat‘ —, nicht nach üppigem Liebesgenuß! Ein treues, herrliches Weib nur konnte ihm diese Heimat erringen. Laß uns diesem schönen Tode weihen, der all unser Sehnen und Begehren birgt und stillt! Laß uns selig dahinsterben, mit ruhig verklärtem Blick und dem heiligen Lächeln schöner Überwindung! Und — keiner soll dann verlieren, wenn wir — — siegen!...“

War dies ein letztes Lebewohl? Keineswegs. Sie liebten einander zu innig, um sich so trennen zu können. Aber sie

mußten den Tatsachen ins Auge sehen: es war klar, daß die
Möglichkeit, weiter zusammen zu bleiben, für lange Zeit nicht
mehr in Frage kam. Otto und Minna mußten beruhigt
werden, und der Friede, den Wagner sich so heiß für sich selber
wünschte, mußte auch denen wiedergegeben werden, die er in
so große Verwirrung gestürzt hatte. Also mußte er sich aufs
neue auf den Weg machen und wieder einmal zum ruhelosen Wanderer werden, der jedenfalls doch niemals die Frau
treffen würde, die um seinetwillen alles verlassen, ihm folgen
und ihn von sich selbst erlösen würde. „Er bringt überall,
wo er hinkommt, die Revolution mit sich", sagte Mathilde:
deswegen hatte sie ihn geliebt, deswegen mußte er nun
fliehen. Aber auch für Minna würde seine Abwesenheit eine
Befreiung bedeuten. Richard schrieb an Liszt und erzählte ihm
von dem schweren Herzleiden, das seine Frau befallen hatte;
als der unvergleichliche Egoist, der er war, fuhr er fort: „So
erwachsen denn auch mir hieraus neue Pflichten, über die ich
meine eigenen Leiden zu verwischen suchen muß."

Einige Besuche brachten Abwechslung: die Sänger Tichatschek und Niemann, sowie der hervorragende Pianist Tausig,
der Wagner begeisterte. Er war ein Jüngling von etwa
sechzehn Jahren, übermütig wie ein Schuljunge und klug wie
ein alter Mann; den ganzen Tag rauchte er riesige Zigarren.
Seine Virtuosität hatte fast etwas Erschreckendes; er tobte
sich mit Entzücken auf dem neuen Erard-Flügel aus. Richard
gab ihm Schopenhauer zu lesen, und Tausig fertigte einen
ausgezeichneten Klavierauszug der beiden ersten Akte „Siegfried" an. Dann kam Minna zurück, die noch nicht geheilt
war, aber sich im großen ganzen doch viel besser fühlte.
Wenig später erschienen die Bülows von neuem und brachten
diesmal die Gräfin d'Agoult mit, die, wie sie sagte, nach
Zürich gekommen war, „um berühmte Männer kennenzulernen". Merkwürdigerweise glich sie Liszt, ihrem früheren
Liebhaber, sehr! Siegmund und Sieglinde... Aus London

kam Karl Klindworth. Man sang und spielte die „Walküre"
und das „Rheingold". Wenn Richard aber auch den Mittelpunkt der ganzen Gesellschaft bildete und alle aufmerksam
und interessiert waren, blieb die Stimmung doch gespannt
oder gedrückt, weil in den Zügen Wagners und seiner Frau
deutlich nervöse Erregung und Abspannung zu lesen waren.
Während dieser fieberhaften, von Musik erfüllten Zeit sollte
endlich die Lösung erfolgen.

Nach ihrer Rückkehr von Brestenberg hatte Minna Gelegenheit, neue Mißhelligkeiten zu schaffen. Der Vorfall war
peinlich und komisch zugleich; seine Wirkungen wurden deutlich, sobald die Logiergäste abgereist waren. Bülows blieben
bis zuletzt: Hans weinte beim Abschied, und Cosima verharrte
in düsterem Schweigen. Dann begann das Theater: Minna
war töricht genug gewesen, sich einzubilden, daß ihre Handlungsweise ein für allemal der Liebe ihres Mannes zu Mathilde ein Ende gesetzt habe; sie meinte, nun würde alles, wie
früher, sich in Ruhe weiter entwickeln — sie glaubte, die
Rose sei geknickt und ihrer Dornen beraubt. Was war geschehen? Der Mann, der bei Wagners Diener und Gärtner
zugleich war, hatte zu Ehren ihrer Rückkehr nach Schweizer
Sitte die Haustür mit einer Girlande umkränzt — der Ein-
gang lag an der Hausseite, die der Villa Wesendonk zugekehrt
war. Nun wollte Minna, daß dieser Schmuck, gleichsam als
Zeugnis ihres Sieges, an seinem Platze bliebe. Natürlich
mußte Mathilde darin eine Beleidigung sehen und bestand
diesmal darauf, daß ihre Rivalin das Haus verließ. Minna
widersetzte sich, und Richard versuchte sie zu zwingen. Da sie
die Schwächere war, mußte sie nachgeben. Das bedeutete
das Ende des Asyls; die Bande, welche die unglückliche Ehe
Minnas und Richards noch zusammengehalten hatten, waren
dieser Erschütterung nicht gewachsen.

„...Dieses Weib... wütend, außer sich", schrieb Minna
an eine ihrer Freundinnen, „daß ich da bin und will es aus

Eifersucht nicht mehr dulden, daß ich bleibe, nur Richard allein soll hier hausen, was er aber auch nicht kann. Richard hat zwei Herzen, er ist umstrickt von der andern Seite und hängt aus Gewohnheit an mir, das ist alles. Mein Entschluß ist nun, da dieses Weib es nicht ertragen will, daß ich mit meinem Mann zusammenbleibe, und er schwach genug ist, ihr den Willen zu tun, abwechselnd in Dresden, dann in Berlin, Weimar zu sein, bis mich entweder Richard oder der liebe Gott abruft... In vierzehn Tagen muß ich mich mit dem Verkauf der Möbel und mit Einpacken beschäftigen. Richard reist schon wieder vorher fort. Ich weiß noch nicht wohin, vielleicht nach Italien. Mit ihm spreche ich über diesen Fall gar nicht. Wir sind scheinbar gut miteinander, er leidet zuweilen, doch nicht um mich, und ich nur um ihn. Ich hasse die Welt, daß die schwachen Menschen einander solche Qualen bereiten."

Man muß die arme Frau bedauern, aber schließlich hatte sie ihr Unglück selbst verschuldet und wohl auch allzu wenig an ihre eigenen Abenteuer mit Schwabe und Dietrich und ihre Fluchten nach Berlin und Hamburg gedacht. Ohne Zweifel war sie überzeugt, daß durch die Leiden, die sie erlitten, und die Nöte, durch die sie gemeinsam mit Richard gegangen war, alle ihre Seitensprünge abgebüßt seien. Aber es ist unmöglich, eine tote Liebe wieder zum Leben zu erwecken, gleichgültig, ein wie hoher Preis dafür bezahlt wird. Wagner war natürlich ein schwacher Mensch: aber ein Mann wird immer schwach sein, wenn er sich verliebt und nicht weiß, ob er eine neue Bindung lösen oder dieser die alte Liebe opfern soll. Minna sah Richards Weg der Pflicht klar vorgezeichnet: er mußte natürlich nur zu ihr zurückführen. Aber Wagner hielt seine Gefühle für nicht weniger stark und richtig. Minnas Selbstsucht stand gegen seinen eigenen Egoismus. Vielleicht hätte der Liebhaber in ihm den Gatten überwunden, aber Mitleid und die Erinnerungen an zwanzig

Jahre gemeinsamen Zusammenlebens standen seiner Liebe gleichwertig gegenüber. Minna gab nicht nach, und Wagner auch nicht. So beschlossen sie endlich, sich eine Zeitlang zu trennen. Sie wollte ihm von nun an Freiheit lassen, dafür sollte er auf ein Leben in der Nähe Mathildens verzichten. So gingen sie, jeder seinem Leid hingegeben, jeder seinen eigenen Weg.

„Hätte ich ihn zu Grabe geleitet", erzählt Minna weiter, „ich hätte keinen größeren Schmerz empfinden können. Der Abschied wurde mir auch deshalb so schwer, weil ich das Gefühl hatte, daß dies eine Trennung für das ganze Leben sei. Richard vergoß nur Tränen, als er auf der Eisenbahn im Waggon saß; vorher hatte er keine Gedanken, keinen Blick und kein Gefühl für mich. Als ich ihn noch den Weg herunter in den Garten begleitete, wo man das Wesendonksche Haus sehen kann, ging er wie ein Blinder an meiner Seite und sah unverwandt hinüber, ohne meinen Schmerz, mit dem ich ihm zur Seite ging, nur im geringsten zu beachten, bis ich ihn bei den Händen faßte und ihn sanft zu mir mit den Worten wandte: ‚Richard, sieh mich doch an!' . . . Ich konnte das Gefühl nicht loswerden, daß ich ihn in diesem Leben nicht wiedersehen würde. Und doch, würde mich Richard zu sich rufen, ich versichere es Ihnen, ich könnte ihn nicht schon wiedersehen. Es muß wenigstens ein oder mehrere Jahre darüber hingehen, ehe ich mich entschließen könnte, zu ihm zu gehen."

Wagner legte sogleich ein Tagebuch für Mathilde an. Es beginnt mit einem der Todesgesänge, die für ihn immer die wahren Liebeslieder bedeuteten. Aus Genf schrieb er ihr vier Tage nach seiner Abreise, Genf, 21. August:

„Diese letzte Nacht im Asyl legte ich mich nach elf Uhr ins Bett; andren Morgens um fünf Uhr sollte ich abreisen. Ehe ich die Augen schloß, ging es mir lebhaft durch die Seele, wie ich mich sonst immer an dieser Stelle in Schlaf gebracht durch die Vorstellung, eben da würde ich einst sterben; so würde ich liegen, wenn Du zum letztenmal zu mir trätest, wenn Du offen vor allen mein Haupt in Deine Arme schlössest und mit einem letzten Kusse meine Seele empfängest! Dieser Tod war mir die holdeste Vorstellung, und sie hatte sich ganz an der Lokalität meines Schlafzimmers ausgebildet; die Türe nach der Treppe zu war geschlossen, Du tratest durch die Gardine des Arbeitszimmers; so schlangest Du Deinen Arm um mich; so auf Dich blickend, starb ich. — Und wie nun? Auch diese Möglichkeit zu sterben war mir entrückt? Kalt, und wie gesagt, verließ ich dieses Haus, in welchem ich mit einem Dämon eingeschlossen war, den ich nicht mehr bannen konnte als durch die Flucht. — Wo — wo werde ich nun sterben? — — So entschlief ich.

„Aus bangen Träumen erweckte mich da ein wunderbares Rauschen: mit dem Erwachen fühlte ich deutlich einen Kuß auf meiner Stirn — ein schriller Seufzer folgte. Das war so lebhaft, daß ich auffuhr und um mich blickte. Alles still. Ich zündete Licht an; es war kurz vor ein Uhr, am Ende der Geisterstunde. Hatte ein Geist in dieser bangen Stunde bei mir Wache gestanden? Wachtest Du oder schliefst um diese Zeit? — Wie war es Dir? — Kein Auge konnte ich nun wieder schließen. Lange quälte ich mich vergebens im Bett, bis ich endlich aufstand, mich vollständig ankleidete, den letzten Koffer schloß, und nun, auf und ab gehend, bald auf dem Ruhebett mich ausstreckend, bang den Tag erwartete. Er erschien dieses Mal später, als ich es von schlaflosen Nächten im vergangenen Sommer her gewöhnt war. Schamrot kroch die Sonne hinter dem Berge hervor. — Da blickte ich noch einmal hinüber. — O Himmel! Mir kam keine Träne; aber mir war es, als erblichen alle Haare meiner Schläfe! — Nun hatte ich Abschied genommen. Jetzt war alles kalt und sicher in mir. — Ich ging hinunter. Dort erwartete mich meine Frau. Sie bot mir den Tee. Es war eine schreckliche, jämmerliche Stunde. — Sie begleitete mich. Wir stiegen den Garten hinab. Es war ein prachtvoller Morgen. Ich sah mich nicht um. — Beim letzten Abschied brach meine Frau in Jammer und Tränen aus. Zum erstenmal blieb mein Auge trocken. Noch einmal redete ich ihr zu, sich mild und edel zu zeigen und sich christlichen Trost zu gewinnen. Die alte, rachsüchtige Heftigkeit loderte abermals in ihr auf. — Sie ist unrettbar! mußte ich mir sagen. Doch — rächen kann ich mich an der Unglücklichen nicht. Sie selbst muß ihr Urteil vollziehen. — So war ich furchtbar ernst, bitter und traurig. Doch — weinen konnte ich nicht. — So reiste ich fort. Und siehe! — ich leugne es nicht: mir ward wohl, ich atmete frei. — Ich ging in die Einsamkeit: da bin ich heimisch; dort in der Einsamkeit, wo ich mit jedem Atemzuge Dich lieben darf!... Gewiß, wir werden alles, alles vergessen und verschmerzen, und nur ein Hochgefühl wird bleiben, das Bewußtsein, daß hier ein Wunder vorging, das die Natur in Jahrhunderten einmal webt, das ihr so edel aber vielleicht noch nie gelang. Laß allen Schmerz! Wir sind die Glücklichsten! Mit wem wollten wir tauschen?"

In den Zürcher Zeitungen erschien folgende Anzeige: „Einrichtung zu verkaufen, beste Gelegenheit infolge Abreise des Besitzers." In Genf ließ sich Wagner eine lederne Tasche für die Briefe machen, die er von Mathilde zu erhalten hoffte. Sie waren übereingekommen, daß er ein Tagebuch für sie führen und mit Elisa Wille in Briefwechsel bleiben sollte. Dann traf er Karl Ritter wieder: Streitigkeiten hatten sie einige Zeit voneinander ferngehalten, ein Umstand, der seine pekuniäre Lage während der letzten Monate erschwert hatte. Da sie nun wieder versöhnt waren, beschlossen sie, zusammen nach Venedig zu reisen, um dort den Herbst und den Winter zuzubringen. Sie hatten das Gefühl, als läge eine lange, heilsame und ruhevolle Ferienzeit offen vor ihnen.

Einige Tage später kamen die Reisenden auf dem Eisenbahn-
damm an, der Venedig mit dem Festland verbindet: sie sahen
die Stadt vom Schein der untergehenden Sonne vergoldet
vor sich liegen und warfen in übermütiger Laune ihre Hüte
aus dem Fenster des Coupés. Barhäuptig hielten sie ihren
Einzug in Venedig; eine Gondel brachte die Reisenden zur
Piazzetta. Sie war schwarz, und die Vorhänge des Baldachins
hingen halbgeschlossen herunter. Wagner kroch in banger
Stimmung unter das mit schwarzem Tuch verhängte Dach.

V

Der Liebestod

Bruchstücke aus Wagners Tagebuch
für Mathilde Wesendonk

Venedig, den 3. September.

... Venedig, Canale grande, Markusplatz ... eine aus-
gelebte Welt ... Was mich erhob, was bei mir und in mir
war, das dauerte: das Glück, von Dir geliebt zu sein! ...
Alles wird objektiv, wie ein Kunstwerk. Ich will hierbleiben
— und somit werde ich es. — Am andren Tag, nach langer
Überwindung, Wohnung genommen am Großen Kanal, in
einem mächtigen Palast, in dem ich für jetzt noch ganz allein
bin. Weite, erhabene Räume, in denen ich nach Belieben
umherwandle. Da mir die Wohnung, als das Gehäuse
meines Arbeitsmechanismus, so wichtig, verwende ich alle
Sorgfalt darauf, sie mir nach Wunsch herzurichten. Um den
Erard habe ich sofort geschrieben. Er muß in meinem großen,
hohen Palastsaale wundervoll klingen. Die große, durchaus
eigentümliche Stille des Kanals stimmt mir vortrefflich. Erst
abends fünf Uhr verlasse ich die Wohnung, um zu speisen;
dann Promenade nach dem Öffentlichen Garten; kurzer Aufenthalt auf dem Markusplatz, der durchaus theatralisch anregt durch seine ganz besondere Eigentümlichkeit und das mir
ganz fremde, mich gänzlich unberührende, nur die Phantasie
zerstreuende Menschengewoge. Gegen neun Uhr Heimkehr in
der Gondel; treffe die Lampe angezündet und lese ein wenig

bis zum Schlaf... Diese Einsamkeit, hier fast einzig mir
möglich — und zwar so angenehm möglich, schmeichelt mir
und meinen Hoffnungen. — Ja! Ich hoffe, für Dich zu
genesen! Dich mir erhalten, heißt mich meiner Kunst erhalten.
Mit ihr — Dir zum Troste leben, das ist meine Aufgabe, dies
stimmt mit meiner Natur, meinem Schicksale, meinem Willen
— meiner Liebe. So bin ich Dein; so sollst auch Du durch
mich genesen! Hier wird der „Tristan" vollendet — allem
Wüten der Welt zum Trotz. Und mit ihm, darf ich, kehre ich
dann zurück, Dich zu sehen, zu trösten, zu beglücken! So
steht es vor mir, als schönster, heiligster Wunsch. Nun wohlan!
Held Tristan, Heldin Isolde! helft mir! helft meinem Engel!
Hier sollt ihr ausbluten, hier sollen die Wunden heilen und
sich schließen. Von hier soll die Welt die erhabene, edle Not der
höchsten Liebe erfahren, die Klagen der leidenvollsten Wonne...

7. September.

Heute schrieb mir Frau Wille. Es waren die ersten Nachrichten, die ich über Dich erhielt. Du seist gefaßt, ruhig und
entschlossen, die Entsagung durchzuführen! Eltern, Kinder —
Pflichten. — Wie mich das in meiner heilig, ernst-heitren
Stimmung doch fremd anklang! — Dachte ich an Dich, nie
kamen mir Eltern, Kinder und Pflichten in den Sinn: ich
wußte nur, daß Du mich liebtest, und daß alles Erhabene in
der Welt unglücklich sein muß... Ich sehe Dich dann plötzlich
in Deinem prächtigen Hause, sehe alles das, höre alle die,
denen wir ewig unverständlich bleiben müssen, die fremd —
uns nahe sind, um ängstlich das Nahe von uns fernzuhalten.
Und mich faßt Grimm, sagen zu sollen: diesen, die nichts von
dir wissen, nichts von dir begreifen, aber alles von dir wollen,
sollst du alles opfern! — Ich kann und mag das nicht sehen
und hören, wenn ich mein Erdenwerk würdig vollenden soll!
Nur aus dem Tiefsten des Innern kann ich die Kraft gewinnen,
aber — von außen regt mich alles zur Bitterkeit auf, was

sich meiner Entschlüsse bemächtigen will. — Du hoffst mich den Winter einige Stunden in Rom zu sehen? Ich fürchte — Dich nicht sehen zu können! Dich sehen, — und zur behaglichen Zufriedenheit eines anderen dann von Dir scheiden, — ob ich das jetzt schon kann? Wohl nicht! — Auch keine Briefe willst Du? — ... Ich hoffe. —

13. September.

Ich war so traurig, daß ich selbst dem Tagebuche nichts anvertrauen wollte. Da kam heute Dein Brief — der Brief an Frau Wille. — Daß Du mich liebst, wußte ich wohl: Du bist auch wie immer gut, tief und sinnig; ... Ich verstehe Dich, — auch da, wo ich Dir ein leises Unrecht gebe — ... Doch wozu jetzt das noch? — ... An Frau Wille werde ich bald auch schreiben; aber auch mit den Briefen an sie will ich mäßig sein. Gott! es ist nun einmal alles so schwer, und das Höchste gewinnt sich doch nur durch Mäßigung. — Ja! es ist gut und wird alles gut werden. Unsere Liebe ist über jedes Hindernis erhaben, und jede Hemmung macht uns reicher, geistvoller, edler und immer mehr auf den Inhalt und auf das Wesen unserer Liebe gerichtet, immer gleichgültiger gegen das Unwesentliche. Ja, Du Gute, Reine, Holde! wir werden siegen, — wir sind schon mitten im Siege. —

16. September.

... Der „Tristan" wird noch viel kosten; ist er aber einmal ganz beendigt, so dünkt es mich, als ob dann eine wunderbarbedeutende Lebensperiode bei mir abgeschlossen sein müßte, und ich dann mit neuem Sinne, ruhig, klar und tief bewußt in die Welt und durch die Welt zu Dir aufschauen würde. Darum drängt es mich jetzt auch so sehr nach der Arbeit. —

23. September.

... So schweigend, wie sagen wir uns deutlich, was uns so unaussprechlich ist? —

29. September.

... Ich fuhr nach Sonnenuntergang auf der Gondel dem Mond regelmäßig dem Lido zu entgegen. Der Kampf zwischen Tag und Nacht war stets ein wundervolles Schauspiel am reinen Himmel. ... Dem Blicke, der dahin schweifte, wo Du weilest, von wo Du nach dem Monde sahest, trat ..., mit wachsendem Lichtschweife, der Komet entgegen. Mir hatte er nichts Schreckendes, wie mir überhaupt nichts mehr Furcht einflößt, weil ich so gar kein Hoffen, gar keine Zukunft mehr habe; ... Bin ich so ein Komet? Brachte ich Unglück? — War das meine Schuld? — ... Dann geht es den ernsten melancholischen Kanal hinab: links und rechts herrliche Paläste. Alles lautlos, nur das sanfte Gleiten der Gondel, das Plätschern des Ruderschlages. Breite Mondesschatten. An dem stummen Palaste wird ausgestiegen. Weite Räume und Hallen, von mir allein noch bewohnt. ... Ich nehme das Buch zur Hand, lese wenig, sinne viel. Alles still. — Da, Musik auf dem Kanal: eine buntbeleuchtete Gondel mit Sängern und Musikern; mehr und immer mehr Kähne mit Zuhörern schließen sich an: die ganze Breite des Kanals schwimmt das Geschwader, kaum bewegt, sanft gleitend, dahin. Schöne Stimmen, passable Instrumente, tragen Lieder vor. Alles ist Ohr. — Da endlich biegt es, kaum merklich, um die Ecke und verschwindet noch unmerklicher. Lange noch höre ich, von der Nachtstille veredelt und verklärt, die Töne, die als Kunst mich nicht wohl fesseln könnten, hier aber zur Natur geworden. Alles verstummt endlich: der letzte Klang löst sich wie in das Mondlicht auf, das, wie die sichtbar gebliebene Klangwelt, sanft fortleuchtet. — ... Auf dem Tisch vor mir liegt ein kleines Bild. Es ist das Porträt meines Vaters, das ich Dir nicht mehr zeigen konnte, als es ankam. Es zeigt ein edles, weiches, leidend sinnendes Gesicht, das mich unendlich rührt. Mir ist es sehr wert geworden. — Wer zu mir tritt, vermutet zunächst gewiß das Bild einer geliebten Frau zu treffen. Nein!

Von der habe ich kein Bild. Aber ihre Seele trage ich in meinem Herzen ...

5. Oktober.

... Mein Kind, wohl hatte der herrliche Buddha recht, als er streng die Kunst ausschloß. Wer fühlt es deutlicher als ich, daß diese unselige Kunst es ist, die mich ewig der Qual des Lebens und allen Widersprüchen des Daseins zurückgibt? Wäre diese wunderbare Gabe, dieses so starke Vorherrschen der bildnerischen Phantasie nicht in mir, so könnte ich der hellen Erkenntnis nach, dem Drange des Herzens folgend — Heiliger werden; und als Heiliger dürfte ich Dir sagen: komm, verlaß alles, was Dich hält, zertrümmere die Banden der Natur; um diesen Preis zeige ich Dir den offenen Weg zum Heile! — Dann wären wir frei: Ananda und Sawitri! — Aber so ist's nicht. Denn sieh! auch dies, dieses Wissen, diese deutliche Einsicht — sie macht mich nur immer wieder zum Dichter, zum Künstler. Sie steht, im Augenblicke, da ich sie gewinne, als Bild vor mir, mit der lebhaftesten, seelenvollsten Anschaulichkeit, aber — als Bild, das mich entzückt. Ich muß es immer näher, immer inniger betrachten, um es immer bestimmter und tiefer zu sehen, es aufzeichnen, es ausführen, als eine eigene Schöpfung es beleben. ... Um nicht unterzugehen, blicke ich auf Dich; und je mehr ich: hilf mir! sei mir nahe! rufe, desto ferner entschwindest Du; und mir antwortet es: In dieser Welt, wo du diese Not dir auflädst, um deine Bilder zu verwirklichen, in dieser Welt — gehört sie dir nicht! ...

9. Oktober.

Nun habe ich begonnen. — Womit? Ich hatte von unseren „Liedern" nur die ganz flüchtigen Bleistiftskizzen, oft noch ganz unausgeführt, und so undeutlich, daß ich fürchten mußte, sie einmal ganz zu vergessen. Da habe ich mich denn zuerst darüber hergemacht, sie mir wieder vorzuspielen, und alles daran mir recht wieder ins Gedächtnis zu rufen; dann habe ich sie sorgfältig aufgeschrieben. ... Das war denn meine erste Arbeit. Somit sind die Schwingen geprüft. — Besseres als diese Lieder habe ich nie gemacht, und nur sehr weniges von meinen Werken wird ihnen zur Seite gestellt werden können ...

12. Oktober.

... Ich kehre nun zum „Tristan" zurück, um an ihm die tiefe Kunst des tönenden Schweigens für mich zu Dir sprechen zu lassen. Für jetzt erquickt mich die große Einsamkeit und Zurückgezogenheit, in der ich lebe: in ihr sammle ich meine schmerzlich zerstückten Lebenskräfte. Bereits genieße ich seit einiger Zeit die fast nie so gekannte Wohltat eines ruhigen, tiefen Schlafes in der Nacht: könnte ich ihn allen geben! Ich werde dies genießen, bis mein wunderbares Werk gediehen und vollendet ist. Erst dann will ich mich einmal umsehen, welch Gesicht mir die Welt zeigt ...

24. November.

... Ich bin gewiß noch nie so klar in allem gewesen wie jetzt und habe so wenig, fast gar keine Bitterkeit mehr. Wer so sicher weiß, daß er nichts mehr zu suchen, sondern nur noch zu geben hat, der ist doch auch eigentlich mit der ganzen Welt ausgesöhnt; denn sein Widerwille bestand doch nur darin, daß er da etwas suchte, wo ihm nichts gegeben werden konnte. Wie gelangt man nun zu dieser Wunderkraft des Gebens? Gewiß nur dadurch, daß man selbst nichts mehr verlangt. Wer eben inne wird, daß ihm das Einzige, Tiefbeglückende, wonach es tiefen Herzen verlangt, ganz außer der Macht der Welt liegt, ihm zu geben, der fühlt endlich auch, wie berechtigt sie ist, zu verweigern, was sie nicht geben kann ...

1. Dezember.

... Ich habe in der letzten Zeit langsam einmal wieder Freund Schopenhauers Hauptwerk durchgelesen und diesmal hat er mich außerordentlich zur Erweiterung und — in ein=

zelnem — sogar zur Berichtigung seines Systems angeregt...
Es handelt sich nämlich darum, den von keinem Philosophen,
namentlich auch von Schopenhauer nicht, erkannten Heilsweg
zur vollkommenen Beruhigung des Willens durch die Liebe,
und zwar nicht einer abstrakten Menschenliebe, sondern der
wirklich, aus dem Grunde der Geschlechtsliebe, d. h. der Neigung
zwischen Mann und Weib keimenden Liebe, nachzuweisen...

8. Dezember.

... Das Thema wird mir täglich interessanter, weil es sich
hier um Aufschlüsse handelt, die gerade nur ich geben kann,
weil es noch nie einen Menschen gab, der in meinem Sinne
Dichter und Musiker zugleich war, und dem deshalb eine
Einsicht in innere Vorgänge möglich wurde, wie von keinem
anderen sie zu erwarten sein können. —

Seit gestern beschäftige ich mich wieder mit dem „Tristan".
Ich bin immer noch im zweiten Akte. Aber — was wird das
für Musik! Ich könnte mein ganzes Leben nur noch an dieser
Musik arbeiten. Oh, es wird tief und schön; und die erhabensten
Wunder fügen sich so geschmeidig dem Sinn. So etwas habe
ich denn doch noch nicht gemacht: aber ich gehe auch ganz in
dieser Musik auf; ich will nichts mehr davon hören, wann sie
fertig werde. Ich lebe ewig in ihr. Und mit mir —.

Bruchstücke aus Briefen

Venedig, 19. Januar 59.

Dank für das schöne Märchen, Freundin! Es wäre wohl
erklärlich, wie alles, was von Ihnen kommt, mir immer wie
mit symbolischer Bedeutsamkeit eintritt. Gerade gestern, zu
der Stunde, in dem Augenblick, kam Ihr Gruß wie eine durch
Zauber erzwungene Notwendigkeit. Ich saß am Flügel; die
alte goldene Feder spann ihr letztes Gewebe über den zweiten
Akt des „Tristan", und zeichnete eben mit zögerndem Ver=
weilen die fliehenden Wonnen des ersten Wiedersehens meines
liebenden Paares. Wenn ich, wie es eben beim Instrumen=

tieren geschieht, mit letzter Beruhigung mich dem Genuß meiner eigenen Schöpfung hingebe, versinke ich zugleich oft in eine Unendlichkeit von Gedanken, die mir unwillkürlich die durchaus eigentümliche, und der Welt ewig unverständliche Natur des Dichters, des Künstlers darstellen. Das Wunderbare und der gewöhnlichen Lebensanschauung ganz Entgegengesetzte erkenne ich dann recht deutlich darin, daß, während jene sich immer nur an der Handhabe der Erfahrung hinzieht und zusammensetzt, die dichterische Anschauung vor aller Erfahrung, ganz aus eigenster Potenz, das erfaßt, was aller Erfahrung erst Bedeutung und Sinn gibt ... Am aller-auffallendsten tritt mir jene Erscheinung an mir selbst zur Wahrnehmbarkeit entgegen. Mit meinen dichterischen Konzeptionen war ich stets meinen Erfahrungen so weit voraus, daß ich meine moralische Ausbildung fast nur als von diesen Konzeptionen bestimmt und herbeigeführt betrachten kann. „Fliegender Holländer", „Tannhäuser", „Lohengrin", „Nibelungen", „Wodan" — waren alle eher in meinem Kopf als in meiner Erfahrung. In welch wunderbarer Beziehung ich nun aber jetzt zum „Tristan" stehe, das empfinden Sie wohl leicht. Ich sage es offen, weil es eine, wenn auch nicht der Welt, aber dem geweihten Geiste angehörige Erscheinung ist, daß nie eine Idee so bestimmt in die Erfahrung trat. Wie weit beide sich gegenseitig vorausbestimmten, ist eine so feine, wunderbare Beziehung, daß eine gemeinsame Erkenntnisweise sie nur in dürftigster Entstellung sich denken können wird. Jetzt nun, wo Sawitri — „Parzival" — meinen Geist ahnungsvoll erfüllen und zunächst zur dichterischen Idee sich zu gestalten streben: jetzt, bei meiner künstlerisch vollendenden Arbeit mit plastisch sinnender Ruhe über meinen „Tristan" mich hinbeugen, — jetzt: wer ahnt es, welches Wunder mich dabei erfüllen muß und mich so der Welt entrückt, daß sie mich fast schon ganz überwunden dünken kann? Sie ahnen es, Sie wissen es! Ja, und wohl nur Sie! ...

Venedig, 22. Februar 59.

Nach dem Gesetz des allerherrlichst=vollendeten Buddha beichtet der Belastete vor der Gemeinde laut seine Schuld, und damit allein ist er entlastet. Sie wissen, wie ich unwillkürlich zum Buddhisten geworden bin. Auch mit der buddhistischen Bettlermaxime habe ich's unbewußt immer gehalten ... Ich will bis in seine feinste Verzweigung Mitwisser meines Schicksals werden; nicht um es gegen den Lauf zu wenden, sondern um täuschungslos nur ihm gegenüberzustehen ... Deutschland entsage ich mit ruhigem, kaltem Herzen, ich weiß auch, daß ich es muß. Beschlossen habe ich für meine Zukunft noch nichts, — außer — den „Tristan" zu vollenden! — Ich will nun sehen, ob ich den dritten Akt hier noch im Entwurf fertigbringe. Instrumentieren werde ich ihn dann wohl in der Schweiz, vermutlich nicht weit von Ihnen, in Luzern, wo es mir im vorigen Sommer erträglich gefallen hat. Nächsten Winter werde ich wohl in Paris zubringen ... Freilich wird sich einst die Nachwelt wundern, daß grade ich genötigt war, meine Werke zur Ware zu machen ... So ist es aber einmal, und wir können nichts daran ändern ... Und an mir ist auch nicht viel zu ändern: ich behalte meine kleinen Schwächen, wohne gern angenehm, liebe Teppiche und hübsche Möbel, kleide mich zu Hause und zur Arbeit gern in Seide und Samt ...

Venedig, 2. März 59.

... Dann trieb ich viel Philosophie und bin darin auf große, meinen Freund Schopenhauer ergänzende und berichtigende Resultate gelangt. Doch ruminiere ich so etwas lieber im Kopfe, als daß ich es aufschriebe. Dagegen stellen sich dichterische Entwürfe wieder sehr lebhaft vor mich hin. Der „Parzival" hat mich viel beschäftigt: namentlich geht mir eine eigentümliche Schöpfung, ein wunderbar weltdämonisches Weib (die Gralsbotin) immer lebendiger und fesselnder auf.

Wenn ich diese Dichtung noch einmal zustande bringe, müßte ich damit etwas sehr Originelles liefern. Ich begreife nur gar nicht, wie lange ich noch leben soll, wenn ich all meine Pläne noch einmal ausführen soll...

Mailand, 25. März 59.

So habe ich denn in Ihrem Namen, Freundin, Abschied genommen von meinem träumerischen Venedig. Wie eine neue Welt umfängt mich das Straßengeräusch, der Staub und die Trockenheit, und Venedig dünkt mich bereits wie ein Märchentraum. — Sie werden einmal einen Traum hören, den ich dort zum Klingen gebracht habe! Wenige Nächte vor meiner Abreise hatte ich aber in Wahrheit noch einen wunderlieblichen Traum, so schön, daß ich ihn Ihnen noch mitteilen muß, wiewohl er viel zu schön war, um mitgeteilt werden zu können... Zwei Tauben kamen über die Berge her; die hatte ich abgeschickt, um Ihnen meine Ankunft zu melden. Es waren zwei Tauben: warum zwei? Das weiß ich eben nicht. Sie flogen als Paar dicht nebeneinander. Wie Sie sie erblickten, schwebten Sie plötzlich in die Luft auf, ihnen entgegen, in der Hand schwangen Sie einen mächtigen buschigen Lorbeerkranz; mit dem fingen Sie das Taubenpaar und zogen das flatternde nach sich, den Kranz mit den Gefangenen neckend hin und her schwenkend. Dazu fiel plötzlich, ungefähr wie beim Sonnendurchbruch nach dem Gewitter, ein so blendender Lichtglanz auf Sie, daß ich davon erwachte...

Segne Sie Antonio und Stephano und alle Heiligen!... Lebewohl kann ich nicht recht sagen, da ich Ihnen so nahe komme, daß ich fast nur: Gegrüßt! gut finden kann. Morgen geht's auf die Alpen los! Adieu, Freundin!

Sieben Monate waren vergangen, seitdem Wagner in der Stadt des „hundertfältigen Schweigens" angekommen war, sieben Monate, in denen er gelitten und gearbeitet und immer wieder das Leben verflucht hatte, ehe er die schönsten Gesänge schuf, die jemals dem Tod gewidmet worden sind. Wenn auch sein Tagebuch und seine Briefe von der immerblutenden Wunde sprechen, die die Trennung von Mathilde ihm geschlagen, so hatten doch Venedigs süßer Frieden, Isoldens Schweigen und die harte, aber heilsame Selbstzucht, sich an eine neue Umgebung zu gewöhnen, langsam auf Tristans Wunde Balsam geträufelt. Wie sein Held im letzten Akt des Dramas, richtete er seine Blicke lange, Tag um Tag, Woche um Woche in die Ferne und hoffte sehnsuchtsvoll, daß eine Nachricht von ihr kommen, ein Sturm ihm Isolde herbeitragen möge. Wenn aber dieser Traum sich nicht erfüllte, so konnte sie ihn doch immer noch über kurz oder lang zurückrufen und ihm schreiben, er solle, da sie nicht ohne ihn leben könne, noch einmal ins „Asyl" zurückkehren, so daß über den Trümmern ihrer gestorbenen Leidenschaft die geheimnisvolle Blume einer vergeistigten Liebe erblühe ...

Das war der „Sieg", von dem er ihr auf jeder Seite erzählte. Aber Mathilde kam nicht, sie schrieb nicht, und die Nachrichten, die er durch Frau Wille erhielt, waren vorsichtig und kärglich. Verrieten sie ihm, daß das Herz seiner Geliebten nach den Jahren des Kampfes sich in den sicheren Hafen der Entsagung gerettet habe? Mathilde hatte sich bei ihrem Gatten, ihren Kindern und Pflichten in Sicherheit gebracht — all das hatte in Richards Seele einen so sonderbaren Widerhall gefunden. Sie hatte sich in das Unvermeidliche gefügt und Wagner vielleicht auch, aber er hatte bestimmt noch nicht auf sie verzichtet. Wenn ein Mann wahrhaft liebt, so bringt er es niemals über sich, eine so heftige Leidenschaft von sich zu tun, auch wenn sie ihm schließlich nur noch eine bittere Erinnerung, ein quälendes Leid bedeutet. Unmerklich war dieses Leid ihm ebenso wertvoll geworden, wie ihm seine Liebe gewesen war. Es wurde vollkommen eins mit ihm, beseelte jede seiner trügerischen Hoffnungen, von denen er sich geheilt glaubte; aber diese Hoffnungen hielten das Verlangen aufrecht, das ihm nicht allein zum Leben, sondern auch zum Schaffen notwendig war. Hier verwob er mit dem Drama des Gefühls das Drama des Gedankens; nun trat Isolde an die Stelle Mathildens; hier trennten sich der Tod und das Leben, die sich auf kurze Zeit vermählt hatten: die Frucht ihrer Umarmung war ein wundersames Kind — das Werk des Genies. Als Wagner den ersten Akt des „Tristan" komponierte, hatte ihn eine Hoffnung beflügelt, welche die Zukunft rosig färbte. Als er allein in der Einsamkeit Venedigs den zweiten Akt in Musik setzte, wurde ihm plötzlich klar, wie hoffnungslos sein Liebestraum war; so ließ er seine aufgespeicherte Leidenschaft nun in seiner Musik verströmen. Sein ganzes Herz floß über, wenn er am Klavier saß, und während er so um seine Erlösung rang, war er ehrlicher gegen sich selbst als je. Denn er hatte geglaubt, daß die Sehnsucht des Mannes nach Vergessenheit ihren höchsten Ausdruck in der Liebe fände; nun war es ihm zur Gewißheit geworden, daß allein im Tod ihre letzte und krönende Erfüllung lag. Aber wiederum war sein Ahnungsvermögen der Erfahrung vorausgegangen, die er machen sollte: so verdanken wir Wagner das schönste und leidenschaftlichste Bild des Pessimismus, den Schopenhauer lehrte.

Die Musik zum „Tristan" ist eine einzige lange Klage, ein nicht endender Schrei der Liebe und der Angst. Wagner brauchte sich nicht um formale Probleme zu kümmern; vom Vorspiel an fließt die Musik wie das Blut aus einer offenen Wunde. Das Ganze baut sich auf einem Thema von vier chromatischen Tönen auf und findet in triumphierender Harmonie seine Lösung. Für das Geheimnis dieser Musik gibt es wie für das Problem der Liebe in ihrem Aufbau keine Erklärung; aber diese Unmöglichkeit eines rein rationellen Verständnisses enthält den Schlüssel für das ganze Drama. Das Unaussprechliche dieser Musik vermag wie nichts anderes das Unaussprechliche im Leben zu gestalten. So komponierte Wagner, um das Rätsel zu lösen, als Gegenstück zum Vorspiel das berühmte, fälschlich „Isoldens Tod" genannte Nachspiel, in denen die beiden einander entgegengesetzten Unendlichkeiten in einen Strom zusammenfließen. Aber es handelt sich nicht um Isoldens Tod, sondern um den „Liebestod", wie ihn Wagner in den später geschriebenen Programmen zu seinem Werk genannt hat: es ist der Tod eines unerfüllt gebliebenen Gefühles, dem der leibliche Tod folgt, vom Dichter als Erlösung bezeichnet. „Was das Geschick während des Lebens getrennt hat, wird im Tode gerettet. Das Tor der ewigen Vereinigung ist nun geöffnet: Isolde erreicht endlich, über den Leichnam Tristans hinsinkend, im Tode die höchste Erfüllung ihres Wunsches und wird, frei von jeder irdischen Fessel, in Ewigkeit mit dem Geliebten in der Unendlichkeit vereinigt sein."

Das war das Thema des dritten Aktes, den Wagner in Luzern schreiben wollte. Venedig konnte ihm nichts mehr bieten. Er hatte dort Zuflucht gesucht, wie Tristan in Kareol, lebte allein mit seinem Leid und verlor allmählich seinen Glauben an die Freuden der Liebe. Wie in Zürich oder in Paris, kurz wie überall, fühlte er sich zu gleicher Zeit elend und erhaben. Sein Geld hatte er für Medikamente und die Einrichtung seiner Wohnung ausgegeben; neue rote Damastvorhänge waren für die große Halle im Palazzo Giustiniani, die von den Klängen seiner leidenschaftlichen Musik widerhallte, angeschafft worden; er hatte alle möglichen Heilmittel für eine Beinfurunkulose gebraucht, an der er mehrere Wochen litt. Seine Uhr war ins Leihhaus gewandert, ebenso eine goldene Bonbonniere, die ihm die Fürstin Wittgenstein früher einmal geschenkt hatte. Eine ziemlich geringe Summe aus den Tantiemen der Wiener „Lohengrin"=Vorstellungen hielt ihn einige Zeit über Wasser, bedeutete aber nur eine zeitweilige Erleichterung. Der König von Sachsen weigerte sich immer noch, ihn zu begnadigen; Wagner war froh, daß man ihn wenigstens in Venedig, auf österreichischem Gebiet, duldete, denn ohne den Einfluß des Signor Crespi, eines hohen Polizeibeamten, der Wagner bewunderte, wäre es ihm wahrscheinlich schlecht ergangen. Aber weder Weimar, noch Karlsruhe, noch München schienen sich auch nur im geringsten für den „Tristan" zu interessieren: so hatte sich Richard also wieder an Liszt gewandt. Seine Sorgen, seine Enttäuschungen, seine Armut hatten ihn bewogen, an seinen Freund einen etwas ironischen Brief zu schreiben, in dem er diesen wegen seines „Glücks" aufzog. Liszt aber, dem es in der letzten Zeit weder in der Liebe, noch im Beruf gerade sehr gut gegangen war, nahm zum erstenmal in seinem Leben Wagner etwas übel. Trotzdem konnte eine solche Freundschaft nicht auf lange getrübt bleiben. Wagner verwendete sein letztes Geld, das er für das Jahr 1858 hatte, auf ein Telegramm an Liszt und auf eine Flasche Champagner, um sie mit Ritter und einigen venezianischen Freunden auf dessen Gesundheit zu trinken. Kurze Zeit darauf schickte ihm Franz seine Dante= Symphonie mit folgender Widmung:

„Wie Virgil den Dante, hast Du mich durch die geheimnisvollen Regionen der lebensgetränkten Tonwelten geleitet, —
Aus innigstem Herzen ruft Dir zu:

Tu se' lo mio maestro, e'l mio autore!

und weiht Dir dies Werk in unwandelbarer getreuer Liebe

Weimar — Ostern — 59   Dein F. Liszt."

Nun hatte Venedig Wagner nichts mehr zu geben: er hatte es für sich in Musik aufgelöst, wie seine Liebe auch. Als er während einer schlaflosen Nacht am „Tristan" arbeitete, lehnte er sich aus einem Fenster des Palastes, in dem er wohnte, und hörte auf den Naturgesang der Gondolieri, die einander in der Stille der Nacht auf den Kanälen anriefen. „Mich dünkte, ungefähr vom eine kleine Viertelstunde entfernten Rialto her, den ersten wie rauhe Klage klingenden Ruf durch die lautlose Nacht zu vernehmen... Als ich einmal spät des Nachts durch den düstern Kanal heimfuhr, trat plötzlich der Mond hervor und beleuchtete mit den unbeschreiblichen Palästen zugleich den, sein gewaltiges Ruder langsam bewegenden, auf dem hohen Hinterteile meiner Gondel ragenden Schiffer. Plötzlich löste sich aus seiner Brust ein dem Tiergeheul nicht unähnlicher, von tief her anschwellender Klagelaut, und dieser mündete sich nach einem langgedehnten ‚Oh!‘ in den einfach musikalischen Ausruf ‚Venezia‘ ... Ich empfand eine große Erschütterung ..., die zuletzt berührten Eindrücke blieben mir ... bis zur Vollendung des zweiten Aktes von ‚Tristan‘ treu, ... gaben mir vielleicht die schon hier entworfene langgedehnte Klageweise des Hirtenhornes im Anfange des dritten Aktes unmittelbar ein.“

So kehrte Wagner in die Schweiz zurück und ließ sich in Luzern im Hotel „Schweizerhof“ nieder, wo er seinen Freund, den „Schwan“, d. h. seinen Erard=Flügel, wiedertraf. Er nagelte Teppiche vor die Türen seines Zimmers, um nicht durch benachbarte Klaviere gestört zu werden, und begann den dritten Akt des Tristan. An manchen Tagen brachte er nichts fertig, an anderen strömte die Musik wie eine Quelle aus seinem Innern, so daß er an Mathilde schrieb: „Mir ist dabei recht deutlich, daß ich nie etwas Neues mehr erfinden werde: jene eine höchste Blütezeit hat in mir eine solche Fülle von Keimen getrieben, daß ich jetzt nur immer in meinen Vorrat zurückzugreifen habe, um mit leichter Pflege mir die

Blumen zu erziehen ... Dieser Tristan wird was Furchtbares! Dieser letzte Akt!!! — Ich fürchte, die Oper wird verboten — falls durch schlechte Aufführung nicht das Ganze
parodiert wird —: nur mittelmäßige Aufführungen können
mich retten! Vollständig gute müssen die Leute verrückt
machen ..."

Endlich trat das große Ereignis ein, nach dem er sich so
lange gesehnt hatte: endlich sollte er Mathilde wiedersehen.
Otto Wesendonk lud ihn nach Zürich ein, da er so am besten
dem Zürcher Klatsch ein Ende zu setzen glaubte, der inzwischen eifrig tätig gewesen war. So aber konnte er aller
Welt deutlich beweisen, daß sie Freunde waren; es war der
beste Weg, um alle üblen Gerüchte zum Schweigen zu bringen.
Wagner machte sich sogleich auf den Weg nach dem grünen
Hügel; nach acht langen Monaten, in denen sie sich nicht
gesehen hatten, standen die Liebenden wieder einander gegenüber. „Unser Wiedersehen", schrieb er viel später, „war weh-
mütig, doch in keiner Weise befangen ... Ich ... blickte so
wie aus einem Traum in einen Traum. Wirklich war mir
alles recht wesenlos geworden." Aber alle, die zu lange
auf ein immer wieder erträumtes Ereignis gewartet haben,
müssen sie nicht grausam enttäuscht werden, wenn die ersehnte
Wirklichkeit endlich Tatsache geworden ist, aber nicht im romantischen Kleid ihrer trügerischen Träume, sondern im einfachen
Tagesgewand vor ihnen erscheint? Ein solches Zusammentreffen bedeutet keine angenehme Erfahrung. Wenn Wagner
gleich nachher ausrief: „Dies Wiedersehen konnten wir
nur ertragen, weil es keine Trennung für uns gibt", —
so erzählte er bald unter dem Einfluß einer für ihn ver-
änderten Welt etwas ganz anderes: „Wo wir sind, sehen
wir uns nicht; nur wo wir nicht sind, da weilt unser Blick
auf uns."

Sie liebten sich zwar noch, aber nur ihre Seele hatte das
lange Trennungsschweigen überdauert, die körperliche Liebe

332

war tot, ausgelöscht; Mathilde war von nun an, wie Liszt es glücklich formuliert hat, die „Gesandte des Ideals". Sie hatte genügend Einsicht, um zu wissen, daß ihre Liebe nur bestehen konnte, wenn sie selber Richards Verlangen widerstand; ohne Zweifel war dies der Preis für Tristans Erlösung. Wagner fand Mathilde an der Seite ihres Gatten und ihrer beiden Kinder; sie trug Trauer um ein drittes, das vor einigen Monaten gestorben war. Ihre düstre Erscheinung half ihm, seine Ruhe bald wiederzufinden. Jetzt konnte er ohne Zwang an die Frau schreiben, die sein Herz nicht mehr bewegte, aber zur Genesung seiner Seele beitrug.

Nun wurde ihm seine Arbeit leicht, ja zur Freude. Jeden Morgen machte er einen Spazierritt, plante einen längeren Aufenthalt in Paris und vollendete endlich am 9. August die gewaltige Partitur des ganzen Werkes. Die lange Mühe war vorbei; er teilte Liszt die gute Nachricht telegraphisch mit. Aber er mußte, ohne sich einen Tag Ruhe gönnen zu können, auf Mittel sinnen, um das kostbare Vermächtnis seines Leidens zu Geld zu machen. Wer würde ihm in solcher Not die 10000 Franken borgen, die er für sich und Minna, wie für den in Aussicht genommenen Aufenthalt in Paris brauchte? „Liebster Freund! Können wir denn nicht ein Geschäft machen?" schrieb er am 28. August 1859 an Wesendonk. An Wesendonk? Warum nicht? Wäre das nicht ein vollkommen überzeugender Beweis, daß keine Feindschaft zwischen ihnen bestand? Immerhin würde es doch nicht angehen, gerade den „Tristan" zum Gegenstand dieses Handels zu machen. Das ist verständlich — so sollte es also der noch unvollendete „Ring des Nibelungen" werden. Da Wagner keine Erben hatte, konnte es ihm gleichgültig sein, ob er alle Rechte an der „Tetralogie" Otto überließ und sich selbst nur die Tantiemen vorbehielt, die von den Theatern bei Aufführung der Opern bezahlt werden mußten. „Wollten Sie nun mein Anerbieten annehmen, so würde ich auf einer rechtsgültigen

333

Verkaufsschrift bestehen, ungefähr nach dem Schema des beiliegenden Entwurfs ... Die für alle Zeiten gültige Abtretung meines Eigentums ins Auge fassend, würde ich für jede Partitur mir 300 Louisdor, oder besser 6000 Francs bedingen. Demnach hätten Sie mir sofort für die zwei fertigen Werke 1. das Rheingold, 2. die Walküre 12000 Francs auszuzahlen ..."

Wesendonk stimmte zu und bezahlte für die ganze Tetralogie im voraus 24000 Franken. Ohne Frage sah er in diesem Geschäft genügende Sicherheit für die äußeren Umstände seines Lebens; denn sein Rivale war ihm nun aufs neue tief verpflichtet und vollkommen von ihm abhängig. Otto war als Geschäftsmann ein guter Diplomat, und wenn ihn einige für naiv gehalten haben, so bewies er gerade in diesem Fall durch sein Verhalten, daß er ein guter Psychologe war. Außerdem hätte ihm Mathilde niemals wegwerfendes Benehmen dem Manne gegenüber verziehen, der ihr die Augen für das Trauerspiel des Lebens geöffnet hatte, und von dem sie wußte, daß sein Leben immerdar mit dem ihren verknüpft bleiben würde. Otto kannte sie gut genug, um sicher zu sein, daß Großmut dem Besiegten gegenüber seine beste Waffe bildete. Außerdem mußte er, vielleicht fast wider seinen eigenen Willen, Richard, den Künstler, lieben, den er nun so lange Jahre in seinem Kampf mit der Welt beobachtet hatte. Er erkannte Wagners Kraft an, der jede Niederlage durch eine neue Schöpfung wieder gutmachte. Der Stolz dieses immer in Geldnöten befindlichen Mannes, der so fest an seine Zukunft glaubte, erfüllte ihn mit Staunen und Bewunderung; Mathilde und die Nachwelt würden schon eines Tages den Gatten für seine scheinbare Leichtgläubigkeit belohnen, — davon war er überzeugt ...

Wagner schrieb ein paar Wochen später an Hans von Bülow. „In Zürich verweilte ich vier Tage im Wesendonkschen Hause: der Mann ist mir sehr ergeben, und im wahrsten Sinne zu bewundern. Es hat sich da ein schönes, gewiß einzig seltenes Verhältnis entsponnen, und bewährt hat es sich, was tiefer Ernst selbst über die mindest begabten Naturen vermag. So steht der Mann zwischen mir und seiner Frau, der er vollkommen zu entsagen hatte, als beiderseitiger, ich kann wohl sagen, echtester Freund. Ich rechne mir diese Entwicklung zum höchsten Stolze an: nur mein ernsteres Verlangen, der armen Frau meine Nähe erhalten zu können, hat mich geleitet. Nun ist das fast Unerhörte gelungen. Wiederholt besuchten wir uns gegenseitig zwischen Luzern und Zürich: ich wohnte stets in ihrem Haus, und was ich kann, geschieht, um der treuen Frau durch ihr schweres Leben zu helfen, geschieht, mit der aufrichtigen Freude des Mannes an meinem Kommen und Bleiben. Da hast Du ein schönes Werk! Macht mir's nach! —"

Das nachzumachen würde allerdings keine leichte Aufgabe gewesen sein; und das merkwürdige dabei ist, daß Wagner einen solchen Brief gerade an Bülow schrieb! Dieser konnte allerdings nicht ahnen, daß Wagner ihn eines Tages auch die Rolle Wesendonks spielen lassen würde. „Die kein Himmel erlöst, warum mir diese Hölle?" klagt König Marke, als er Isolde in Tristans Armen findet. Nun hatte Tristan seine allzu schwachen Arme von der Geliebten gelöst, hatte seinen Liebestod gefunden und wurde wieder der „Wanderer", der „fliegende Holländer", der verdammt ist, vergeblich den Frieden zu suchen.

> „Doch kann dem bleichen Manne Erlösung einst noch werden,
> Fänd er ein Weib, das bis in den Tod getreu ihm auf Erden."

Mathilde war dieser Hingebung nicht fähig gewesen: lebte die Senta der alten Ballade wirklich, bereit, alles für den Frieden des ewig Ruhelosen zu opfern? Konnte Paris, die so feindliche, aber immer bezaubernde Stadt, ihm diese Ruhe geben?

Gerade zu dieser Zeit wurden die „lateinischen Schwestern", Frankreich und Italien, in ihrem gemeinsamen Kampf gegen den Erbfeind Österreich überall gefeiert. Man hatte die Siegestage von Magenta und Solferino festlich begangen, als Wagner am 15. September in Paris ankam, reicher und einsamer, als er jemals gewesen war. „So wäre ich denn wieder einmal", schrieb er an Otto, „im ‚Inferno‘, und das ‚Paradiso‘ läge weit hinter mir. Glücklicherweise bin ich jetzt aber so weit, mich auf der grünen Wiese am Vorhof der Hölle zu halten."

VI

Tannhäuser in Paris · Tristans Tod

Wagner hatte im Jahre 1859 keine Ahnung davon, daß es
in Paris Menschen gab, die seine Musik liebten; wie sollte
er das auch wissen, da dort niemals eine seiner Opern aufgeführt worden war. Er kannte Frankreich nur schlecht, die
Franzosen aber noch schlechter, und hatte niemals in Paris,
in der Stadt, in der sich das Volk mehr als irgendwo anders
zu begeistern versteht, außer bei einigen nun in alle Winde
zerstreuten Landsleuten, echte Freundschaft gefunden; nur
diese aber erweckt die Liebe eines Künstlers zu einem Land,
dessen Luft und landschaftliche Reize seine besten Eigenschaften
zu entwickeln vermögen. Trotzdem aber war, obgleich er es
nicht wußte, der Ruf seines Genies bis zu der als leichtsinnig
verschrienen Hauptstadt des französischen Kaiserreichs gedrungen. Paris war besser als sein Ruf; es war die einzige
Stadt der Welt, in der die Kunst nicht als Zeitvertreib auf-
gefaßt wurde, da sie sich an die angeborenen guten Eigenschaften des französischen Volkes wandte und seine Phantasie beflügelte, so daß Künstler dieser Nation die feinsten
Nuancen geistigen Ausdrucks in starken und leidenschaftlichen
Werken zu gestalten vermochten. Wagner glaubte, er sei nur
nach Paris gekommen, um ab und zu ein gutes Orchester zu
hören und Beziehungen mit den Hauptorganisationen des
Musikbetriebes anzubahnen: aber der wahre Grund seines
Aufenthaltes war ein ganz anderer. „Die Menschen strömen

in die großen Städte", bemerkt Paul Valéry, „um dort vorwärts zu kommen, Erfolg zu haben, sich zu bilden, zu amüsieren und schließlich kaputt zu machen; um dort heimisch
zu werden und andere Gestalt anzunehmen, mit einem Wort,
um zu spielen und alle Chancen des Lebens in gutem und
bösem Sinne auszunutzen. Jede große Stadt ist ein riesiger
Spielklub." Als nun der Traum, der Wagner in Venedig
gefangengehalten hatte, verflogen war, merkte Richard, daß
er sogleich um den höchsten Einsatz im glänzendsten aller
Kasinos spielen und durch einen großen Gewinn seine Selbstachtung wiederfinden müsse. Die Gefahr freute ihn, und vor
Verlusten hatte er keine Angst. Sein Temperament ließ ihn
dieses Mal seine letzten Reserven auf die Karte setzen, welche
die allergeringsten Gewinnchancen bot: aber ähnliches war
ihm schon früher geglückt, damals, als er beinahe die Pension
seiner Mutter in einer Leipziger Spielhölle verjuxt hatte. Es
mußte eben noch einmal gelingen.

Paris erwartete ihn also. Allerdings nicht die Menge, nicht
die Berufsmusiker, nicht der kleine vornehme Kreis, der für
seine Salons nach Ungewöhnlichem und ganz Besonderem
suchte — nur ein paar Künstler, Dichter, gute, bescheidene
und ruhige Kameraden, deren nüchterne Überzeugung auf die
Dauer wichtiger war als alle törichten Urteile der Presse,
als alle Empfindungen der Liebe und des Hasses, welche die
Öffentlichkeit bewegen. Theophil Gautier hatte nach seiner
Rückkehr aus Deutschland begeistert im „Moniteur" über
den „Tannhäuser" geschrieben, Baudelaire hatte sich das
Werk am Klavier vorspielen lassen; der Romanschriftsteller
und Dichter Champfleury verstand Wagners Musik so gut,
daß der Komponist selbst ihm sagen mußte, er habe niemals,
außer von Liszt, so zutreffende Äußerungen über seine Kunst
gehört. Als er eines Tages zur Zollverwaltung gekommen
war, um seine Möbel auszulösen, wurde er von einem jungen
Angestellten mit Respekt begrüßt; dieser stellte sich ihm ganz

zur Verfügung, erzählte ihm, daß er alle seine Werke kenne, und daß er über seinem Klavier ein Bild des von ihm als Meister verehrten Mannes aufgehängt habe. Dieser junge Schwärmer hieß Edmond Roche; Wagner notierte sich seinen Namen und seine Adresse. Natürlich warteten auch Frauen mit großer Spannung auf seine Ankunft, besonders zwei: Malwida von Meysenbug und Blandine Ollivier. Endlich waren ein paar Leute da, die Wagner noch nicht kannte, wie Léon Leroy, ein Musiklehrer, und Dr. Gasperini, der ihn sogleich nach seiner Ankunft besuchte. Er traf Wagner in einem rotseidenen Schlafrock und mit einem Barett auf dem Kopfe: großartig, aber etwas ungewöhnlich. Die beiden Männer verstanden sich ausgezeichnet; sie machten sich sofort auf die Suche nach einem Haus, das ebenso bequem wie ruhig sein sollte. Sie fanden eine kleine Villa mit einem Vordergarten, Newton-Straße 16, zwischen der Avenue d'Jéna und der Avenue Joséfine im neuen Viertel der Champs-Elysées. Das Haus war hübsch, aber sehr verfallen; der Novellist Octave Feuillet war eben erst ausgezogen. Eine Reihe von kleinen Reparaturen mußte sofort gemacht werden; der Besitzer bestand auf einem dreijährigen Vertrag und verlangte 4000 Franken jährliche Miete. Aber was tat das, da es so aussah, als ob Wagner für den Rest seines Lebens in Paris bleiben würde? Außer dem Geld, das ihm sein Abkommen mit Wesendonk verschafft hatte, war er im Besitz von 10000 Franken, die ihm sein neuer Verleger Schott in Mainz für das „Rheingold" geschickt hatte. So richtete sich Wagner, großartig wie noch nie, mit den Resten der Möbel aus dem „Asyl" ein — das grüne Sofa und der große Schreibtisch waren da — und begann sogleich den Text des „Tannhäuser" ins Französische übersetzen zu lassen. Der Tenor Roger begann die Übersetzung des Stückes, zeigte sich der Aufgabe aber nicht gewachsen. Da dachte Wagner an Edmond Roche, seinen Bewunderer vom Zollamt; da dieser aber nicht hinreichend Deutsch verstand, wurde ihm der Liederdichter Richard Lindau, in dem Wagner ein „Genie" entdeckt zu haben glaubte, zur Beihilfe gegeben. Dieser beherrschte aber das Französische ebensowenig wie das Deutsche, so daß Charles Nuitter die ganze Übersetzung noch einmal von vorne anfangen mußte. Während dieser Zeit verhandelte Wagner erst mit dem Büro des Direktors Carvalho vom Théâtre Lyrique und dann mit Alphonse de Royer von der Großen Oper — nicht mehr um, wie vor zwanzig Jahren, eine Anstellung als Chorist zu suchen, sondern diesmal stellte er seine Forderungen mit Selbstsicherheit und Nachdruck als Gleichgestellter. Carvalho bekam einen mächtigen Schreck, als er Wagner in seinem merkwürdigen Anzug auf seinem Klavier immer danebenpauken und mit höchster Stimmkraft Bruchstücke aus einem Werk singen hörte, in dem das Geheimnisvolle mit knallenden Militärmärschen abzuwechseln schien . . .

Vorläufig geschah indessen nichts Entscheidendes. Die Inszenierung des „Tannhäuser", über den jedermann sprach, von dem aber niemand etwas wußte, machte große Schwierigkeiten. Es gab keine Sänger, die solchen Rollen gewachsen waren; die Situation ging Wagner stark auf die Nerven. Er arbeitete nicht mehr und bemerkte bald mit Schrecken, daß sein Kapital schnell zusammenschmolz, während seine Ausgaben immer höher wurden, denn er hatte noch nie ein so luxuriöses Leben geführt. Dazu kam die Nachricht vom Karlsruher Theater, daß die Direktion auf die Aufführung des „Tristan" verzichte, weil sich das Werk als unspielbar herausgestellt habe. Dabei hatte er gerade auf Hilfe von dorther gerechnet! Das Geld, das er von Wesendonk und Schott erhalten hatte, neigte sich seinem Ende zu. Wieder dachte Wagner an Mathilde, an die Schweizer Berge, an den Frieden des lieben, verlassenen „Asyls". Er konnte sich nicht enthalten, Otto anzuvertrauen, daß er am liebsten alles aufgeben würde, um nach der Schweiz zurückzukehren. „Laßt mich noch die

340

Werke schaffen, die ich dort empfing, im ruhigen, herrlichen Schweizerlande ... es sind Wunderwerke, und nirgends hätte ich sie empfangen können."

Eines Tages erschien in Paris Minna, die aus Dresden kam; dort hatte sie von dem Geld gelebt, das ihr Mann ihr recht unregelmäßig schickte, und wahrscheinlich von dem, das ihr Freund Dr. Pusinelli, der ihr treu zur Seite stand, ihr gab. Minna! Die „ewige" Trennung hatte gerade fünfzehn Monate gedauert. — Aber das war jetzt nicht mehr so wichtig, da der „Liebestod" überstanden war. Richard schuldete der alten, müde gewordenen Genossin der Vergangenheit immerhin einige Rücksicht. „Du sollst Herrin des Hauses sein, die Kasse verwalten und alles wird geschehen, wie du es wünschest; du selbst sollst nicht arbeiten, du wirst Leute zu deiner Bedienung haben." Außer seinem Diener und der Köchin engagierte er also eine Krankenschwester, die seine Frau pflegen und ihr Gesellschaft leisten sollte. So begannen sie ihr Zusammenleben wieder auf der Basis ihrer alten „Freundschaft", wie früher im „Asyl". Richard bewohnte das obere und Minna das untere Stockwerk. Nur das Wohnzimmer benutzten sie gemeinsam; aber es war immer voll von Leuten, aus denen sich die arme Minna nichts machte — entweder, weil sie sie nicht verstand, oder weil sie vor ihnen Angst hatte; aber Wagner war in der gemischten Gesellschaft, die sich bei ihm traf, ganz in seinem Element.

Er richtete einen Mittwoch-Jourfix ein, den unter andern Olliviers, Baudelaire, Malwida, Champfleury, Gounod, Nuitter, die Gräfin Kalergi, Berlioz und der Direktor des Louvre, Frédéric Villot, besuchten; ferner gehörten der Maler Gustave Doré, der Wagner als Dirigenten eines Gespensterorchesters zeichnete, Jules Ferry und der Baron Erlanger zu den Gästen. Inmitten aller dieser Leute blieb Minna wie immer eifersüchtig und ohne jeden Einfluß. Ihr Mann war freundlich, sogar aufmerksam gegen sie, aber er vermied jede intimere Annäherung auf das sorgfältigste. (In seinem Brief vom 3. Oktober 1859 an den Dr. Pusinelli, der kurze Zeit vor Minnas Abreise nach Paris geschrieben ist, bittet Wagner seinen Freund inständig, Minna abzuraten, wieder irgendwelche sexuellen Beziehungen mit ihrem Mann aufzunehmen. „Ich halte es vom medizinischen Standpunkt aus für sehr wichtig, ihr in dieser Hinsicht strengste Diät aufzuerlegen, da sie in gewisser Weise unzurechnungsfähig und geistig allzu mitgenommen ist.") Er sprach niemals mit ihr über seine Angelegenheiten, und sie fragte ihn auch nicht nach diesen, sondern begnügte sich damit, die Dienstboten zu kommandieren, mit denen sie sich aber fortwährend stritt. Sie bestimmte, was gekocht werden sollte, ging mit Kietz spazieren, der auch nach Paris zurückgekommen war, und dachte mit Bedauern an die Zeit in der Rue du Helder und in der Rue Jacob. Das Paris, das sie liebte, lag in der Vergangenheit, es war das Paris des „Rienzi", der „Faust-Ouvertüre" und des „Fliegenden Holländer", das Paris der guten Freunde Kietz, Lehrs, Anders und des Hundes Robber, die Stadt, in der sie gemeinsam gehungert und gehofft hatten: niemals aber würde das Paris der Barrière de l'Etoile etwas anderes für sie bedeuten können, als eine Karikatur ihres vergangenen Glückes, auch wenn es für Richard die Wiege des Ruhms werden sollte. Sie haßte die eleganten und neugierigen Leute, die zu ihnen kamen; vor allen Dingen war ihr diese Blandine Ollivier unangenehm, da sie in ihr eine neue Rivalin wittern zu müssen glaubte. Denn diese Frau kam zu jeder Stunde des Tages, ging ohne weiteres in die Zimmer des „Meisters" hinauf und ließ sich nicht einmal bei der Hausfrau melden. Sie war eine freche, selbstbewußte kleine Person, wie ihre Schwester Cosima, unter deren Benehmen, wie man sagte, Bülow schon alles mögliche zu leiden gehabt hatte. Die beiden emanzipierten Schwestern hatten nur wenig Ähnlichkeit mit ihrer reizenden Großmutter, der alten Frau

342

Liszt, der Minna alle ihre Sorgen und Kümmernisse mitteilte. Aber was auch immer geschehen sollte, Minna war fest entschlossen, das Feld nicht zu räumen. „Im Gegenteil", schrieb sie an eine Freundin, „ich werde Richard niemals einer anderen überlassen."

Um das Pariser Publikum auf eine Vorstellung des „Tannhäuser" vorzubereiten, beschloß Wagner, zunächst drei Konzerte zu arrangieren, und mietete die Salle Ventadour, in der die italienische Oper spielte. Bülow eilte zur Unterstützung seines Meisters herbei, unter seiner Leitung wurden Teile des „Holländer", des „Tannhäuser", des „Lohengrin" und des „Tristan" kopiert. Aber bereits bei den Proben gab es die ärgsten Schwierigkeiten, da Wagner von den Musikern höchste Genauigkeit des Zusammenspiels verlangte, worauf diese erklärten, sie dächten gar nicht daran, sich einen derartigen „preußischen Drill" gefallen zu lassen. Richard mußte sie, um sie wieder zu versöhnen, alle zum Frühstück einladen.

Am 25. Januar 1860 fand das erste dieser drei Konzerte vor vollständig gefülltem Saal statt; unter den Zuhörern wurden Meyerbeer, Gounod, Ernst Reyer, der alte Auber und der Marschall Magnan, als Vertreter des Hofes, bemerkt. Aber Wagner hatte den Fehler gemacht, die Presse nicht einzuladen. Das Publikum war guter Stimmung — der Tannhäusermarsch wurde sogar durch laute Beifallsbezeugungen unterbrochen —, aber die Zeitungen zeigten sich natürlich ironisch oder feindlich. „Wagner ist ein großer Musiker", schrieb der Ménestrel, „aber die Tendenz seiner Musik ist beklagenswert: 50 Jahre solche Musik, und es gibt keine Musik mehr." „Musik ohne Melodie" (das war der gewöhnliche Vorwurf), „nur Formelkram und gesuchte Kombinationen" (Messager du Théâtre). „Ein Revolutionär", schrieb ein anderes Blatt, „ein Marat der Musik!" Der berühmte Kritiker Fétis bemerkte in seiner großen Musikerbiographie:

„Ist die erste Neugier befriedigt, folgt sofort Gleichgültigkeit. Diese Musik, welche die der Zukunft sein sollte, gehört bereits der Vergangenheit an." Immerhin haben, wenigstens nach Bülows Meinung, die Pariser Wagner mehr Verständnis, Höflichkeit und künstlerischen Sinn entgegengebracht als die Berliner. Für das zweite und dritte Konzert waren nur wenig Plätze verkauft worden, man mußte also schleunigst den Saal mit Freibillettlern „wattieren". Aber wenn auch die Feindseligkeit der Presse Wagner eine Niederlage bereitet hatte, die ein Defizit von 11000 Franken bedeutete, wenn auch Berlioz im Journal des Débats einen boshaften Artikel über die Musik seines alten Freundes veröffentlichte, so brachten diese Tatsachen auf der anderen Seite Wagner viele aufrichtige Sympathien ein. Die Menschen verstanden zwar die Absichten des Künstlers noch nicht, aber sie bemühten sich doch, sie zu erraten; die Hörer konnten zunächst nicht wissen, daß Wagners Kunst einen Übergang bedeutete, der zum Kunstwerk der Zukunft führte. Am allerwenigsten aber war es möglich gewesen, die Größe Wagners aus einem Programm zu erkennen, das nur aus Fragmenten seiner Werke zusammengesetzt war. „Diese Kunst", schrieb er an Mathilde Wesendonk, „hängt sehr mit dem Leben bei mir zusammen... Mein ganzes Kunstwerk besteht darin, durch die bestimmteste und zwingendste Motivierung die nötige, willige Gefühlsstimmung hervorzubringen."

Aber auf wen konnte es so wirken? Auf Musiker vielleicht, niemals auf das Publikum. — Champfleury schrieb eine verständnisvolle Broschüre über ihn und Baudelaire ein paar Briefe voll spontaner Begeisterung, die ihn für alle Enttäuschungen entschädigten. Und bald darauf ließ ihm die schöne Kalergi, die von seiner Unterbilanz gehört, ganz einfach 10000 Francs durch Vermittlung der Meysenbug zukommen, „überzeugt, daß die, welche sich mit Wagner beschäftigen, mehr von ihm gewinnen, als er von ihnen".

Mit der Zeit fanden sich eine Anzahl Personen zusammen, denen Wagner leid tat, weil er immer wieder mißverstanden wurde. Unter ihnen befand sich die Fürstin Pauline Metternich-Sandor, die Frau des österreichischen Gesandten, der Graf Albert von Pourtalès*, damals preußischer Gesandter in Paris, und sein Attaché Graf Paul Hatzfeld. Das waren wichtige Bundesgenossen, die alle drei der Kaiserin Eugénie besonders nahestanden. Es wurde also in den Tuilerien von Wagner gesprochen, und der Direktor der Großen Oper, de Royer, bekam den Befehl, den „Tannhäuser" in seinem Theater, auf der Bühne der kaiserlichen Musikakademie, aufzuführen. Allerdings schien der Hausminister Fould sehr verstimmt darüber; aber Napoleon III. beharrte auf seinem Willen, da er der Fürstin Pauline sein Wort gegeben hatte. Wagner erhielt eine Audienz beim Grafen Bacciochi, dem Oberstkämmerer des Kaisers, der ihn nach der Handlung des Dramas fragte. „Oh!" rief Bacciochi aus, „der Papst kommt nicht auf die Bühne? Man hatte mir gesagt, daß Sie den Heiligen Vater auftreten ließen, und das wäre, wie Sie verstehen werden, natürlich ganz unmöglich gewesen. Übrigens ist man davon überzeugt, mein Herr, daß Sie ein großes Genie sind; der Kaiser hat also Befehl gegeben, Ihre Oper aufzuführen."

Dieser plötzliche Umschwung erschien Richard wie ein schöner Traum. Sollte da nicht doch ein Mißverständnis vorliegen? Es stellte sich auch sofort heraus, daß dies der Fall war, denn Alfonse de Royer bat Wagner bei ihrer ersten Unterredung, ein Ballett als Einlage für den zweiten Akt seiner Oper zu komponieren. Der Gedanke allein war Wagner entsetzlich; er erklärte sich also sogleich bereit, seine Oper zurückzuziehen. Es lag ihm schließlich jetzt gar nicht mehr

---

* Albert von Pourtalès stammte aus einer französischen Hugenottenfamilie, die nach der Aufhebung des Ediktes von Nantes am Anfang des 18. Jahrhunderts ausgewandert war. Sie blüht heute noch in drei Linien, einer französischen, einer schweizerischen und einer deutschen.

soviel an der Vorstellung, da er einsah, daß doch nur ein großer Unfug mit seinem Werk getrieben werden würde, während er vorher die Annahme des „Tannhäuser" als Ehrensache betrachtet hatte. Er erkannte jetzt, daß seine Ahnung ihn nicht betrogen hatte und daß man sich in eine Sackgasse verrennen würde, da Royer sich beim Publikum beliebt machen wollte, während Wagners einziges Ziel war, der Kunst zu dienen. Aber der Direktor beharrte auf seinem Standpunkt. Die Hauptsache war, gewissen Abonnenten zu Willen zu sein, die für die Oper als treueste und zugleich anspruchsvollste Besucher von größter Wichtigkeit waren: nämlich den Mitgliedern des Jockei-Klubs, die ihre Freundinnen vom Ballett auf der Bühne tanzen zu sehen wünschten ... Wagner überlegte sich den Fall: vielleicht konnte er die Venusbergszene im ersten Akt erweitern. „Hat gar keinen Zweck", sagte Royer, „die Mitglieder des Jockei-Klubs kommen immer erst während des zweiten Aktes ins Theater." Wagner lehnte jede andere Änderung an seinem Werke ab. Aber er nahm trotzdem seine Partitur und bearbeitete sie: er komponierte ein Bacchanale, dem Nuitter ein neues Duett zwischen Venus und Tannhäuser anpaßte. Das Ganze schien so gut gelungen, daß Royer die Oper in dieser Form sofort wieder annahm; der Direktor zeigte sich überhaupt sehr liebenswürdig und entgegenkommend; er hatte nämlich sehr bestimmte Anweisungen erhalten, alle Wünsche des Komponisten zu erfüllen.

Niemals, mit Ausnahme der Zeit seines Dresdener Debüts, hatte ein Theater Wagners Absichten so gut verstanden und auf so vernünftige Art verwirklicht. Für die Rolle des Tannhäuser wurde Niemann vom königlichen Theater in Hannover zu der damals phantastischen Monatsgage von 6000 Franken auf ein Jahr engagiert. Der berühmten Madame Tedesco vertraute man die Rolle der Venus und der jungen Marie Sax die Elisabeth an. Obgleich Wagner sehr viel weniger bekam als seine Darsteller (500 Franken für jede Vorstellung,

346

von denen er seinen Übersetzern 50 Prozent für die ersten zwanzig Vorstellungen abgeben mußte), war er doch dauernd erstaunt über die Wendung, die sein Schicksal genommen hatte. Jetzt fühlte er sich glücklich, da er von allen Seiten umschwärmt und bewundert wurde, und war infolgedessen auch gegen jedermann freundlich gesinnt. Niemals war über ein Musikwerk so viel gesprochen worden wie in Paris über den „Tannhäuser"; Wagner konnte von sich sagen, daß er im Jahre 1860 ebenso berühmt geworden, wie er 20 Jahre vorher unbekannt geblieben war. Er trug also „Babylon" nichts nach: nicht einmal Berlioz, seinem glücklosen, verbitterten Konkurrenten, der, zum zweitenmal unglücklich verheiratet, beim Kaiser niemals die Unterstützung gefunden hatte, die in so vollkommener, ja noch nie dagewesener Form einem fremden Künstler zuteil wurde! Wagner schrieb ihm auch ganz spontan, nachdem er einen Artikel von Berlioz über den „Fidelio" gelesen hatte, um ihm seine Freude, seine Sympathie und seine Bewunderung auszudrücken. Er nannte ihn sogar „lieber Meister", ein Kompliment, das er ihm vorher niemals gemacht hatte! „Es erfüllte mich mit einer eignen Wärme", schrieb er an Liszt, „diese Zeilen an den Unglücklichen abzuschicken ... Grade auch Berlioz' Artikel über ‚Fidelio' hatte mir deutlich wieder gezeigt, wie allein der Unglückliche steht und daß auch er so zart und tief empfindet ... Nur der Hochbegabte kann wieder den sehr Hochbegabten zum eigentlich erkennenden Freunde haben, und das bestimmte mich zu der Einsicht, daß in dieser Gegenwart doch nur wir drei Kerle eigentlich zu uns gehören, weil wir uns gleich sind; und das sind — Du — er — und ich! — Aber das muß man ihm am allerwenigsten sagen: er schlägt aus, wenn er's hört ... Du lieber, guter, einziger Mensch! Sag mir nur, wann bekomme ich Dich wieder zu sehen?"

Die Arbeit machte gute Fortschritte. Allgemein erwartete man, daß es einen ebenso heftigen Kampf um den „Tannhäuser" geben würde, wie einst um Victor Hugos „Hernani". Wagner, erregt durch die erwartete Schlacht, tat Wunder bei der Ausarbeitung seines „Venusberges": denn die an die Worte angepaßte Musik erzielte, da die Betonung im Französischen eine sehr andere ist als im Deutschen, eine ganz neue Wirkung. Es war eine glückliche Zeit. Der Komponist ritt im Bois de Boulogne spazieren (aber nur einmal, denn beim zweiten Versuch scheute das Pferd auf der Place de l'Etoile und ging rückwärts und seitwärts, so daß der Reiter es für besser hielt, in den Stall zurückzukehren). Darauf machte er jeden Morgen zu Fuß mit seinem Hund Fips lange Spaziergänge. Er schrieb seinen „Brief über die Musik" an Frédéric Villot, der als Vorrede für die französische Ausgabe der Ringdichtung gedruckt ist. Aber bald nahmen ihn die Proben in der Oper immer mehr in Anspruch. „Noch nie ist mir das Material zu einer ausgezeichneten Aufführung so voll und unbedingt zu Gebote gestellt worden", schrieb er an Liszt, „... ich kann nicht anders wünschen, als daß je ein deutscher Fürst für meine neuen Werke mir ein Gleiches erweisen möchte ... Meine Werke konnten mir so warme Bewunderer zuführen, daß auf ihr Wort hin der Kaiser sich entschließen konnte, einen wirklich kaiserlichen Befehl zu geben, welcher mich zum Meister alles Materials macht ... der bestmöglichen Sänger bin ich versichert; für jeden Zweig der Ausstattung herrscht ein Eifer und eine Sorgsamkeit, an die ich von Deutschland her wenig gewöhnt bin ..." Der Chordirigent war ausgezeichnet und arbeitete sehr gewissenhaft; die Ausstattung von Despléchin, der einst auch die Bühnenbilder für „Rienzi" geschaffen hatte, gefiel ihm außerordentlich: überhaupt war alles erstklassig mit Ausnahme des Dirigenten Louis Dietsch — desselben, der 1840 an Wagners Stelle die Musik zum „Holländer" hatte schreiben sollen. Bald brachen auch hier die unvermeidlichen Streitigkeiten zwischen dem Komponisten und dem Dirigenten aus, denn

natürlich hielt sich Dietsch für einen viel besseren Kapell=
meister als Wagner. Dieser behandelte ihn zunächst wie
„eine Maschine" mit Nichtachtung, faßte aber bald auf den
unfähigen und dabei noch eingebildeten Taktschläger, der
nicht besser als ein Tambourmajor war, eine heftige Wut.
Ihre Streitigkeiten hörten nicht auf; einmal schlug Dietsch
einen Takt im Orchester mit dem Stock, während Wagner
auf der Bühne mit Händen und Füßen einen anderen angab:
so etwas war natürlich nur geeignet, die Arbeit zu erschweren.
Wagner verlangte also, daß Dietsch die Leitung entzogen
würde und machte der Direktion den Vorschlag, daß er
selbst die Vorstellung dirigieren wolle. Aber nach den Sta=
tuten der Oper war es einem Komponisten verboten, sein
eigenes Werk zu leiten, so daß dies Angebot nicht in Frage
kommen konnte. Dann wurde der Kaiser gebeten, zu ent=
scheiden, aber auch dieser sagte, daß er nichts gegen die Sta=
tuten der Oper unternehmen könne. Dafür wurden aber
Wagner so viel Proben zugestanden, als er haben wollte.

Dann tauchten neue Schwierigkeiten auf, die ihm zeigten,
daß sein Unglücksstern noch immer am Himmel stand. Da
in dieser Zeit die Stadt nach den Plänen des Baron Hausmann
umgebaut wurde, so bedingte die Anlage einer neuen Avenue
die Niederlegung jenes Teiles der Newtonstraße, in der
Wagners Haus stand. Infolgedessen erlosch der Mietskon=
trakt durch „höhere Gewalt", aber der Hauswirt weigerte
sich, die zum größten Teil vorausbezahlte Miete zurück=
zugeben. Es blieb Richard nichts anderes übrig, als sich einen
Advokaten zu nehmen und einen Prozeß zu führen; inzwischen
mußte er in ein häßliches Haus, Rue d'Aumale Nr. 3, nicht
weit von der Oper, übersiedeln. Alle diese Unannehmlich=
keiten hatten eine Erkältung zur Folge; einige Tage später
stieg das Fieber, und Gasperini stellte eine typhöse Erkran=
kung und die Gefahr einer Gehirnhautentzündung fest.
„Tannhäuser" mußte auf unbestimmte Zeit verschoben werden.

Mehrere Tage lag Wagner im Delirium; Minna und der vorsichtige Arzt pflegten ihn mit Hingabe. Eine Zeitlang fürchtete man das Schlimmste, aber schließlich überwand Richards kräftige Konstitution die Krankheit. Noch während der Rekonvaleszenz ging er wieder ins Theater; Proben hatten natürlich während der Zeit seiner Krankheit nicht stattgefunden. Sein Ansehen aber hatte in den Wochen seiner Abwesenheit nicht gelitten, sondern war im Gegenteil gewachsen, wie die steigende Feindseligkeit der offiziellen Welt und der Kollegen in Apoll deutlich bewies. Berlioz, Meyerbeer und das Journal des Débats unterstützten offen Richards Gegner. Auch der Graf Walewski, Foulds Nachfolger, bestand darauf, daß im zweiten Akt ein Ballett eingeschoben und die Idee Royers ausgeführt würde. Wagner dachte nicht daran, zu weichen, aber er gab sich keinen Illusionen mehr hin; es war klar, daß ein Mißerfolg bevorstand. Er wollte sein Werk zurückziehen, aber die Intendanz konnte seinen Wunsch nicht erfüllen, da zuviel Geld im „Tannhäuser" investiert worden war. Nun — um so schlimmer. Weder Paris, noch Deutschland, noch die Schweiz hatten die geringste Ahnung von Richards Bestrebungen: das bewies nur, daß die Künstler kein Vaterland haben oder vielmehr, daß sie ihr Vaterland überall mit sich herumtragen. „Glaub mir", schrieb er an Liszt, „wir haben kein Vaterland! Und wenn ich ‚deutsch' bin, so trage ich sicher mein Deutschland in mir ..." Und an Mathilde: „Heimatlos ... kein Land, keine Stadt, kein Dorf ... alles ist mir fremd, und sehnsüchtig blicke ich oft nach dem Land Nirwana."

Im Café Tortoni saßen manchmal Frankreich, Deutschland und Italien in den Personen Aubers, Wagners und Rossinis zusammen. Der alte Rossini war bescheiden und führte gern ernsthafte Gespräche über Theaterfragen. Wagner hatte den Eindruck, als stamme der alte Italiener aus einem Zeitalter, dem er vielleicht unrecht getan, da es Männer hervorgebracht hatte, denen die Ehre der Kunst ein ehrfürchtig befolgtes Gesetz bedeutete. Es tat Rossini leid, daß er seine Laufbahn nicht in Deutschland zurückgelegt habe; er meinte: „Ich hätte die Möglichkeit dazu gehabt und vielleicht etwas erreicht." Als Wagner versuchte, Auber etwas Nettes über seine Oper „Die Zirkassierin" zu sagen, antwortete dieser lachend: „Wir wollen nicht von solchen Kleinigkeiten sprechen", und fragte mit Interesse nach der Inszenierung des „Tannhäuser". „Oh, es wird etwas zu sehen geben! Dann wird die Oper auch Erfolg haben, seien Sie ganz beruhigt." Dabei rieb er sich fröhlich die Hände.

Endlich war der große Abend gekommen. Die lange erwartete erste Vorstellung fand am 13. März 1861 nach 164 Proben statt, die bereits berühmt geworden waren — die Vorstellungen sollten es nicht weniger werden. Mathilde Wesendonks Wort: „Wagner bringt überall das Leben mit sich und die Revolution" hatte niemals größere Berechtigung als bei diesen berüchtigten ersten Vorstellungen des „Tannhäuser" in Paris. Baudelaire schrieb von „einer der heiligen Krisen der Kunst, von einem jener Kämpfe, in denen Kritiker, Künstler und Publikum ihre Leidenschaften austoben." In einem solchen Streit standen sich ein großer Komponist, ein paar Begeisterte, die dem Zauberer des Venusberges verfallen waren, ein bis aufs äußerste gespanntes Publikum, eine voreingenommene und feindselig eingestellte Presse und endlich eine Handvoll Dummköpfe gegenüber. Diese trifft man ja überall, wo es sich darum handelt, einem fremden Künstler, der ihre liebgewordenen alten Gewohnheiten stört, das Genick zu brechen. Während der ersten Szene ging alles gut. Das volle Haus nahm sogar verschiedene Stellen mit Beifall auf. Als aber der Vorhang sich über dem nächsten Bilde hob, in dem in der Ferne über dem Tal die Wartburg sichtbar wird, wurden einige mißbilligende Äußerungen laut. Wagner sah nervös aus der Direktionsloge zu und glaubte, daß die Störung durch die Ankunft des Kaisers und des Hofes verursacht worden sei; aber das war nicht der Fall. Die Opposition hatte für diese Stelle ein Gelächter vorgesehen. Gewisse Kritiker (Wagner glaubte, daß Meyerbeer sie ins Theater geschickt habe), der Leiter der Claque und seine Gefolgschaft, deren Dienste abzulehnen Wagner als Ehrensache betrachtet hatte, gaben das Zeichen für einige gut organisierte Lachsalven; von da an wiederholten sich diese während der ganzen Vorstellung regelmäßig: Gelächter begleitete das berühmte Oboen=Ritornell und den Pilgerchor. Die Fürstin Metternich lehnte sich über die Brüstung ihrer Loge und zerbrach vor Ärger ihren Fächer, während es eine Zeitlang so schien, als ob das durch die zu offenkundig feindseligen Unterbrechungen der Vorstellung verärgerte Publikum dem Komponisten zu Hilfe kommen wollte ... Beinahe wäre es zu Schlägereien gekommen. Während des zweiten Aktes wurde es wieder ruhig. Als aber beim Auftritt Niemanns im dritten Akt eine Stimme von der Galerie rief: „Noch 'n Pilger", machte sich die Nervosität des Publikums in einem ungeheuren Lachausbruch Luft. Das bedeutete die Niederlage, die vollkommene, nicht wieder gutzumachende Niederlage, die um so schlimmer war, als sie ihren Grund allein in der Dummheit der Menschen hatte. Wenn sie uns auch heute nach siebzig Jahren ruhmvoll erscheint: damals war sie nur lächerlich. „Man muß wohl kein Franzose sein, um hierüber nicht zu lachen", schrieb eine Zeitung am folgenden Tage.

Es gehörte Mut dazu, die zweite Aufführung anzukündigen. Sie fand in der Tat am nächsten Montag, dem 18. März, als Abonnementsvorstellung statt. Wie bei der Premiere gefiel der erste Akt sehr, besonders das Schlußseptett. Schon glaubten Komponist und Künstler, der Widerstände und Ränke Herr geworden zu sein, als im zweiten Akt plötzlich wieder ein Pfeifkonzert losging. Royer wandte sich an Wagner und sagte resigniert: „Das sind die Jockeis. Wir sind verloren."

Richard und Cosima Wagner

Franz Liszt

Die Mitglieder des aristokratischsten Herrenklubs Frankreichs hatten sich das Wort gegeben, auf diese Weise ihre Anhänglichkeit an das traditionelle Ballett zum Ausdruck zu bringen, um das sie sich gebracht sahen. Und zu gleicher Zeit wollten sie zu verstehen geben, daß die Musik nach ihrem Geschmack das Pfeifen sei. Ein Teil des Publikums protestierte zwar, Rufe „Hinaus mit den Jockeis" erhoben sich; aber selbst der Kaiser wagte nichts gegen die „Löwen der Gesellschaft" zu unternehmen, die beinahe alle zur höchsten französischen Aristokratie gehörten. Trotz allem Lärm nahm die Vorstellung ihren Fortgang. Als Niemann im dritten Akt die Romerzählung sang, wurde er durch allerlei grelle Mißtöne unterbrochen; er warf seinen Pilgerhut als Herausforderung wie einen Handschuh über das Orchester hinweg in die ersten Parkettreihen, verneigte sich vor der kaiserlichen Loge und sagte einige Worte, die man nicht verstand. Ein Augenblick vollkommener Stille folgte. Dann brach der Sturm mit verstärkter Kraft von neuem los, da die Künstler und das Orchester die Kühnheit hatten, weiterzuspielen. Darauf begann Niemann mit Absicht falsch zu singen, worüber Bülow vor Wut weinte. Kietz hatte die unentwegten Pfeifer mit solchem Stimmaufwand angebrüllt, daß er völlig heiser geworden war. Minna zitterte vor Angst. Wagner bewahrte äußerlich seine Ruhe. Aber man kann sich leicht vorstellen, welcher Haß sich in einer Seele aufspeichern muß, die eine solche Qual erleidet! Er verlangte, daß die dritte und letzte Vorstellung an einem Sonntag außerhalb des Abonnements stattfinden solle: aber gerade in dieser tobte die heftigste der drei Schlachten. Der Jockei-Klub erschien geschlossen im Theater und hatte diesmal kleine silberne Pfeifen mitgebracht, auf denen die Worte „Für Tannhäuser" eingraviert waren. Die Freunde und Helfer des Komponisten waren alle gekommen; der Kampf wurde heftiger, die Unterbrechungen waren lauter denn je. Fräulein Sax und Morelli (Wolfram) mußten manchmal zehn Minuten warten, um weitersingen zu können. Wagner war zu Hause geblieben, trank Tee und rauchte seine Pfeife. Am folgenden Tage zog er seine Oper endgültig zurück.

Diese drei Skandalabende kosteten der Oper 250000 Frank. Wagner erhielt seine Prozente und bezahlte Roche, dem Zollbeamten und Übersetzer, seinen Anteil. Das ganze Jahr über war er von den Vorbereitungen für dieses Pariser Debut in Anspruch genommen worden: alles zusammengerechnet hatte es ihm 750 Frank eingebracht! Aber er bedauerte nichts. Trotz alledem bedeutete der „Tannhäuser" für ihn neben dem „Rienzi" seinen wichtigsten Sieg, aus dem er am meisten gelernt hat. „Gott schenke mir einen solchen Mißerfolg", rief Gounod aus. Berlioz sagte nichts, aber sein Schweigen war beredt. Jules Janin, Erlanger, Catulle Mendès und der Prinz Edmond de Polignac waren stolz, sich als Freunde des Opfers zu bekennen, das die öffentliche Meinung gefordert hatte. Richard wurde zum Mitglied eines großen und vornehmen Klubs gewählt, der mit dem Jockei-Klub um die erste Stellung kämpfte. Es gehörte zum guten Ton, den revolutionären Musiker, dessen ästhetische und philosophische Ideen bald populär sein würden, als Größe von internationaler Bedeutung zu behandeln: nur eine solche Niederlage kann die Grenzen unserer Wirksamkeit erweitern. Ganz Begeisterte gingen so weit, den Bau eines Wagner-Theaters vorzuschlagen; wenn auch Richard in Deutschland niemals so offene Feindseligkeit wie in Paris erfahren hatte, so war doch bis dahin seine Kunst auch in seinem Vaterlande niemals so herzlich und verständnisvoll aufgenommen worden.

Drei Wochen nach dieser Niederlage, die soviel Neid erregt hatte, veröffentlichte Baudelaire seine Broschüre „Tannhäuser in Paris", in welcher der Verfasser der „Fleurs du Mal" prophezeite, daß der Tag nicht fern sei, an dem Wagner volle Genugtuung für die ihm zugefügte Beleidigung erfahren würde. „Die Leute, welche glauben, daß sie Wagner vernichtet haben, freuen sich zu früh, wie wir ihnen versichern können... Sie wissen nicht viel über die Pendelschwingungen im Leben der Menschen oder von der Ebbe und Flut der Volksgunst. Heute hat der Umschwung bereits eingesetzt. Er begann am gleichen Tage, an dem Übelwollen, Dummheit, Schlamperei der Tradition und Neid sich vereinigten und versucht haben, Wagners Werk umzubringen..." In der Tat setzte der Umschwung sofort ein: er hat die nächsten siebzig Jahre angehalten — das ist immerhin eine ganz schöne Vergeltung. Im Jahre 1931 schrieb einer der hervorragendsten Pariser Kritiker und Musiker in seinem Bericht über „Die Musik der letzten Woche": „Wagner am Sonnabend, Wagner am Sonntag... das ist etwas viel. Nun, auch die Theater müssen leben. Bis jetzt konnte man nur sicher sein, Lebensmittel zu verkaufen, heute kommen ihnen der ‚Tristan' und die ‚Tetralogie' gleich an Absatzfähigkeit!" So zeigt sich das ewig sich drehende Rad der Geschichte und die logische Folge der langsamen Entwicklung, die der Publikumsgeschmack durchmacht. Ohne Zweifel wird die Zeit kommen, in der unsere Nachkommen die Musik auf ihren Konzertprogrammen als Ballast empfinden, welche heute noch den meisten Menschen die Haare zu Berge stehen läßt: denn sie wird diesen unseren Nachkommen süß wie Sirup schmecken.

Wagner verließ Paris ohne Bedauern. „Man wird eben allmächtig, wenn man mit der Welt nur noch spielt" (Brief an Mathilde). Wagner lebte in einer Zeit, in der das Heute nichts und das Morgen alles bedeutete; außerdem war sein Vertrauen in seine schöpferische Kraft zu fest, als daß er irgendwelche Besorgnisse über seine Zukunft hegte. In der Zahl seiner Bewunderer fanden sich Dichter und Diplomatenfrauen: der Ruhm aber hat keine Bedeutung, keinen wahren Wert, wenn sein Träger nicht auch geliebt wird. Niemals war Wagner weniger unter Menschen, niemals lebte er einsamer als in jenen Tagen. Niemand konnte einen größeren Gegensatz zu dem Revolutionär von 1849 bilden als der ausgepfiffene Komponist von 1861; niemand glich dem Tribunen und Mystiker Rienzi weniger als der Tristan von Venedig, der sterbend über den Leichnam seiner Liebe hinsank. Polyneikes hatte keinen größeren Feind als seinen Bruder Eteokles: so erfüllte sich der Mythos. Wagner war ebenso Alberich gewesen, der sich nach Macht sehnt, wie Siegfried, der die Jugend der Welt, die Dichtung und die Revolution verkörpert. Bis an die Schwelle seines reifen Mannesalters hatte er kein Verständnis für die Leiden des Herzens, die er anderen zufügte — als aber die Zeit erfüllt war, fügte Isolde seinem Herzen eine unheilbare Wunde zu. — Nun war er würdig, Wotan zu werden und in Freiheit das tragische Schicksal dieses Gottes kennenzulernen, der einem unvollkommenen Glück seine liebsten Träume opfert.

Er wurde der Wanderer — wie sich Wotan in der „Tetralogie" nennt —, der sich wieder auf den Weg machte. Dank der Hilfe Metternichs, Pourtalès' und Hatzfelds war es ihm möglich, seine Wohnung in der Rue d'Aumale loszuwerden; dann reiste er nach Wien ab, wo er einer Vorstellung seines „Lohengrin" beiwohnte. Das ganze Haus, Orchester, Sänger und Zuhörer empfingen ihn mit solchem Jubel, daß er zu Tränen gerührt wurde. Es war das erstemal seit dem Erfolg des „Rienzi", daß er wieder den Geschmack des Ruhmes zu kosten bekam; er stand in seiner Loge auf, verbeugte sich und sagte mit vor Bewegung schwankender Stimme: „Ich habe mein Werk heute zum ersten Male gehört, ausgeführt von einem Künstlervereine, dem ich keinen zweiten an die Seite setzen kann, aufgenommen von einem Publikum in einer Weise, daß ich beinahe eine Last fühle. Was soll ich sagen? Lassen Sie mich sie in Demut tragen, diese Last, lassen Sie mich nachstreben den Zielen meiner Kunst; ich bitte Sie, mich hierin zu unterstützen, indem Sie mir Ihre Gunst bewahren." Er gewann Wien lieb, weil Wien ihn liebte. Hier wie überall und immer während seiner ganzen Laufbahn stand das Publikum auf seiner Seite; seine Feinde waren die Kritiker und die Kollegen, die glaubten, daß sie das Recht auf Gesetzgebung in Dingen der Kunst gepachtet hätten. Trotzdem wurden Wagners Werke schnell bekannt, hauptsächlich in den Konzerten, in denen Johann Strauß* (der Strauß der „Schönen blauen Donau") die Vorspiele und verschiedene Arrangements aus „Tannhäuser" und „Lohengrin" zum Vortrag brachte, lange bevor die Opern als Ganzes gegeben wurden — und zwar mit einem Erfolg, der größer war als in irgendeiner andern Stadt. Wien war augenscheinlich die Stadt, die ihn am besten verstand; die Mittel, mit denen seine Werke dort in Szene gesetzt wurden, schienen ihm Erfolg zu versprechen. Er entschloß sich also, einige Zeit dort zu bleiben, denn er hatte eingesehen, daß es für ihn keinen Sinn hatte, sich irgendwo dauernd niederzulassen; es war besser für ihn, ein staatenloser Fremdling zu bleiben.

Er fuhr zunächst nach Paris zurück, um seine Sachen zu packen, und erfuhr dort etwas ebenso Wichtiges wie überraschend Neues. Dank den Anstrengungen des Grafen Pourtalès war ihm ein preußischer Paß ausgestellt worden, mit dem er wieder nach Deutschland zurückkehren konnte. Zehn Jahre lang hatte er auf diese Amnestie gewartet und gehofft; nun, als sie endlich Wirklichkeit geworden war,

---

* Johann Strauß und sein Bruder Eduard Strauß, die Söhne des Strauß, den Wagner schon als Kind gehört hatte, gaben sich die aufrichtigste Mühe, um Wagner in Wien durchzusetzen, sie verdienen also die Dankbarkeit aller Wagnerianer. Als sich Wagner entschloß, eins seiner Wiener Konzerte zu wiederholen, sagte Eduard, der ein Promenadenkonzert für denselben Abend angezeigt hatte, dieses wieder ab, um niemand, der sonst vielleicht zu ihm gekommen wäre, von dem Besuch des Wagnerschen Konzertes abzuhalten. Wagner war einer der wärmsten Bewunderer von Johann Strauß; eines Abends forderte er beim Diner die Gesellschaft auf, „auf alle unsere Klassiker von Mozart bis Strauß" zu trinken.

konnte er sich kaum noch über sie freuen — wie es gewöhnlich der Fall ist, wenn eine Hoffnung zu spät erfüllt wird. Er schickte Minna nach Dresden und blieb selbst drei Wochen als Gast bei den Pourtalès. Ein ruhiger Salon mit Aussicht auf den Garten, der einen Teich mit drei australischen Schwänen barg, wurde ihm zur Verfügung gestellt. In dieses stille Gemach kam sein Erard=Flügel, sein eigener, besonderer „Schwan"; hier komponierte er die „Ankunft bei den schwarzen Schwänen", die er seiner Gastfreundin widmete. „Ich werde als zur Familie gehörig betrachtet, habe meinen Flügel in einem schönen, hohen Salon und könnte mir's ganz passabel gefallen lassen ... allein, ganz allein zu sein, ist mir schließlich doch das einzig Zusagende ... Ich fühle mich außerordentlich müde. Zwei schöne Jahre sind rein vergeudet. Was ich für die Kunst verloren, habe ich aber vielleicht fürs Leben gewonnen."

Nun fuhr er nach Deutschland; nach zwölfjähriger Verbannung befand er sich endlich wieder in der Heimat. Zunächst besuchte er Liszt in Weimar, wo gerade ein nationales Musikfest abgehalten wurde. Franz war im Theater, als Wagner dort erschien: er unterbrach sofort die Probe, die er gerade leitete. Dann senkte sich vollkommenes Schweigen über das Haus, die Tür öffnete sich, und der Komponist, den Paris ausgepfiffen hatte, wurde von einer auserwählten Künstlerschar mit Jubel begrüßt: seit zehn Jahren hatten diese ihn als den größten zeitgenössischen Tondichter Deutschlands verehrt. Die beiden Freunde hielten sich lange umschlungen und schämten sich ihrer tiefen Bewegung nicht.

Liszt lebte damals auf der Altenburg. Seit einem Jahr wartete die Fürstin Wittgenstein in Rom auf ihre Scheidung; das alte Haus, in dem sie so glücklich zusammen gewesen waren, hatte fast das Ansehen eines Totenhauses bekommen, da der arme heilige Franz vor einem Nervenzusammenbruch stand; nun aber wurde es plötzlich durch Wagners Einkehr lebendig. Er hatte zwölf Gäste zum Musikfest eingeladen, unter ihnen die Olliviers, Bülow, Tausig und Cornelius. Wagner war der dreizehnte. Bedeutete das etwas Böses? Liszt war abergläubisch, aber Wagner behauptete, daß die Zahl gerade etwas Gutes anzeige. Es war noch nicht lange her, daß die Freundschaft zwischen Marsyas und Apollo ein wenig getrübt gewesen war — die Eifersucht der Fürstin Wittgenstein war die Ursache gewesen. Sie hatte gefürchtet, daß der Flötenspieler einen zu großen Einfluß auf den weichen Charakter ihres Gottes und auf dessen Werk gewinnen würde, und hatte daher alles getan, um die beiden voneinander entfernt zu halten. „Liszt ist ein gänzlich geheimnisloser Mensch geworden", hatte Wagner kürzlich Mathilde anvertraut, „seine offenbar mißbrauchte Schwäche hat ihn in eine unschöne Abhängigkeit gebracht ... Aber er liebt mich immerfort, wie er mir immer ein edler, höchst teurer Mensch bleibt ..." Nun hatten sich ihre Seelen wieder ganz gefunden, so daß Wagner von neuem siegreich in seines Freundes Herz einziehen konnte — ein Herz, das stets in Richards Zauberbann stand.

Dann reiste Franz nach Rom, um dort zu heiraten — wenigstens glaubte er jetzt seine Hochzeit feiern zu können; Richard kehrte nach Wien zurück. Die Olliviers luden ihn ein, mit ihnen über Reichenhall bei Salzburg zu reisen, um Cosima von Bülow zu besuchen, die sich dort einer Milchkur unterzog. Die Freundschaft zwischen Wagner und Blandine, die sich in Paris angebahnt hatte, war keineswegs erkaltet, so daß die Reise so vergnügt verlief, wie man gehofft hatte. Die beiden Schwestern besprachen ihre Angelegenheiten miteinander, und Blandine erzählte, daß Wagner ihr vor seiner Abreise aus Paris seinen Schreibtisch geschenkt habe. Ein paar Tage später trennte man sich.

Blandine und Cosima sollten sich niemals wiedersehen. Frau Ollivier starb auf dem Gut ihres Mannes bei St. Tropez im Wochenbett.

Als sie sich trennten, senkte sich ein Schweigen über die drei, wie wenn hier in dem kleinen, entlegenen Dorf einen Augenblick ihre Seelen in stummer Übereinstimmung verweilten, ehe das Schicksal sie auf einen neuen Weg führte, der, gerade vor ihnen liegend, doch ihren Blicken noch verborgen war. Sie sahen sich schweigend an, und Wagner las in Cosimas Augen eine Frage — eine jener stummen Fragen, die länger im Gedächtnis haften, als Worte es vermögen.

Noch in Wien verfolgte ihn dieser Blick. Vier Monate lang führte Wagner dort ein ebenso rast= wie zweckloses Leben, da die Ausführung seiner Pläne bald ins Stocken geriet. Die Einsamkeit lastete schwerer auf ihm als sonst. „Es ist mir doch immer mehr, als wäre ich jetzt so ziemlich am Ende meiner Lebensreise angekommen", schrieb er an Mathilde. „Es haftet nichts mehr bei mir — und aller Glaube fehlt; ein Einziges gibt es, mich zu gewinnen — wenn man mit mir weint." Da die Wesendonks merkten, daß er vor einem Nervenzusammenbruch stand, luden sie ihn ein, sie in Venedig zu besuchen. Mitte November reiste Richard dorthin und traf nun seine Isolde in der Stadt, die vor drei Jahren seine vergebliche Sehnsucht nach ihr gesehen hatte.

„Das Gräßliche, Letzte ist überstanden", schrieb er bald darauf, „... nun kann ich alles, alles ertragen, weil mich nichts mehr drückt." Das hieß, daß nun König Marke über Tristan gesiegt hatte. Wagner erkannte es sofort; er fühlte in jeder Faser seines Wesens, daß die Bande, die ihn noch an Mathilde gefesselt hielten, endlich zerbrochen waren. Sie fühlte sich glücklich — eine schlimme Erkenntnis für einen Liebhaber, der seinen Platz von einem andern, und sei es der Gatte, eingenommen sieht! Es schien wenigstens so, als ob sie ihn vergessen habe... Aber den schlimmsten Beweis für die Endgültigkeit ihrer körperlichen Trennung erbrachte sie ihrem ehemaligen Geliebten durch das Geständnis: im nächsten Frühjahr würde sie wieder Mutter werden...

Er wollte sogleich abreisen, aber Mathilde hielt ihn zurück. Sie allein konnte die Qual mildern, die, wie sie wußte, ihn wie ein böser Traum verfolgte. Wenn Tristan das Grab sah, in dem ihre tote Liebe lag, so sollte Richard neben diese Stätte der Trauer die nie welkende Blume ihrer gemeinsamen Erinnerungen pflanzen: sie schlug ihm vor, die „Meistersinger" wieder aufzunehmen, die er vor langer Zeit entworfen hatte; Wagner griff die Idee wie eine rettende Gnade auf. Nur so konnte er seinen Frieden mit der Welt machen: stirb oder schaffe! das war sein Wahlspruch. Wie gut sie ihn kannte! So segnete er trotz der Trennung, welche, wie er wußte, endgültig war, mit Tränen die Frau, die am Leben bleiben wollte, damit er das Schicksal erfüllen könne, für das sie ihn geformt hatte.

Wagner faßt in einem Brief an Frau Wille seine Gefühle so zusammen: „Sie ist und bleibt meine erste und einzige Liebe! Es war der Höhepunkt meines Lebens: die bangen, schön beklommenen Jahre, die ich in dem wachsenden Zauber ihrer Nähe, ihrer Neigung verlebte, enthalten alles Süße meines Lebens."

Venedig also war das Grab ihrer Liebe: Isolde war dort im Herzen Tristans zuerst gestorben, und auch Tristan starb dort in der Seele der Heißgeliebten. So wurde seine Ahnung, die er nach seiner Flucht aus dem Asyl gehabt hatte, zur Wahrheit, da er unbedeckten Hauptes, wie zu einem Begräbnis, in die schwarz verhangene Gondel stieg.

VII

Die Welt muß mir geben, was ich brauche

Ein Kolonist, der nach Jahren des Aufenthaltes in den Tropen wieder im Heimathafen ankommt, bietet einen seltsamen Anblick dar; ein wenig unsicher auf den Beinen, geht er die altvertraute zivilisierte Straße hinauf und sieht, kaum seinen Augen trauend, die alten Häuser an, die mit seiner Vergangenheit verbunden sind, bleibt vor jedem Schaufenster stehen, dreht sich um und lächelt den Vorübergehenden zu, die sich über seine Naivität lustig machen. Nach langem, einsamen Leben findet er nun fern von der ewigen Sonne und dem zauberhaften Bilde seiner tropischen zweiten Heimat bald die alten vertrauten Bilder wieder und nimmt schnell das blasierte Aussehen derer an, die niemals versucht haben, das Land ihrer Sehnsucht zu erreichen. Einem solchen Heimkehrer gleicht der Mann, der eben die Erschütterungen einer verlorenen Liebesleidenschaft erfahren hat. Aus langem Traum erwacht, weiß er nicht, wohin er seine Schritte lenken soll: nichts zieht ihn an, und alles überrascht ihn; der Traum ist nun vergangen, aber wie es scheint, ist das Leben doch nicht so schlecht gewesen, es trägt ihm die wahre und solide Grundlage einer Allerweltsmoral entgegen. So breitet auch er die Arme aus wie alle übrigen, um seinen Teil zu erraffen und zu vergessen, daß er einmal ein Dichter gewesen ist.

Wagner ist zu den Menschen zurückgekehrt. Er hat Mathilde verlassen, Venedig, Zürich, die Stätten, die er durch Werke geweiht. Vergessen und arbeiten — das war es, wonach er verlangte. Alles kann er ertragen, da er nicht mehr dem Glück nachjagt: sein inneres Leben sei Kunst und Handwerk, ein Lobgesang auf das, was nicht ist, mit dem geschaffen, was ist. Er fuhr nach Paris zurück und nahm im Hotel Voltaire am Seinekai Wohnung, um dort angesichts des Louvre und der Tuilerien das Werk zu schreiben, das er den Nürnberger Dichter=Handwerkern gewidmet hat. Noch einmal fließt der Strom seiner Erfindung, als wenn sich die alte Wunde geöffnet hätte, damit ewig frisches Blut daraus fließe. Wie immer verdankte er seine lebendigste und eigentümlichste Erfindung einer Zeit, die ihm nur Unglück und Schwierigkeiten gebracht hatte.

Nun folgten ruhige, glückliche Wochen, in denen er gesundete. Die ungeheure Arbeit, Spaziergänge, Gespräche mit dem Portier und den Kellnern füllten sie aus. So schrieb er an Malwida: „Die vier Wochen Arbeit in Paris waren meine glücklichsten. Die einzige Periode, wo ich eigentlich existierte." In diesen freudlosen Tagen, den einsamsten seines Lebens, schuf als Gegensatz Wagner sein heiterstes Werk. Niemals erfüllte ihn das Schreiben einer Dichtung mit solcher Freude wie das Textbuch zu den „Meistersingern". Als er auf seinem Wege zur „Taverne Anglaise", wo er zu speisen pflegte, die Galerien des Palais Royal durchschritt, fiel ihm „die Melodie zu dem Bruchstücke aus Sachs' Gedicht auf die Reformation, mit dem im letzten Akt das Volk den geliebten Meister begrüßt, ein".

Die Figur des dichtenden Schusters nimmt ihn ganz gefangen; er gewinnt ihn förmlich lieb. Sachs ist der Wotan der Meistersinger, der Dichter des bürgerlichen Lebens, der Mann von reicher Erfahrung, dessen Leidenschaften zur Ruhe gekommen sind, der ohne Bitterkeit auf das Vergangene zurückblicken kann. Hans Sachs ist der philosophische Held, in dem sich Wagner selbst ein Denkmal gesetzt hat, er verkörpert „den Frieden des Herzens, der in der Entsagung liegt". Die Liebe hat in Zukunft nichts mehr für ihn zu bedeuten; aber er wirft noch einen letzten wehmütigen Blick zum Abschied auf sie zurück und erinnert Eva und Walter, das junge, unter seinem Schutz stehende Paar, an die Geschichte von „Tristan und Isolde":

> „Mein Kind, von Tristan und Isolde
> Weiß ich ein traurig Stück,
> Hans Sachs war klug und wollte
> Nichts von Herrn Markes Glück..."

Ohne Frage glaubte Wagner, der beinahe fünfzig Jahre war, im Ernst, daß die Tage „Tristans" vorbei seien, und war davon überzeugt, wie der Nürnberger Schuster, daß „die Verführung der ewigen Jugend nur noch im Lorbeerkranz des Poeten blühen würde". Aber König Marke — nein, dessen Rolle sollte Richard niemals spielen.

Als das Werk vollendet war, wollte er es seiner Gastfreundin vom Garten der schwarzen Schwäne, die kürzlich ihren Gatten verloren hatte, vorlesen. Trotz ihrer Trauer hieß ihn die Gräfin Pourtalès herzlich willkommen; bereits am Abend seiner Ankunft las er ihr das ganze Werk vor. „Sie war die erste", schreibt er in seiner Autobiographie, „der ich mein jetzt fertiges Gedicht vorlesen konnte, und es machte auf uns beide einen nicht bedeutungslosen Eindruck, daß wir oft in herzliches Lachen darüber ausbrechen konnten."

Wagner hatte nun nichts mehr in Paris zu tun und hielt Ausschau nach einem ruhigen Ort, um in ganz neuer Umgebung sein Werk ungestört komponieren zu können. Es schien ihm hoffnungslos, sich mit Minna in Dresden niederzulassen. Richard schickte ihr aus seinen Einkünften oder von dem Geld, das er borgte, hinreichende Zuschüsse und schrieb ihr regelmäßig; sooft sich die Gelegenheit bot, erinnerte er sie, daß er sein Bestes getan habe, mit ihr in Frieden auszukommen. Aber die Dinge waren so weit gediehen, daß selbst ein Waffenstillstand zwischen ihnen nicht mehr in Frage kam. Jedesmal, wenn sie sich wiedersahen, versprach sie, die Vergangenheit ruhen zu lassen und den Namen Mathildens nicht mehr zu erwähnen, so daß ihr Schweigen für sie beide den Beweis — allerdings einen recht melancholischen Beweis — ihrer Selbstbeherrschung bringen sollte. Das hatte sie zwar versprochen, aber niemals gehalten. Ihre Eifersucht war allmählich zu einer Art von Krankheit geworden, die ihr ganzes Wesen vergiftete; eine zufällige Anspielung, ein bloßes Wort, ja ein Datum genügten, um hysterische Anfälle bei ihr auszulösen. Arme Seele, es gab für sie keine Heilung; sie wußte das und nahm resigniert die Trennung auf sich — aber nicht die Scheidung. Den Tag ihrer silbernen Hochzeit hatte sie ganz allein gefeiert. „Am Tage meiner fünfundzwanzigjährigen Verheiratung, den ich sehr traurig (solo) verbrachte", schrieb sie an eine Freundin, „erhielt ich von meinem Mann als Geschenk ein goldenes Armband und den Congé auf ein ganzes Jahr. Dann, sagte er, würden wir uns vielleicht in München oder am Rhein einmal sehen, einstweilen sollte ich mich hier fest niederlassen... Könnte ich diese fünfundzwanzig Jahre aus meinem Leben streichen, dann vielleicht würde ich auch wieder lustig. Aber man muß sich nicht versündigen und immer noch froh sein, daß einem das Fell nicht lebendig über die Ohren gezogen worden ist. Bis künftigen April bleibe ich hier, wohin ich dann meinen Wanderstab lenke, wissen die Götter! Das alles dankt man den Tristans!"

Allerdings — darin hatte sie recht! Alleinsein und arbeiten, Vergessenheit, Freiheit von Sorgen und das, was er eine „unvertilgbare naive Moralität" nannte, das war es, wonach sich Wagner gegenwärtig sehnte. Nun beabsichtigte er, sich in der Nähe von Mainz niederzulassen, in der Nachbarschaft seines neuen Verlegers Schott, der versprochen hatte, ihm auf die „Meistersinger" und die „Tetralogie" in wenigen Monaten 25 000 Franken Vorschuß zu geben. Außerdem liebte Wagner den Rhein, und der Frühling des Jahres 1862 schien sich gut anzulassen, besonders, da der König von Sachsen und dessen Ratgeber nach zwölfjähriger Überlegung zu der Überzeugung gekommen waren, daß Wagner nicht gerade als politischer Feuerkopf angesehen werden könne; nun wurde er endlich begnadigt.

Die majestätische Ruhe des großen Flusses, die Landschaft, die Spaziergänge, die Stille seines Herzens und das stetige Wachstum der Natur taten Wagner gut. Er mietete sich in Biebrich, in der Villa eines Architekten ein, der ihm drei Zimmer mit der Aussicht auf den Rhein überließ, und packte wieder einmal seine Möbelkisten, seine Teppiche und seine Bibliothek aus. Die Familie Schott empfing ihn in ihrem Hause und gab ihm zu Ehren Gesellschaften; er las dafür die „Meistersinger" vor und wurde sehr bewundert, ja fast in den Himmel gehoben. In der Tat waren unter den wohlhabenden Bürgern dieses Kreises sehr nette Leute; er fand eine kleine neue Welt, die aus begeisterten Anhängern seiner Kunst, angenehmen Frauen und reizenden jungen Mädchen bestand. Eine von ihnen hatte einen Freund Schopenhauers gekannt — wie interessant! Auf einer dieser Abendgesellschaften bei Schotts saß Richard neben einem Fräulein Mathilde Maier, einem hübschen Mädchen von neunundzwanzig Jahren, von gefälligem und natürlichem Wesen, für die er sich sogleich interessierte. Innerhalb weniger Tage war ihre Freundschaft bereits sehr intim geworden.

Mathilde Maier war die älteste Tochter einer Notarswitwe; sie lebte in Mainz mit ihrer Mutter, einem Bruder und einer Schwester, die beide jünger waren als sie selbst, und zwei Tanten zusammen. Wagners melancholisches Wesen zog sie an, und Richard, der eine hingebende, treue Seele in ihr witterte, erwiderte ihre Zuneigung ebenso aufrichtig. Er machte der Familie seinen Besuch, fühlte sich dort wohl und empfand eine immer stärkere Bindung an das junge weibliche Wesen, das einen ihm so teuren Namen trug. „Ach, Kind, ich bin fünfzig Jahr! Da hat die Liebe nur noch ein Sehnen, das meines Fliegenden Holländers: Ruhe nach Stürmen." Dies hatte also nichts mehr mit der Art zu tun, in der er auf dem „grünen Hügel" gelebt hatte; aber doch lag in ihrem freien und offenen Verkehr ein großer Reiz, der sein Herz berührte. Das einfache, vielleicht in manchen Dingen allzu einfache Mädchen gab seiner Seele die Ruhe wieder; die neue Mathilde bewunderte ihn voller Demut und wünschte sich nichts Besseres, als ihm zu dienen, ohne etwas dafür zu verlangen, so daß es keine seelischen Verwicklungen, keinen König Marke gab … Sie beherrschte e i n e Kunst in vollendeter Weise, die Kunst des Schweigens. Gerade das brauchte er für die Stimmung, die das alte Nürnberg in all seinem Glanze wieder auferstehen lassen sollte. Es hätte sich nicht besser fügen können: am 22. Mai, in der Frühe seines fünfzigsten Geburtstags, schenkte ihm Mathilde ein paar schöne Rosen-stöcke; da rief er aus: „Seit diesem Morgen weiß ich, daß die ‚Meistersinger' mein Meisterwerk sein werden!"

Aber trotzdem er eifrig bemüht war, ein neues Leben zu beginnen, konnte er sich doch von der Vergangenheit nicht gänzlich lösen. Kaum einen Monat später erklärte Wagner Mathilden zum erstenmal in einem Brief seine Liebe: schon nannte er sie mit dem vertrauten Du und glaubte, nicht mehr ohne sie leben zu können. „Alles was mir einen Menschen liebenswert machen kann, macht mir Dich liebenswert: aber eben den ganzen Menschen liebe ich, die liebliche, feste und doch so gefügige Natur! Du bist so mannigfaltig, und immer so sicher und wahr, daß ich keinen Teil von Dir nehmen möchte, um ihn entzückt mein eigen zu nennen. So wirst Du ganz mein sein, wenn ich Dich auch nie besitzen darf: und so bist Du mir ein letzter Quell edelster Läuterung! Bist Du mir aber das, und vollende ich mich an Dir, so kannst auch Du Dich nicht unselig fühlen, auf Deinem Lebenswege mir be=

gegnet zu sein! — Laß es den Sternen, dem Schicksal, und
sorge mit mir für das, was unser — für das Innere! —
Glücklich ist nur das Gemeine: selig in Leid der Edle!" Ohne
daß er es merkt, ganz unwillkürlich, kommen ihm dieselben
Worte wie früher in die Feder. Seine Seele kann die emp=
fangenen Eindrücke nicht verleugnen, und sein Herz, einmal
tief gepackt, läßt immer dieselben fieberhaften Wellen durch
sein Blut strömen. Aber Mathilde Maier kämpft mit der
Energie der Jugend gegen die Neurasthenie des Fliegenden
Holländers an: sie fühlt keine Berufung zur Tragik in sich.
Ihre Gesundheit ist vielleicht nicht fester als ihre Liebe, aber
jedenfalls stärker als ihre Sehnsucht nach dem Tode. Das
gerade ist es, was Wagner in ihr spürte, und es brachte ihn
diesem verständigen, aber trotzdem leidenschaftlichen Mädchen
immer näher. Sie gab ihm alles, was er zur Stärkung seiner
Kräfte brauchte, und belebte seine Energie gerade dann, wenn
sie nachzulassen schien. Aber diese Eva, die ihren Hans Sachs
liebte, war nicht die einzige Frau, die über dem Wohlergehen
des Dichters wachte.

Zunächst war Minna auch noch da; Richard schrieb ihr
endlos lange Briefe, versuchte ihre Verstimmung zu beheben
und ihr klarzumachen, daß er liebevoll an ihre gemeinsame
Vergangenheit zurückdenke. Aber er spielte auch ganz über=
flüssigerweise mit ihren Gefühlen und erweckte in ihr den
Glauben, daß er ihre Gegenwart nötig habe. So kam sie
plötzlich eines Morgens in Biebrich an; Wagner war nicht
weiter ärgerlich darüber, denn sie konnte ihm helfen, die
Wohnung fertig einzurichten. Außerdem sah die arme Minna
besser als sonst aus und schien bemüht, sich angenehm zu
machen. Konnten sie nicht doch wieder zusammen leben?
War es nicht möglich, wenn sie sich richtig benahm und ihm
keine Vorwürfe machte? Richard umgab sie mit liebevoller
Aufmerksamkeit, so daß sie einen glücklichen Abend mit=
einander verbrachten. Allerdings war es der einzige. Denn

Fafner bewacht den Nibelungenhort

Zeichnung von A. Böcklin

Freya

Wotan

Figurinen zu „Rheingold", von F. Seitz, 1869. Im Besitz des Richard Wagner-Museums in Eisenach

infolge eines merkwürdigen Zufalls erhielt Richard am Tage nach Minnas unerwarteter Ankunft vor den Augen seiner Frau einen Brief von Mathilde Wesendonk, von der Richard mehrere Wochen nichts gehört hatte. Und am folgenden Tage kam, von ihrer Hand adressiert, eine kleine Kiste mit Weihnachtsgeschenken an, die irrtümlich nach Wien gesandt worden war und dort lange gelagert hatte. Es konnte in der Tat den Anschein haben, als ob alles sorgfältig so arrangiert worden sei: die unglückliche Minna konnte sich nicht länger beherrschen und bekam einen heftigen Weinkrampf. Sie fing wieder von vorn an und zählte die ganze Liste ihrer Leiden in Ausdrücken auf, die sich Wagner nicht gefallen lassen konnte.

Entsetzliche, beklagenswerte Minna! Richard selbst hätte sie am liebsten bedauert — aber er, der gegen alle körperlichen Unannehmlichkeiten so empfindlich war, der es nicht vertragen konnte, Tiere leiden oder abgeschnittene Blumen welken zu sehen, war taub, wenn es sich um die Leiden seiner eigenen Frau handelte, und blieb ihren Klagen, ihren Bitten gegenüber unerbittlich. Nichts konnte die beiden davon abbringen, sich zu hassen; es ist schon unerträglich, Vorwürfe wegen einer noch heißen und wilden Leidenschaft zu bekommen, die das Herz verzehrt, aber noch viel schlimmer ist es, sich wegen einer Liebe verteidigen zu müssen, die nur noch in der Erinnerung lebt. Friede war zwischen ihnen nicht möglich, denn sie hatten das Glück ihrer Vergangenheit einem Irrtum geopfert: so sahen sie einander entsetzt an. Es war ihnen während der kurzen, aber heftigen Auseinandersetzung klar geworden, welche teuflischen Qualen die Zukunft für sie bereit haben würde, wenn sie zusammenblieben.

„Zehn Tage Hölle", nannte Wagner in einem Brief an seinen Freund Cornelius die Zeit, die er mit Minna verbracht hatte. Trotzdem hatte der junge Musiker Weisheimer, mit dem Richard befreundet war, bemerkt, wie aufmerksam sich dieser gegen seine Frau benahm, etwa in einem nahegelegenen

Hotel ihr zu essen bestellte, was sie gerne hatte. Weisheimer
ging mit ihnen spazieren und war an einem Abend bei Wagners,
als die „Meistersinger"-Dichtung vorgelesen werden sollte.
Wagner hatte zu dieser Gelegenheit einen seiner berühmten
seidenen Schlafröcke angezogen; er zählte Minna die Personen
des Stückes auf, erklärte ihre Charaktere und beschrieb die
Bühnenbilder, als sie ihm plötzlich ein Stück Brot ins Gesicht
warf und schrie: „Und hier sitzt das Publikum!" Wagner
stand sofort auf und legte sein Manuskript fort. „Um des
Himmels willen", sagte er zu Weisheimer, „bleiben Sie heute
nacht hier!" Vielleicht hätte er Minna geschlagen, wenn er
mit ihr allein gewesen wäre. Ein weiteres Zusammensein war
unmöglich; so reiste sie wieder nach Dresden zurück.

„Es steht nun fest, ich kann unmöglich mehr mit meiner
Frau zusammen leben! Du glaubst nicht, was ich mit diesen
wenigen Worten alles sage. Mir blutet das Herz: und doch
erkenne ich, daß ich alle Herzensweichheit gewaltsam bekämpfen
muß, da durch Festigkeit und Offenheit einzige Rettung
möglich ist... Meine Frau wird sich helfen, denn ich werde
ihr immer den Schein lassen! Wirklich mich von ihr noch
scheiden zu lassen, ist und bleibt mir unmöglich: es ist zu spät
und die Grausamkeit einer solchen Prozedur empört mich.
Ich bin denn nun zu folgendem Ausweg entschlossen. Meine
Frau soll sich von nächstem Herbst an mit unseren Möbeln
und Habseligkeiten, nach Ausscheidung des wenigen, was ich
hierbehalte, in Dresden für sich niederlassen und dort bei sich
eine Stube ‚für mich' reservieren. Unter dem — allerdings
gültigen — Vorwand eines Asyls zum ruhigen Arbeiten, werde
ich mir stets und andauernd ein kleines Logis, wie ich es jetzt
innehabe, erhalten und — vielleicht — zu Zeiten meine Frau
auf ein paar Wochen einmal besuchen. So soll es aussehen,
um eben mild auszusehen! ... Seit ich gestern die unglückliche,
immer aber nur zürnend um sich besorgte Frau in Frankfurt
verlassen, nagt es immer in mir, und nur das bestimmte

Innewerden, daß ich durch Weichheit beiderseits die Qual verlängere, kann mich endlich zur — Resignation bringen. — Ach Gott! Nun kommt es dann mit Tränen über mich und ich sage: jetzt ein freundliches, weibliches Wesen, das mich sanft in sich aufnähme!! Das verschließ ich mir nun! Und so, denke ich wohl, sind alle Leiden meiner Frau gerächt!"

Um sein Gewissen zu entlasten, schrieb Wagner diese intimen Bekenntnisse, die er Cornelius gemacht hatte, auch mehrfach an Pusinelli, den er um Rat fragte. Was sollte er anfangen? Da sein Gefühl für Minna völlig geschwunden war, konnte er ihr nichts versprechen, was ihm von Herzen gekommen wäre, aber er hatte die beste Absicht, ihr wenigstens den Schmerz einer Scheidung nicht anzutun. Es wäre am besten, wenn sie sich nicht mehr schrieben und nicht mehr aufsuchten. Wie es scheint, riet ihm Pusinelli trotzdem zum Radikalmittel der Scheidung. Richard teilte Minna das mit, aber sie wehrte sich, wollte nichts von Scheidung hören, denn sie war über=zeugt, daß „ihr" Richard zu ihr zurückkehren würde, wenn Mathilde, ihre schlimmste Feindin, aus seinem Leben ver=schwunden wäre. Sie ahnte nicht, daß Wagner bereits wieder auf der Suche nach einer neuen Muse war, ja, daß er diese bereits so gut wie gefunden hatte. Aber war es auch ganz sicher, daß dies die zweite Mathilde sein würde?

Denn mit dem Sommer kamen andere Besucher, und die stille Ruhe des „Bibernest", die in den letzten Monaten nur durch das Flattern eines weißen Mädchenkleides gestört worden war, belebte sich jetzt mit den Toiletten eleganter Frauen. Zwei dieser Damen waren von besonderer Bedeutung: Frau Schnorr von Carolsfeld und Frau Hans von Bülow. Sie waren mit ihren Ehemännern gekommen, um einen Teil ihrer Ferien in der Nähe Wagners zuzubringen. Die Schnorrs waren ein berühmtes Künstlerehepaar und am Theater in Karlsruhe engagiert. Tichatschek hatte Wagner auf die un=gewöhnlich schöne Stimme des noch sehr jungen Sängers auf=

merksam gemacht; leider schien dieser wegen seiner Neigung zur leiblichen Fülle dem Herkules ähnlicher als dem Tristan, so daß Wagner deswegen ein Zusammentreffen immer wieder vermied. Schließlich begab er sich doch eines Tages inkognito nach Karlsruhe, wo der „Lohengrin" aufgeführt wurde; sobald der „Held der Sage" die Bühne betreten hatte, war Wagner vom Glanz seiner Stimme bezwungen. Bei diesem wunderbaren Sänger, der Wagners Werk besser als irgendein anderer Sänger verstand, fragte sich Richard nicht mehr: „Wie ist er?" sondern sagte: „Das ist er!" Nun waren die Schnorrs zusammen mit Hans von Bülow und der rätselhaften Cosima seine Gäste.

Rätselhaft war Cosima in der Tat, denn ihre Neigungen und Abneigungen unterschieden sich in allem von denen anderer Menschen. Sie fand die Rheinlandschaft langweilig, von einer gewissen englischen Kitschigkeit, so etwa wie die mit Efeu bewachsenen Ruinen Großbritanniens. Sie machte sich nichts aus Wiesbaden, dieser „Anhäufung von abgelebten Frauen, von Spielern, von Seiltänzern, von Juden, wo man vergeblich eine ehrenhafte Gestalt sucht". Der einzige Genuß, den sie in diesem „Vaterlande der Leute ohne Gesinnung" hatte, war Wagners Musik, die abends von den Schnorrs gesungen und von Hans oder dem Meister selbst auf dem Klavier begleitet wurde. Sie glaubte, daß Schnorr viel mehr Musiker als Tenor, viel mehr Künstler als Musiker sei; nun begann dieser das Studium des Tristan — eine „erschreckende" und nervenzerrüttende Rolle, die ihn aber doch mit hoher Freude erfüllte. Noch ergriffener aber war die junge Frau von der so fröhlichen und doch so tiefsinnigen Dichtung der „Meistersinger", eines Werkes von Shakespeareschem Wurf; wie sie sogleich bemerkte, liegt seine Größe in dem herbstlichen Glanz, der die Figur des Hans Sachs umleuchtet.

Merkwürdig ist, daß sie auf Wagner böse war, der einen starken Einfluß auf sie hatte: besonders aber beherrschte er

372

Bülow, dessen Nervosität sich in der Nähe seines Meisters in beunruhigender Weise steigerte. Warum ließ er sich so unterjochen, hypnotisieren, ja zum Sklaven machen? In fünf Tagen kopierte er die 145 Quartseiten der „Meistersinger"-Dichtung und verlor alles Interesse an seiner eigenen Arbeit, kümmerte sich nicht mehr um die Korrekturen seiner Lieder, fühlte sich in Gegenwart des anderen ganz unbedeutend und sprach die Absicht aus, eine „Selbstmordsymphonie" zu schreiben. „Ich wünschte", sagte er, „es wäre Schlafenszeit, und alles wäre vorbei. Ich habe alles Selbstgefühl verloren und damit alle Lebenslust." Wie kann sich ein Mann so von einem andern niederdrücken lassen, ohne sich dagegen mit allen Kräften zu wehren? Cosima litt unter all diesem und machte im geheimen ihrem Mann noch schärfere Vorwürfe als Wagner, der wenigstens immer er selbst, zynisch und hart wie ein Diamant blieb. Eines Abends begann Wagner von seinen zukünftigen Plänen zu sprechen, von den „Siegern" (ein außerordentlich passender Titel!), von „Parsifal", der sein letztes Werk, gleichsam sein Testament werden sollte. Bülow, der in einer Fensternische stand und Richards Worte gehört hatte, sagte leise zu Weisheimer: „Sie werden sehen, er erreicht sein Ziel und bringt auch noch den ‚Parsifal' zustande." — Sie machten Ausflüge in die Umgebung, bestiegen den Drachenfels und blieben immer unter dem Bann des „Mannes ohne Freude", dessen Heiterkeit etwas Scharfes hatte, das den andern durch und durch ging. Er sang, wenn Hans ihn am Klavier begleitete; er sang Siegmund und die beiden ersten Akte „Siegfried" (die einzigen, die fertig waren), und zwar die Rolle des Mime. Es war schrecklich und doch wunderbar hinreißend.

Eines Tages kam der Maler Willich aus Rom an. Die Wesendonks hatten ihn geschickt; er sollte ein Bildnis Wagners malen. Weshalb suchte Isoldens Geist das Land der Nibelungengötter auf? Ihr Wunsch bedeutete für Richard eine neue Last, aber er nahm sie bereitwillig auf sich und ließ sich während der Sitzungen, wie einstmals im Asyl, vorlesen: nur — die Vorleserin war nicht mehr Mathilde, sondern die junge Cosima von Bülow. Gerade zu dieser Zeit, als der Zufall so seltsam in Wagners Leben waltete, erhielt er vom Drucker die „Fünf Gedichte", die er während des Liebessommers auf dem „Grünen Hügel" komponiert hatte; ein musikalischer Abend wurde bei Schotts arrangiert, an dem sie gesungen werden sollten. Die Vergangenheit, die so immer wieder aus ihrer eigenen Asche aufstieg, beunruhigte Cosima immer mehr, da auch sie jetzt zu denen zu gehören schien, die unter dem Zauber des Venusberges standen.

Sie befragte sich selbst ernstlich: war sie glücklich? Warum hatte sie so jung geheiratet? Hatte sie es nicht vor allem ihrem Vater zu Gefallen getan? Sie dachte gern an ihre Mädchenzeit in Paris zurück, an die Tage, in denen sie von ihrer Mutter und ihrer Gouvernante erzogen worden war. Sie hatten nur wenig Besuch und gingen oft in die Museen: die klugen alten Damen hielten bei den beiden Schwestern auf gute Disziplin. Aber dann brachte ihr Vater nach Jahren der Abwesenheit eines Abends seinen besten Freund mit — eben den, dessen Musik sie an diesem Abend bei Schotts hörte: ihre Klänge schienen von jenseits des Grabes zu kommen. — War er nicht schon damals, vor zehn Jahren, „der Fremde", der kein Heim, kein Vaterland hat, der nur kommt und schweigend von den Herzen der Frauen Besitz ergreift wie der gespenstische Seemann, von dem er ehemals gesungen hatte? Dann rief die Amazone von Weimar, die dunkelhaarige Fürstin Wittgenstein, eingehüllt von Zigarrenrauch und dem Nebel mystischer Literatur, die Kinder ihres Geliebten zu sich. Sie wollte sie als „Pariserinnen" entwurzeln und auf einen andern Boden verpflanzen, sie zu Frau von Bülow in Pension geben, um sie in vornehme, junge Berlinerinnen verwandeln zu lassen. So wurde ihres Vaters Lieblingsschüler ihr Klavier-

374

lehrer. Cosima hatte eine starke Begabung für Musik; der junge Lehrer bewunderte sie, betete sie an. Vielleicht ahnte er auch, daß sie, wie Liszt, ein Genie der Liebe war.

Aber liebte sie Hans? Nach einem Konzert (es war am 19. Oktober 1856 — wie gut sie sich des Datums erinnerte!), in dem er die „Tannhäuser"-Ouvertüre dirigierte und das Publikum zu zischen begann, wurde Hans ohnmächtig. Aus reinem Mitleid, und weil sie allein an diesem Abend seine Qual geteilt hatte, verlobte sie sich mit ihm und heiratete ihn ein paar Monate später. Ihr Vater war vor Freude außer sich! Aber ihre Mutter, die Gräfin d'Agoult, machte kein Hehl daraus, daß sie diese Heirat beunruhigte. Sie war eine gute Psychologin und kannte ihre Tochter. Obgleich sie schließlich ihre Einwilligung zu einer Ehe gab, die so vernünftig zu sein schien, erkannte sie ihre Gefahren nur zu gut. Damals schon hatte sie an ihre Freundin Emma Herwegh, die Frau des Dichters, geschrieben, Cosima sei ein geniales Mädchen und ihrem Vater sehr ähnlich; ihre lebhafte Phantasie würde sie von den gebahnten Pfaden wegführen. Auch habe sie einen Dämon in sich, dem sie ohne Besinnen alles opfern würde — nun aber sei sie durch äußere Umstände zu einer Ehe verleitet worden, die vermutlich niemandem Glück bringen würde. Cosima wußte allerdings im Juli 1862, als das Bild ihres Meisters, wie sie ihn heimlich nannte, plötzlich so lebendig in ihr wurde, noch nichts von dieser pessimistischen Prophezeiung. Sicher prüfte sie ihr Herz ängstlich, denn der „Dämon", der sie beherrschte, war nicht so leicht zu besiegen, wie verliebte Frauen eine banale Neigung überwinden. Ihr stolzer Sinn war nicht zum Glück geschaffen. Wie ihre Mutter geahnt hatte, besaß sie besonderes Verständnis für das höchste Opfer, das die Liebe fordern kann: den heiligen Willen zur Selbstaufopferung. Aber nicht nur sich selbst, auch die andern zu opfern, war ihr gegeben: ein bittres Opfer alles dessen, was die Wahrheit des Herzens verlangt. Nicht umsonst hatte sie ihre älteste Tochter nach der Heldin der Sage auch Senta genannt, die ihr Versprechen zwar nicht hält, aber ihrem Schicksal treu bleibt.

Kein Wort über diesen heimlichen Kampf kam über ihre Lippen, Cosima schwieg, und weder Hans noch Richard hatten eine Ahnung davon, was in ihr vorging. Als Bülows, zwei Monate später, nach Berlin zurückgekehrt waren, erwähnte Wagner in seinen Briefen an seine Frau nicht einmal ihren Namen. „Kaum waren Schnorrs fort", schrieb er, „so kamen Dustmanns usw." Das „usw." schloß Cosima, Mathilde Maier und eine andere junge Frau ein, die während dieser unruhigen Zeit am rheinischen Horizont auftauchte: eine Schauspielerin, die er im Frankfurter Theater getroffen hatte, Friederike Meyer. Zwei Mathilden in seinem Leben, und zwei Fräulein Meyer...! So wollte es das Schicksal.

Friederike war die Schwester der Frau Dustmann, die nach Biebrich gekommen war, weil ihr Wagner für die künftigen „Tristan"-Vorstellungen in Wien die Rolle der Isolde versprochen hatte. Friederike war ein nettes Mädchen, deren Spiel Richard in einem Stück von Calderon aufgefallen war. Da sie Bekannte in Mainz hatte, benützte sie die Gelegenheit, um dem berühmten Komponisten einen Besuch zu machen und an den fröhlichen Gesellschaften teilzunehmen, die er seinen Künstlerfreunden gab. Leider hatte sie einen ernsten Protektor in der Person des Herrn de Guaita, der Direktor des Frankfurter Theaters war. Wenn er auch als Liebhaber im eigentlichen Sinne nicht gefährlich schien, war er doch sehr eifersüchtig, so daß es nicht leicht war, ihn zu hintergehen; sie mußten also daran denken, zusammen einen anderen Ort aufzusuchen, wie es sich Friederike schon lange gewünscht hatte. Richard und sie beschlossen, im Herbst gemeinsam nach Wien zu fahren.

Diese Liebe war aber nur eine vorübergehende; denn wenn auch Wagner in einer Stimmung war, die ihn um jeden Preis

376

Zerstreuungen suchen ließ, so war doch seine einzige Sehnsucht: Ruhe. Zeit und Ruhe und Arbeit sind die Leitmotive aller seiner Briefe. Dies um so mehr, als er, wenigstens für kurze Zeit, von weitem die Oase erblickt hatte, die er bisher in seinem wilden Leben immer vergeblich gesucht. Im schlimmsten Augenblick, den er bis jetzt erlebt hatte, während der verzweifelten Stunde, in der der Künstler den nutzlosen Kampf aufgeben will, weil er seiner selbst und aller anderen überdrüssig ist, weil seine eigenen Pläne ihm zum Ekel geworden sind, in dem Augenblick, in dem er zu zweifeln begann, ob das Gute in ihm, an das er geglaubt hatte, auch wirklich von Wert sei, oder ob nicht vielmehr sein ganzes Werk auf einem großen gedanklichen Irrtum beruhe: in dieser dunklen Stunde tauchte die Frauenseele auf, die ihn und sein Werk vor dem endgültigen Zusammenbruch retten sollte.

Wagner saß im alten Konzertsaal des Gewandhauses zu Leipzig, den er seit den Tagen Mendelssohns nicht mehr besucht hatte. Sein junger Freund Weisheimer dirigierte ein Konzert, dem er Unterstützung versprochen hatte. Schon während der Proben sah er eine Menge Menschen wieder, die er längst vergessen hatte; es war ihm, als seien sie alle zu einer Leichenfeier in der Familie gekommen. Da war Brendel, der ritterlich mit seiner Feder für die Zukunftsmusik eintrat; Alexander Ritter, der Bruder seines venezianischen Reisegefährten Karl Ritter; Franziska Wagner, eine Tochter seines Bruders Albert; seine Schwester Ottilie, Luise und ihr Mann, die recht alt geworden waren; Richard Pohl, ein getreuer Gefolgsmann; der alte Rat Küstner, früher Intendant der Königlichen Theater in Berlin; und endlich Bülow, der wie einst in Zürich ein neues Stück von Liszt spielte. Am Abend des Konzertes aber fühlt sich Wagner „wie aus der Welt entrückt" und sieht in der Menge der ihm zugekehrten Gesichter nur ein blasses, von einem Trauerschleier umrahmtes Antlitz.

Cosima, deren Schwester Blandine vor kurzem in St.-Tropez

gestorben war, kam aus Paris, wo sie ihre Großmutter Liszt ernstlich erkrankt zurückgelassen hatte. Für sie wie für Wagner bedeutete dieser Abend eine Zeitwende: die Vergangenheit lag auf der anderen Seite des schwarzen Schleiers — hier in diesem Augenblick begann eine ganz neue und unbekannte Gegenwart, die schon mit anscheinend unlösbaren Fragen erfüllt war. „Alles, was uns erfüllte, war so ernst und tief, daß nur die unbedingte Hingebung an den Genuß unseres Wiedersehens über jene Abgründe uns hinweghelfen konnte." Beide wurden von einer Art Panik ergriffen, aber die Herzen gingen ihnen über. Trotzdem war sich Wagner nicht im unklaren, daß er, um den ersehnten Hafen zu erreichen, das Kap der Stürme und Unwetter noch umsegeln mußte; nun, da er sich zur Reise nach den Inseln der Seligen anschickte, war der Himmel trübe. Welche Schwierigkeiten mußte er überwinden, welche Mühen erdulden, ehe er sie erreichen konnte! Noch war er frei, zu wählen, und konnte sich weigern, abzusegeln: seine Jahre schienen ihm dringend zu einem solchen Entschluß zu raten. War er nicht fünfundzwanzig Jahre älter als die Tochter seines Freundes? Aber weder Cosima noch er vermochten ihr Schicksal zu ändern; wenn sie auch schwiegen und ihr Geheimnis bewahrten, sie wußten doch von diesem Augenblick an, daß sie zueinander gehörten. Beide hörten Bülows wundervolles Klavierspiel: vielleicht dachte Wagner an die Zeit, in der der junge Mann ihn in jenem kleinen sächsischen Ort aufsuchte, als er den „Lohengrin" komponierte, und ihm seine ganze Liebe und Verehrung zu Füßen legte — „auf hohem Bord der bleiche Mann, des Schiffes Herr wacht ohne Rast."

Sagt Richard nicht heute zu Cosima wie der Holländer zu Senta:

> „Die düstere Glut, die hier ich fühle brennen,
> Sollt' ich Unseliger sie Liebe nennen?
> Ach nein — die Sehnsucht ist es nach dem Heil..."

Sie lachten ein wenig über einige Unbeholfenheiten Weisheimers; dann spielte das Orchester das Vorspiel zu den „Meistersingern", darauf das zum „Tristan". Diesmal treffen Richards schönste Melodien nur zufällig zusammen — noch haben die Lebenden von den Geistern, die sie heraufbeschwören, nichts zu fürchten.

Von Leipzig aus ging Wagner nach Dresden, um seine alte Lebensgefährtin zu sehen, die er nicht gebeten hatte, ins Gewandhaus zu kommen — Minna! Sie holte ihn vom Bahnhof ab und brachte ihn in ihre neue Wohnung; auf der Schwelle lag eine Matte, auf welche die einsame Frau das Wort „Willkommen" gestickt hatte. Hier fand er die schöne Einrichtung wieder, die sie in Paris gehabt hatten, die rotseidenen Vorhänge, ein Schlafzimmer, das eigens für ihn eingerichtet war, und einen Arbeitsraum, in dem ihn der große Schreibtisch aus alten Tagen erwartete. Minna hatte ihn durch Frau Ritter nach der Flucht aus dem „Asyl" zurückkaufen lassen, aber noch nicht ganz bezahlt. Um das Zusammensein weniger peinlich erscheinen zu lassen, hatte Minna ihre Schwägerin Klara Wolfram eingeladen. Zwei Tage ging alles ganz gut. Sie besuchten die Brockhaus, den Dr. Pusinelli und einige Minister, denen Wagner seinen Dank für die Amnestie aussprechen wollte. Sie durchstreiften die alte Stadt, in der Richard jedes Gesicht, vom Handschuhhändler bis zum Sologeiger im Orchester, fremd geworden war. Eines Abends las er, um seiner Frau einen Gefallen zu tun, einigen Freunden die „Meistersinger" vor, die „Meistersinger", die sie bei ihrem unglücklichen Besuch in Biebrich so ungeschickt unterbrochen hatte. Dank einem unerwarteten Geldgeschenk der Großherzogin von Weimar konnte er Minna genügend Mittel zurücklassen, so daß sie den Winter über ohne Sorgen zu leben vermochte.

Dann entschloß er sich wieder zur Abreise. Minna war tief enttäuscht — aber was sollte Richard mit einer Frau anfangen, die todkrank war? Die geringste Aufregung konnte ihr Herz-leiden verschlimmern. Stumm begleitete sie ihn zum Bahn-hof — sie, die hübsche Minna, auf die er in Magdeburg so eifersüchtig gewesen war! Die gefeierte Minna, deren Treu-losigkeit ihm so viel Schmerz bereitet hatte! Die Gattin, die so viele Jahre tapfer mit ihm das Elend ertragen, dann ihm eine Feindin, eine Fremde geworden war. Und die er jetzt mitleidsvoll — wie einen Schatten — auf dem Bahn-steig verschwinden sah. Die beiden, deren Seelen sich wie zwei Mühlsteine aneinander zerrieben hatten, wechselten noch ab und zu Briefe, aber wiedersehen sollten sie sich niemals mehr.

Den Winter brachte Richard in Wien zu; Friederike be-gleitete ihn, eine nette, gefügige Frau, aber von ziemlich schwacher Gesundheit. Ihr Verhältnis, über das viel ge-sprochen wurde, war Frau Dustmann, Friederikens Schwester, sehr peinlich, besonders weil Frau Dustmann die Isolde im Kärntnertortheater singen sollte. Die Lage wurde bald so verwickelt, daß Friederike sich entschloß, einen längeren Aufenthalt in Italien zu nehmen, um ihre angegriffene Ge-sundheit wiederherzustellen und den Mann zu vergessen, an den sie sich allzusehr verloren hatte. Wagner war also wieder einmal frei.

Die Wiener Luft schien ihm in dieser Saison mit Feind-seligkeit und Mißgeschick geladen zu sein. Der Tenor Ander war fortwährend krank und konnte seine Rolle nicht studieren; Frau Dustmann hatte Richard sein Benehmen gegen ihre Schwester nicht verziehen. Inzwischen mußte er, um über pekuniäre Schwierigkeiten hinwegzukommen, drei Konzerte geben. Sie hatten zwar außerordentlichen künstlerischen Erfolg, aber erforderten so große Ausgaben, daß sie nichts ein-brachten. Immerhin hatte die junge Kaiserin Elisabeth sie besucht und, in ihrer Loge stehend, sich an dem Beifall beteiligt, den das wildbegeisterte Publikum spendete. Brahms, der anfing, sich als Komponist einen Namen zu machen, war auch da, verhielt sich ablehnend und lachte Weisheimer aus, der so heftig applaudierte, daß seine weißen Handschuhe platzten. Wagner wurde dreiundzwanzigmal gerufen (Weisheimer hat es gezählt), hatte aber nicht genug Geld, um seine Hotelrechnung zu bezahlen. Natürlich war das gerade der Augenblick, in dem Champagner auf Kredit getrunken werden mußte.

„Mir fehlt eine Heimat —", so schrieb er am 4. Januar 1863 an Mathilde Maier, „nicht die örtliche, sondern die persönliche. Nächsten Mai werde ich fünfzig Jahr. Ich kann nicht heiraten, solange meine Frau lebt: von ihr mich jetzt noch zu scheiden — bei dem Zustand ihrer Gesundheit kann ich diesen möglichen Todesstoß ihr nicht geben. Sieh, an diesem Verhältnisse ... gehe ich zugrunde! Mir fehlt ein weibliches Wesen, das sich entschlösse, trotz allem und jedem mir das zu sein, was unter so jämmerlichen Umständen ein Weib mir sein kann und — muß, sage ich, wenn ich ferner gedeihen soll ... Ich will ein liebes Weib zur Seite, und sei's ein Kind zugleich! Da denke ich denn: diejenige, die dich genug liebt, müßte sich wohl finden ... Sieh, das sind so Silvester= und Neujahrsgedanken eines — Verzweifelnden! Gott weiß, was Du davon halten wirst!" Mathilde kam zu der Überzeugung, daß sie Richards Wunsch nicht erfüllen konnte, weil er zu viel verlangte und ihre Familie dem Halb= witwer, den sie zugleich bewunderte und fürchtete, schon allzuviel Freundlichkeit erwiesen hatte. Wagner wußte das und bestand nicht auf seinem Verlangen; aber er sehnte sich so nach einem Heim und nach Ruhe, daß er beinahe krank wurde. Die ewige Unsicherheit bildete die wahre Tragödie seines Lebens, und wenn er seine Arme nach jeder Frau, die er traf, ausstreckte, so nur, damit sie mit ihren sanften Händen ihm ein Heim bereiten sollte, in dessen Frieden sein schöpferischer Geist in Freiheit die Werke schaffen konnte, die ihn erfüllten. Er wünschte sich einen stillen Haushalt, ohne Geräusch und ohne Geldsorgen, in dem gute Mahlzeiten anständig serviert und seine Kleider und Schlafröcke ordentlich aufgehängt würden.

Im März befand er sich in Petersburg und Moskau, wo er einige Konzerte dirigieren sollte. Diese Reise wurde zu einem Triumphzug, wie er ihn nicht zu träumen gewagt hatte, war aber außerdem noch ein finanzieller Erfolg, denn sie brachte ihm 7000 Taler ein. Niemals vorher hatte Wagner auf einmal eine solche Summe verdient; einen Teil des Geldes sandte er an Minna und beschloß, sich mit dem Rest ein Haus einzurichten. Er glaubte, er könne vielleicht irgendwo eine Besitzung am Rhein kaufen; es war ein alter Wunsch, der immer wieder auftauchte. Er schrieb Briefe mit genauen Angaben seiner Wünsche an Mathilde Maier. „Ich bin entschlossen, ein Grundstück zu kaufen ... Sieh Dich einmal am Rhein nach etwas Geeignetem um ... ein wunderhübsches Plätzchen, vielleicht gar mit ein paar alten Bäumen ..." Die junge Frau wurde Verwalterin und Hüterin des Rheingoldes, das wie Alberichs Schatz leuchtete. Er bombardierte sie mit Bitten und Anliegen und fühlte sich als reicher Mann, weil er Beifall gefunden hatte. Er ging auch wieder in das Land zurück, in dem Milch und Honig fließt, wo ihn die Großfürstin Helene in der schmeichelhaftesten Weise auszeichnete und ihm einen herrlichen Diamanten schenkte; aber in Moskau spürte er zum erstenmal merkwürdige Schmerzen in der Brust ... sollte er jetzt sterben, da das Ziel vor seinen Augen lag? Es war nichts, natürlich nichts; nur ein falscher Alarm ohne Bedeutung.

Ein paar Tage später kehrte er nach Wien zurück; Tausig hatte ihm ein angenehmes Haus in der Gegend von Penzing gemietet. Wagner gab sofort alle Rheinlandpläne auf, denn er wollte sich sofort sein Haus nach seinem Geschmack einrichten, solange seine Börse noch gefüllt war. Trotz der tiefen Bewegung, die ihn bei Cosimas Anblick im Gewandhaus ergriffen hatte, hielt er immer noch an der Idee fest, seine Freundin Mathilde kommen zu lassen; so sehr fürchtete er sich vor dem Alleinsein. Wenn er an eine Besitzung am Rhein gedacht habe, schrieb er ihr, so sei es nicht gewesen, um Mathilde zu haben, sondern um ihr etwas zu werden. „Du fühlst nicht mehr Einsamkeit als ich! Ich bin vollständig krank von dem Gefühl ... Mein Kind, statt uns zu trennen, wird dieser Schicksalszug uns — für immer vereinigen! — Ich liebe Dich tiefinnigst! — Laß das! Stolz! Die Tränen aus dem Auge: — Du bist mein! Das übrige — wird sich finden!" Aber im Grunde war es doch Cosima, nach der er verlangte; es war etwas so Trauriges in der Leere seines neuen Hauses, daß er die Notwendigkeit fühlte, auf jeden Fall Abhilfe zu schaffen. Er mußte jemand dort haben, das war alles. Da aber Mathilde sich nicht ohne weiteres über die „bürgerlichen Vorurteile" ihrer Familie hinwegsetzen konnte, engagierte er sich ein hübsches Hausmädchen, eine lustige und entgegenkommende Wienerin. Sie hielt ihm die Villa in Ordnung, so daß Wagner sich wirklich einbilden konnte, er habe für lange Zeit ein Heim. Er engagierte auch einen verheirateten Diener, dessen Frau die Küche besorgte. Dieses Mal ließ er bei der Einrichtung seinen kostspieligen Wünschen freien Lauf.

Das Eßzimmer hatte eine dunkelbraune Tapete mit Rosenknospen; der große Salon war lila mit rot und goldenen Streifen in den Ecken. Für das Musikzimmer wählte er gewebte Vorhänge mit persischen Mustern und dazu passendem Sofa und Armstühlen. Das Schlafzimmer bedeckte eine seidenartige lila Tapete mit grünen Streifen, die Bettvorhänge waren violett, jede Tür hatte ihre Portiere, und vierundzwanzig seidene Schlafröcke hingen in dem Schrank.

„Ich erwarte nun von Ihnen", schreibt er an seinen Tapezier, „noch folgende Arbeiten: 1. die zwei braunen Lehnstühle für das Musikzimmer, 2. die Ecke hinter das Kanapee, 3. die neu zu überziehenden zwei Lehnstühle für das grüne Eckzimmer (violette Seide), 4. den violettsamtenen hohen Lehnstuhl, 5. den rotsamtenen großen Polstersessel für die Schlafstube, 6. den großen Spiegel, 7. die violett Samt=Teppiche und die Mahagoni=Kommode und den Pfeilerschrank, 8. die sämtlichen Gardinen für das grüne Zimmer nebst Aufmachen der vorhandenen weißen Gardinen daselbst usw. usw...." Dieser Farbenrausch erfüllte ihn mit Wohlbehagen, regte seine Phantasie an, begeisterte ihn wie eine Jungvermählte. Als er auswärts ein Konzert dirigieren muß, gibt er seiner niedlichen Haushälterin schriftlich die Anweisungen für seine Rückkehr: „...daß das Kabinett eine warme Temperatur bekommt. Auch schön parfümieren; kauf die besten Flakons, um es recht wohlduftend zu machen... Ja, ja! Sei nur recht schön und lieblich, ich verdiene es schon, daß ich's einmal wieder recht gut habe..."

Das Geld verflüchtigte sich auf diese Weise schnell. Zudem wurde es bald klar, daß man den „Tristan" in Wien nicht aufführen würde. Nach siebenundsiebzig Proben gab das Kärntnertortheater die Absicht endgültig auf, da die Partitur vollkommen unspielbar sei. Der Kapellmeister Esser selbst, ein ausgezeichneter Dirigent, der seinen Beruf wirklich verstand, einer der besten, die Wagner je gehabt hatte, erklärte den „Tristan" für „fürchterlich schwer", und gestand, obgleich er die Begeisterung des Publikums für Wagner bestätigte, sie nicht teilen zu können. Es war während der letzten zwanzig Jahre immer wieder dieselbe Geschichte: eine wachsende, stetig größer werdende Beliebtheit beim Publikum, aber offene Feindschaft bei den Dirigenten und in den Theaterbüros. Außerdem verweigerte ihm Schott, müde der immerwährenden Vorschüsse, weitere Zahlungen, da er noch nicht wußte, ob

Wagners Werke ihm in Zukunft einen Gewinn einbringen würden. Es blieb Wagner also nur übrig, ein paar Konzerte in Budapest und Prag zu geben; aber ihr pekuniärer Erfolg blieb hinter seinen Erwartungen zurück. Seine Lage spitzte sich schnell zu — in der Tat hatte er eine solche Krise noch nie durchgemacht. Er zog sogar in Erwägung, ob er sich in Dresden bei seiner Schwester Brockhaus niederlassen sollte, konnte sich aber doch nicht dazu entschließen, weil Minna ihm dann zu nahe gewesen wäre; er wünschte, daß irgend= eine reiche Frau, ganz gleich, wer und wie sie wäre, sich bereit fände, ihn zu heiraten, um ihn von allen Verlegen= heiten zu befreien. Inzwischen aber mußte er sich Geld borgen und Wechsel unterschreiben. In dieser Not griff er wieder zur Feder und verfaßte dringende Hilferufe; der erste Name, der ihm einfiel, war Mathilde, Mathilde Wesendonk. An sie schreibt er: „Ich hab' kein Glück! Und etwas Glück gehört dazu, um unsereines in der Täuschung zu erhalten, als gehöre er zur Welt ... Und des Lebens bin ich recht über= drüssig ... Es stirbt sich nicht so leicht, und namentlich, wenn's noch nicht sein soll ... Ich hab' keine Lust mehr — zu nichts. Mir fehlt jede Andacht, jede Sammlung: eine tiefe, ruhelose Zerstreutheit beherrscht mein Inneres. Ich hab' keine Gegenwart und ganz ersichtlich keine Zukunft. Von Glauben nicht eine Spur ... Glauben Sie mir, das ist ein seltsames Gefühl, zu wissen, daß selbst Sie meine Werke eigentlich nicht kennen ... Was ist nun mein Geist, meine Werke? — Ohne mich sind sie für niemand da. Ja! Das macht mir meine Person sehr wichtig: nur gerade diese Person ... existiert eben auch nur für mich ... Die Welt kennt und beachtet nur den Virtuosen. Nun hat mir die Not aber ge= zeigt, daß ich auch ein Virtuose bin. An der Spitze eines Orchesters scheine ich diese Wirkung auf die Menschen hervor= zubringen ... So sage ich mir denn, wenn ich mir jetzt so überlege, wie ich meine Zeit gewinnen wollte, ich müsse herum=

reisen und Konzerte geben ... Aber vielleicht geht alles ganz gut ab, und mein Asyl (das wievielste?) kommt mir noch einmal zustatten ... Nur die völlige Einsamkeit kann ich nicht ertragen; mit dem alten Jagdhunde, den mir mein Hauswirt geschenkt hat, geht es doch nicht allein ... Alles Süße, was mich jetzt einzig noch zuzeiten labt, ist Erinnerung und liegt in der Vergangenheit: davon kann und darf ich nicht schreiben ...."

Soweit ging der Wille zur Entsagung, die wachsende innere Schwäche dieses Wotan mit dem zerbrochenen Speer. Die Frau, die zugleich seine Geliebte und das Kind seines Geistes war — Isolde und Brunhilde in einer Person —, antwortete auf diesen Brief mit einem Schreiben, in dem die wehmütige Erinnerung an vergangene Tage zitterte:

„... Mein ganzes Sein fühlt sich geadelt, mit Ihnen leiden zu dürfen ... Wer Ihnen zu helfen vermöchte, müßte sehr glücklich sein! ... Mit blutendem Herzen folge ich Ihren sogenannten ‚Triumphen‘ und kann fast bitter werden, wenn man mir diese als ein erfreuliches Ereignis darstellen will. Ich fühle dann nur, wie wenig man Sie kennt, d. h. versteht, und — ich fühle dann auch — daß ich Sie kenne — und liebe ... Mein Herz ruft Sie wohl immer in die Schweiz zurück, doch dieses Herz ist egoistisch und darf nicht gehört werden. Wäre ein Asyl in der Schweiz, außerhalb jenes ersten Asyles undenkbar? Vor anderen Bewohnern haben es bis jetzt meine Tränen geschützt, allein ich verzweifle daran, für die nächste Zukunft mehr zu erringen ...."

So sollte also auch diese Erinnerung nicht mehr sein; alles versank in Vergessenheit. Seine Feinde waren ihm hart auf den Fersen; er suchte nur noch einen Zufluchtsort, in den er sich verkriechen und sterben konnte. Seine Rechnungen zählte er zusammen: seine Schulden betrugen ungefähr 30000 Kronen, was um so beunruhigender war, als in Österreich noch die Schuldhaft für säumige Zahler bestand. Er konnte jeden Tag arretiert und eingesperrt werden, er, der berühmteste und bedürftigste Komponist Europas und seiner Zeit!

Dann beginnt der letzte Teil der Hetzjagd, der dem Halali vorangeht. Er flieht nach Prag und von Prag nach Karlsruhe, wo er Mathilde Maier und Madame Kalergi, seine Wohltäterin trifft, die jetzt Madame de Moukhanoff heißt. (Die pikante Note war, daß ihr neuer Gatte einen Brief an Wagner schrieb, der mit den merkwürdigen Worten beginnt: „Verehrter Herr, ich liebe Sie.") Von Karlsruhe geht er nach Zürich, wo er die Unterstützung zu finden hofft, die er so notwendig braucht. Aber Otto Wesendonk hatte gerade eine ernsthafte Krankheit durchgemacht, und Mathilde allein konnte nichts tun.

Ihr Zusammentreffen verlief traurig und hinterließ in beiden den Eindruck, daß den letzten Briefen, die sie gewechselt hatten, keine späteren mehr folgen würden. Von Zürich kehrte er nach Mainz zurück, um seine Forderungen bei Schott durchzusetzen, aber Schott weigerte sich entschieden, weitere Zahlungen zu leisten. Von Mainz entschloß er sich, nach Löwenberg in Schlesien zu gehen, wo der reiche Prinz von Hohenzollern-Hechingen seinen Wohnsitz hatte; dieser war mit Liszt befreundet und liebte die moderne Musik. Dann fuhr er nach Berlin und besuchte Bülows. Hans forderte ihn auf, ein Konzert zu besuchen, das er an demselben Abend dirigierte; es nahm seine ganze Zeit in Anspruch, so daß er sich seinem Gast nicht widmen konnte.

Aber Cosima nahm sich des Flüchtlings an, denn sie erkannte beim ersten Blick, daß die Zufluchtsstätte, die der arme müde Wanderer so heiß ersehnte, weder in der Schweiz noch in Schlesien, noch sonstwo in der weiten Welt lag — nur in ihrem Herzen. Sie fuhren zusammen im Tiergarten spazieren, ohne ein Wort zu sprechen; aber dessen bedurfte es zwischen ihnen auch nicht mehr. Ihre Augen verrieten das Geheimnis, das sie monatelang stumm mit sich herumgetragen hatten.

Sie gaben sich ihrer Freude rückhaltlos hin, ohne einen Gedanken an das „grenzenlose Unglück, das uns belastete". Weder die Welt noch sonst irgend jemand sollte sie daran hindern, für immer zusammen zu kommen. Was kümmerte ihn das Konzert und Hans, und das Abendessen, das dem Konzert folgte, und die schlaflose Nacht, die er in Bülows Wohnung verbrachte! Endlich war das Gespenst der Einsamkeit gebannt; es schien durch ein Wunder, wie eine chronische Krankheit plötzlich zum Stillstand kommen kann, vertrieben worden zu sein. War die lang ersehnte Erlösung des fliegenden Holländers errungen? Hatte Richard das Vaterland endlich gefunden, nach dem sein Herz stets verlangte? Vielleicht ahnte er schon die Tragödie, die ihnen bevorstand, aber seine Seele war wenigstens gerettet.

Noch einmal kehrte Wagner für einige Monate, die er in ziemlich elenden Verhältnissen verbrachte, nach Wien zurück; seine Lage wurde von Woche zu Woche schlimmer. Im Kärntnertortheater dachte kein Mensch mehr an den „Tristan"; er mußte den Diamanten verkaufen, den die Großfürstin Helene ihm geschenkt hatte, ebenso die goldene Tabaksdose der Moskauer Musiker. Selbst der berühmte „Schwan", sein Erard-Flügel, mußte daran glauben. Er plante eine neue Konzertreise nach Rußland, aber auch diese erwies sich plötzlich als unmöglich. Seine Freunde Cornelius, Standhartner, Tausig und der Prinz Lichtenstein rieten ihm zur schleunigsten Abreise. Er hatte gerade noch Zeit, seine Sachen zusammenzupacken und einiges Wertvollere zu verkaufen; er behielt nur wenige kostbare Stücke der Einrichtung, die den Zeitungen eine Sensation verschafft hatte, als er sie erwarb.

Am Nachmittage des 24. März 1864 bestieg er den Zug, der ihn von neuem nach der Schweiz bringen sollte; am Karfreitag kam er durch München. Die Stadt trauerte um den König Maximilian, der vor zwei Wochen gestorben war; sein Sohn, noch ein Jüngling, war ihm auf den Thron gefolgt. In einem Schaufenster sah Wagner ein Bild des jungen Königs, der in seinem Krönungsornat wie ein Märchenprinz aussah. Was für ein Schicksal mochte ihn erwarten? Wagner fühlte sich von der ernsten Schönheit des einsamen Jünglings merkwürdig berührt, der ihn fragend anzusehen schien, ihn, den vom Unglück verfolgten Zauberer. Richard konnte ein bitteres ironisches Lachen nicht unterdrücken und verfaßte eine humoristische Grabschrift für sich selbst.

Am nächsten Tage kam er in Mariafeld an und ging zu Willes. Elisa Wille war allein, da ihr Mann sich auf einer Vergnügungsreise in Konstantinopel befand. Aber sie lud Wagner ein, in einem Nebengebäude Wohnung zu nehmen, in dem er schon früher, in den alten Zeiten des Zeltweges oft logiert hatte. Elisa Wille zeigte sich wie immer als seine treue Freundin und sorgte für den unerwarteten, vom Schicksal geschlagenen Gast auf das beste; sein Zimmer wurde gut geheizt. Elisa teilte den Freunden auf dem „Grünen Hügel" Richards Ankunft mit; diese schickten ihm sogleich ihr Klavier. Aber Wagner kam nicht in die zum Arbeiten nötige Stimmung, sondern ging allein spazieren oder setzte sich, eingehüllt in seinen Pelz, das Samtbarett auf dem Kopf, auf die Terrasse des Hauses — er sah aus wie ein Patrizier aus der Zeit Albrecht Dürers. Manchmal leistete er auch Frau Wille in ihrem Salon Gesellschaft, setzte sich ans Fenster und sprach von seiner Jugend, von seinen Träumen, die niemals Wahrheit geworden waren, von seinen Werken, selbst von Minna, deren Einsamkeit, seiner eigenen so ähnlich, ihm Sorge machte ... „Zwischen meiner Frau und mir hätte alles gut gehen können ... Sie fühlte aber nicht, daß ein Mann wie ich nicht mit gebundenen Flügeln leben kann! Was wußte sie von dem göttlichen Rechte der Leidenschaft, welches ich in dem Flammentode der aus der Götterhuld verstoßenen Walküre verkünde?"

Ab und zu empfing er Briefe, einmal sogar eine Sendung von 75 Frank Pariser Tantiemen. Manchmal las er ganze Tage lang: Jean Paul, Walter Scott, George Sand und einen Roman aus der Feder seiner Gastfreundin. Als diese einmal von der Zukunft sprach, erwiderte er, aufgeregt im Zimmer hin und her gehend: „Was reden Sie von der Zukunft, wenn meine Partituren im Schrein verschlossen liegen. Wer soll das Kunstwerk aufführen, das ich, nur ich, unter Mitwirkung glücklicher Dämonen zur Erscheinung bringen kann? Ich bin ganz anders organisiert, habe reizbare Nerven. Schönheit, Glanz und Licht muß ich haben. Die Welt muß mir geben, was ich brauche. Ich kann nicht leben auf einer bescheidenen Organistenstelle wie euer Meister Bach. Ist es denn eine unerhörte Forderung, wenn ich meine, das bißchen Luxus, das ich leiden mag, komme zu mir? Ich, der der Welt und Tausenden Genuß bereite?“

Eines Morgens schien er seine Ruhe wiedergewonnen zu haben und begann seine Arbeit von neuem. Er las wieder Schopenhauer und erinnerte sich lachend, daß der Philosoph ihm einmal folgende Botschaft geschickt hatte: „Sagen Sie Ihrem Freunde Wagner in meinem Namen Dank für die Zusendung seiner ‚Nibelungen‘, allein er solle die Musik an den Nagel hängen, er hat mehr Genie zum Dichter. Ich, Schopenhauer, bleibe Rossini und Mozart treu.“ Einmal träumte er des Nachts, er sei König Lear und sage die „Töchter seines Geistes“ über die öde Heide; ein andermal setzte er sich ans Klavier und spielte einige Stellen aus dem „Tristan“. „Schon die Alten“, sagte er, „haben dem Eros als dem Genius des Todes die gesenkte Fackel in die Hand gegeben.“

Endlich bekam er eine Anzahl Briefe, die ihn in große Unruhe versetzten. Er mußte abreisen; mit gewohnter Rücksichtslosigkeit teilte er seiner Gastfreundin mit, daß er sie am nächsten Tage verlassen würde. Er trat dicht neben Elisa

Wille und sagte: „Das können Sie mir glauben, Freundin, es ist eine elende, erbärmliche, jeder Größe feindliche Welt, mit welcher unsereins sich abfinden soll." Dann reiste er hastig, und wie von einem geheimen Plan besessen, ab. Willes sahen dem Dampfboot nach, auf dessen Deck der alte Irrfahrer mit den leeren Taschen und den großen Worten ihren Blicken entschwand.

Folgendes hatten ihm die Briefe mitgeteilt: seine ganze Einrichtung, die er in Wien gelassen hatte, war verkauft worden, um vom Erlös seine Schulden zu bezahlen. Tausig, „der bei einem der Wechsel mit unterzeichnet hatte", konnte nicht mehr nach Österreich zurückkehren. Richards Schwester, Luise Brockhaus, gab ihrem Bruder den Rat, sich um die Kapellmeisterstelle in Darmstadt zu bewerben. Schott erklärte sich jetzt bereit, ihm eine kleine Zahlung zu leisten, und auch Wesendonks entschlossen sich, ihm eine Rente von 100 Frank im Monat anzubieten. Da floh Wagner vor solcher Erniedrigung, vor so tiefem Fall. Er floh vor seinen Erinnerungen. Er floh auch vor Franz Wille, der, aus der Türkei zurückgekommen, ihn mit eifersüchtigen, argwöhnischen Blicken betrachtete. Niemals war er, wie es ihn dünkte, so tief gefallen; nun war er entschlossen, ein Ende zu machen.

Am 29. April 1864 nimmt er in Stuttgart ein Zimmer im Hotel Marquardt, nahe beim Theater, und bittet telegraphisch den jungen Weisheimer, zu ihm zu kommen. Dieser trifft denn auch am nächsten Morgen ein und findet Wagner vollkommen gebrochen. Sie besprechen Richards Lage — „Ich bin am Ende — ich kann nicht weiter — ich muß irgendwo von der Welt verschwinden." Abends gehen sie zusammen in den „Don Juan", den Richards Freund Eckert dirigiert. Wagner will ihn sprechen und ihn bitten, ihn irgendwo in der Nähe Stuttgarts, vielleicht in Kannstatt, unterzubringen, wo er ganz zurückgezogen leben und noch vor seinem Tode den ersten Akt der „Meistersinger" vollenden kann. Am 3. Mai, gerade im

Begriff, den verabredeten Ort aufzusuchen, packt er mit Weis=
heimer zusammen seine Koffer, als der Etagenkellner ihm
eine Visitenkarte bringt — „von Pfistermeister, Kabinetts=
Sekretär S. M. des Königs von Bayern". Sollte er den Be=
sucher annehmen? Was für neue Unannehmlichkeiten konnten
das bedeuten! War mit seinem Paß etwas nicht in Ordnung?
Hatte er irgendeine Verbindlichkeit übersehen? Was konnte
es nur heißen! Er dreht die rätselhafte Karte in seinen Fingern
und weiß nicht, was er tun soll, da läßt ihm der Besucher
sagen, daß er vom König selbst käme und sein Auftrag dring=
lich sei.

Der Unbekannte stellt sich vor: er komme aus Wien, wo
er Wagner vergeblich gesucht habe, dann sei er nach Maria=
feld gefahren; er reise nun Wagner seit drei Wochen nach.
Dann überreicht er ihm eine Photographie seines königlichen
Herrn, einen Diamantring und einen Brief — „mit wenigen,
aber mir in das Herz meines Lebens dringenden Zeilen".

Cosima hatte seine Seele gerettet, nun rettete der Märchen=
prinz aus dem Münchener Schaufenster sein Leben! Wagner
brach weinend auf einem Stuhl zusammen. Der Holländer
war erlöst, und das Schiff mit den roten Segeln, das so lange
die Meere befahren hatte, konnte nun mit seiner Gespenster=
mannschaft endlich in die Tiefe sinken.

Als er am gleichen Tage bei Eckert frühstückte, traf eine
Depesche ein: Meyerbeer gestorben.

Vierter Teil

Wotan

(1864—1872)

I

Hamlet II. von Bayern und die Münchener Revolution

Als der Schöpfer der „Musik der Zukunft" in seiner Jugend noch die tragischen Gestalten, die früher geschaffen worden waren, verehrte und selbst als „Dichter ohne eigenes Gesicht" kindliche Dramen anfertigte, zu denen er sich die ersten Akkorde seines Orchesters erträumte, ahnte er den Tag nicht, den er jetzt erlebte. Nun, da seine Träume in seinen Werken Gestalt angenommen hatten, erschien ihm ein König von Shakespearescher Tragik, der, im Schöpfungsjahr des „Tannhäuser" geboren, meteorgleich am bayrischen Himmel erstrahlen und nur gerade so lange auf dem Thron bleiben sollte, bis er Wagners Werken zur Weltgeltung verholfen hatte, um dann seine Gunst den Architekten und Bauleuten zuzuwenden und nach einsamer Lebenspilgerfahrt einen gewaltsamen Tod in den Fluten eines romantischen Sees zu finden. Die Welt ist voller Hamlets, die eifrig nach den Geistern suchen, die ihnen verwandt sind, aber schwieriger ist es, unter ihnen einen zu finden, der über eine fürstliche Zivilliste verfügt, der, Erbe eines Königreiches, wie Narziß in sein eigenes Bild verliebt ist und sein Herrscherideal in Lohengrin verkörpert sieht. Ludwig hatte das zwanzigste Lebensjahr noch nicht erreicht, als ihm die Krone seiner Väter auf das Haupt gesetzt wurde. Die Erinnerung an seinen strengen Vater füllte sein Herz jetzt noch mit Schrecken, und er wußte, daß sein Großvater wegen der Tänzerin Lola Montez dem Thron entsagt hatte. Er las Ludwig Feuerbach, war von Edgar Allan Poe entzückt und, als er den „Tannhäuser" auf der Bühne sah, von den Grotten des Venusberges begeistert gewesen. Nun hatte er eifrig Wagners Schriften studiert und lange über den Aufruf nachgedacht, den der große Komponist in seiner Vorrede zur Nibelungendichtung an die deutschen Fürsten gerichtet hatte: „Wird sich der Fürst finden, der die Aufführung meines Werkes ermöglichen wird?" Einen Monat nach dem Tode Maximilians schickte Ludwig Herrn von Pfistermeister auf die Suche nach dem Dichter; er war entschlossen, diesen zum Minister eines Reiches zu machen, das der künstlerischen Schönheit jeder Art geweiht sein sollte.

Als Wagner, der Gefangene seiner eigenen Zauberei, der Künstler, der eben dem Selbstmord entgangen war, nach München kam, sah er den jugendlichen König zum erstenmal — Wotan und Siegfried trafen sich auf den symbolischen Höhen einer sterbenden Welt. Aber im bayrischen Königsschloß waren die Rollen vertauscht. Der Überlegene war nicht Siegfried, der die Sprache der Vögel verstand und Götter und Drachen besiegte, sondern der ruhelose Seemann, der liebesuchende Wanderer, der traurige und müde Tristan, der vor seinen Gläubigern floh. Nun mußte er zeigen, daß die alten Götter gestorben waren und ihren Platz Sterblichen überlassen hatten, die im tätigen Leben, in der Welt standen. So mußte von Anfang an zwischen dem jungen Idealisten und dem alten Kämpfer, der sich so heftig nach den Freuden dieser Welt sehnte, ein Mißverständnis Platz greifen, ohne daß sie beide sich dessen bewußt wurden. Der Revolutionär von 48 hatte nur die Front gewechselt: sein Wesen, sein Charakter blieben dieselben, die sie immer gewesen waren. Immer noch betete er den Tod an, aber er wünschte sich ihn, wie alle, die ihn wahrhaft ersehnen, nicht eher, als bis er den Becher des Lebens bis zum Grunde geleert hatte. Welchen Sinn sollen

396

wir den Gleichnissen „Sieg" und „Niederlage" beimessen? Es sind alte Formeln, die wir heute mit den lebendigeren Worten „Wille" und „Mißerfolg" ausdrücken. Wagner verlangte, daß die Menschen an ihn glaubten, ihn liebten, und wollte nun selbst einen Wechsel auf die Zukunft ausstellen.

Er beugte sich über die Hand des jungen Königs, der bereits von dem Übel einer ererbten Geisteskrankheit überschattet war. Ludwig drückte ihn an seine Brust: „Unbewußt waren Sie der einzige Quell meiner Freuden von meinem zarten Jünglingsalter an, ein Freund, der mir, wie keiner, zum Herzen sprach, mein bester Lehrer und Erzieher ... Seien Sie überzeugt, ich will alles tun, was in meinen Kräften steht, um Sie für vergangene Leiden zu entschädigen; die niedern Sorgen des Alltagslebens will ich von Ihrem Haupte auf immer verscheuchen, die ersehnte Ruhe will ich Ihnen bereiten, damit Sie im reinen Äther Ihrer wonnevollen Kunst die mächtigen Schwingen Ihres Genius ungestört entfalten können. Jetzt — o Wonne! — ist der Augenblick gekommen, jetzt hat der Purpurmantel mich umwallt; da ich die Macht habe, will ich sie benutzen, um Ihr Leben zu versüßen."

Wagner schrie seine Freude, seine Überraschung in die Welt hinaus. An seine Freunde schrieb er: „Mit jedem Tag bewährt sich das ungemein Schöne. Er ist mir vom Himmel gesandt, durch ihn bin ich und schaffe ich noch ... Er ist mein Vaterland, meine Heimat, mein Glück!" (An Frau von Moukhanoff-Kalergi.) „Er versteht mich wie meine eigene Seele ... Sie machen sich von dem Zauber seines Blickes keine Vorstellung ... er ist in der Tat so schön, so geistreich, daß ich zittre, sein Leben wie einen göttlichen Traum sich in nichts auflösen zu sehen." (An Frau Wille.) „Ich glaube, daß ich seinem Tode unmittelbar nachsterben würde." (An Bülow.)

Bereits jetzt, als sein Glück erst begann, fürchtete er, daß der Tod es allzufrüh beendigen könne — und war bereits wenige Wochen später wieder einsam! Der König brachte ihn sogleich in der Villa des Grafen Pellet am Starnberger See, eine Viertelstunde von seinem Schloß entfernt, unter. Jeden Tag besuchte er ihn dort oder befahl ihn zu sich. Der königliche Schüler, der ohne Zärtlichkeit erzogen worden war, hörte eifrig auf die Lehren des Meisters, der die Geheimnisse des Gefühlslebens erklärte und die übernatürliche Welt des Geistes beherrschte. Alle Niedrigkeit und Habgier, die er bei seinen Hofbeamten sah oder ahnte, wusch er in der Gesellschaft dieses väterlichen, überragend genialen Lohengrin von sich ab, den er das Glück hatte, in seinem Königreich zu beherbergen. Aber Wagner sehnte sich, trotzdem in dieser verzauberten Welt sein leisester Wunsch Befehl war, nach dem unheilbaren Übel, das ihn in eben diese Welt geführt hatte.

Seine Schulden waren bezahlt, er hatte ein Haus in München geschenkt bekommen, das Theater, das Orchester, alles stand zu seiner Verfügung, aber seine Zimmer waren leer wie sein Leben auch. „Trotz dem ‚königlichen Wunder‘ ist meine Einsamkeit schrecklich. Ich kann mir die Gunst des jungen Herrschers nur bewahren, wenn ich mich auf den höchsten einsamen Höhen aufhalte.“ Kaum hatte er den Frieden und ungeheuren Einfluß gewonnen, als es ihm langweilig und freudlos erschien, diesen Einfluß auszuüben. Zwar rührte ihn die fast mystische Verehrung, mit der ihn sein Fürst umgab; sie verpflichtete ihn aber auch, schmeichelte ihm wohl, konnte aber seine alten heißen Wünsche nicht befriedigen. In der Nähe Ludwigs kam sich Wagner wie ein Gegenstand der Anbetung, wie ein Götzenbild vor; aber ihn fror in seiner Gottähnlichkeit.

Seitdem er Isolde verloren hatte, war ihm die süße Qual, für die ein Mann sterben muß, um erlöst zu werden, nur im Gewandhaus und in den Kissen eines Wagens an Cosimas Seite bewußt geworden. In ihr lag seine letzte und einzige Hoffnung, sein musikalisches Schaffen zu krönen und zu Ende zu bringen. So schrieb er an Hans von Bülow und bat ihn, Berlin, wo er doch nur „vegetiere", zu verlassen und zu ihm zu kommen. „... Schön wär's auch, Du bliebest als Vorspieler ganz bei meinem jungen König: denn wir sind entschlossen, ... unsre Welt ganz für uns intim uns zu bilden." — Und er entwirft folgendes Programm: „1865: Tristan, Meistersinger. — 1866: Tannhäuser, Lohengrin. — 1867—1868: Große Aufführung des gesamten Ring des Nibelungen. — 1869—1870: Die Sieger. — 1871—1872: Parsifal. — 1873: Letzter schöner Tod und Erlösung des Wotanten." — Am 1. Juni, 5. und 9. schreibt er an Bülow: „Ich lade Dich ein, mit Weib, Kind und Magd für diesen Sommer, bis so lange wie möglich, Dein Quartier bei mir zu nehmen. — ... Hans, Ihr trefft mich im Wohlstand: mein Leben ist vollkommen umgestaltet! ... Aber — mein Haus ist öde! — ... Bevölkert mein Haus wenigstens für einige Zeit! Dies das Innerste meiner Bitte! Bedenk, es ist das Bedeutungsvollste meines Lebens, was mir zuteil geworden ... großer, großer Garten, Seefahrten, Gebirgsausflüge ... mit Papa Franz kommt Ihr vielleicht wieder ... Du, Hansel, erholst Dich recht, bleibst so lange als irgend möglich (vielleicht — für immer!!!) ... Wahrlich, Ihr Guten, nur Ihr fehlt noch zu meinem Glück!"

Cosima kam zuerst mit ihren Kindern Ende Juni in München an. Hans konnte sich noch nicht zur Abreise entschließen; er hatte vor München, und noch mehr vor Wagner Angst und fürchtete, daß es ihm wieder so gehen könnte wie in Biebrich — daß er wieder vollkommen an die zweite Stelle gedrängt werden würde. Dennoch kam er nach München, wie eine Motte, die vom Licht angezogen wird. Als er nach kurzem Aufenthalt wieder abgereist war, bekam er einen Brief von Wagner, der folgende rätselhafte Worte enthielt: „Cosimas Zustand ängstigt auch mich. Alles was sie betrifft, ist außerordentlich und ungewöhnlich: ihr gebührt Freiheit im edelsten Sinne. Sie ist kindlich und tief — die Gesetze ihres Wesens werden sie immer nur auf das Erhabene leiten. Niemand wird ihr auch helfen, als sie sich selbst! Sie gehört einer besonderen Weltordnung an, die wir aus ihr begreifen lernen müssen. — Du wirst in Zukunft günstigere Muße und eigene Freiheit in besserer Genüge haben, um dies zu beachten, und Deinen edlen Platz an ihrer Seite finden. Auch das gereicht mir zum Trost! —"

Das bedeutet, daß Wagners Leben sich wieder einmal der Tragik zuneigt, wieder einmal schicksalhaft wird. Trotzdem er jetzt reifer an Jahren war und sein Los eine günstige Wendung genommen hatte, die ihm Ruhe und Frieden brachte, setzte er wieder alles aufs Spiel. Der Wanderer weigerte sich, seßhaft zu werden, machte sich wieder auf den Weg und strebte in die Ferne. Der schützende Hafen, den ihm die Gunst des Königs verschafft hatte, war vergessen; er mußte wieder den einzigen Weg beschreiten, der ihn zu sich selbst führen konnte. Der Tod, den er suchte, hatte nichts mit Lorbeerkränzen, akademischen Ehren und befriedigtem Ehrgeiz zu tun: es war der Tod des Pilgers, der, vom Papst verdammt, aus Rom zurückkommt, aber von Gott begnadigt wird. Er suchte nicht den Venusberg, aber er wollte Elisabeth wiederfinden. Cosima war, auch wenn es sie ihren eigenen Frieden kosten sollte, entschlossen, seine heimatlose Seele zu erlösen; sie hatte alles ernstlich bedacht und die Folgen wohl erwogen. Es war ihr jetzt klar geworden, daß sie Bülow nicht liebte und nie etwas anderes für ihn gefühlt hatte als eine Art von Mitleid und mütterlicher Zuneigung. Seine Anlage zur Schwermut, seine nervöse Reizbarkeit, seine scharfe Zunge, seine Wutausbrüche beunruhigten, ja erschreckten sie manchmal, sie kannte seine Fehler, seine Launenhaftigkeit und seine bei scharfem kritischen Verstand erstaunliche Schwäche im Schöpferischen. Sein Gedankenflug war hoch, er war klug, aber sein Herz war zerquält, und es fehlte ihm die naive Einfalt des Genies. Das Bewußtsein seiner Vorzüge und Fehler

400

machte ihn zum rechthaberischen und verbitterten Menschen.
Während einiger Monate hatte sie die Charakterunterschiede
zwischen Hans und sich selbst geprüft und stand der un=
abwendbaren Gewißheit gegenüber, daß ihre Ehe ein Irr=
tum gewesen sei. Cosima Liszt befand sich nun am Scheide=
wege: sie mußte ihre Wahl treffen — und sie tat es. Es war
der Pfad des bitteren Leides, der alten Frage, die den Men=
schen immer wieder gestellt wird: sollte sie sich selbst auf
dem Altar der häuslichen Pflicht opfern und ihre Ehe auf=
rechterhalten, oder ein Haus verlassen, das ihr nicht länger
Heimat sein konnte, und mit einem anderen Manne die ge=
fährliche Reise nach den Inseln der geträumten Seligkeit
antreten? Sie wußte, was ihr bevorstand: das vernichtende
Urteil der Welt, die Trennung von ihren Kindern, die Un=
sicherheit der Zukunft, die Verschiedenheit des Alters und der
Religion, — vor allen Dingen aber der Schlag, den ihre
Handlungsweise für Hans bedeuten würde. Von allen
Gründen, die sie schwanken ließen, beunruhigte sie der letzt=
genannte am stärksten. Denn wenn auch jeder von uns
überzeugt ist, er besitze ein unanfechtbares Recht, glücklich zu
sein, daß dieses ebenso gesetzlich und gebieterisch feststehe
wie irgendeine soziale Pflicht, die wir auf uns nehmen müssen,
und daß dieser Gedanke ebenso groß oder sogar noch größer ist
als jede moralische Verpflichtung, so können wir doch die Er=
innerung an vergangene Zeiten, an alte Gewohnheiten, alte
Bande, alte Liebe nicht aus unserm Herzen verbannen. Der
Ruf der Zukunft, die Lockung des Lebens, das vor uns liegt,
sind groß; aber auch das schon verflossene Leben hält uns noch
in seinem Griff. Cosima gehörte zu den Menschen, deren Seele
nur in Klarheit und Licht atmen konnte. Das schlimmste Ver=
brechen in ihren Augen war, das eigene Herz, die eigene Liebe
aus Feigheit zu verraten. Ihre Zweifel, ihre Verwirrung, ihr
Zögern verschwanden sofort wie das Dämmergrau bei Sonnen=
aufgang an einem Sommermorgen, als sie Wagner wiedersah.

Sie erkannte deutlich, daß sie noch gar nicht begonnen hatte zu leben. Daß Richard eine Frau besaß und sie einen Gatten, einte ihr Schicksal nur. Als sie Berlin verließ, um während dieses heißen Sommers Kühlung und Ruhe in Starnberg zu suchen, hatte sie kaum zu hoffen gewagt, daß alle ihre Zweifel und Nöte sich so schnell in nichts auflösen würden, wie es der Fall war, als sie ihn, den „Glorreichen", wie ihn ihr Vater genannt hatte, nun wiedersah. Das war es gerade, was sie bis jetzt vermißt hatte: einen geliebten Menschen mit leidenschaftlicher Bewunderung umgeben zu können. Nun floß ihr Herz vor Dankbarkeit über: „Eine Wiedergeburt, eine Erlösung, ein Ersterben alles Nichtigen und Schlechten in mir ward mir meine Liebe, und ich schwor mir, sie durch den Tod, durch heiligste Entsagung oder durch gänzliche Hingebung zu besiegeln, das Werk der Liebe zu verdienen, das an mir geschehen ist, wenn ich es jemals entgelten kann." So schrieb sie später in ihrem Tagebuch: „Als die Sterne es fügten, die Ereignisse, die ich anderweitig erfahren mußte, den einzigen Freund, den Schutzgeist meiner Seele, den Offenbarer alles Edlen und Wahren einsam, verlassen, freudlos, freundlos in die Einsamkeit getrieben, rief ich ihm zu: Ich komme zu dir und will mein höchstes, heiligstes Glück darin finden, dir das Leben tragen zu helfen." Dann sagte sie zu ihrer Freundin Maria von Buch, der späteren Gräfin von Schleinitz: „Ich bin seit drei Tagen hier (in Starnberg) und mir scheint, daß es bereits ein Jahrhundert sei ... So ist mein Geist in Ruhe gesunken."

So begann für Wagner die entscheidende Phase seines Lebens, die ihm das erste Motiv eines „Starnberg-Idylls" eingab, dem später ein anderer Name gegeben werden sollte. Denn mit der neuen Liebe, gegen die zu kämpfen ihm nicht einen Augenblick in den Sinn kam, kehrte seine Schaffenskraft zurück, ebenso wie seine Kampflust, seine Liebe zum Luxus, sein Lebenshunger und seine erstaunliche Fähigkeit, sich die

Menschen zu Willen zu machen. Denn nun war Bülow damit einverstanden, Berlin zu verlassen und nach München zu ziehen, um seinem Meister ganz zur Verfügung zu stehen. Auch Wagners literarische Produktivität kehrte zurück; er schrieb eine Abhandlung „Kunst und Religion", die er dem König als ein Programm seiner Absichten für das ihm unterstellte Reich der Kunst widmete. Er bezog das Haus, das dieser ihm geschenkt hatte, Brienner Straße 21, ganz nahe bei den Propyläen. Es stand hinter Nußbäumen in einem schönen Garten; Richard wünschte sich nichts weiter, als in den großen, behaglichen Räumen in Ruhe zu arbeiten, bis er einst zu Grabe getragen werden würde. Mit Hilfe Cosimas, die eine Wohnung in der Luitpoldstraße bezog, richtete sich Wagner ein. Zwischen dem König und den Freunden seines „Geliebten" knüpften sich enge Bande. Der König ernannte Bülow zum Hofpianisten und später zum Kapellmeister am königlichen Theater; Wagner selbst ließ sich in Bayern naturalisieren.

Ende November entschloß sich der König, ein großes modernes Theater bauen zu lassen, in dem der Nibelungen-Ring in würdiger Weise aufgeführt werden könnte. Am 4. Dezember wurde unter Wagners persönlicher Leitung der „Fliegende Holländer" gegeben, das Werk, das der Münchener Intendant vor 25 Jahren als „ungeeignet für Deutschland" zurückgewiesen hatte. Das Haus war überfüllt, aber das Publikum nicht sehr beifallsfreudig. München war stets den Fremden feindlich gesinnt. Es schienen schon jetzt einander entgegengesetzte Einflüsse am Werk zu sein: die einen machten dem König Komplimente über seine großartigen Pläne und lobten seinen plebejischen Günstling; die anderen waren zurückhaltend und unruhig und mißtrauten der „grauen Eminenz", die den König und dessen Börse allzusehr in Anspruch zu nehmen schien. Sie vergaßen nicht, daß Wagner ein Revolutionär gewesen, und dieser selbst machte kein Geheimnis aus der Tatsache, daß er Protestant, in den Augen der Münchener also ein Freidenker war. Alle möglichen sensationellen Gerüchte über ihn wurden verbreitet: so sollte der Architekt Semper, auch ein Revolutionär von 1848, nach München gekommen sein, um dem König die Pläne für ein Theater vorzulegen, das enorme Kosten verursachen würde. Andere behaupteten, daß Wagner große Summen aus der Zivilliste bezöge und riesige Schulden für ihn bezahlt worden seien. Dann brachten die Zeitungen boshafte Kommentare über seine mit leidenschaftlichem Interesse verfolgten Privatangelegenheiten. Schließlich gab es genug Leute, die ihn beneideten und darum angriffen. Musiker, Dirigenten, Dichter „von Beruf“ waren wütend, daß dieser Dichterling seine Operntexte selbst verfaßte, philosophische Abhandlungen veröffentlichte, alle möglichen Reformen verlangte und seine Nase in ihre Angelegenheiten steckte: wer war er denn, dieser Zukunftsmusiker und Hungerleider, dessen Pfad mit Mißerfolgen gepflastert war?

Nun wurde auch die Politik gegen ihn mobil gemacht. Eine Partei war dafür, mit Wagners Hilfe Ludwig für den Plan zu gewinnen, ein neues, rheinisch=westfälisches Königreich zu gründen, das unter dem Zepter des Fürstlichen Hauses Thurn und Taxis einen Teil Belgiens umfassen sollte — man dachte an eine Art „Königreich Burgund“. Zum Dank für die Unterstützung wurde Bayern ein Gebietszuwachs versprochen. Die Jesuiten nahmen sich des Planes an, der von einer landwirtschaftlichen Kreditbank mit Zweiggeschäften in Österreich finanziert wurde. Die Verhandlungen führte ein Diplomat a. D., der niemand anders war als der alte Klindworth, ein Verwandter des Pianisten und Vater der reizenden Agnes Street, die vor ein paar Jahren eine Lieblingsschülerin Liszts gewesen war. So spinnen sich von Freundschaft oder Liebe Fäden zur europäischen Politik.

Wagner aber lehnte es ab, in eine solche Verschwörung hineingezogen zu werden, obgleich man ihm als Belohnung das Amt des Kabinettssekretärs anbot und ihn bei der Gründung der neuen Staatsbank beteiligen wollte. Trotzdem er seinen Dresdner Freunden immer noch Geld schuldig war und ihm verschiedene seiner Verleger (Flaxland in Paris und Müller in Deutschland) mit Prozessen drohten, widerstand er den lockendsten Anerbietungen, obzwar er sonst in Geldsachen recht tüchtig war. Dadurch zog er sich neue Feindschaften und nach kurzer Zeit direkte Angriffe in den Zeitungen zu. Denn Wagner hatte an sehr hoher Stelle in der Regierung einen Feind: den Ministerpräsidenten von der Pfordten.

Im Februar 1865 wurde „Tannhäuser" aufgeführt; da der König nicht in seiner Loge erschien, wurde sofort behauptet, daß Wagner in Ungnade gefallen sei. „Elende, kurzsichtige Menschen", heißt es indessen in einem Briefe des Königs an Wagner, „die von Ungnade sprechen können, die von unserer Liebe keine Ahnung haben, keine haben können. Sie wissen nicht, daß Sie mir alles sind, waren und sein werden bis zum Tod, daß ich Sie liebte, ehe ich Sie sah." Trotzdem begann im Februar der offne Kampf gegen Wagner. Man spürte seiner Dresdner Vergangenheit nach, warf ihm seine Verschwendungssucht und seinen Wohnungsluxus vor und tadelte den König, daß er einen solchen Verschwender aufgenommen habe. Sogar der alte König Ludwig I., der immerhin in Sachen der Liebe und des fidelen Lebens einige Erfahrungen hatte, opponierte gegen den Mann, der nach achtzehn Jahren den Platz seiner geliebten Lola Montez einnahm. Aber alles das schadete vorläufig noch nicht viel: Wagner hatte Ludwig II. und Cosima für sich und brauchte niemand anders. Mit aller Energie, die ihm zu Gebote stand, bereitete er der neuen Kunst den Weg und forderte ihre offizielle Anerkennung.

Der Tag, an dem die in Aussicht genommene Vorstellung des „Tristan" stattfinden sollte, mußte ein wichtiger Denkstein der Musikgeschichte werden; Komponist, Bühnenmaler, das ganze Personal des Theaters, und der König selbst arbeiteten mit. Cosima von Bülow war unermüdlich, trotzdem sie wieder in anderen Umständen war. Sie hatte das Amt eines Sekretärs bei Wagner übernommen und sich die Aufgabe gestellt, Material für ein Wagnerbuch zu sammeln, das alle größeren Artikel über Wagners Werke enthalten sollte; sie korrespondierte für ihn und übernahm im Laufe der Zeit sogar seine Korrespondenz mit dem König. So entstand eine merkwürdige Verbindung zwischen dem einsamen Fürsten und der jungen Frau, die sich plötzlich schirmend vor das Herz stellte, in dem der König allein zu regieren geglaubt hatte. Allerdings schöpfte Ludwig, der nicht argwöhnisch war, keinen Verdacht, und Cosima verstand die Kunst, wie ein guter Diplomat Festigkeit und Liebenswürdigkeit zu vereinigen, auf das beste. Sie hatte das von ihrem Vater geerbt; dazu kam ihr scharfer Verstand als Erbteil ihrer Mutter. So erwarb und behielt sie das Vertrauen des Königs. Sie hatte in den Münchener Salons viel Erfolg und mußte häufig Bülows Taktlosigkeiten und die kleinen Kränkungen, die Wagner der Eigenliebe anderer unbewußt zufügte, wieder gutmachen. Endlich nahte der Tag, an dem „Tristan" das Licht der Rampe erblicken sollte, „Tristan", dessen Schöpfer sein Werk sechs Jahre lang mit sich herumgetragen hatte, ohne es zum Leben erwecken zu können. Da aber während mehr als einem halben Jahrhundert Wagners Leben an entscheidenden Wendepunkten immer Zeichen und Vorbedeutungen aufzuweisen gehabt hatte, so konnten diese so anstrengenden und doch erhebenden Wochen der Proben, welche Wagner die großartigste Zeit seines Lebens genannt hat, nicht vorübergehen, ohne daß sich etwas Seltsames ereignet hätte. Dies aber war das Zeichen, das zu denken gab:

Am 12. April morgens, zwei Stunden vor dem Beginn der ersten Orchesterprobe, gab Cosima einer Tochter das Leben, die Isolde getauft wurde. Der Name zeigt deutlich genug, daß seine Trägerin als Kind einer Liebe geboren wurde, deren Kraft, in aller Heimlichkeit gewachsen, sich nun heroisch offenbarte. Vielleicht kann ein Mann nicht immer die Energie verstehen, die eine Frau braucht, um ein solches Los mit Würde auf sich zu nehmen. Denn niemals durften ihre Lippen als einen Fehltritt bekennen, was sie selbst sich als Ruhmestat anrechnete. Cosima war zu stark, um bei dem Gedanken an das Glück ängstlich zu werden; das Opfer, das sie an diesem Tage dem Mann ihrer Liebe brachte, gibt ihrem Leben jene trotzige Größe, die es zu etwas Besonderem stempelt. Sie trennte sich noch nicht von Bülow; im Gegenteil, wenn sie auch in Zukunft dem Mann, dem sie ihren Namen und ihre zwei ältesten Töchter verdankte, nicht mehr angehörte, so hatte die kleine Isolde das Wunder vollbracht, das Herz ihrer Mutter der Freude zu öffnen und einem mit dieser verschwisterten Leiden, dessen sie sich nicht fähig gehalten hätte und das sie doch mit erhobenem Haupte und zerrissener Seele länger als fünfzig Jahre getragen hat. Von nun an war sie verfemt und Wagner auch. Aber erst jetzt gehörte die andere Isolde für immer der Vergangenheit an.

Auf diesem Hintergrund der häuslichen Ereignisse entwickelten sich die Proben zum „Tristan", der jetzt von ebenso großer politischer wie künstlerischer Bedeutung war, da die Vertreter der „Musik der Zukunft" ihre entscheidende Offensive mit diesem Werk einleiteten. Verschiedene, teils komische, teils peinliche Zwischenfälle bezeichneten den Verlauf dieser Proben, Zwischenfälle, die durch Hans von Bülows bissige Äußerungen häufig verschärft wurden. Er sollte z. B. die zukünftigen Hörer als „dreckige Schweine" bezeichnet haben. Fort mit ihm! Das Orchester beschloß zu streiken, so daß es erst wieder beruhigt und zu seiner Pflicht zurückgeführt werden mußte. Glücklicherweise begeisterte Schnorr von Carolsfeld Wagner so sehr, daß dieser Eindruck genügte, um ihn alle diese Unannehmlichkeiten nicht empfinden zu lassen. Er war ein ganz einziger Sänger, dem Wagner nichts zu erklären und keine Komplimente zu machen brauchte: ein paar Worte und ein paar szenische Angaben genügten, daß ihm der tiefste und geheimnisvollste Sinn seiner Rolle aufging. So kam die Zeit der Generalprobe heran, als Wagners Feinde eine sorgfältig vorbereitete Mine springen ließen: sie hatten einen alten Wechsel ausgegraben, den Wagner vor fünf Jahren unterschrieben hatte, um die Kosten der Pariser Konzerte im Jahre 1861 zu decken; dieser war niemals bezahlt worden. Nun erhoben Wagners Gegner Klage und verlangten, daß er verhaftet würde, da er seinen Verpflichtungen nicht nachgekommen sei. Natürlich bezahlte der König sofort die verlangte Summe und bat den Freund, denen zu verzeihen, die in ihrer „Bosheit und Verdorbenheit" nicht wüßten, was sie taten. Als diese Fährlichkeit kaum überwunden war, wurde Frau von Schnorr (Isolde) krank, so daß die Aufführung verschoben werden mußte, trotzdem das Theater ausverkauft und die Stadt voller Fremden war, die aus London, Paris, Frankfurt und Dresden zur Premiere nach München gekommen waren. Nur Minna, Mathilde Wesendonk und Liszt waren der Einladung nicht gefolgt: Minna, weil sie schwer krank war, Liszt, weil er eben im Vatikan die Priesterweihen empfangen hatte, und Mathilde, weil die Darstellung ihres eigenen Lebensdramas im Theater ihr unerträglich gewesen wäre. Wagner hatte sie eingeladen, aber sie war nicht gekommen — das erfüllte ihn mit Bitterkeit und schien ihm „kleinlich". Er verstand nicht, daß sie ihm durch ihr Fernbleiben den zartesten Beweis davon gab, daß sie ihn noch liebte. Er wünschte, sie hätte mit angesehen, welche Rache er für die Verwundung seines Stolzes nahm. Denn ein Künstler schreckt fast nie davor zurück, die eigene Seele schamlos zu entblößen. Sein Werk, das er aus seinem Leben heraus geschrieben, das er durch seine Leiden geheiligt hat und immer wieder durcharbeitet, bis es schließlich, zu einem Abbilde seiner selbst geworden, ein Stück seines Wesens ist wie das Kind, das eine Mutter mit Schmerzen geboren hat. Er leidet nicht mehr, er ist stolz darauf.

So fand die berühmte Premiere des „Tristan" am 10. Juni 1865 nicht nur auf der Bühne des Hoftheaters in München statt. Manche Herzen erlebten in ihrer Einsamkeit diesen außerordentlichen Abend mit, innerlich gepeitscht von den Tönen, die Wagners Genie hier für den tiefsten Schrei der Leidenschaft, für das erschütternde Ende einer tödlichen Liebesverstrickung gefunden. Niemals mehr ist Wagner ein so überwältigender Zauberer gewesen, niemals ist ihm ein herrlicheres Wunderwerk als die Musik zum „Tristan" gelungen. Als ihre magische Kraft die Herzen der Zuhörer bewegte, malte sich tiefste Ergriffenheit auf allen Gesichtern. Der König saß allein in seiner Loge, träumte mit verlorenen Blicken vor sich hin und genoß endlich sein Lieblingswerk. „Mein Einziger — mein Alles! Schöpfer meines Glücks! — Wunderbarer Tag ... Tristan ... Dir geboren, dir erkoren, das ist mein Schicksal..." Der alte König Ludwig I. dachte an Lola Montez und die süßen Schmerzen, die sie ihm zugefügt hatte. Seite an Seite lauschten Richard und Cosima dieser Anrufung einer schon längst in Venedig gestorbenen Liebe, die von nun an in ihre eigene versponnen war. Bülow dirigierte, ein zweiter König Marke, den Tristan überwunden hatte. Schnorr übertraf sich selbst und schuf die Rolle, die seine letzte sein sollte, für alle Zeiten als unübertreffbares Vorbild. Unter den Zuhörern befanden sich viele, die im nächsten Sommer während des Feldzuges fallen sollten, als das siegreiche Preußen Bayern drei Provinzen entriß und König Ludwigs kindlichen Glauben an die Heiligkeit seiner Krone in Stücke schlug.

Die erste Vorstellung des „Tristan" bezeichnete eine Zeitenwende. Wagner selbst lief Gefahr, die Grenzen seiner Kunst

zu zeigen; aber der Erfolg ist immer ein Wagnis, in der
Kunst wie in der Liebe. Glücklicherweise war sich Wagner
dessen nicht bewußt, denn er hatte noch nicht erfahren, was
wirklicher Erfolg bedeutet; zwanzig Jahre lang hatte er nur
Mißerfolge und Niederlagen gekannt. Als er, vom Beifall
des Publikums gerufen, die Bühne inmitten seiner Darsteller betrat, sah sein blasses Gesicht müde und unruhig aus.
Er war nicht mehr der Sieger des „Rienzi"-Abends, der mit
dem leicht errungenen Lorbeer einer Nacht gekrönt worden
war, auch nicht mehr das ausgepfiffene Opfer der Pariser
Jockei-Klub-Mitglieder. Hier stand ein Mann, der sein
innerstes Wesen gezeigt, der nichts mehr zu geben hatte und
nicht mehr an seine Zukunft glaubte. Die Schwierigkeiten,
die zu überwinden gewesen waren, zählten für nichts, da
der Kampf unbeachtet von der großen Menge vor sich gegangen
war. Nach außen hin war der Tag gewonnen, aber „Tristan"
blieb doch den Menschen fremd und auf die Bühne gebannt—
Wagner begriff an diesem Abend, daß seine Kunst und seine
Gestaltung nur ihm, ihm ganz allein gehörten. Sein ersehntes „Vaterland" würde er niemals finden ...

Vier Abende hintereinander hatte das Werk Erfolg, aber
Wagner befand sich in einem solchen Zustand nervöser Erschöpfung, war seiner selbst so wenig sicher, daß er weitere
Wiederholungen verbot. Er wünschte, daß „Tristan" niemals wieder aufgeführt werden solle. Die Einheit zwischen
Schöpfer und Darsteller war diesmal zu groß gewesen, als
daß sie jemals wieder erreicht werden könnte. Jedenfalls
schützte er diesen Grund vor, um die seltsame seelische Angst,
die ihn lähmte, zu erklären.

In jener Zeit schrieb ihm ein junger französischer Student,
Edouard Schuré, einen Brief, um ihm seine Bewunderung
zu bezeugen, und besuchte ihn auch. Bei dieser Gelegenheit
sagte Wagner zu ihm: „Sie haben mir mit Ihrem Brief
eine außerordentliche Freude gemacht, ich habe ihn dem König

gezeigt und diesem gesagt: ‚Sie sehen, es ist noch nicht alles
verloren.'"

„Dann sind Sie also nicht zufrieden?"

„Zufrieden? ... Ja, wenn ich mein eigenes Theater habe;
dann werde ich vielleicht verstanden werden. Für den Augenblick bin ich müde."

Wir müssen an die letzten Worte Isoldens denken:

> „Soll ich schlürfen, untertauchen
> Süß in Düften mich verhauchen,
> In dem wogenden Schwall,
> In dem tönenden All,
> In des Weltatems
> Wehendem All
> Ertrinken,
> Versinken
> Unbewußt
> Höchste Lust."

Aber Wagner hatte sich nun eine neue Aufgabe gestellt.
Sein Theater! Um das Heiligtum, das er sucht, um dort
fern der Welt den Tempel seiner Kunst und sein Haus zu
bauen und — sein Grab zu graben, kreisen von nun an seine
Gedanken. Aber er fühlt bereits, daß München niemals der
Ort sein könne, an dem er es zu errichten vermöchte. So kam
es, daß gerade der Erfolg dieser Abende die Dinge dem Ende
zutrieb, das sie finden mußten.

Der König kehrte nach seinem Schloß Berg zurück, und
zwar, um seine Nerven zu beruhigen, auf der Lokomotive
seines Sonderzuges. Auf Allerhöchsten Befehl hatte im
Residenztheater ein Konzert stattgefunden, dem außer dem
König nur wenige Bevorzugte beiwohnen durften. Wagner dirigierte Bruchstücke aus seinen Werken, und Schnorr
sang Siegmunds „Winterstürme" sowie die Schmiedelieder
aus „Siegfried". Im Schatten seiner Loge versteckt saß der
König und lauschte der letzten künstlerischen Botschaft des
unvergleichlichen Tristandarstellers, der schon vom Tode

411

gezeichnet war. Eine Woche später starb er. „Der böse Blick des Meisters", flüsterte man sich zu, und in der Tat betrachtete Wagner diesen Verlust als die schlimmste Vorbedeutung. Zu Schuré sagte er: „Jeder Mensch hat seinen Dämon. Der meine ist ein furchtbares Ungeheuer. Wenn er in meiner Nähe ist, liegt ein Unglück in der Luft. Bei meiner einzigen größeren Seefahrt hätten wir beinahe Schiffbruch gelitten. Wenn ich nach Amerika führe, würde mich der Atlantische Ozean sicher mit einem Zyklon begrüßen. Die Menschen haben mich immer schlecht behandelt, aber, merkwürdig genug, ich komme immer wieder durch. Man könnte fast denken, daß das Schicksal sich an denen rächt, die mich lieben, da es mir nichts anhaben kann. Wenn ein wirklicher Mann, der an sich schon eine Kraft bedeutet, sich mir ohne Vorbehalt überläßt, so weiß ich im voraus, daß das Geschick seine Wut an ihm auslassen wird. Aber genug davon! Wenn man mit dem Schicksal auf dem Kriegsfuß steht, muß man vor sich, nicht hinter sich sehen." Auch der König konnte ihn über Schnorrs Tod nicht trösten. „Auch jene Nacht", schrieb er an Wagner, „wird zur ewigen Klarheit geführt werden, und Licht und Wahrheit nur sollen zur Herrschaft gelangen. Dies ist Dein Werk, darum Mut, kein Zagen. Strahlender Sieg." Es war zu spät. Trotz allen seinen Anstrengungen, das Zepter in fester Hand zu halten, Hamlet war zu schwach dazu. Er war der Sklave seiner Worte — sie klangen zwar großartig, aber es steckte nichts hinter ihnen. Die Zeit aber war vorbei, in der Wagner durch Worte gerettet werden konnte. Männer, dem Polonius ähnlich, verschworen sich gegen ihren Fürsten und hatten sich das Wort gegeben, diesen Horatio zu vernichten.

„Wir werden uns niemals trennen", sagte Ludwig II., als er Wagner einlud, ihn in seinem Bergschloß zu besuchen. Wagner folgte dem Ruf, fuhr in der königlichen Jacht auf dem See herum, machte mit seinem „Parsifal" in einer von

sechs Pferden gezogenen Kalesche einsame Fahrten und schmie=
dete Pläne für die Zukunft, an deren Erfüllung er aber im
Grunde nicht mehr glaubte. Er wußte wohl, daß die Möglich=
keit, sie auszuführen, nur in der Einbildung eines Fürsten
begründet war, der Luftschlösser baute. Aber die Macht der
Pforbten und der Pfistermeister hatte im Gesetz, in den Finanzen
und in der Leichtgläubigkeit der Menschen einen um so festeren
Grund. „Für mich lebe ich wirklich eigentlich nicht mehr",
schrieb Wagner noch einmal an Elisa Wille. „Es ist alles
wundervoll, traumhaft, wenn nur nicht alles so tödlich
schmerzhaft wäre." Aber er hatte jetzt eine neue Aufgabe
vor sich, nämlich den „Parsifal", dessen erste Skizze er ent=
warf. Dann kam Semper aus Zürich; sie fertigten, ohne
großes Vertrauen in die Zukunft, zusammen den Plan des
Nibelungen=Theaters an, das sich am Isarkai gegenüber
dem königlichen Palast erheben und mit diesem durch eine
neue Straße und eine monumentale Brücke verbunden werden
sollte. Außer dem Theater wurde der Bau eines neuen Kon=
servatoriums in Aussicht genommen. Ferner wurde die
Gründung einer Zeitung erwogen, welche der neuen Kunst
die Wege ebnen sollte. Ludwig war entzückt und überzeugt,
innerhalb dreier Jahre diesen Träumen eine granitene Wirk=
lichkeit verleihen zu können. „Ich will, ich will", rief er
immer wieder. Aber wiederum waren es nur Worte. Von
all diesen großartigen Plänen, die München zur Hauptstadt
der Musikwelt gemacht hätten, blieb nichts übrig als ein
Aquarell, das später in Cosimas Wohnzimmer in Wahnfried
hing.

Jetzt aber saßen die Politiker am Spieltisch; die Karten
waren verteilt. Der Kabinettssekretär a. D. Pfistermeister
leitete eine von der konservativen Partei ausgehende Kabale,
nach der Wagner als eine Gefahr für die Öffentlichkeit hin=
gestellt wurde, nicht allein wegen der Ausgaben, die er ver=
ursachte, sondern auch wegen seiner politischen Ansichten.

Von der Pfordten war ultramontan gesinnt; er hatte allmählich alle Mitglieder der alten Regierung verdrängt und durch Reaktionäre, deren monarchische Neigungen dem Absolutismus des Königs entgegenkamen, ersetzt. Natürlich standen die neuen Männer in schärfster Opposition gegen die, wie sie glaubten, gefährliche Einmischung der Künstler. „Wenn die Fürsten", meinte Pfordten, „nur ein wenig zusammenhielten, wie die Demokraten das tun, so dürfte Wagnerische Musik nirgends aufgeführt werden."

Die Zeitungen fuhren mit ihren Angriffen fort. Sie kritisierten zwar das Kabinett, beklagten aber doch den geheimen Einfluß einer „gewissen Persönlichkeit". Hatte diese Persönlichkeit sich nicht aus der Privatschatulle des Königs 40000 Gulden auszahlen lassen? Der Augenblick war augenscheinlich günstig, um die öffentliche Meinung gegen Wagner zu beeinflussen; daher bildete die geschickt geleitete Presse eine Einheitsfront gegen Wagner. Das Gerücht, daß er an die Verfassung rühren und gefährliche Neuerungen einführen wolle, wurde in die Welt gesetzt; ferner behauptete man, daß er danach trachte, seine verbrecherischen Hände an die heiligen Rechte des Königs und der bayrischen Regierung zu legen. Man nannte Wagner Lolus, die männliche Form des Namens Lola (Montez). Man erzählte sich, daß der nächste Karneval nicht von der Hetzpeitsche einer Tänzerin mit Stallmeisterallüren angetrieben, sondern vom Dirigentenstab eines Kapellmeisters geleitet werden würde. „Es handelt sich nicht mehr nur", schrieb der „Volksbote", „um die ‚Zukunftsmusik‘, nein, um die ‚Zukunftspolitik‘." Man glaubte sogar, daß Wagner die Armee abschaffen wolle! „Der bezahlte Musikmacher, der einst an der Spitze einer Mordbrennerbande den Königspalast in Dresden in die Luft sprengen wollte, beabsichtigt nunmehr den König allmählich von seinen Getreuen zu trennen, ihn zu isolieren und für die landesverräterischen Ideen einer rastlosen Umsturzpartei auszubeuten." Dem König wurden

414

seine Schwäche und seine wilde Verschwendungssucht zum Vorwurf gemacht, Wagner sogar beschuldigt, seine Frau verhungern zu lassen. Die Wirkung dieses hinterlistigen Feldzuges auf das leichtgläubige Publikum war so groß, daß die Münchner zu fürchten begannen, der Wagner-Bazillus könne früher oder später das ganze Staatswesen infizieren; eine chirurgische Operation schien notwendig zu sein. Eine Antwort Wagners, in der er sich verteidigte und die wahren Agitatoren mit Namen nannte, entflammte die Wut der offiziellen Welt zu weißglühender Hitze. Minna aber schickte den Zeitungen eine Erklärung, in der sie in loyalster Weise versicherte, daß an den Vorwürfen gegen ihren Gatten kein wahres Wort sei.

Vorläufig gab Ludwig noch nicht nach. „Oh, mein geliebter Freund, wie fürchterlich schwer macht man es uns! Der Gedanke an Sie richtet mich stets wieder auf; nie lasse ich von dem Einzigen, ist das Wüten des Tages auch noch so folternd. Wir bleiben uns treu."

Aber der noch allzu junge und unsichere König stand stark unter dem Einfluß seiner Minister und seiner Familie. Sein Großonkel, der Prinz Karl, die Königin-Mutter, Herr von Pfistermeister, der Ministerpräsident von der Pfordten, der Geheimrat Lutz, alle glaubten, daß die Lage für den Fortbestand des Königtums gefährlich sei. Sie behaupteten, der Thron sei in Gefahr; die Forderungen der Öffentlichkeit bewiesen klar, daß die Ruhe nur durch Wagners Entlassung wiederhergestellt werden könne. Am 6. Dezember erklärte das Kabinett einstimmig, daß der König zwischen der Liebe und dem Wohlergehen seines Volkes und der Freundschaft zu einem Manne zu wählen habe, der sich den Haß und die Verachtung aller aufrechten Elemente des Königreichs zugezogen habe.

In dieser Nacht focht Ludwig den heftigsten Kampf mit sich selbst aus; er wußte, daß sein Schicksal an einem Wendepunkt stand: entweder mußte er sich entschließen, seine königliche Macht zu benutzen und seine Größe ein für allemal zu beweisen — oder sich selbst in den Schatten zu stellen. Sollte er seinem Freund die Treue halten oder so schwach sein, ihn fallen zu lassen? Am nächsten Morgen erhielt Wagner folgenden Brief: „Mein teurer Freund! So leid es mir tut, muß ich Sie doch ersuchen, meinem Wunsche Folge zu leisten, den ich Ihnen gestern durch meinen Sekretär aussprechen ließ. Glauben Sie mir, ich muß so handeln. Meine Liebe zu Ihnen währet ewig; auch ich bitte, bewahren Sie mir immer Ihre Freundschaft. Mit gutem Gewissen darf ich sagen: ich bin Ihrer würdig. Wer darf uns scheiden? Ich weiß, Sie fühlen mit mir, können vollkommen meinen tiefen Schmerz ermessen. Ich konnte nicht anders, seien Sie davon überzeugt, zweifeln Sie nie an der Treue Ihres besten Freundes. Es ist ja nicht für immer. Bis in den Tod Ihr treuer Ludwig."

Es gibt keine Abschiedsworte, sagt man, für die, welche sich wahrhaft lieben. So gibt es auch keine richtige Antwort auf gewisse Briefe. Zunächst glaubte Wagner, seine Würde wahren zu müssen; darauf antwortete der König, daß er das verstünde und ihr „Ideal" retten würde... auch dies nur leere Worte. Aber es waren leider immer nur Worte, nach denen der hübsche, junge Fürst in seinem Wolkenkuckucksheim lebte.

Am 10. Dezember reiste Wagner, nur von seinem alten Hund Pohl begleitet, bei Tagesanbruch ab. Vor achtzehn Monaten hatte er bei seiner Ankunft in München geglaubt, daß er für den Rest seines Lebens dort bleiben würde — das hatte er früher auch immer geglaubt, gleichgültig, wohin er kam. Wieder einmal hatte der Wanderer die ganze Welt vor sich, in der er sein Glück versuchen konnte. Er nahm sein Schicksal ohne Bedauern auf sich. Kaum hatte sich der Zug in Bewegung gesetzt, als der Heimatlose mit Behagen die frische Luft der Freiheit atmete. Der Ruhm stand augenscheinlich nicht auf

König Ludwig II. von Bayern

Hans von Bülow

von F. von Lenbach

dem Programm seines Lebens; der alte Pessimist freute sich, auf seinen Lippen wieder den bitteren Geschmack des Unglücks zu spüren.

Wieder suchte er seine geliebte Schweiz auf und ging nach Vevey in die Pension Beau-Rivage. Nach kurzer Zeit nahm er die unterbrochene Arbeit an den „Meistersingern" wieder auf. „Ich betrachte mich als gerettet... und hoffe nun auf meine Werke... Vollkommene, angenehme Zurück-gezogenheit, in einem fremden Lande, in einer mir fremden Umgebung, gar keine Beziehungen, gar kein Verkehr, — das sind die tiefgefühlten Bedingungen meines letzten Ge-deihens." So schrieb er an Mathilde Maier, und an Cosima: „Ich muß eine lange Zeit taub und blind sein... Mit der Natur hat es bei mir ein Ende. Du verstehst mich, das ist mein Trost, ich hoffe, wenn volle Beruhigung möglich ist... Oh, Himmlischer, gebe, daß alle Erfahrungen Lüge, alles Wissen eitel und nichtig seien, daß einzig wahr und mächtig unsere Liebe bleibe." Er dachte auch an den jungen König, der ihm alle seine Liebe gegeben, aber nicht die Kraft gehabt hatte, seine Rechte zur Geltung zu bringen. Wagner glaubte noch an ihn, der König tat ihm auch leid; aber Richard hatte kein Vertrauen mehr in die Stärke dieser Hand, die allzuviel Ringe trug.

So kam Wagner wieder nach Genf zurück, das auch sein Zufluchtsort nach seiner Trennung von Mathilde Wesendonk gewesen war. Er mietete ein schönes kleines Landhaus, das „die Artischocke" hieß, schloß seine Manuskriptmappe wieder auf und nahm den noch nicht instrumentierten ersten und zweiten Akt des „Siegfried" und die „Meistersinger" heraus. Dann wurde ein Tapezier geholt, und Wagner begann sich zum zwanzigsten Male einzurichten, Nägel einzuschlagen, Vorhänge und Gardinen anzumachen. Wie früher arbeitete er vormittags und machte nachmittags lange Spaziergänge. Da aber zu sehr ungelegener Zeit ein kleines Feuer in seinem

Arbeitszimmer ausbrach, gerade nachdem alles fertig war, mußte er mitten im Winter sein neues Heim verlassen; nun suchte er einen Ort, an dem das Klima milder war. Von Genf ging er nach Lyon, dann nach Avignon und endlich nach Toulon.

Die Nacht des 25. Januar im neuen Jahre (1866) brachte er im Grand Hotel, Marseille, zu. Dort erhielt er eine Depesche, die ihn schon einen oder zwei Tage verfolgte: sie kam aus Dresden vom Doktor Pusinelli und meldete ihm in wenigen Worten Minnas Tod. Sie war ihrem Herzleiden plötzlich erlegen.

So waren die beiden Gatten, die solange getrennt gelebt hatten, in der Stunde ihres letzten Auseinandergehens beide ganz allein. Wagner war tief erschüttert, aber es war zu spät, um noch zu Minnas Beerdigung zurechtzukommen. So sagte und schrieb er wenigstens und glaubte es vielleicht auch. Sicher ist, daß er es nicht über sich gewinnen konnte, zum letztenmal die arme einsame Frau zu sehen, die nun kalt und stumm in ihrem Sarge lag. Jahrelang hatten sie sich nicht mehr gesehen, Monate waren vergangen, ohne daß er ihr auf ihre Briefe geantwortet hatte. Ihr einsames Sterben schloß die Vergangenheit vollkommen ab. Der letzte Atemzug der unglücklichen Frau konnte auf den Gatten, der sie überlebte, keinen Einfluß mehr haben — auf ihn, der stark und zu gleicher Zeit ohnmächtig war. Er griff zur Feder und schrieb an Pusinelli: „O sie, die endlich schmerzlos den Kampf abbrach, ist zu beneiden. Ruhe, Ruhe dem furchtbar gequälten Herzen der Bejammernswerten!" Er richtet seine Blicke in die Zukunft, deren Tür er soeben mit Gewalt aufgebrochen hat.

Das Idyll von Triebschen

„Wagners Frau ist tot und sein Hund Pohl desgleichen", schreibt bald darauf Bülow an Ritter, „nun läßt sich ein famoser Artikel über seine Herzlosigkeit schreiben, daß er nicht zum Begräbnis in Dresden eingetroffen ist." Er meinte zu Minnas Begräbnis, denn um die Leiche seines alten Hundes war Wagner sehr besorgt; er hatte ihn im Garten der „Artischocke" am See begraben. Kurze Zeit später nahm der Neufundländer „Ruß" den Platz des Verstorbenen ein. Man muß indessen gerechterweise erwähnen, daß Wagner an Natalie, die er zu unterstützen versprach, schrieb und sie bat, für das Grab ihrer „Schwester" zu sorgen; er erbot sich außerdem, die Kosten für ein Grabdenkmal zu tragen. Nun wurde in der Halbeinsamkeit Genfs der erste Akt der „Meistersinger" beendet. Cosima traf dann Wagner in Genf, und die beiden brachen auf, um einen Ort zu suchen, an dem sie in Ruhe zusammen leben konnten.

Von nun an gaben sie alle Heimlichkeiten auf und bekannten sich zu ihrer Liebe. Keiner von beiden hielt es mehr für nötig, den Schein zu wahren, die Münchner Katastrophe hatte sie zueinander gezwungen. Da Minna still von der Bühne des Lebens abgetreten war und das Feld geräumt hatte, blieb nur noch übrig, Ludwig II. und Bülow allmählich das Unvermeidliche klarzumachen. Die Umstände selbst mußten den beiden Blinden die Augen öffnen.

Nachdem sie viel in der Schweiz herumgesucht hatten, entdeckten sie endlich die ersehnte Einsiedelei ganz nahe bei Luzern an den Ufern des Vierwaldstätter Sees auf der äußersten Spitze einer Halbinsel. Es war eine Besitzung, die lange der Familie Am Rhyn gehört hatte; sie war auf einem von der Hauptstraße abzweigenden Wege, der vor dem, hinter hohen Baumgruppen verborgenen, Hause selbst endigte, zu erreichen. Vor dem Haus bildete der See nach rechts und links liebliche Buchten; die Wiese am Ufer war mit Pappeln bestanden, unter denen am Wasser ein Fußpfad entlang lief. Das einfache Gebäude bot ein gutes Beispiel Luzerner Architektur des 18. Jahrhunderts und hatte die schönste Aussicht auf den Rigi und den Pilatus. Die Terrasse vor dem Hause war auf beiden Seiten von je einer Pappel eingerahmt; im Erdgeschoß und den zwei Stockwerken befanden sich zehn Räume sowie Eß- und Wohnzimmer. Alles war hell und luftig; obgleich das alte Haus ein wenig reparaturbedürftig schien, war es trotzdem sehr reizvoll. Ein hohes ziegelgedecktes Dachgeschoß, Stall, Wirtschaftsgebäude und Remise vervollständigten das Anwesen. Das wichtigste aber war ein großer Park, der die Bewohner vor ungebetenen Gästen schützte und aus Triebschen eine Zufluchtsstätte machte, deren Schönheit kaum zu überbieten war.

Am Ostermontag 1866, gerade neun Jahre, nachdem Wagner im „Asyl" gelandet war, bezogen Richard und Cosima ihr neues Heim. Es war schönes Wetter, und dieselbe Aprilsonne wie damals schien warm auf die gerade in Blüte stehenden Obstbäume. Es war ein Ort des Friedens, der lichten Helligkeit und der Musik; sogar die Kuhglocken klangen so lieblich und harmonisch, daß Richard sie nicht mit allen Kirchenglocken Roms vertauscht hätte. „Hier bringt mich kein Mensch wieder hinaus", sagte er beim Einzuge.

Ein Mietskontrakt von einem Jahre wurde unterzeichnet und der Umzug aus München nach Triebschen in die Wege geleitet — sehr zu König Ludwigs Verzweiflung, der so die teuerste Freundschaft seines Lebens seinen Händen entgleiten sah. Aber der junge Fürst blieb Wagner trotz alledem treu und, da er sein Königswort gegeben hatte, unterstützte er Wagner auf das großzügigste aus seiner Privatschatulle. Cosima schrieb wegen Wagners und ihres Gatten Angelegenheiten an den König; da sie sich entschieden hatte, München zu verlassen, wünschte sie, daß Hans auch fortginge. Hatte man sie beide nicht als „preußische Spione" verdächtigt, besonders in letzter Zeit, als die Beziehungen zwischen Bayern und Bismarck schlechter wurden? Sie selbst würde mit Wagner in Triebschen bleiben, und Bülow sollte einige Zeit seinen Wohnsitz in Basel nehmen. „In Deutschland ist kein Platz für unsere Kunst", meinte sie, und in Bayern waren die Freunde des Königs nicht einmal sicher vor Belästigungen.

So begann für diese drei Menschen ein merkwürdiges, halb gemeinsames, halb getrenntes Leben. Ludwig II. war einsamer als je, niedrigen Verdächtigungen ausgesetzt, von Intrigen umgeben und gezwungen, sich täglich den anstrengenden offiziellen Pflichten zu unterziehen, ohne daß er einen eigenen Entschluß zu fassen oder sich seiner Verantwortlichkeit bewußt zu werden vermochte; entweder entzog er sich den Forderungen der Öffentlichkeit, die er „langweiliges Zeug" nannte, oder er wußte gar nichts von ihnen. Der kluge, aber schwache und selbstbewußte junge Mann, von seinem Gottesgnadentum überzeugt, suchte Erholung von seinen Herrscherpflichten in seinen Träumen von Kunst und Schönheit. Er zog sich auf die Roseninsel zurück, um den lästigen Besprechungen mit seinen Ministern zu entgehen, und beschäftigte sich mit den Entwürfen für Schlösser in der Art von Versailles. Er hielt Bismarcks Kriegserklärung nicht so sehr für ein Unglück wie für eine Unverschämtheit, und als nach einem Monat die Preußen überall siegreich waren, vergrub sich Ludwig in sein Schloß Berg und sprach den Wunsch aus, abzudanken. Die schnelle und unerwartete Niederlage seiner Armee brach zwar seinen Stolz nicht, verletzte aber seine Eitelkeit empfindlich. Die Tatsache, daß Bayern einen Teil Frankens verlor, empfand er nur als eine Einbuße seines eigenen Ansehens. Niemals sehnte er sich mehr nach Wagners Freundschaft als während dieser Wochen der beschämenden Niederlage, und Wagner enttäuschte ihn nicht. Der Einsiedler von Triebschen gab dem König den Mut zurück, weiter zu regieren.

„Gottlob, daß die Selbständigkeit Bayerns gewahrt werden kann", schrieb Ludwig an Wagner. „Wenn nicht, wenn die Vertretung nach außen verlorengeht, wenn wir unter Preußens Hegemonie zu stehen kommen, dann fort, ein Schattenkönig ohne Macht will ich nicht sein." Und an Frau von Bülow schrieb er: „Nun drängt es mich, Ihnen zu sagen, daß es mir ganz unmöglich ist, länger von dem, der mein alles ist, getrennt sein zu müssen. Ich halte dies nicht aus. Das Schicksal hat uns füreinander bestimmt, nur für ihn bin ich auf Erden, täglich sehe ich und fühle es klar. Bei mir kann er nun nicht sein, o liebe Freundin. Ich versichere Sie, man versteht mich hier nicht und wird mich nicht verstehen. Hier schwindet jede Hoffnung ... Als König kann ich nicht mit ihm vereinigt sein, die Sterne sind uns nicht günstig. So kann es nicht fortgehn — nein, denn ohne ihn schwindet meine Lebenskraft dahin. Allein, verlassen bin ich, wo er nicht ist. Wir müssen für immer vereinigt sein. Die Welt versteht uns nicht. Was geht sie uns auch an. Teuerste Freundin, ich bitte Sie, bereiten Sie den Geliebten auf meinen Entschluß vor, die Krone niederzulegen. Er möge barmherzig sein, nicht von mir verlangen, diese Höllenqualen länger zu ertragen. Meine wahre göttliche Bestimmung ist diese, bei ihm zu bleiben, als treuer, liebender Freund ihn nie zu verlassen. Das sagen Sie ihm, ich bitte Sie darum. Stellen Sie ihm vor, daß so auch unsere Pläne durchzuführen sind, daß ich sterbe, wenn ich ohne ihn leben muß. Die Liebe wirkt Wunder. Dann kann ich mehr

als jetzt, als König ... Mein Bruder ist volljährig, ihm über=
trage ich die Regierung."

Was konnte Cosima auf einen solchen Ausbruch der leiden=
schaftlichsten Hoffnung und zugleich schwärzesten Verzweif=
lung, was sollte Wagner antworten? Beide waren an einem
wichtigen Wendepunkt ihres Daseins angelangt. Die Ver=
suchung lag für sie nahe, sich an den Münchnern zu rächen
und ihren neurasthenischen König zu verhindern, einen Weg
weiter zu verfolgen, dessen Ende niemand voraussehen konnte,
und ihn als Genossen ihrer Verbannung bei sich aufzunehmen.
Diesmal wäre es keine Frau gewesen, die der „Holländer"
in den Strudel seines Schicksals mitgerissen hätte, sondern ein
König, ja vielleicht eine ganze Dynastie. Das aber wollte
Wagner nicht. So schrieb denn Cosima und versuchte in
ihrer beider Namen den unglücklichen Mann zu ermutigen
und zu trösten, ohne seine Hoffnungen zu vernichten: „Mir
sind Sie ein Märtyrer der Krone, wie der Freund mir als
ein Märtyrer der Kunst erschien. Mir kam es vor, als
ob das Kreuz, das Ihnen auferlegt worden, diese höchste
heilige Würde sei. Wie soll ich Sie nun nicht verstehn...
Und doch — und doch, mein wunderbarer Freund ... in dieser
öden Zeit, wo überall der Glaube nur Schacher ist, habe ich
in Wahrheit an das Königtum von Gottes Gnaden geglaubt,
es ist für mich eine Religion gewesen. Ja, an Sie einzig habe
ich als König geglaubt... Der Freund schreibt. Er ist
natürlich viel gefaßter als ich... Er schien darauf vor=
bereitet, und sein mächtiger Geist befreite ihn von der Sorge
und von dem Schrecken, dem ich preisgegeben bin. Er kann
sicheren Blicks in die Zukunft schauen und auf die jetzigen
Trümmer das Kunstgebäude im Geiste errichten." Das be=
deutete, daß der König auch weiterhin die Regierung in der
Hand behalten müsse. Ludwig gab der unabweisbaren Not=
wendigkeit nach. Aber weder Wagner noch Cosima teilten dem
König mit, daß sie jetzt Bismarck als den Retter Deutschlands,

423

als den starken Mann ansahen, der eines Tages die Einigung aller deutschen Stämme unter einem Fürsten verwirklichen würde. Nachdem die Preußen bei Königgrätz die Österreicher geschlagen hatten, rief Bülow, der damals mit seiner Frau bei Richard in Triebschen war, begeistert aus: „Wir drei, Wagner inklusive, lassen Bismarck hochleben. ‚Delenda Austria' ist unser gemeinsamer Wahlspruch. Bismarck ist für mich die Revolution, ‚die ich meine, die mein Herz erfüllt'." Die Zeit für große und wichtige Reformen, die neue Ära schien nahe und die Stunde gekommen zu sein, welche diese idealen Patrioten seit dem Jahre 1848 ersehnt hatten. Sie waren erhaben über einen engherzigen bayrischen Partikularismus, der auf die Berge und Täler beschränkt blieb, wo Parsifal dem Heiligen Gral der Freundschaft seine Burg errichten wollte. In der Einsamkeit seiner Luzerner Einsiedelei bemühte sich Wagner, eine neue Ordnung der Dinge, die allgemeine Verbrüderung der Menschheit vorzubereiten. Bismarcks Aufgabe war: das Kaiserreich, Wagners Mission: die neue Kunst, die lebendige, moderne Kunst, die Kunst der „Meistersinger".

Wagner verfolgte mit aller Energie die Vollendung seiner Aufgabe, während die Bülows sich für einen Daueraufenthalt unter seinem Dache einrichteten. Ihnen und ihren Kindern war der ganze obere Teil des Hauses eingeräumt worden; Wagner nahm für sich selbst das Erdgeschoß in Anspruch. Nach außen hin schien alles ruhig und friedlich, aber Spannung und Reizbarkeit lebten unter dieser scheinbar friedlichen Oberfläche, eine starke Nervosität machte sich bemerkbar, wie immer, wenn Wagner an einem seiner großen Werke arbeitete. Hans war sich jetzt über das Verhältnis zwischen seiner Frau und Wagner klar geworden; er hatte zufällig einen Brief von Wagner an Cosima gefunden, den dieser ihr nach München geschrieben hatte, und kannte also ihre Pläne für ihr zukünftiges Zusammenleben. Er sah, wie ihre Liebe zueinander vor seinen Augen größer und größer wurde; er bemerkte, wie jeder Spaziergang, den sie unternahmen, jeder Sonnenuntergang, den sie bewunderten, jede Seite, die sie zusammen lasen, die Musik, die durch die geöffneten Fenster seines Arbeitszimmers flutete, seine Frau immer widerstandsloser dem Zauber des alten Hexenmeisters verfallen ließ. Bülow glich einem vom Blick der heiligen Schlange Gelähmten, es kam ihm nicht in den Sinn, abzureisen oder zu fliehen. Auch er hörte Wagner, bewunderte und haßte ihn, und hätte doch alles, seine Kunst, seine ganze schmerzhafte Liebe hingegeben, nur damit jener wunderbare Sirenengesang immer vollkommener würde.

Vor wenigen Wochen hatte Wagner ihn dringend eingeladen; der Brief war in denselben Ausdrücken abgefaßt wie die Einladung nach München vor zwei Jahren. Hans wußte, daß sein Quälgeist auch ihn nicht entbehren konnte.

„Also, Lieber, hör!... Du bist... ernstlichst und innigst freundschaftlich von mir eingeladen... Erfüllst Du meine Bitte, so trägst Du das Größte, ja Einzige zu meinem Gedeihen, zum Gedeihen meines Werkes — meines einstigen Wirkens bei. Bestimme ganz wie Du willst, gehe ab und zu... betrachte von diesem Frühjahr an... mein Haus als Dein Haus — meine Wirtschaft als Deine Wirtschaft... Hans, erfüllst Du mir meine Bitte? — Gewiß! Denn Du weißt, daß ich Dich liebe, und daß — außer dem schwindelerregenden wunderbaren Verhältnisse zu diesem jungen Könige — nichts, nichts mich an das Leben fesselt, als Du mit den Deinen."

Die Worte enthielten die vollkommene Wahrheit. Aber Bülow wußte noch mehr, nämlich, daß Wagner ohne Cosima weder leben noch arbeiten konnte. So mußte er sich nun entscheiden, ob er seine Frau bei sich behalten, oder ob er sie freigeben sollte, damit das Werk des „Anderen" sich um den Preis seines eigenen Glückes glorreich vollende. Die Entscheidung war schwer — so schwer, daß er sich noch nicht für

das eine oder das andere zu entschließen vermochte. Mit
einer Trennung war er grundsätzlich einverstanden, aber er
stellte die Bedingung, daß während der nächsten zwei Jahre
eine Scheidung nicht in Frage kommen und Cosima während
dieser Zeit bei ihrem Vater in Rom leben sollte. Er hoffte
auf das Unmögliche, er hoffte auf ein Wunder; auch jetzt
noch glaubte er an keine wirkliche Untreue Cosimas, sondern
fühlte sich im Gegenteil verpflichtet, Wagner gegen den
niedrigen Verleumdungsfeldzug zu verteidigen, der in den
bayrischen Zeitungen gegen ihn geführt wurde. Die Presse
beschäftigte sich von neuem mit seinen Schulden und mit
seinem Verhältnis zu „Frau Hans“, „der Friedenstaube“, die
München mit Triebschen verbindet. Bülow forderte ein paar
Redakteure, aber keine Forderung wurde angenommen, und
er sah sich gezwungen, seine Ehre in einem offenen Brief an
den „Volksboten“ zu verteidigen. Der König war entsetzt
darüber: „Ich kann und will nicht glauben, daß die Beziehungen zwischen Wagner und Frau von Bülow die Grenzen
der Freundschaft überschreiten. Das wäre zu furchtbar!“ Auch
er verbürgte sich für Cosimas Treue in einem offiziellen Brief
an Bülow. Aber die Journalisten ließen sich nicht ins Bocks-
horn jagen, und auch die Witwe des Sängers Schnorr
mischte sich in die Angelegenheit, trotzdem Wagner sie für
eine treue Freundin gehalten hatte. Nun zeigte sie sich voller
Haß, rachsüchtig und enttäuscht, weil Wagner, trotzdem er
nun Witwer war, nicht daran gedacht hatte, sie zu heiraten.
Diese etwas hysterische Frau war dem Spiritismus verfallen
und behauptete, ihr seliger Mann sei ihr erschienen und habe
ihr befohlen, Wagner zu heiraten und das in diesen Sitzungen
tätige Medium — Isadora von Reuter — sei bestimmt,
die Frau Ludwigs II. zu werden. Diese Halbirren wurden
kurze Zeit darauf von München entfernt, und als Herr von
der Pfordten, den die Niederlage von 1866 zu Fall gebracht
hatte, durch den Fürsten Chlodwig Hohenlohe ersetzt war,

wurde der Preſſefeldzug gegen Wagner etwas weniger heftig. Bülow forderte ſeine Entlaſſung vom König und ſchlug ſein Winterquartier in Baſel auf, während Coſima ihre Zeit zwiſchen Baſel, Triebſchen und München teilte.

Trotz dieſer aufregenden Vorkommniſſe machten die „Meiſterſinger" gute Fortſchritte. Tagsüber arbeitete Wagner an der Inſtrumentation der beiden erſten Akte; abends dik= tierte er Coſima ſeine Selbſtbiographie. Das Unternehmen erforderte viel Takt, da er ſich vorgenommen hatte, „alles zu ſagen", immerhin mußte er Rückſicht auf die nehmen, welche in irgendeiner Weiſe in ſeinem Leben eine Rolle geſpielt hatten. Außerdem hatte er mit der verſpäteten Eiferſucht ſeiner Freundin zu rechnen.

Es iſt Coſima nachher oft zum Vorwurf gemacht worden, ſie habe nicht nur Wagner daran gehindert, ſich ganz frei aus= zuſprechen, ſondern auch häufig die Wahrheit verſchleiert, ſogar verſchiedene Stellen überarbeitet oder unterdrückt. Aber konnte ſie etwas anderes tun? Ganz aufrichtig iſt der Menſch nur gegen ſich ſelbſt, wenn er es überhaupt jemals iſt; denn am aller= häufigſten ſpielt der Menſch vor ſich ſelbſt Theater. Vor allen Dingen müſſen wir all das rechtfertigen, was in unſerem Leben unentſchuldbar ſcheint: unſere ſcheinbare Freimütigkeit iſt im allgemeinen nur maskierter Stolz. Aber der Mann, der für ſeine Geliebte ſein Porträt zeichnet, das er der Nachwelt hinterlaſſen will, wird in viel größere Verſuchung geführt, es mit einigen Strichen zu verſehen, die ihm ſchmeicheln. Alles Häßliche, Kleinliche und Unwürdige, auch wenn er es zugibt, wird er zu erklären ſuchen durch Irrtum, angeborene Veranlagung oder heimliches Seelenleid, ſo daß ſeine künftige Größe frühere Niedrigkeit völlig vergeſſen läßt. Noch mehr: er tut ſich ſogar auf ſeine ſchlechten Eigenſchaften etwas zugute, weil ſie ſein Bild mit Schatten und Halbtönen ver= ſehen, die es gerade intereſſant machen. So aber dachte Coſima nicht. Als ſie ſich Wagner hingab, wollte ſie nicht nur in die Welt seines strahlenden und verwirrenden Genies eintreten, sondern eine Mission auf sich nehmen: sie stellte sich die Aufgabe, auf einem festen Untergrund die stürmische Vergangenheit eines Mannes aufzubauen, der ihrer Meinung nach in seinem Lebensabend den edelsten Sinn eines langen und ruhelosen Daseins finden mußte. Sie wollte ihn noch bei Lebzeiten in das Reich der Götter, seine eigentliche Heimat, führen.

Darin liegt ihre Entschuldigung. Denn es ist leider sehr wahrscheinlich, daß Cosima eine ganze Menge Dinge in Wagners Originalmanuskript gestrichen und später eine Anzahl von wichtigen Dokumenten verbrannt hat, weil diese sein Bild ungünstig verändert und das Monument, das sie mit so großer Ausdauer geschaffen hatte, in seiner Vollkommenheit beeinträchtigt hätten. Das ist wohl schade. Immerhin kann man ihr leidenschaftliches Verlangen verstehen, das sie dazu veranlaßte, ihn vor der Welt zu rechtfertigen; denn diese Apologie bedeutet zugleich eine Entschuldigung für sie selbst. Ihr Leben war vom Leben Wagners nicht mehr zu trennen; so versuchte sie nicht mehr, Richards Leben wahrheitsgemäß zu erzählen, sondern eine Legende, die ihr anvertraut worden war, mit allen Kräften aufrechtzuerhalten. „Eigentlich ... sehen und hören wir hier von der Welt nichts", schrieb sie an Ludwig II. „Gegen Mittag teilt mir der Freund mit, was er am Morgen zustande gebracht. Nachmittags läuft er durch Wiesen und Felder, ich gehe ihm meist entgegen. Ein Stündlein verbringt er dann mit den Kindern, die sich hier sehr wohlbefinden. Abends erzählt er mir das schwere Leben, welche Erzählung immer zu einer Hymne an Parsifal wird ... Wir hören nur das Glockengeläute der Kühe, welche scharenweise von den Alpen herunterkommen, auf den umlichteten Wiesen weilen und nun behaglich neugierig jeden Tag mit den großen Augen uns ansehn ... Auf der Wand des Salons prangen das Tannhäuserbild und die Rheingoldblätter, sie schließt mit der Büste des Schutzgeistes dieses Heimes und

428

des beschützten Geistes. Ein Kamin, auf welchem die Uhr mit dem Minnesänger, die erste Weihnachtsgabe, steht, hat Loge hierhergelockt..." Nach weiterer Beschreibung der Einrichtung heißt es schließlich: „...Oben ist die Werkstatt. Heute wurde Beckmesser musikalisch eingeführt nach der unglaublich schönen Szene zwischen Walter und Sachs. Als der Freund mir die eben in Musik gesetzten Worte spielte und sang, ‚das waren hochbedürftige Meister, von Lebensmüh' bedrängte Geister', brachen wir beide in Tränen aus."

So bevölkerte Wagner selbst seinen Götterhimmel mit seinen melancholischen Träumen; immerhin fühlte er jetzt zum erstenmal in seinem Leben so etwas wie Glück. Er hatte sein Werk zu schaffen, besaß Haus und Menschen, die er liebte, zu eigen; so gab er dem König sein Wort, daß er die „Nibelungen", die er seit Jahren liegengelassen hatte, wieder aufnehmen würde, sobald die „Meistersinger" vollendet waren. Aber seine Gesundheit hatte sich verschlechtert, die Herzanfälle waren häufiger geworden, so daß er vorzeitig gealtert schien. Er dachte immer darüber nach, ob er wohl noch Zeit haben würde, das Werk zu vollenden, das er für sein größtes hielt. Inzwischen bestürmte ihn der König, nach München zurückzukehren. Ludwig war untröstlich.

In der Einsamkeit seines Daseins verlobte er sich plötzlich mit der Prinzessin Sophie, der jüngeren Schwester der Kaiserin von Österreich. Wagner und Cosima gratulierten ihm sogleich, der König antwortete Cosima: „Tief rührten mich Ihre liebevollen Zeilen, die mich Ihrer Teilnahme an meinem Glücke versichern. Sicher und fest glaube ich, daß Sie und der Freund dereinst erfreut sein werden, meine liebe Braut kennenzulernen. Ich liebe sie treu und innig, doch nie wird der große Freund aufhören, mir über alles, alles teuer zu sein. Dies Jahr muß ein Jahr des Heils sein."

Der Unglückliche glaubte, daß die graziöse Prinzessin, der die Rolle der Ophelia zugedacht sein sollte, ihn nicht allein von der Liebe zu seinem entschwundenen Lohengrin, sondern auch noch von anderen Besessenheiten heilen würde. Er war der Letzte seines Stammes; der arme, gequälte Mann sah, wie sich der Geist seines Bruders mehr und mehr umnachtete und die merkwürdigen Eigenheiten seiner Familie immer ausgesprochener wurden, auch war er sich schon lange seiner eigenen Defekte bewußt geworden, von deren Existenz er bald einen beunruhigenden Beweis erhalten sollte. Er glaubte in der Heirat die Möglichkeit einer Rettung zu sehen; sie erschien ihm als das notwendige Opfer seiner eigenen Persönlichkeit, das er den Forderungen der Krone brachte, da er auf seine griechisch=sokratischen Ideale und die Wagnersche Kunst, die er beide so sehr liebte, verzichtete. Die Prinzessin Sophie würde, wie er glaubte, sein Rettungsengel werden; aber er schreckte vor dem Gedanken zurück, daß sie auch seine Frau sein würde. Seine tiefste Liebe konnte und mußte immer nur Richard Wagner gehören. Er vertraute sich Sophie an. „Du kennst mein Schicksal, ich habe dir aus Berg über meine Mission in dieser Welt geschrieben. Du weißt, daß ich nicht lange zu leben habe, daß ich diese Erde verlassen werde, wenn das Schreckliche eingetreten sein und mein Stern nicht mehr leuchten, wenn er nicht mehr da sein wird, mein so treu geliebter Freund. Dann wird auch mein Leben verlöschen, da ich ohne ihn nicht leben kann.“ Solche Worte klangen für die Ohren der Braut sehr entmutigend; ihre Bedeutung entging weder der Prinzessin, noch täuschten sie den König lange über sich selbst, der mit seiner eigenen Natur im Kampf lag. Etwa einen Monat nach der offiziellen Verlobung sagte er zu Sophie: „Ich liebe dich von allen Frauen am meisten … Aber der Gott meines Lebens ist, wie du weißt, Richard Wagner.“ Im Herbst des nächsten Jahres wurde die Verlobung gelöst und Ludwig kehrte in die Einsamkeit seiner Schlösser zurück, um die Tragödie seines Königsdaseins zu vollenden.

Die Einsamkeit, in der er nun lebte, war noch trauriger, als er sie sich vorgestellt hatte. Wagner hatte ihn verraten — der König kannte nun die Bande, die Richard und Liszts Tochter fesselten — die Heimlichkeit, mit der man ihm die Wahrheit so lange verborgen hatte, ließ ihm das Verbrechen seines Geliebten noch furchtbarer erscheinen. Seine Gedanken kehrten zu Bülow zurück; er bemitleidete und haßte Hans zu gleicher Zeit, weil er nicht imstande gewesen war, seine Rechte besser geltend zu machen. Der König wußte nicht, daß Bülow aus Basel geschrieben hatte: „Seit sechs Monaten allein, als Garçon lebend, ohne Familie, ohne Heim und Herd. Alle Habe noch in München, wo ich Wohnung bis Ende April zahle, usw. Es lebe der König Ludwig II., der all diese Misere verschuldet!" Bülow kam indessen nach Triebschen, wo seine Frau am 17. Februar 1867 von ihrer vierten Tochter, Wagners zweitem Kind, entbunden wurde; diese wurde nach der Heldin der „Meistersinger" Eva genannt. Drei Wochen später konnte Wagner den Schlußpunkt unter die Riesenpartitur dieses Werkes setzen; er wollte es seinem Beschützer als Hochzeitsgeschenk darbringen und hoffte, daß es in München am Tage der Königshochzeit feierlich aufgeführt werden würde.

Wagner allein war in guter Stimmung. Cosima und Hans befanden sich, obgleich sie sich nun vollkommen auseinandergelebt hatten, immer noch zusammen unter dem Dach des „glorreichen Meisters". Mochten sie soviel sie wollten sich gegenseitig den Zusammenbruch ihrer Ehe vorwerfen; Wagner war im siebenten Himmel: er hatte sein Werk vollendet. Er lebte kaum noch auf dieser Erde, sondern nur noch in seiner Musik, in der Nachwelt, in der unbekannten Zukunft, in der die Künstler in ihren Werken, ihrer geistigen Nachkommenschaft ewig weiterleben. Denn im alternden Herzen vollzieht sich eine gewisse „Umwertung aller Werte"; und wenn Wagner sich nicht mehr wie früher nach dem Tode sehnte, so war es, weil seine Freude am Leben bis zu einem

gewissen Grade erschöpft war. Die Ruhe, nach der er sich
so oft gesehnt, war ihm nun endlich zuteil geworden; jetzt
wollte er sie nicht länger mit Leiden, sondern mit der Vollendung seines Werkes ausfüllen.

So bedeutete seine erste Rückkehr nach München nur
einen langweiligen Ausflug in die eitle Welt. Er sah Ludwig II. noch einmal; aber das Verhältnis zwischen Richard
und seinem Schüler war anders geworden, so daß ihre
Herzen nicht länger zueinander sprachen. Die 15 Monate
seiner Abwesenheit, die friedliche Ruhe in Triebschen, Wagners
nun offen eingestandene Liebe zu Cosima, Ludwigs politische
Kindlichkeit, seine Verlobung und endlich das neue Deutschland, das nach der Schlacht von Königgrätz entstanden war
und mit seinem Reichsgedanken die alte Feudalmonarchie
Bayerns mit ihren partikularistischen Idealen bedrohte,
bedeuteten ebensoviel unsichtbare Schranken zwischen dem
jugendlichen Herrscher einer versunkenen Welt und dem alten
Meister einer kommenden Zeit. Das einzige feste Band zwischen ihnen bildete Wagners Musik. So nahm Ludwig seine
ganze Liebe und Energie zusammen, um „Lohengrin" und
„Tannhäuser" wieder aufführen zu lassen und die erste Uraufführung der „Meistersinger" zustande zu bringen. Nun
gründete er das Konservatorium, das er seit zwei Jahren
geplant hatte, veranlaßte Bülow, sein Abschiedsgesuch zurückzuziehen und ernannte ihn zum Direktor der neuen Akademie.
All dies aber ging nicht ohne alle möglichen Schwierigkeiten
vor sich, die das Leben in Triebschen beeinträchtigten. Bülows
zogen vorläufig wieder nach München. Das merkwürdigste
an diesen sehr modernen Beziehungen der vier, in dem un-
blutigen Drama beteiligten Schauspieler zueinander, war,
daß Cosima nun die Vertraute des Königs wurde. Ihre
Geschicklichkeit und bessere Einsicht befähigten sie mehr als
Wagner selbst, das leidenschaftliche, weiblich-launische und
verdüsterte Temperament des Fürsten zu verstehen; sie sah,

Wagner und Anton Bruckner

Schattenriß von O. Böhler

Richard Wagner
gemalt 1882 in Palermo
von A. Renoir

wie empfänglich für Schmeichelei und wie schwach Ludwig war, der sich vollkommen mit den Gestalten Lohengrins und Parsifals identifizierte. Er schenkte ihr Blumen und Bilder, erwies ihr alle möglichen Aufmerksamkeiten, während sie ihre ganze Geschicklichkeit aufbot, um ihn Wagner geneigt zu erhalten; sie gab ihm fortwährend Beweise von ihrer und Richards Anhänglichkeit an den Beschützer, der so hoch über der „Welt der Wölfe" stand.

Ludwig II. sah in dieser jungen Frau, deren übersinnliche Verehrung dem mystischen Lohengrin und dem seelischen Wohlbefinden ihres Meisters galt, keine Feindin, sondern eine Verbündete, eine Gesandte, die zwischen ihm und Wagner vermittelte. „Wer sich an seinen Umgang gewöhnt hat", schrieb sie an den König, „wer seinen Geist mit dem seinigen verwoben hat, dem wird alles übrige gleichgültig ... Ich vermag es nicht, etwas zu lesen oder zu denken, ohne mich zu fragen: was würde er dazu sagen, ohne mich dessen zu entsinnen, was er mir darüber mitgeteilt. Ihnen sage ich das, mein gütiger Freund, und doch Ihnen allein kann ich es sagen, weil ich es Ihnen nicht zu sagen brauche." Sie sprach ihm von allen Einzelheiten ihres täglichen Lebens und hielt ihn über alle Ereignisse im Theater und in der Stadt auf dem laufenden. Sie erzählte ihm von den Schwierig= keiten der Inszenierungen und des Orchesters, von der Arbeit ihres Gatten und Wagners, berichtete ihm Aussprüche ihrer Kinder. Ludwig war ihr für alles dankbar; er, der einst in ihr eine verhaßte Nebenbuhlerin erblickt hatte, überschüttete sie jetzt mit seiner Erkenntlichkeit. Dank ihrem Rat und ihrem Interesse an der Öffentlichkeit schien ihm die Last der Krone leichter geworden zu sein. Es glückte Cosima sogar, ihn mit seinem Volk zu versöhnen: denn Ludwig hatte seinen Unter= tanen bis jetzt noch nicht vergessen, wie sie sich bei der „Wagner= Revolution" benommen hatten. Noch mehr aber trug er ihnen die feindliche Haltung nach, die sie im vergangenen

Sommer bei der Kriegserklärung an Preußen gegen ihn eingenommen hatten. Er war öffentlich ausgezischt worden! Cosima strich mit linder Hand über alle diese Wunden und heilte sie! Mit ganz anderem Takt als die Königin-Mutter wußte sie dem König, der nur Luftschlösser baute, die Gaben zu verleihen, die ihm am meisten fehlten: Selbstvertrauen und Entschlußkraft. Ludwigs Blick wurde weiter und heiterer, als er ihre Briefe las, die voller Dankbarkeit und Aufrichtigkeit waren und mit unmerkbaren Kleinigkeiten sein Selbstgefühl stärkten. So merkwürdig es klingen mag: Cosima wurde mehr als einmal gerufen, um Mißverständnisse aufzuklären, die den König gegen seinen geliebten Richard aufgebracht hatten. Zu diesen gehörte der Fall Tichatschek. Wagner hatte seinem alten Freund die Rolle des Lohengrin zugewiesen; als aber der König ihn bei der Generalprobe sah, und nicht den jungen und schönen Helden seiner Träume, sondern einen dicken sechzigjährigen „Ritter von der traurigen Gestalt", wie er ihn sogleich nannte, vor sich hatte, verlangte er, daß man Tichatschek die Rolle abnähme. Wagner weigerte sich, da er von der immer noch prachtvollen Stimme seines ehemaligen Rienzi entzückt war; der König beharrte indessen auf seiner Forderung, und Wagner reiste, ohne einen Augenblick zu zögern, sofort nach Triebschen zurück.

Die Dinge hatten sich jetzt aber völlig gewendet. Denn die langen Monate, in denen seine Liebe gelitten hatte, die Zeit seiner unglücklichen Verlobung, hatten den schüchternen Schüler in einen reizbaren Fanatiker, einen ungeduldigen Besserwisser verwandelt. Als der erste Zorn verraucht war, ging Botschaft über Botschaft nach Triebschen, um den beleidigten Meister zurückzurufen — der denn auch wiederkam. Aber mit der leidenschaftlichen Begeisterung war es so ziemlich vorbei. Nun war es Cosimas Aufgabe, die Schatten von der königlichen Stirn zu verscheuchen und Wagners Zorn zu besänftigen, um zwei Freunde, die sich nicht mehr verstanden, wieder zusammenzubringen. „Nun bitte ich Sie dringend und inständig", schrieb der König, „suchen Sie den Freund zu bestimmen, gleich wieder zurückzukehren, wüßte er, wie ich leide durch sein Entferntsein! ... Wüßten Sie, wie innig mich jeder Ihrer Briefe erfreut ... Eine wahre Entfremdung zwischen mir und Ihnen oder dem Freund kann ja niemals vorkommen, eher ginge die Welt aus Fugen und Angeln ... Es ist fast zwei Uhr nachts. Stets umklingen mich die heiligen Töne, ich kann nicht beschreiben, wie mich das Ende ergriffen hat! Die Seligkeit, ein Werk des Freundes hören zu dürfen, kann ich mit keinem Glück der Erde vergleichen." Aber Wagners und Cosimas Liebe sollte ihnen teuer zu stehen kommen: trotz ihrer Anstrengungen, sich die Zuneigung des Königs Ludwig, Bülows und Liszts zu bewahren, sollten sie doch die Liebe gerade dieser drei Menschen verlieren, der einzigen, die ihnen nahestanden.

In jenen Tagen kam der berühmte Abbé nach München, um ein paar Tage mit „Cosette" zuzubringen. Er kannte das Verhältnis, in dem seine Tochter zu seinem besten Freunde stand; aber so großzügig Liszt auch sein mochte — an seine eigene Vergangenheit dachte er nicht mehr —, so konnte er doch nicht billigen, daß Cosima ihren Gatten und ihre Kinder verließ. Bülow war nicht nur sein liebster Schüler und sein Schwiegersohn, er war auch sein geistiger Erbe. Es bereitete dem großmütigen „Virtuosen", der sich die Einfalt des Herzens bewahrt hatte, außerordentlichen Kummer, daß seine Tochter ihre christlichen Pflichten vernachlässigte und sich selber in den Mund der Leute brachte. Er beschloß also, Wagner in Luzern zu besuchen und ihn zu einem Verzicht auf Cosima zu bewegen.

Um sich auf diese schwierige Aufgabe vorzubereiten, besuchte Liszt jeden Morgen um sechs Uhr die Messe; außerdem sah er vom Hintergrunde einer Loge aus der „Tannhäuser"-Vorstellung zu. „Das Haus war voll und die Begeisterung groß", schrieb er an die Fürstin Wittgenstein, die damals in Rom war. „Nach dem ersten Akt überreichte Seine Majestät Seiner Braut, die der Vorstellung beiwohnte, ein prachtvolles Bukett. Die Hochzeit ist für Ende November angesetzt; aber es scheint, als ob Seine Majestät keine Eile hat zu heiraten, und manche Leute glauben, daß die Hochzeit noch einmal, ja vielleicht in alle Ewigkeit verschoben wird." Vierzehn Tage später wurde die unglückliche Verlobung wirklich aufgelöst; nun war Ludwig frei und nur noch sein eigener Gefangener. Liszt wandte sich nach Triebschen.

Drei Jahre hatten sich die Freunde nicht gesehen. Wagner war allein; Liszt fand ihn gealtert. Sein Gesicht war runzlig geworden, spiegelte aber immer noch sein Genie wider. Sie schlossen sich in das Arbeitszimmer ein. Franz hatte sich entschlossen, das Unmögliche zu fordern, er hoffte es für Hans zu erreichen — aber auch die besten Gründe können einen Liebenden gegen seinen eigenen Willen nicht überzeugen. Auf dem Klavier war das Manuskript der „Meistersinger" aufgeschlagen, und Liszt setzte sich, als ob das ganz natürlich wäre, an die Tasten. Bald strömten die Akkorde des Vorspiels in den lieblichen Herbstnachmittag hinaus durch den mit roten Früchten behangenen Obstgarten. Liszt spielte die Partitur mit seiner gewohnten Sicherheit, seiner unvergleichlichen Divinationsgabe vom Blatt. Wagner sang ... Alles, was sie einander sagen wollten, war vollkommen aus ihren Gedanken verschwunden, wie von der Musik aufgesogen. Keine andere Erklärung war zwischen ihnen möglich: denn an diesem Tage war das Unaussprechliche bereits in Tönen gesagt worden.

„Ich habe Napoleon auf St. Helena gesehen", meinte Liszt, als er zu seiner Tochter nach München zurückgekehrt war. Er fällte kein Urteil und sprach keinen Tadel aus. Einige Tage später schrieb er an seine Freundin Agnes Street: „Was im Leben der Durchschnittsmenschen für richtig gehalten wird, ist eben nur für solche bindend. Wagner hat andere

436

Dinge im Kopf; er schafft Meisterwerke — die wahren Diamant=
berge." Es war die Entschuldigung, die sein Herz fand;
aber sein religiöses Empfinden, die Liebe zu Gott, wurde
ihm von nun ab zur einzigen Lebensnotwendigkeit. Wenn
Liszt trotz allem Wagner treu blieb, so verstummten doch die
Freunde in den nächsten Jahren.

Ludwig hatte seine Ruhe wiedergefunden, nachdem die Ver=
lobung mit der Prinzessin Sophie gelöst war. „Sie können
sich denken", vertraute er Cosima an, „wie entsetzlich für mich
der Gedanke war, den Vermählungstag immer näher und
näher heranrücken zu sehn, erkennen zu müssen, daß dieser
Bund weder für sie noch für mich glückbringend sein könnte ..
nach Freiheit dürste ich ... sie kann noch glücklich werden
und ich. Wohin wäre es mit allen unsern Plänen gekommen,
wenn die unglückbringende Ehe geschlossen worden wäre,
wenn das innere Leiden, Gram und Trauer mich verzweifelt
hätten, woher hätte ich den Schwung zur Begeisterung für
unsere Ideale genommen ... Keine Kunstschule wäre ent=
standen, kein Festtheater hätte sich erhoben. Für mich hätten
die ‚Meistersinger‘ nicht existiert, die ‚Nibelungen‘, ‚Parsifal‘
hätten mich nicht beseligt. Mein Schatten nur hätte ein trübes,
friede=freudloses Dasein geführt ... Brauche ich Ihnen zu
sagen, wie glücklich mich die letzte Lohengrinaufführung
machte? Aus ihr erwuchs mir die Kraft, die lästigen, ein=
engenden Bande gewaltsam zu sprengen. Immer übt dieses
gottentstammte Werk seine Wunderkraft aus." Er gibt zu,
daß er sich lieber das Leben genommen hätte, als eine Heirat
zu schließen, die ihm entsetzlich gewesen wäre.

Aber das berühmte Festspielhaus wurde niemals gebaut.
Ludwig glaubte zwar seine Energie wiedergefunden zu haben
und bemühte sich eifrig, die Erstaufführung der „Meister=
singer" für München zu sichern. Im übrigen beschäftigten
sich seine Gedanken wieder mit seinen Schlössern. Der allzu
junge Herrscher wußte nicht einmal sicher, ob er die Frauen

wirklich haßte und seine Untertanen verachtete. Er begnügte sich mit den banalsten Äußerlichkeiten des Königtums, ließ sich verhimmeln und stürzte sich in so uferlose Ausgaben, daß, mit ihnen verglichen, alle Pläne Sempers geradezu erfreulich billig waren. Da die Tür der Zukunft sich wieder vor ihm geschlossen hatte, wandte er seinen Blick ausschließlich wieder in die Vergangenheit. Gerade die Kunst, gegen die Wagner immer am heftigsten gekämpft hatte, das Epigonentum, machte Ludwig II. zu seinem ästhetischen Ideal; Ludwig XIV., König von Frankreich, rückte an Wagners Platz, und die Architektur trat an die Stelle der Musik. Er verfertigte eine „monumentale" Dichtung, in der er sich für das vermeintliche Unrecht zu rächen suchte, das ihm das Schicksal damit zugefügt hatte, daß er keine Frau lieben konnte. So wurden die Schlösser Linderhof, Neuschwanstein, Herrenchiemsee und Falkenstein seine unvollendete Tetralogie, traurige, aber großartige Zeugen seiner zerronnenen Träume.

In Triebschen vollendete Wagner die Instrumentierung der „Meistersinger", während der See und die schneebedeckten Berge in winterlicher Stille ruhten. Das gewaltige Werk, konzipiert im Jahre 1855, begonnen in Biebrich, beiseitegelegt, wieder aufgenommen in Wien und während der Münchener Episode ganz in Vergessenheit geraten, war nun während der letzten 16 Monate ohne Unterbrechung zu Ende geführt worden. Jetzt mußte Wagner wieder in die Welt zurück und des Königs Wunsch erfüllen, aber er schied nicht ohne Bedauern von seinem Luzerner Heim. Er war müde, und Magenschmerzen quälten ihn wieder, aber er tröstete sich mit dem Gedanken, daß Cosima ihn erwartete. Richard und Hans! Die Liebe war eine schwere Bürde für Cosima, aber sie war jung und stark und konnte sie tragen. So reiste Wagner ab, kam zu Weihnachten nach München und nahm bei Bülows Wohnung. Sogleich gingen sie an die Arbeit, die Meistersingeraufführung vorzubereiten.

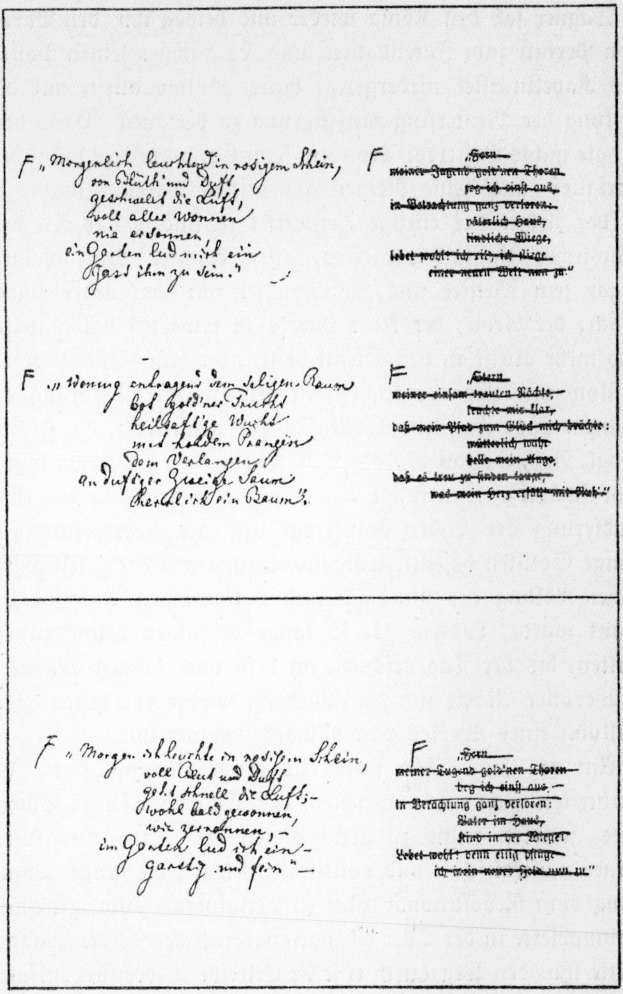

Korrekturen Wagners zum Text der „Meistersinger"

Wagner sah den König wieder und bewog ihn, den Baron von Perfall zum Intendanten und, da Lachner seinen Posten als Kapellmeister niedergelegt hatte, Bülow allein mit der Leitung der Meistersingeraufführung zu betrauen. Hans verlangte nichts Besseres. Trotzdem seine Gesundheit zu wünschen übrigließ und seine Nerven angegriffen waren, glaubte er in der Arbeit das einzige Heilmittel zu finden, das ihn sein häusliches Unglück vergessen lassen konnte. Nun wohnte sogar sein Meister und Nebenbuhler mit ihm unter einem Dach; der Arme, der keine Gnade zu erwarten hatte, stellte sich mehr als je in den Dienst dessen, der sein Glück zerstört. Bülow und Wagner suchten in gemeinsamer Beratung die Sänger aus: Fräulein Mallinger und Frau Diez, die Herren Vogl, Betz, Schlosser, Hölzel, Nachbaur (den der König später sehr schätzte). Der junge Hans Richter wurde mit der Einstudierung der Chöre beauftragt und als Korrepetitor für einige Solisten bestellt, während Cosima mit der gesellschaftlichen Lösung der unumgänglich notwendigen Aufgabe betraut wurde, Ludwig II. so lange bei guter Laune zu erhalten, bis der Tag erschien, an dem nach langen Monaten mühevoller Arbeit sich der Vorhang wieder zur ersten Vorstellung eines Werkes von Richard Wagner hob.

Am 21. Juni 1867 fand das große Ereignis statt. Es verbreitete nicht nur von neuem den Weltruhm seines Schöpfers, sondern zeigte zu gleicher Zeit die letzte Entwicklung seiner musikalischen und politischen Lehren; die große Wandlung vom Revolutionär zum Imperialisten. Zum erstenmal triumphierte in der Oper ein nationaldeutsches Werk. Wagner hatte ihm den Weg durch eine Artikelreihe in der süddeutschen Presse geebnet, die er dann in einer Broschüre unter dem Titel „Deutsche Kunst und deutsche Politik" zusammenfaßte.

Wie er es schon in seinen früheren Schriften getan hatte, begann er seine Ausführungen mit einem Vergleich deutscher und französischer Kunst. Die französische scheint nach seiner

Ansicht ganz imitatorisch, nur den Gesetzen der vollendeten Form unterworfen, während die deutsche aus dem Boden des Volkes herausgewachsen, und wohl undiszipliniert, aber ganz frei und von tiefer Poesie durchdrungen ist. Winckelmann und Lessing gebührt alle Ehre, da sie die göttliche Kunst der Hellenen, ihrer künstlerischen Ahnen, verstanden und den Deutschen das reine Ideal der natürlichen menschlichen Schönheit offenbarten, das der französischen Theorie einer unnatürlichen Zivilisation gegenübergestellt wird. Ehre sei auch Goethe, der in Helena und Faust griechischen und deutschen Geist vermählte! Ehre sei Schiller, der den neuen Geist mit dem Namen „Der deutsche Jüngling" bezeichnete. Dieser „deutsche Jüngling" befreite Europa vom Joch Napoleons; nach seinem Siege über Napoleon, den Nachfolger Ludwigs XIV., ersetzte er den „französischen Frack durch den altdeutschen Rock". Er ist bestimmt, einfach, religiös, aber frei von allem klerikalen Wesen und erkennt den Wert dramatischer Kunst vollkommen. Aber er wird sich nicht sofort darüber klar, daß „im Theater der Keim und Kern aller national-poetischen und national-sittlichen Geistesbildung liegt". Wenn also das Theater sich nicht in den Händen der „großen heiligen Zauberer" befindet, so „tanzen die Furien der Gemeinheit, der niedrigsten Lüsternheit", die „tölpelhaften Gnomen des entehrendsten Betragens", und es „fällt der Anleitung durch abgenutzte Büroschreiber" anheim. Das Theater ist nach Wagners Ansicht eine Einrichtung, die außerordentlich viel Erhabenes oder Niedriges zu schaffen vermag. Alle Theaterkunst entspringt aus der Pantomime, die nur eine Naturnachahmung darstellt; so ist der Realismus zwar eine Nachäfferei, aber notwendig, und steht tief auf der Stufenleiter der Kunst. Die Pflicht des Dichters ist, diesen Realismus zu erklären, seine wesentlichen Eigenschaften wiederzugeben, seinen Charakter herauszuschälen, und allmählich infolge dieses Ausscheidens zu einer solchen

441

Höhe zu kommen, daß sie beinahe das Ideal zu erreichen vermag. Dann untersucht Wagner den Volkscharakter des Franzosen, der (nach Voltaire) eine Mischung von „Affe und Tiger" ist; im Laufe der Zeit sind die Franzosen so vollkommene Komödianten geworden, daß sich ganz Europa eifrig bemühte, sie nachzuahmen. Deutschland brachte sich bei diesem Versuch selbst zur Strecke, denn es hatte nicht berücksichtigt, daß in einer so großen Stadt wie Paris ein stets wechselndes Publikum vorhanden war und ein Stück also hundert- oder zweihundertmal hintereinander gegeben werden konnte, während in den kleinen deutschen Landeshauptstädten zehn oder fünfzehn Vorstellungen die Möglichkeiten des Billettverkaufs erschöpften. Die Notwendigkeit, jeden Abend ein und dasselbe Publikum zu unterhalten, schuf ein schwieriges Problem, das nur durch ein Repertoire erschreckend vieler Stücke aller Zeiten und aller Nationen gelöst werden konnte. Aber dieses Mittel war ebenso teuer wie wirkungslos. Infolgedessen mußte man das Abonnementsystem und die Unterstützung durch die Fürsten zu Hilfe nehmen. Aber nun wollte der eine das und der andere das: Resultat war das Chaos, und die Hoftheater wurden zum „Pantheon der modernen Kunst". Von da bis zu dem Zustand, aus jedem Buch, jedem Gedicht, ganz gleich wie und was es war, ein Stück zu fabrizieren, war nur ein Schritt, und dieser wurde denn auch getan. Nun blieb nur noch eins übrig, nämlich, das Ganze in Musik zu setzen. Auch dies geschah sofort! „Faust" wurde gesungen; Schillers „Wilhelm Tell" wurde, zurückübersetzt aus dem Französischen, in der Rossinischen Vertonung aufgeführt.

Als Reaktion gegen dieses verbrecherische Verfahren blieb nichts anderes übrig, als wieder den „Deutschen Jüngling" zu Hilfe zu rufen und ihn in die Schule zu schicken. Wer aber sollte für eben diese Schule sorgen? Die Kirche oder der Staat? In unserer modernen sozialen Welt scheint der

442

Staat immer mehr die Aufgabe der Kirche zu übernehmen, diese aber verzichtet vollkommen darauf, ihren Einfluß auf das geistige Leben des Volkes auszuüben. Die Wirkung dieser Vernachlässigung zeigt sich sehr schnell; der Mangel an Ehrfurcht, der ihre Folge ist, wird zur Ursache der Unehrlichkeit, des Krebsgeschwüres, das die zeitgenössische Kunst von Grund auf verdorben hat. „Der Staat ist der Vertreter der absoluten Zweckmäßigkeit und lehnt daher mit richtigster Bestimmtheit alles von sich ab, was nicht einen unmittelbar nützlichen Zweck nachweisen kann." Die dringende Pflicht des Staates war also, sich selbst zu erneuern und vom reinen Nützlichkeitsstandpunkt sich zu einem höheren zu erheben, der die größeren Ansprüche des Volkes befriedigen und ihm eine wirklich menschliche und idealistische Erziehung zuteil werden lassen kann. Dieses Ziel aber kann nur mit Hilfe des Herrschers erreicht werden. Von einer ganz uneigennützigen, ritterlichen und unabhängigen Aristokratie umgeben, deren einziger Ehrgeiz sein sollte, dem Staat zu dienen, muß der König für den Sieg des Geistigen über das rein Praktische sorgen. Er ist der geheiligte Bürge für zwei Rechte, die nur der Krone eigen sind: das Recht der Begnadigung und das Recht, für die Erhebung des Volksgeistes zu sorgen. Nun war die Zeit für einen König (vor allem für den König von Bayern) gekommen, die Schaffung eines wirklich deutschen Stiles zu erleichtern. „Unter diesem Stil verstehen wir die vollkommen erreichte und zum Gesetz erhobene Übereinstimmung der theatralischen Darstellung mit dem dargestellten, wahrhaft deutschen Dichterwerke. Die gewerbliche Tendenz im Verkehr zwischen Publikum und Theater wäre hier vollständig aufgehoben: der Zuschauer würde nicht mehr von dem Bedürfnisse der Zerstreuung nach der Tagesanspannung, sondern dem der Sammlung nach der Zerstreuung eines selten wiederkehrenden Festtages geleitet, in den eigens nur dem Zwecke dieser außerordentlichen, eximierten Aufführungen sich erschließenden, besonderen Kunstbau einzutreten, um hier seiner höchsten Zwecke willen die Mühe des Lebens in einem edelsten Sinne zu vergessen."

Das war das Programm, das die Zuhörer am Abend des 21. Juni 1867 zum Nachdenken bringen sollte. Ludwig war von den darin ausgesprochenen Grundsätzen fest überzeugt. Niemand konnte daran zweifeln, daß Wagner eines Tages seinen „Tempel der Kunst" bauen würde, den die Entwicklung seiner Musik mit unabweisbarer Notwendigkeit verlangte. „Tristan" glich in gewisser Weise einem wilden Paroxysmus, einer Apotheose des Menschenleids, während die „Meistersinger" im Gegenteil einen beruhigenden und erfreuenden Ausblick auf die grüne Landschaft der deutschen Dichtung eröffneten. Wagner zeigte sein Genie von einer der Welt noch unbekannten Seite. Über die grausame Erfahrung, die er in Venedig erlitten hatte, hinweg, knüpfte er wieder an seine Jugendzeit an. Er erinnerte sich sogar an seine Reise von Bayreuth nach Nürnberg, damals, als er von Stadt zu Stadt eilte, um Schauspieler für das Magdeburger Theater zu engagieren; und obgleich das Bild Mathilde Wesendonks wie eine Vision auch über dem neuen Werk schwebte, war es diesmal eine Vision, von der nur Zärtlichkeit, Trost und inniges Verstehen ausging. Schon lange hatte er Mathildens wohltätigen Einfluß empfunden, schon seit 1861, als er von Venedig nach Luzern ging und Isolde ihm vorgeschlagen hatte, in diesem Werk den Vergessenstrank zu finden, der die Wirkungen des Liebestrankes aufheben sollte. Er hatte ihn getrunken, und nun war er geheilt, war er wieder ganz er selbst! Deshalb haben die „Meistersinger" jene Note freudigen Ernstes, jene Heiterkeit und Großzügigkeit, die Bülow zu dem Ausspruch veranlaßten, daß das Werk so lange leben würde, wie die deutsche Sprache selbst. Die „Meistersinger" sind die einzige Oper Wagners, die nicht dem Tode, sondern dem Leben gewidmet ist, jenem Leben,

das er liebte und am besten verstand, dem einfachen, ehr=
lichen, unprätentiösen Leben der Handwerker; es ist ein mensch=
liches Leben, das fest in der Erde wurzelt. Wir müssen die
Einfachheit, die ausgeglichene Glückseligkeit, die sanfte Ent=
sagung rühmen, die Richard Wagner, der ewige Jude der
Kunst, für sich erträumte; nun endlich sollte er sein Ziel
erreichen.

Es war ein Augenblick, wie er sich im Leben Richard Wag=
ners nicht wiederfindet. Cosima war noch nicht seine Frau,
und er stand im Begriff, die Freundschaft des Königs zu ver=
lieren, aber er hatte den harten Kampf gewonnen, den er
dreißig Jahre lang gegen sich selbst geführt hatte. Sein musi=
kalisches Problem war jetzt gelöst und sein geistiges Ziel
bestimmt: die Vereinigung aller deutschen Stämme unter
dem Zeichen seiner Kunst! Das ist in Wahrheit der Sinn der
Worte, die Hans Sachs am Ende der Oper in seiner großen
Ansprache an das Volk von Nürnberg richtet:

> Ehrt eure deutschen Meister!
> Dann bannt ihr gute Geister,
> Und gebt ihr ihrem Wirken Gunst,
> Zerging in Dunst
> Das heilige röm'sche Reich,
> Uns bliebe gleich
> Die heilige deutsche Kunst.

Der Wagner von 1848 ist tot, der Wagner von 1870 wird
geboren. Mathildens Geliebter hat dem künftigen Gatten
Cosimas Platz gemacht. Der Künstler, der jetzt ganz allein
neben dem König in dessen Loge sitzt, ist weder der „Fliegende
Holländer", noch „Tristan", er ist ein Wotan, der die Erde
besucht, um wieder das alte romantische Lied von seinem
Glauben an die Menschheit zu singen und — nicht ohne
Ironie — der Gesetze, der Regeln und der Vorurteile zu
spotten, welche das althergebrachte Tägliche vom Genie
trennen. Das Grundthema der „Meistersinger" drückt die

Klage des Menschen aus, der mit seinem Schicksal abgeschlossen hat, der aber der Welt gegenüber ein fröhliches und energisches Gesicht zeigt, wie Wagner gesagt hat. Das ist die Lehre des Gottes aus Walhall, der in der Gestalt eines Schusters erscheint. Er ist nicht reich wie Pogner oder adlig wie Walter, aber er besitzt als kostbarstes Gut das reine Herz eines Dichters.

Otto Wesendonk war zu dem großen Ereignis nach München gekommen; Mathilde hatte ihn nicht begleitet. Bülow war nie so gefeiert worden, aber er war ein gebrochener Mann. Der zarte Blütenstaub der Freundschaft, der auf ihren Seelen gelegen, war verschwunden; die erlittenen Leiden hatten seine Spuren vollkommen vertilgt. Und Liszt? Liszt hatte Rom nicht verlassen. Am Tage der Aufführung hörte er eine Messe in der Sixtinischen Kapelle; darauf spielte er vor dem Heiligen Vater auf seinem Bechstein. Pius IX. belohnte ihn dafür mit einer Kiste Zigarren. —

Wagner reiste allein noch am Abend der Vorstellung nach Triebschen zurück. Cosima erhielt vom König folgende Zeilen: „Zu den schönsten Stunden zähle ich die, die ich an der Seite des teuren Freundes, des unsterblichen großen Meisters während der ersten Aufführung seines herrlichen Werkes erlebte. Unvergeßlich werden sie mir immer bleiben..." Es war der letzte Brief, den Ludwig II. an seine Vertraute schrieb. Ein paar Tage später fuhr Cosima zu Wagner, um ihn nicht mehr zu verlassen. Der König und sein „geliebter Freund" sollten sich erst viele Jahre später wiedersehen; Wagner und Bülow — nie mehr.

Die Märtyrerin des Glücks und Nietzsche, der neue Seelenfischer

Bülow wußte, daß der Zeitpunkt kommen würde, an dem er sich von Cosima trennen müsse. Sein Stolz erhob sich gegen den Mann, dessen überlegenes Genie er anerkennen mußte. Aber sein Haß gegen ihn wuchs, und er kannte seine Frau zu gut, um hoffen zu können, daß sie im entscheidenden Moment schwach werden würde. Konnte er seinen Neben-buhler verdrängen? Er dachte einen Augenblick daran, zur Pistole zu greifen, ließ aber diesen kindischen Plan bald wieder fallen. Cosima reiste also ab, nachdem der Vorhang zum letztenmal sich über die „Meistersinger" gesenkt hatte. Sie sagte Hans Lebewohl, ließ ihm ihre zwei ältesten Kinder zu-rück und flüchtete, zwar seelisch in großer Not, aber immerhin in gewissen Grenzen frei geworden, zu dem, der sie erwartete.

Wagner fuhr sogleich mit ihr nach Italien, wo sie ein paar Wochen auf Reisen zubrachten. Ein neues Kapitel ihres Lebens öffnete sich vor ihnen, über das sie nur die Worte: „Friede, Liebe, Arbeit" schreiben wollten. Es ist der alte Wahlspruch derer, deren Herzen müde geworden sind. Cosima war nicht weniger der Ruhe bedürftig als Richard Wagner. Sie war jetzt an dreißig und er fünfundfünfzig. Trotzdem fühlte sie sich älter als der bejahrte ewige Student mit dem jungen Herzen, der im Leben so rauh herumgestoßen worden, aber frisch an Geist und Körper geblieben war.

Trotzdem wußte Cosima ganz genau, daß ihre Stärke, ihre Ruhe, ihre Liebe Wagner unentbehrlich waren und daß er ohne diese in nicht wieder gutzumachendes Unglück rennen würde. So nahm sie also die Verantwortung für ihn auf sich und wurde, wie es einer ihrer intimen Freunde später ausdrückte, die Märtyrerin ihres Glücks. Ihrer nachdenklichen und feinfühligen Seele stellte ihre Aufgabe mancherlei Probleme: das Moralproblem (Hans); das Mutterproblem (sollte sie ihre Töchter Hans überlassen?); das Vaterproblem (Liszts Mißbilligung ihres Verhältnisses zu Wagner); das Religionsproblem (sie war Katholikin und Wagner Protestant). Das Gesellschaftsproblem (Meinung der Welt über ihren Schritt) war das einzige, das sie gleichgültig ließ. Allmählich legte Wagner die sänftigende Salbe der philosophischen Betrachtung auf ihre durch die Wirrnisse und Überraschungen verängstigte Seele. Die Freude an ihrer Einsamkeit und das Bewußtsein, sich gegenseitig ganz zu verstehen, entschädigte sie für alles, was sie verloren hatte. „Ich bin immer so überwältigt von seiner Güte zu mir, daß im steten tiefen Innewerden seiner Größe ich eigentlich in seiner Gegenwart stets in Tränen zerfließen möchte", schreibt sie am 1. Januar 1869 in ihr Tagebuch.

Mit wahrer Begeisterung stürzte sie sich in ihre neuen Pflichten und übernahm nicht nur die materiellen — die Führung des Haushaltes —, sondern auch die geistigen, wie Richards Korrespondenz, die Verhandlungen mit den Theatern oder Verlegern und im besonderen die Niederschrift der Selbstbiographie, die Wagner ihr diktierte.

Mit schwer unterdrückter schmerzlicher Bewegung zeichnete sie die Geschichte der Liebe Richards und Mathildens auf. Es ist wahr, daß Wagner in seinem „Leben" die Geschehnisse des Jahres 1858, sein großes Zürcher Erlebnis, mit einer scheinbaren Gleichgültigkeit, ja Unaufrichtigkeit behandelt und in einer Weise beschrieben hat, die wir nur als bedauerlich be=

zeichnen können; trotzdem traf er die Frau, die diese Bekenntnisse nun zu Papier brachte, mitten ins Herz, denn sie hatte gewagt, was zu tun Mathilde zu feige war. Alles, was sie zu vollbringen hatte, erfüllte sie mit Stolz und Dankbarkeit. Außerdem befand sie sich wieder in anderen Umständen. „In meinem Schoße regt sich das Ungeborene, ich segne es. Möge sein Geist klar und mild sein wie dieser strahlende nächtliche Himmel, erhaben und ruhig ... wie diese leicht gekräuselten Wellen ... Möge es der Mutter ewig in Liebe gedenken, die es in Liebe trug." Gleichen die Worte nicht denen, die Sieglinde im dritten Akt der „Walküre" herausjubelt, da sie erfährt, daß sie Siegfried, der Frucht ihrer qualvollen Liebe, dem Helden der jungen Welt, das Leben schenken wird? Graf Eckart Du Moulin hat in seiner kürzlich erschienenen Biographie Cosimas mit Recht auf diesen Umstand hingewiesen. Man glaubt in der Tat, in all diesen häuslichen Ereignissen, die in Cosimas Tagebuch aufgezeichnet sind, einen lebendigen Kommentar zur „Tetralogie" zu lesen.

Das Glück ihrer Liebe ruhte wie ein Segen über dieser Zeit ihres Lebens; Wagner empfand dies besonders stark, da er nun zum ersten Male seine Arbeit mit vollkommen ruhiger Seele aufnehmen konnte. Cosima litt indessen, allerdings ohne sich etwas merken zu lassen, wegen ihrer Kinder, wegen Hans und auch wegen Wagner, dessen sie sich immer noch für unwert hielt.

Am frühen Morgen des 6. Juni 1869, an einem Sonntag, wurde der kleine Siegfried, Wagners einziger Sohn, geboren. Die Sonne ging in diesem Augenblick über dem Rigi auf, die Glocken der Luzerner Kirchen läuteten, Richard konnte seiner Tränen nicht Herr werden. Mit eigener Hand trug er die Ereignisse dieses Tages in Cosimas Tagebuch ein; dann nahm er seine Arbeit am dritten Akt „Siegfried" wieder auf. Das Thema, nach dem er gesucht hatte, fand er jetzt: „Heil der Mutter, die dich gebar!"

Dies neue Band zwischen den beiden Liebenden mußte mit unabweisbarer Notwendigkeit zur Scheidung von Bülow führen, der endlich einsah, daß ihm nichts anderes übrig= blieb, als das Opfer zu bringen, das man von ihm erwartete. Er entschloß sich, den Widerstand aufzugeben, den er während dreier Jahre geleistet hatte, forderte vom König seine Ent= lassung als Kapellmeister und verzichtete auf seine Stellung an der Musikschule, die Wagner und er gegründet hatten. Er wollte und konnte nicht länger in München leben. Nach einigem Zögern gab Ludwig II. seinem Wunsche nach. Dann schrieb der verlassene Gatte an Cosima, die nur dem Namen nach noch seine Frau war, als Antwort auf ihre Bitte, sie freizugeben, einen Brief, der seine Großmut im schönsten Lichte zeigt:

„Ich danke Dir für die Initiative, die Du ergriffen hast, und ich werde kein Motiv suchen, um es zu beklagen. Ich fühle mich zu unglücklich durch meine eigene Schuld, um nicht alles zu vermeiden, Dich zu verletzen durch irgendwelchen ungerechten Vorwurf. In der unendlich grausamen Trennung, zu der Du Dich verpflichtet gefühlt hast, erkenne ich alle Fehler meinerseits, und ich werde fortfahren, sie in der markantesten Weise zu unterstreichen in all den unvermeidlichen Aus= einandersetzungen über diesen Gegenstand mit meiner Mutter und Deinem Vater. Ich habe Dir all die Ergebenheit, die Du mir in unserm vergangenen Leben erwiesen hast, sehr schlecht und sehr böse vergolten. Ich habe Deines vergiftet, und ich kann nur der Vorsehung danken, die Dir ein Gegengewicht im letzten Augenblick gegeben hat, wo der Mut, es fortzu= setzen, Dich hat verlassen müssen. Aber in der Tat, seitdem Du mich verlassen hast, hat mir der einzige Halt in meinem Leben und Zusammenbruch gefehlt. Dein Geist, Dein Herz, Deine Freundschaft, Deine Geduld, Deine Nachsicht, Deine Sympathie, Deine Ermutigungen, Deine Ratschläge und allem voran Deine Gegenwart, Dein Blick, Dein Wort, all dies bildete und bestimmte die Basis für mein Leben. Der Verlust dieses höchsten Gutes, dessen Wert ich erst nach dem Verlust erkenne, und der mich moralisch und künstlerisch zugrunde richtet, läßt mich erkennen, ich bin ein Bankerotteur. Glaube nicht, daß diese Klage — ich leide so sehr, daß ich mir erlauben kann, mich zu beklagen, indem ich mich doch enthalte, einen andern Urheber als mich selbst zu beschuldigen —, daß darin irgendwelche Ironie liegt oder eine Verletzung Deiner Person. Du hast vorgezogen, Dein Leben und die Schätze Deines Geistes und Deines Herzens einem Wesen zu weihen, das in jeder Beziehung überragend ist, und weit entfernt, Dich zu tadeln, billige ich unter allen Gesichtspunkten Deinen Schritt und gebe Dir vollkommen recht. Ich schwöre Dir, daß der einzige tröstende Gedanke, der zuweilen wohltätig in das innere Dunkel und in meine äußeren Qualen hineingedrungen ist, der war, daß wenigstens Cosima glücklich ist."

Das merkwürdigste ist, daß Bülows Haß sich zunächst gegen den „Tristan" zu wenden schien, weil dieser die Menschenherzen vergifte. Ein Satz seines Briefes (der unterdrückt worden ist) bildet eine einzige Anklage gegen das Werk; trotzdem sollte Bülow in der Folgezeit noch viele Aufführungen des „Tristan" dirigieren. Einmal rief er sogar, als er nach einer dieser Vorstellungen das Theater verließ, aus: „Muß dem Schöpfer eines solchen Werkes nicht alles vergeben werden?" Aber Bülow war einer der Menschen, die über ihr Unglück nicht hinwegkommen, sondern immer in und mit ihm leben. Wenn er auch — sein Verhalten zeigte es — wußte, wie er sich Cosima und Wagner gegenüber zu benehmen hatte, so ließ er doch der Bitterkeit seiner Seele in einem Briefe freien Lauf, den er in demselben Jahr an die Gräfin de Charnacé, eine Halbschwester seiner Frau und ältere Tochter der Gräfin d'Agoult, schrieb; in diesem setzt er der Gräfin die Gründe für seine Haltung auseinander, die er in der ganzen Sache angenommen hatte, und zählt eine ganze Liste seiner Leiden als seine Rechtfertigung auf. „Sie haben die Güte ge-

habt, verehrteste Gräfin*, bis jetzt die Gerechtigkeit und die Un=
eigennützigkeit meines Benehmens, die ich in einer schwierigen
Situation bewiesen habe, in den schmeichelhaftesten Ausdrücken
anzuerkennen. Aber ich fürchte, daß Sie mir nicht länger
Ihre wertvolle Zustimmung zuteil werden lassen, wenn Sie
erfahren, welchen Schritt zu tun ich genötigt gewesen bin,
einen Schritt, der vielleicht in Ihren Augen sehr inkonsequent
erscheinen mag. Es ist für mich ebenso peinlich, meine Hand=
lungsweise jetzt selbst zu erklären, wie diese Erklärung einer
späteren Zeit zu überlassen. Glauben Sie mir, Gräfin, ich
habe alles getan, was in meiner Macht stand, um einen
öffentlichen Skandal zu vermeiden. Mehr als drei Jahre habe
ich es auf mich genommen, ein Dasein voll endloser Qualen zu
führen. Sie können sich keine Vorstellung von den ver=
zehrenden Sorgen und Aufregungen machen, deren Beute ich
unaufhörlich gewesen bin — schließlich habe ich ihnen sogar
meine künstlerische und gesellschaftliche Stellung zum Opfer
gebracht. Es gab also nur ein einziges anderes Opfer für
mich: das meines Lebens; ich gestehe, daß dies der einfachste
Weg gewesen wäre, um alle Schwierigkeiten aus der Welt
zu schaffen und den unauflöslichen Knoten zu zerhauen. Vor
diesem Opfer aber schreckte ich zurück: kann man mir das als
Verbrechen anrechnen? Vielleicht wäre ich auch davor nicht
zurückgeschreckt, wenn ich nur in dem Andern, der ebenso
erhaben in seinen Werken wie unvergleichlich abstoßend in
seiner Handlungsweise ist, das geringste Zeichen einer loyalen
Regung, das flüchtigste Auftauchen des Wunsches bemerkt
hätte, anständig und ehrlich zu handeln. Ich will niemanden
anklagen oder tadeln, da ich fürchte, dadurch das einzige,
was mir bleibt, zunichte zu machen, nämlich das Bewußt=
sein, weniger schuldig gegen die andern geworden zu sein, als
diese gegen mich. Aber die Anklage, die ich soeben ausge=

---

* Das Original des Briefes, das dem Nachlaß der Gräfin Charnacé
geb. d'Agoult entstammt, ist französisch.

sprochen habe und die aufs bündigste zu beweisen eine zwanzig=
jährige Bekanntschaft mich in die Lage versetzt hat, ist not=
wendig, um eine andere Person vor Tadel zu schützen, jemand,
der in früheren Zeiten, verehrte Gräfin, nicht nur wegen hoher
geistiger Begabung, sondern auch in der Gerechtigkeit, Offen=
heit und Hochherzigkeit Ihnen sehr ähnlich war. Wenn Ihre
Stiefschwester frei sein (vielleicht müssen wir ein Jahr lang
warten, bis die Scheidung ausgesprochen ist), wenn sie vor
der Öffentlichkeit die Verbindung mit ihrem Geliebten legali=
siert haben wird: dann wird sie wieder sie selbst und nicht
länger gezwungen sein, vom Morgen bis zum Abend zu
lügen ... Was ist also an meinem Wunsch, mich scheiden zu
lassen, unlogisch, wenn ich auch zuerst nicht geneigt war,
eine gesetzliche Lösung anzustreben? Als ich sie letzten No=
vember fragte — was vielleicht unzart war —, warum sie
mich so schnell zu verlassen strebte (ich hatte sie vergeblich
gebeten, auf Liszt zu warten, der im Januar kommen wollte),
hat Cosima nicht gezögert, mich in der gröbsten Weise zu
belügen. Warum sie es tat, erfuhr ich vor wenigen Monaten
durch die Zeitungen, die, ohne etwas zu verschleiern, von dem
Glück des Maestro berichteten, daß ihm seine Geliebte (der
Name war ganz ausgeschrieben) endlich einen Sohn geboren
habe, der Siegfried genannt worden und eine glückliche
Vorbedeutung für die bevorstehende Vollendung seiner Oper
sei! Das Gebäude (meiner Hörner) ist also in der präch=
tigsten Weise gekrönt worden. Ich konnte nicht aus München
fliehen — aber die Hölle, die ich während der letzten Zeit
meiner Tätigkeit durchgemacht habe, ist unvorstellbar. Ich
war immer mit einer Menge Musiker, Lehrer und Schüler der
Hochschule zusammen und stand in der Öffentlichkeit, die mir
nichts ersparte — (nachdem ich das letztemal den ‚Tristan‘
dirigiert hatte, lobte mich die gelesenste Zeitung Münchens
wegen der Hingebung, die ich auf das Werk des Geliebten
meiner Frau verwandt hätte). Ich hatte also nur die Wahl

zwischen zwei Situationen, entweder mit beleidigendem Mitleid angesehen zu werden als ein Mensch, der nicht wisse, was die ganze Welt wußte, oder mir verächtlich meine schimpfliche Stellung als Günstling eines Königsgünstlings vorwerfen zu lassen. Zu gleicher Zeit meldeten die Zeitungen, bevor ich noch den ersten Schritt getan hatte, daß meine Scheidung bevorstünde. Ich habe jedes Opfer gebracht, um die Scheidung auf die anständigste und entgegenkommendste Art und Weise zu erreichen. Aber ich kann die preußische Gesetzgebung nicht ändern. ‚Auf beiderseitigen Wunsch‘ ist sie nicht durchzusetzen. Es blieb mir also nur übrig, die Klage wegen ‚böswilligen Verlassens‘ zu erheben.

Ich fürchte, ich bin in meinen Erklärungen viel zu weitschweifig gewesen, aber vielleicht dienen sie, verehrte Gräfin, dazu, mich vor einem ungerechten Urteil von Ihrer Seite zu bewahren; es wäre das einzige, was mich noch schmerzen könnte. Man sagt, daß die Zeit vieles Unrecht wieder gutmache, aber auch das hat seine Grenzen; ich bin zu sehr mit Schande bedeckt, um von ihr eine Wohltat erwarten zu können. Ich fühle mich aus meinem musikalischen Vaterlande vertrieben, vertrieben aus allen zivilisierten Ländern. Ich werde versuchen, meine armselige Zukunft in der niedrigen Stellung eines Klavierlehrers zu verbringen. Die einzige Befriedigung, die mir bleibt, besteht in dem Bewußtsein, schon auf Erden für alle meine Sünden bestraft worden zu sein. Ich erwarte keine Antwort, Gräfin, und werde Ihnen auch nicht mehr schreiben. Aber ich bitte Sie, da Sie mir Ihre Freundschaft und Sympathie angeboten haben, nicht allzu streng beurteilen zu wollen

Ihren ergebenen Diener
Hans von Bülow
15. September 1869.“

Hans hatte recht. Es dauerte ein Jahr, bis die Scheidung ausgesprochen wurde. Diese Wartezeit benutzte Wagner, um den „Siegfried" zu vollenden. Aber obgleich er Triebschen hauptsächlich aus dem Grunde als Wohnsitz gewählt hatte, weil das Haus für Fremde schwer zugänglich, er also vor unliebsamen Störungen sicher war, erschienen doch einige neue Menschen, die in seinem Leben noch eine wichtige Rolle spielen sollten.

Am Pfingstmontag 1869 stellte sich ein junger Deutscher von fünfundzwanzig Jahren an der Haustüre von Triebschen ein und verlangte, beim Meister vorgelassen zu werden. Es war Friedrich Nietzsche, Professor der klassischen Philologie an der Universität Basel. Er war schon vor ein paar Tagen dagewesen, da aber Wagner gerade arbeitete, wollte er ihn nicht stören, so daß der einzige Eindruck, den der junge Mann von seinem ersten Besuche mitnahm, in ein paar wiederholt auf dem Klavier angeschlagenen Akkorden bestand. Sie klangen wie eine Klage, eine schmerzliche, immer wiederholte Frage. (Nietzsche erkannte sie später in der Stelle des dritten Aktes „Siegfried" wieder, an der Brünhilde ausruft: „Verwundet hat mich, der mich erweckt!") Nietzsche kam indessen wieder, diesmal auf eine Einladung hin; allerdings hätte er keinen unpassenderen Moment wählen können, da Cosima für die nächste Nacht die Geburt ihres Kindes erwartete. Trotzdem wurde der junge Gelehrte von Wagner freundlich auf= genommen, der ihn bereits im letzten Winter im Hause seiner Schwester Louise Brockhaus kennengelernt hatte und wußte, daß er ein begeisterter Verehrer seiner Musik war.

Nichts konnte bedeutungsvoller, man könnte fast sagen, dramatischer sein als die Begegnung dieser beiden Männer, von denen der eine noch auf der Schwelle, der andere fast am Ausgang seines geistigen Lebens stand. Beide aber, ob= gleich zwei verschiedenen Generationen angehörend, konnten sich noch gegenseitig verstehen und waren noch nicht da, wo die jüngere Generation der älteren den Rücken wendet und ihre Daseinsberechtigung leugnet. Der Ruhm, den der Ältere endlich nach einem sein ganzes Leben hindurch geführten Kampf errungen hatte, schien Wagner trotz der Verachtung, mit der er ihn zu betrachten vorgab, wie der Glanz einer Morgenröte; für den jüngeren dagegen bedeutete er schon ein Verdämmern. Wagner lebte in der Vergangenheit, Nietzsche in der Zukunft; Wagner hatte seinem eigenen Wesen Ausdruck verliehen und Symbole geformt, in denen seine Zeitgenossen ihre verschwundenen Ideale von 1848 nebst der Entsagung, die der Revolution folgte, wiedererkannten. In seinen Werken lag der Zauber eines Pessimismus, der voller Mitleid für die Menschen war; die Stärke Nietzsches, eines jungen, noch unbesiegten Kämpfers, schien der Angriff. Er war noch gleichsam ein unbeschriebenes Blatt, hatte die Ideen, die in ihm arbeiteten, weder veröffentlicht noch irgend jemandem mitgeteilt, ja, er hatte noch nicht einmal seine Gegner gewählt. Er wußte nur, daß er eine wohl zu fürchtende Macht bedeutete, ferner, daß er diese ausschließlich in den Dienst des Geistes stellen und dazu verwenden wollte, um eines Tages die öffentlichen, geheimen und unfaßlichen Fäden, die das Glück der Menschen bedrohen, zu vernichten. Wagner und Nietzsche standen sich wie die Bewohner zweier verschiedener Planeten gegenüber, die, nachdem sie sich mit dem Fernrohr entdeckt haben, gern zusammenkommen möchten, um sich gegenseitig zu ihren verschiedenen Arbeiten zu beglückwünschen, und nicht ahnen, daß die Wissenschaft des einen sich einst gegen die Kunst des andern wenden wird. Außerdem ähnelten sie sich wie Vater und Sohn, die beide Gemeinsames erlebt haben und besonders jene Familienschüchternheit besitzen, mit der sie sich lieben, sich entfremden, sich bekämpfen und dann einander helfen, ohne sich jemals darüber klar zu werden, daß sie die Verschiedenheit ihres Wesens viel zu gut erraten, um sich jemals ganz zu verstehn.

Wagner war noch nicht so alt, daß er nicht seine persönliche Anziehungskraft in der wirksamsten Weise zu gebrauchen verstanden und des Zaubers seiner Stimme sowohl wie seines Humors, der seinem regen Geist immer zur Verfügung stand, sich bedient hätte. Er bezauberte den kurzsichtigen und zurück= haltenden Professor sofort, der kaum genug Mut aufbringen konnte, seiner Freude darüber Ausdruck zu geben, daß er auf Schweizer Boden einen so bedeutenden Landsmann getroffen habe, eine willkommene Abwechslung nach dem Zusammen= sein mit seinen Baseler Kollegen und Schülern. Die beiden wurden die besten Freunde, und Nietzsche erzählt nach seiner Rückkehr seinem Freunde Rohde mit folgenden Worten von Wagner: „Wagner ist wirklich alles, was wir von ihm gehofft haben: ein verschwenderisch reicher und großer Geist, ein energi= scher Charakter und ein bezaubernd liebenswürdiger Mensch."

Fast jeden Sonnabend machte sich Nietzsche auf den Weg nach Triebschen, wo er die Nacht und den folgenden Sonntag zubrachte; die Unterhaltung drehte sich um Schopenhauer, die Griechen und Wagners Schriften. Der junge Professor geriet vollkommen in den Bann des Meisters: für ihn bedeutete Wagner die Vollendung dessen, was Schopenhauer mit Genie bezeichnet. „In ihm herrscht eine so unbedingte Idealität, eine solch tiefe und rührende Menschlichkeit, ein solch erhabener Lebensernst, daß ich mich in seiner Nähe wie in der Nähe des Göttlichen fühle." Nietzsche entdeckte immer wieder etwas Neues in Wagners unerschöpflichem Wesen und öffnete sein Herz ganz den begeisterten Worten, mit denen der Meister ihm seine Ideen mitteilte. Das Leben eines Gelehrten, das er geführt, war voller Arbeit gewesen, so daß er ein wenig eigenbrödlerisch geworden war; jetzt erfährt sein Dasein Be= reicherung und Erhebung. Dazu kam die Anmut Cosimas, die ihr Zusammensein verschönte.

Die Kühnheit dieser Frau, die tapfer genug war, sich offen zu ihrem Geliebten zu bekennen und über aller gesellschaft= lichen Heuchelei zu stehen, setzte zuerst den Philologen, dessen Vater Pastor gewesen war, in Erstaunen. Aber er bewunderte immer den Mut, wo er ihn auch traf; er hielt Cosima für schön, hochgesinnt und eines leidenschaftlichen Schicksals für würdig. Eine Liebe solcher Art kann nicht frei von Tragik sein, ein Umstand, der sie dem Tod ähnlich macht, wie sie Wagner gerade im dritten Akt des „Siegfried" gestaltet hatte. Wagner erklärt den Liebeskuß, den der Held Brünhilde gibt, als „die erste Empfindung des Todes, das Aufhören der Individualität. Darum erschrickt Siegfried dabei so sehr." Das sind erregende, aufpeitschende Worte; aber Nietzsche ist noch zu jung und unerfahren, um die Wahrheit oder Unwahrheit einer solchen Behauptung zu untersuchen. Ganz im Gegenteil: er dachte an etwas ganz anderes als an einen Streit über solche Fragen, da er Wagner gern in allen Punkten seiner Lehre recht geben wollte. Er fühlte dunkel die Erkenntnis in sich aufdämmern, daß seine Geistesschärfe und sein großes Wissen ihn befähigen würden, den Wagnerschen Theorien eine feste Grundlage zu geben. Er begann sogleich einen Stammbaum für den großen Mythos der „Tetralogie" auszuarbeiten, der das Werk direkt mit den Traditionen des griechischen Theaters, mit Äschylus verbinden sollte.

Die künstlerische Atmosphäre, die ihn nun umgab, beflügelte seinen Geist. „Mein Italien", sagte er, wenn er von Triebschen sprach. „Mein Griechenland" hätte er lieber sagen sollen, denn griechische Kunst und das griechische Drama bildeten fast ausschließlich den Gegenstand ihrer Unterhaltungen. „Sie sollen nicht nur den großen Äschylus in Triebschen suchen", schrieb Cosima in einem Brief an ihn, „sondern Ihren Homer". Denn Nietzsche plante ein Kolleg an der Universität über „Homer als Mensch". Er las die Arbeit seinen neuen Freunden vor, die sofort ihre Wichtigkeit erkannten. Außerdem dachte er bereits über die „Geburt der Tragödie aus dem Geiste der Musik" nach.

Auch Wagner erkannte schnell die wichtige Rolle, welche dieser starke Bundesgenosse in seinem Leben und in seiner

Kunst spielen sollte. Sein Scharfblick hatte es ihm ermöglicht, zu sehen, daß Ludwigs II. königliches Wohlwollen mit dem Moment zu Ende war, in dem der sentimentale Fürst die Forderungen seines Geistes nicht mehr mit denen seines Herzens in Einklang bringen konnte. In dem Augenblick hatte die enttäuschte Liebe die Vision des triumphierenden Parsifal zunichte gemacht. Nun wurde der arme königliche Schüler, der seine Herrschermacht nicht anzuwenden verstand, durch diesen neuen Menschenfischer ersetzt, der über ein so universelles Wissen verfügte, daß Wagner immer wieder erstaunt und entzückt war. In der Tat: diesen Mann brauchte er, der noch im letzten Moment aufgetaucht war, diesen Apostel eines neuen Evangeliums, eines Evangeliums der neuen Kunst, der deutschen Kultur für Fürst und Volk, mit einem Wort, des Evangeliums, das Wagner soeben im „Siegfried" und in den „Meistersingern" verkündet hatte. Nietzsche war der Typus eines feiner organisierten und nachdenklichen jungen Deutschen, der die geistige Revolution von morgen in Übereinstimmung mit den von Schopenhauer gegebenen und von Richard Wagner verbesserten Gesetzen bringen würde. Das bedeutete für Wagner eine wunderbare Erfüllung seines Schicksals, da selbst in diesem abgelegenen Winkel des Kantons Luzern der Feuergeist — der unsichtbare, aber allmächtige Loge — aus den Steinen der Wildnis hervorbrach, um eine zerfallende Welt in Brand zu setzen. Wie hätte er erraten können, daß ein Tag kommen würde, an dem sein aufmerksamer Zuhörer, der seine Musik so sehr liebte, der junge Vorkämpfer seiner Lehre, ihn verleugnen würde, wie Petrus den Herrn verleugnet hat! Wie hätte er wissen können, daß Nietzsche, der den Menschen ein Glück besonderer Art schenken wollte, sich eine merkwürdige Dreieinigkeit konstruiert hatte, als er erst zwölf Jahre alt war: „Gott—Vater, Gott—Sohn und Gott—Teufel." Denn damit begann er, wie er sagt, seine Philosophie.

In Nietzsche sah Wagner nur den Boten aus einer reineren und besseren Welt, einen Vertrauenden und einen Vertrauten. Er bat ihn, seine Selbstbiographie in Basel zum Druck zu geben, womit er Cosima und einige wenige auserwählte Freunde zu Weihnachten überraschen wollte. Das Manuskript konnte nur kapitelweise abgeliefert und sollte nur im ganzen in zwölf Exemplaren hergestellt werden*.

Auch Cosima nahm Nietzsches Dienste in Anspruch, und zwar für den Einkauf von Weihnachtsgeschenken für Richard und die Kinder. Er lieh Wagners Klagen über die Vorstellungen des „Rheingold", das der König gegen den ausdrücklichen Wunsch des Komponisten in München aufgeführt haben wollte, ein williges Ohr. Denn Ludwig schien jetzt seinen eigenen Kopf zu haben und auf seinem Willen zu beharren, augenscheinlich, um sich selbst in der Ansicht zu bestärken, er könne tun, was er wolle. Er hatte Wesendonk alle Rechte an der „Tetralogie" abgekauft; nun wollte er das Werk ganz nach seinem Belieben stückweise aufführen lassen. Wagner hielt den Versuch für verfrüht und glaubte, daß solche Aufführungen nur schädlich für das Ganze sein könnten: infolgedessen versagte er dem König seine Unterstützung. Aber Ludwig wollte seinen Willen um jeden Preis durchsetzen: die Vorstellungen sollten von Richter geleitet werden. All das festigte in Wagner die Überzeugung, daß er seinen alten Plan wieder aufnehmen und sich ein eigenes Theater bauen müsse.

Ein glücklicher Zufall wollte, daß im Laufe des Sommers neue Gäste ankamen und ihn von all diesen Unannehmlichkeiten ablenkten. Diesmal waren die Besucher Franzosen, die eigens aus Paris nach Triebschen kamen, um Wagner zu

---

* „Mein Leben" wurde erst 28 Jahre nach dem Tode Wagners, im Jahre 1911, veröffentlicht. Von dem ersten Text existieren wahrscheinlich nur elf Exemplare von den 12 gedruckten, ferner die Korrekturbogen der ersten Kapitel, die Wagner 1870 an Pusinelli geschickt hat.

besuchen: der Dichter Catulle Mendès und seine Frau Judith, geborene Gautier (Théophile Gautiers Tochter), und ein Freund der beiden, der Schriftsteller Villiers de l'Isle Adam.

Judith und Wagner waren sich nicht ganz fremd; sie kannte Bruchstücke seiner Werke aus den Pasdeloup=Konzerten in Paris, und er hatte eine Reihe ihrer Kritiken gelesen, in denen sie seine Musik in den Himmel hob. Er hatte seiner Prophetin geantwortet, und nun kam sie von Luzern mit einem Segel=boot zu ihm über den See gefahren.

Judith war ganz jung (höchstens zwanzig Jahre), sehr schön und ungeheuer an allem interessiert, was den „Meister" anging. Mendès und besonders Villiers hatten als Schrift=steller in ihren Werken viel Phantasie bewiesen; neben ihnen, die sehr unterhaltende Gesellschafter waren, fühlte sich Cosima außerordentlich wohl. Wagner zeigte ihnen den Garten, das Haus, seine Bilder und die Sammlung seltener Schmetter=linge, die er von der Pariser Weltausstellung mitgebracht hatte. Sie verstanden sich ausgezeichnet, obgleich Villiers' Worte nicht selten allerlei versteckte Anspielungen zu enthal=ten schienen und manchmal kaum zu enträtseln waren, wenn sie auch immer seinen sprühenden Geist verrieten. Bald setzte sich Wagner ans Klavier und spielte ihnen einige Stellen aus „Siegfried" vor, „rezitierte und sang (nach Judiths Worten) mit unvergleichlichem Geschmack, schöner Stimme und so voll=kommenem Ausdruck, daß man glaubte, das Drama mit eigenen Augen vor sich zu sehen". Die willkommenen Gäste blieben länger als vierzehn Tage in Luzern; es deutete bereits alles darauf hin, daß ein tieferes Gefühl zwischen Judith und Richard im Entstehen sei; vor allen Dingen schien Judith vollkommen von Richards Persönlichkeit ge=fesselt. Wieder einmal hatte der Zauber des Meisters eine Frauenseele bezwungen. „Wagner überraschte mich heute auf der Schwelle seines Arbeitszimmers, des Heiligtums, in das ich nicht einzutreten wagte, als ich das Klavier und die überall verstreuten Manuskriptblätter mit der noch nassen Tinte betrachtete; ich fühlte mich bei dem Anblick dieser kleinen Äußerlichkeiten des Geschaffenen, das für mich so übermenschlich groß ist, tief ergriffen. Plötzlich — mir stockte der Atem — hörte ich sein Lachen ganz nahe neben mir, das Lachen des Mannes, der mir, wenn ich die Jahrhunderte überschaue, neben Homer, Äschylus und Shakespeare zu stehen scheint, des Mannes, den ich neben die Allergrößten stelle.

„Sind Sie denn wirklich so begeistert!' rief er aus. ‚Das dürfen Sie nicht übertreiben, es schadet der Gesundheit.'

„Er sprach wie im Scherz, aber der zärtliche Blick seiner Augen zeigte mir deutlich genug, was sein Lachen verbarg.“

Judith Gautiers Erzählung spiegelt ihre Begeisterung wider, und ohne Zweifel ist Wagner von einem so leidenschaftlichen Gefühl auch nicht unberührt geblieben. Einmal erstieg er einen hohen Baum, ein andermal kletterte er sogar am Hause hinauf; und es gelang ihm in der Tat, den Balkon des ersten Stockwerkes zu erreichen, indem er sich an den Vorsprüngen und Gesimsen der Fassade hochzog. Er war immer noch der Akrobat, der er vor fünfzig Jahren gewesen war, Geyers „Kosak“. „Wenn Sie ihn so bewundernd ansehn“, sagte Cosima, „kann man wirklich nicht wissen, was er noch alles anstellt.“ Indessen zeigte Cosimas sonst so helles Gesicht jetzt doch häufig den Schatten einer tiefen Verstimmung. Als sie einmal mit Judith allein war, vertraute sie ihr an, daß Liszts Widerstand gegen ihre Scheidung sie so traurig mache. Ein paar Tage später war Judith in München bei Frau von Schleinitz, der Frau des preußischen Gesandten und intimen Freundin Cosimas zu Besuch, als ein glattrasierter Priester mit durchdringenden Augen und buschigen Brauen vom Diener in das Zimmer geleitet wurde. Es war Liszt. Alle anwesenden Frauen stürzten auf ihn zu und fielen beinahe vor dem noch immer hoheitsvollen ehemaligen König der Liebe und des Klaviers auf die Knie. Liszt kam zusammen mit Frau von Moukhanoff-Kalergi, der Freundin Chopins, Mussets und Wagners.

„Haben Sie Cosima besucht?" fragte er, sobald er Judith vorgestellt worden war.

„Bitte, sagen Sie nichts gegen Ihre Tochter", war Judiths Antwort. „Ich stehe vollkommen auf ihrer Seite und kann nicht zugeben, daß ihr auch nur der geringste Vorwurf zu machen ist. Es gibt keine Frau, die dem Zauber eines solchen Genies wie Wagner nicht mit Freuden unterliegt."

„Ich gebe Ihnen ganz recht", antwortete Liszt leise, „aber ich darf es nicht zugeben. Mein Priesterkleid erlaubt mir nicht, gewisse Ansichten durch mein Verhalten Lügen zu strafen. Ich kenne die Kraft solcher Herzensbeziehungen zu gut, um sie hart zu beurteilen. Wenn ich auch gezwungen bin, zu schweigen, so wünscht niemand heißer als ich, daß diese traurige Angelegenheit ihre gesetzliche Regelung findet. Wenn ich auch nichts tun kann, um eine solche zu beschleunigen, so habe ich doch niemals die Absicht gehabt, sie hinauszuzögern."

Alle diese Fremden waren zur ersten Vorstellung des „Rheingold" nach München gekommen, die auf Befehl des Königs, aber gegen den Willen Wagners angesetzt worden war. Der wußte, wie ganz unzureichend, kindlich, ja geradezu lächerlich die Bühnenbilder ausfallen würden. Aber der König bestand darauf, daß das Werk gegeben würde, komme, was da wolle. Für die Dekorationen hatte er 60000 Gulden angewiesen; nun war er entschlossen, endlich die Musik zu hören, die er über alles liebte.

Hans Richter, ein junger Mann von achtundzwanzig Jahren, aber bereits ein ausgezeichneter Dirigent, der gerade als Bülows Nachfolger an das Königliche Theater berufen worden war, schlug sich auf die Seite seines Meisters und forderte seine Entlassung. Betz weigerte sich zu singen, und nun blieb Wagner nichts anderes übrig, als selbst heimlich von Triebschen nach München zu eilen, um nach dem Rechten zu sehen. Er wurde nicht zum König vorgelassen, und Perfall stellte sich als unversöhnlicher Feind heraus, obgleich er seinen Intendantenposten schließlich nur Wagner verdankte; aber alle Künstler ergriffen einstimmig Wagners Partei. Sie erhielten Drohbriefe, weil die Vorstellung verschoben wurde, auch die Mendès und Villiers wurden mit anonymen, beleidigenden Zuschriften überhäuft: „Sie haben die Schauspieler verhindert, die Befehle des Königs auszuführen. Sie stehen im Solde eines Verräters und sind selbst Verräter." Die Behörden beschworen Wagner, doch ja wieder abzureisen, da sie neue Unruhen und Mißstimmungen fürchteten. Er folgte ihrem Rate, und das „Rheingold" wurde mit irgendeinem Dirigenten und irgendeinem Wotan, die gerade zur Hand waren, aufgeführt; Ludwig wollte es einmal so, damit ihm niemand in seinem Königreich in Zukunft Schwäche vorwerfen könne. Keiner von Wagners Freunden war anwesend, nicht einmal Liszt, dem auf diese Weise das „Rheingold", die „Meistersinger" und „Tristan" entgingen. Aber Franz war entschlossen, das Versprechen zu halten, das er Judith gegeben hatte. Er fuhr also inkognito nach Triebschen, brachte eine Nacht dort zu, und die Wolke, die so lange über den beiden Freunden gehangen hatte, löste sich in Tränen auf.

Die letzten Monate waren außerordentlich ereignisvoll gewesen; Cosima und Richard fühlten die Erregung über das Erlebte noch in ihren Nerven nachzittern. „Gott sei Dank ist Wagners Gesundheit gut", schrieb Cosima an Judith, „aber gestern fand ich ihn weinend im Armstuhl sitzen, doch fragte ich ihn nicht, warum er weine, ich wußte es nur zu gut . . ." In einem anderen Brief macht sie ihrer Freundin folgendes Geständnis bezüglich Bülows: „Ich habe die ganze Nacht so entsetzliche Gewissensbisse gehabt, da ich mir selber die Frage vorlegte, ob es nicht verbrecherisch von mir war, weiter zu leben, und ob die Situation nicht das Opfer eines Lebens forderte. Hätte ich nicht dieses Opfer selbst bringen müssen? Als dann in der Frühe der Meister zu mir kam, um mir guten Morgen zu sagen, warf ich mich in seine Arme und ließ ihn zum erstenmal in meinem Leben etwas von der Trauer merken, die mein Herz erfüllt." Im ganzen aber verliefen die Tage ruhig und friedlich. Wagner setzte sein Werk fort und Cosima wartete auf die Scheidung, die alle Verwicklungen lösen sollte. "Der Meister macht Fortschritte mit seinem Werk; Siegfried wächst auf dem Papier und in der Wiege, und im übrigen geht alles gut. Nur Ihre Freundin, meine arme Judith, ist dann und wann traurig, weil ihr das ganze behagliche Leben um einen Preis errungen scheint, den ein anderer mit seinem Glück bezahlt hat... Raten Sie, wie der Meister und ich die letzten Abende verbracht haben! Wir haben Haydns Sinfonien vierhändig gespielt, und zwar — wollen Sie es glauben! — mit außerordentlichem Eifer. Wir wählten die zwölf englischen Sinfonien, die Haydn nach Mozarts Tod geschrieben hat, ihr musikalischer Aufbau ist von wunderbarer Sorgfalt und Feinheit."

Ottilie Brockhaus, die Frau des Orientalisten, besuchte ihren Bruder ebenfalls. Sie begann endlich an seinen Ruhm zu glauben; außerdem bewunderte sie seine Einrichtung. "Seine Schwester", erzählt Cosima, "sagte, sie verstünde wohl, warum ich so fest zu ihm hielte — wir hätten ja so schöne Möbel! Der Meister, der vollkommen entgeistert zuhörte, versicherte mir später wiederholt, daß er Ottilie einundzwanzig Jahre nicht gesehen habe. Er bestellte in einem Anfall völliger Verzweiflung das Boot und ließ sie dahin zurückfahren, woher sie gekommen war — Gott sei Dank habe ich sie seither nicht mehr gesehen! Als Entschädigung dafür haben wir den Besuch eines jungen Philologen empfangen; es tut mir leid, daß ich keine Gelegenheit hatte, Ihnen unseren Freund vorzustellen, denn er gehört vollkommen in unseren kleinen Kreis, er ist ein freundlicher, intelligenter und phantasievoller Mensch.

Als er den dritten Akt ,Siegfried' hörte, den der Meister übrigens gerade dem König zugeschickt hat, wurde er vor Erregung ganz blaß."

Der junge Philologe war natürlich Nietzsche. So wurde das geistige Band zwischen den neuen Getreuen in Triebschen hergestellt, da sie alle in gleicher Weise Wagner bewunderten. Gewiß war diese ganze Begeisterung für ihn rein und einwandfrei, aber sie hatte wohl auch ihre Schattenseiten: schuld daran ist nur der Zauber, den Wagner immer auf Frauenherzen ausübte; dieser wurde noch dadurch verstärkt, daß Wagner von Einsamkeit und dem Haß der Menge umwittert schien. Judith hatte sich nicht getäuscht, wenn sie zärtliches Verlangen im Blick des Meisters erkannt zu haben glaubte, der Leben und Schönheit über alles liebte. Wohl war er Künstler, Gestalter, Philosoph. Aber wenn ein Mann von sechsundfünfzig Jahren den Akrobaten spielt, so geschieht dies nur, um zu zeigen, wie stark und gelenkig er ist, daß er als Mann und nicht als Genie bewundert sein will. Wagner war ein Mann im männlichsten Sinne: in diesem Bewußtsein lag der Untergrund seines Wesens. Die größte Ehre, die er dem Tod erweisen konnte, war sein fester Entschluß, den Becher des Lebens bis zur Neige zu leeren. Die Sehnsucht nach dem heißen und bunten Leben verließ ihn nie; er wurde seiner niemals müde und rechtfertigte sich immer durch die künstlerische Tat. Wagner liebte es, geliebt zu werden; dann war seine Energie am stärksten. „Ich weiß, daß ich alt werde", sagte er in diesen Triebschener Tagen, „beginnt doch das Leben jetzt erst für mich . . ."

Geliebt zu werden, wie ihn Cosima, Judith und Nietzsche liebten, das war gut und schön; weniger war er mit Ludwigs Liebe einverstanden, die nämlich nur dem Vergnügen des Königs diente. Die Begeisterung des Herrschers für das Theater entsprang nur seinem Stolz, seiner Eifersucht und seinem Rachegelüst, die alle eben aus dieser Liebe zu Wagner

466

entstanden. Nur diese Gefühle hatten ihn bewogen, den Befehl zur Aufführung der „Walküre" zu geben, nachdem Wagner der Aufführung des „Rheingold" seine Zustimmung versagt hatte. Auch jetzt versuchte Wagner sich zu widersetzen, und wiederum bestand Ludwig auf seinem Willen; er warf seinem Kabinettsekretär, dem Rat von Düfflipp, vor, Wagners Partei ergriffen zu haben. Warum kam denn der Meister nicht nach München zurück? Sollte der König die Folgen des Exils tragen, das sich Wagner selbst auferlegt hatte, und unter seinem launischen Temperament leiden? Wagner zuckte die Achseln, setzte sich an die Instrumentation des dritten Aktes „Siegfried" und begann die „Götterdämmerung". Schließlich hatte er ja in Nietzsches Freundschaft einen ausgezeichneten Ersatz für die Liebe des Königs gefunden.

Nietzsche war ständiger Gast in Triebschen; er konnte zu jeder Stunde des Tages kommen und hatte sogar ein eigenes „Heiligtum", seinen „Denkraum". Cosima las ihm die Skizze zum „Parsifal" vor, der Meister unterhielt sich mit ihm über die Philosophie der Musik und besprach mit ihm die Abhandlung über „Das griechische Musikdrama, Sokrates und die Tragödie", die Nietzsche gerade vollendet hatte. Der junge Philosoph äußerte sich indessen etwas beunruhigt über das Verhältnis zu Wagner; der Meister habe sich, schrieb er, in sehr bewegenden Worten über das Schicksal ausgesprochen, das, wie er glaube, Nietzsche bevorstände. Er empfand darüber eine gewisse Beängstigung. Außerdem kamen ihm die Lehren von „Oper und Drama" ein wenig konfus vor, so daß er sich berufen fühlte, sie klarer auszusprechen und durch neue Gedanken, im Sinne Schopenhauers, mit der griechischen Kunst zu verbinden, da er diese nun in einer neuen, von der trockenen Universitätswissenschaft sehr verschiedenen Weise verstanden hatte. Trotzdem läßt sich das große Mißverständnis, das später Nietzsche und Wagner einander vollkommen entfremdete, schon in ihren frühesten Briefen erkennen. Der

Schüler war sich zwar dessen bewußt, aber ängstlich bemüht, es zu verheimlichen, während dem Meister niemals etwas Derartiges zum Bewußtsein kam. Er drängte Nietzsche, sein großes Werk zu beginnen, in dem er seine Theorien über die Philosophie der Musik bestätigt und noch verherrlicht wieder zu finden hoffte. „Sie könnten mir viel, ja ein ganzes Halbteil meiner Bestimmung abnehmen, und dabei gingen Sie vielleicht ganz Ihrer Bestimmung nach... Nun zeigen Sie denn, zu was die Philologie da ist, und helfen Sie mir, die große ‚Renaissance' zustande zu bringen, in welcher Platon den Homer umarmt und Homer, von Platons Ideen erfüllt, nun erst recht der allergrößte Homer wird." Solche Reden mögen Nietzsche wohl beunruhigt haben; aber die Atmosphäre von Triebschen war so belebend, daß seine jugendliche Begeisterung nicht abflauen konnte. Seinem Freunde Gersdorff schreibt er, daß die nähere Bekanntschaft mit dem genialen Künstler eine unendliche Bereicherung seines Lebens bedeute, daß sich alles Schöne und Gute für ihn mit den Namen Wagner und Schopenhauer verbinde, und daß er glücklich sei, darin mit seinen besten Freunden übereinzustimmen.

Vielleicht waren diese Tage die glücklichsten, die er erlebt hat. In Cosimas Nähe, „der einzigen Frau höherer Art, die er jemals kennengelernt hat", in dem friedlichen Garten mit der Aussicht auf die Schneeberge, fühlte Nietzsche, wie sich sein Wissen erweiterte und ganz neu formte. Er speicherte Gedanken auf und erkannte das Geheimnis aller Musik und aller Philosophie. Er begriff, daß die „Tragödie aus dem Geiste der Musik" geboren ist, eine Erkenntnis, die er bald als Titel seiner ersten großen Abhandlung voransetzen sollte. Er versuchte die unlösbaren Rätsel Brünhildens, Wotans, Empedokles' und Ariadnes, der bedeutendsten Gestalten der griechischen und Wagnerischen Mythologie und Philosophie, zu ergründen, und strebte nach dem Ruhm, sie durch eine ganz neue Kunst der Philosophie, nämlich der dionysischen Welt=

anschauung, zu erklären. Wagner war der geistige Pate des Werkes, da er allein imstande war, zu erkennen, daß die Existenz der Welt nur als ästhetisches Phänomen zu erklären ist.

Von niemand fühlte sich Wagner geistig so angezogen wie von Nietzsche; es wurde ihm, so leid es ihm tat, immer klarer, daß durch die Schuld Ludwigs II. der tiefe Abgrund, der zwischen seiner Musik und dem Publikum klaffte, immer noch weiter wurde. Dieses Unverständnis, an dem er immer, infolge der unverständigen Aufführungen seiner Werke, gelitten hatte, drohte jetzt infolge der Aufführung der „Walküre" besonders verhängnisvoll zu werden. Deshalb gewann der Gedanke, der Wagner schon lange beschäftigte, nämlich, sich ein eigenes Theater zu bauen, immer festere Gestalt; Cosima war ganz seiner Ansicht und wünschte nur, daß dieser Gedanke sich bald in die Tat umsetzte.

Am 5. März des nächsten Jahres, 1870 (Cosima hat das Datum notiert), erinnerte sie sich an den Namen eines kleinen Ortes, den Wagner in seiner Selbstbiographie erwähnt. Richard war als junger Mann von zweiundzwanzig Jahren dagewesen und hatte die alten verschlafenen Paläste im Licht der untergehenden Sonne erglänzen sehen; der Name dieses Ortes war Bayreuth. Sie sah in ihrem Konversationslexikon nach und fand: „eine kleine Stadt in Oberfranken, früher die Residenz der Markgrafen von Ansbach-Bayreuth ... Schloß von geschichtlichem Interesse ... Eremitage ... schönes Rokokotheater." Warum sollte das Festspielhaus nicht in Bayreuth gebaut werden? Wagner hatte lange genug davon geträumt. Es würde die letzte Krönung seines Werkes bedeuten — vielleicht auch eine „Dämmerung"? Wagner hatte eine dunkle Vorahnung von etwas Ähnlichem, als er jetzt den vierten Teil der „Tetralogie", das Ende des Mythos, in Musik setzte. Aber der Tod, den er immer an seinem Klavier lehnend zu sehen glaubte, mußte so lange warten, bis das Werk vollendet sein würde.

Am 22. Mai feierte Wagner seinen 57. Geburtstag. Cosima mietete ein Orchester von fünfundvierzig Musikern aus Luzern, um die festliche Gelegenheit feierlich zu begehen. Liszt telegraphierte: „In hellen und trüben Tagen für und für mit Dir." König Ludwig II. hatte den Einfall, Wagner mit Grane, dem Roß der Walküre, zu beschenken. Aber Cosima war traurig, von Angst und bösen Vorahnungen gequält. Ihre Gedanken wanderten zu Bülow zurück, der jetzt Wohnung in Florenz genommen hatte — wie einsam mußte er sein! Das Schluchzen saß ihr in der Kehle, sie eilte in ihr Zimmer, um ihre Tränen zu verbergen, und schrieb im Gedenken an ihre Jugend folgenden Satz der Madame de Staël in ihr Tagebuch, der ihr eingefallen war: „Ce beau temps, où j'étais si malheureuse, meine traurige, vater- und mutterlose und doch so selige Jugend."

In den ersten Tagen des Juli wurde die Scheidung ausgesprochen; Hans ließ ihr sogar die Kinder. Nun war sie frei und konnte Richard heiraten. Gerade in diesen Tagen brachten die Zeitungen Nachrichten von der drohenden Gefahr eines Krieges mit Frankreich; am 19. Juli wurde dieser erklärt, und es war Emile Ollivier, Cosimas Schwager und Ministerpräsident der kaiserlich-französischen Regierung, der von der Tribüne des Palais Bourbon aus dem Volke diese Nachricht übermittelte.

Am 25. August, nach den glänzenden, von der deutschen Armee bei Wörth und Gravelotte über die Franzosen errungenen Siegen, eine Woche vor der Kapitulation bei Sédan, fand die Trauung Cosimas und Richards in der protestantischen Kirche zu Luzern statt. Wagner widmete Ludwig II. ein patriotisches Gedicht und schrieb einen Brief an seine Schwiegermutter, die Gräfin d'Agoult. Seine Frau richtete ein Schreiben an Mathilde Wesendonk, und ein paar Tage später schickte Isolde ihr ein Bund Edelweiß.

470

IV

Die Götterdämmerung und die Morgenröte von Bayreuth

Zwei Tage nach der Gefangennahme des französischen Kaisers wurde der kleine Siegfried in Triebschen während eines Gewitters getauft. Wagners alte Freunde, die Willes, waren von Zürich herübergekommen. An Judith Gautier schrieb Wagner: „Es scheint, als ob Donner und Blitz eine wichtige Rolle im Leben dieses bemerkenswerten Kindes spielen sollen. Aber ich liebe diese himmlischen Gewitter, während die irdischen, die uns des Vergnügens Ihrer Gesellschaft beraubt haben, mir sehr mißfallen."

Die Kanonen donnerten 1813, als Richard geboren und Napoleon I. geschlagen wurde; wiederum dröhnten 1870 die Geschütze, als Siegfried getauft und Napoleon III. entthront wurde. Die Gedenktage der Wagnerschen Familie schienen in der Tat mit deutschen Siegen verbunden zu sein; es war also kein Wunder, daß in Triebschen die deutschen Heere besungen wurden, oder daß Wagner, der frühere Revolutionär und Internationalist, jetzt ein Mitstreiter für ein einiges Deutschland geworden war. Daß „die irdischen Gewitter ihm so sehr mißfielen", war nur eine Redensart, um seine französischen Freunde hinters Licht zu führen, denn während der ersten Monate der nationalen Begeisterung über den militärischen Sieg, der seinen eigenen politischen Wünschen entsprach, befand er sich in ebenso gehobener Stimmung wie nur irgend=

ein Soldat des siegreichen Heeres. Außerdem war er über=
zeugt, daß er selbst etwas zum Siege beigetragen hatte. Das
ist logisch; wir dürfen uns nicht wundern, daß er an Judith
Gautier und ihren Mann einen Brief schreibt, in dem die
patriotische Begeisterung mit der Besorgnis um den Verlust
der neugewonnenen Freunde kämpft:

„Liebe Freunde.

Ich kann Euch nicht sagen, wie traurig mich Euer Brief
stimmt; eine wahrhafte Tragödie spielt sich zwischen uns ab.
Ich kann Euch nicht den geringsten Trost anbieten, da ich ver=
stehe, daß, selbst wenn es mir möglich wäre, Euch von der
Richtigkeit meines Standpunktes zu überzeugen, den ich ange=
sichts der jetzigen Ereignisse einnehme, Ihr doch immer in
Eurer gegenwärtigen traurigen Seelenverfassung bleiben und
entschlossen sein müßtet, in ihr auch zu verharren. Auch ich
habe solche Ängste durchgemacht, aber endlich die einzige
Rettung aus ihnen gefunden; nicht in den Entzückungen der
Kunst, sondern in der ‚Kaltwasserkur‘ der Philosophie. Es
betrübt mich tief, daß ich, wenn ich versuche, mich mit dem
französischen Geist zu beschäftigen, in diesem zuviel Senti=
mentalität antreffe, wo ich nichts als kühle Überlegung und
scharfe Gedanken erwartete. Es gibt eine Art von falscher
Poesie, die ziemlich lange Zeit hindurch für wahre Dichtung
gehalten wurde, da sie glücklicherweise einem Volke mit fröh=
lichem Temperament schmeichelte. Ein solcher Geist kennt nur
die Gegenwart und beschäftigt sich nur mit dem, was gerade
vor sich geht; deswegen scheint er denen, die sich mit ihm
auseinandersetzen wollen, allzu beengt zu sein. Ganz im
Gegensatz dazu steht der deutsche Geist, dessen Nahrung
immer die Geschichte bildete: wir mußten uns in die Ver=
gangenheit flüchten, die uns tröstete und stärkte ... Ihr müßt
einen wirklichen Staatsmann finden; ein solcher fehlt Euch,
der allein Frankreich retten könnte — ein Staatsmann, der
den wahren Mut besitzt, der großen Menge nicht zu schmeicheln,

die sich von unwissenden Zeitungsschreibern oder von frivolen komödiantischen Abgeordneten leiten läßt... Nehmt Euer Schicksal an, wie es sich gestaltet hat, wie ein Gottesgericht, und sucht seinen tiefen Sinn zu erkennen... Seid von Euren Freunden gesegnet! Wir sind in Gedanken bei Euch! Auf Wiedersehn! Ganz die Eurigen!"

So merkwürdig dieser Brief ist, so kann er uns doch nicht überraschen. Er ist durchaus wagnerisch: von brutaler Aufrichtigkeit; ein wenig schwerfällig stützt er sich auf die Philosophie der Geschichte, aus der Wagner immer seine Kraft des Schaffens und der Entsagung ebenso wie einen Willen zur Macht gezogen hat, dessen verborgene Wurzeln Nietzsche später erst aufdecken sollte. Mag dieser Brief auch nicht zartfühlend und taktvoll sein, so ist er doch ein Zeichen lebendiger Freundschaft. Kurze Zeit nachher schrieb Wagner an Catulle Mendès: "Es gibt eine Daseinsebene, auf der wir immer vereint sind und bleiben werden: denn wir sind in den beiden großen Grundlagen dieser Welt, der Liebe und der Musik, vollkommen einig... Also wollen wir nur Liebende und Musiker sein..."

Die Schlußfolgerung ist gewiß ein wenig zu einfach, wenn wir die tragischen Ereignisse betrachten, denen sie entsprungen ist. Aber was sollte Wagner anfangen, um den Freunden nicht die begeisterte Freude zu verraten, in die ihn während der ersten Kriegswochen die deutschen Siege versetzt hatten? Man kann Wagner keinen Vorwurf daraus machen, wenn er ein wenig zu deutlich die Prophezeiungen unterstreicht, die seine Schriften seit fünfundzwanzig Jahren verkündigt hatten, und sich über die Rechtfertigung seiner Worte freut. Trotzdem hatte er sich seinen gesunden Sinn für Ironie bewahrt, und seine kleine Komödie „Eine Kapitulation" hat nicht mehr Bedeutung als eine Karikatur für den Kladderadatsch.

Man nahm ihm diesen Witz in Frankreich übel. Das war nicht nötig, denn Wagner gestand später selbst, daß er das Stück nur mit der Absicht geschrieben habe, zu zeigen, welcher Gegensatz zwischen dem französischen leichten und originellen Witz und der lastenden Schwerfälligkeit des deutschen Geistes besteht, wenn dieser einmal die Phantasie frei spielen läßt. Ob man dieser nicht sehr überzeugenden Erklärung glauben will oder nicht: jedenfalls zeigen seine in derselben Zeit entstandenen „Erinnerungen an Auber" mehr Großzügigkeit.

Schließlich kann man Wagners Gemütsverfassung verstehen in einem Augenblick, da sein Land eine so furchtbare Rache nahm für das Elend, das er in Paris im Jahre 1840 erlitten hatte, und für die Beleidigungen, denen er bei der „Tannhäuser"-Aufführung 1861 ausgesetzt gewesen war.

Tief in seinem Innern hatte ihn die Erinnerung an diese Dinge immer geschmerzt, und sein Ärger auf Paris war um so heftiger, als er auf Paris einst alle seine Hoffnungen gesetzt hatte. Auf Paris können wir eifersüchtig sein wie auf eine Frau, die uns ihre Liebe entzogen und sie einem unwürdigen Nebenbuhler geschenkt hat. Aber ihre Koketterie, ihr Sichversagen, sogar ihre Bosheiten, die sie mit lächelnder Grausamkeit ausspricht, lassen uns eine solche Frau nicht vergessen, und schließlich verzeihen wir ihr sogar alles, denn sie hat, bei ihrer konservativen Bürgerlichkeit doch ein warmes Herz. Wagner liebte im Jahre 1870 Paris noch ebenso wie früher, aber Paris hatte kaum begonnen sich für Wagner zu interessieren. „Sie können", schrieb Richard bald darauf an Judith, „natürlich die Leiden, die Sie während der Belagerung erduldet haben, nicht vergessen. Es muß furchtbar gewesen sein. Wir wollen niemals über diese Dinge streiten, die das Pulver nicht wert sind, das sie gekostet haben!" Cosima gegenüber sprach er sich in dem Sinne aus, daß die einzig passende Haltung bei solchen Ereignissen sei, sich in Schweigen zu hüllen. Schweigen war auf jeden Fall das beste, da einige seiner vertrauten Freunde über die neue Regelung der europäischen Verhältnisse eine von der seinen sehr abweichende Meinung hatten: Liszt zum Beispiel, der von seiner großen Liebe zu Paris nicht abzubringen war, dessen einer Schwiegersohn Emile Ollivier und der andere Richard Wagner hieß. Liszt gab seine Vorliebe für Frankreich und Napoleon niemals auf. Ludwig II. waren zwar durch Bismarck die Hände gebunden, da der Aufruf der deutschen Fürsten zur Proklamation des Kaiserreichs von ihm ausgegangen war, aber er erschien in Versailles nicht, sondern schickte seinen Bruder als Stellvertreter, denn er fürchtete, daß der Triumph des neuen Reiches Bayern seine Unabhängigkeit kosten würde. Sogar Nietzsche, der Herold der Zukunft, nahm eine recht undurchsichtige Haltung ein. Er hatte als freiwilliger Krankenpfleger am Feldzug teilgenommen und die Belagerung von Metz mitgemacht, wo er an Ruhr und Diphtherie erkrankt war. Nach seiner Rückkehr in die Schweiz sprach er sich folgendermaßen über die Lage aus: „Vor dem bevorstehenden Kulturzustande habe ich die größten Besorgnisse. Wenn wir nur nicht die ungeheuren nationalen Erfolge zu teuer in einer Region bezahlen müssen, wo ich wenigstens mich zu keinerlei Einbuße verstehen mag. Im Vertrauen: ich halte das jetzige Preußen für eine der Kultur höchst gefährliche Macht ..., wir müssen Philosophen genug sein, um in dem allgemeinen Rausch besonnen zu bleiben —."

Zu Weihnachten war er wieder bei Wagner in Triebschen. Dieser hatte ein Abhandlung über Beethoven veröffentlicht, „eine wahre Offenbarung über den inneren Sinn der Musik, eine Offenbarung ..." Tatsächlich entdeckt Nietzsche in diesem geistvollen musikalischen Aufsatz gewisse dionysische Elemente, die seiner eigenen Gedankenwelt, nicht mehr der Flöte des Marsyas-Wagner entstammten. Der junge Professor hatte ein zu feines Gehör, um sie nicht festzustellen. Aber was tut es! Wagners Musik ist so schön, so überzeugend, und Nietzsche ist entzückt von dem neuen Werk des Meisters, dem „Siegfried-Idyll", das zum erstenmal am Weihnachtsmorgen, dem Geburtstag Cosimas, gespielt wurde.

Wagner brachte das Orchester im Treppenhaus unter, seine Frau wachte auf, als die wunderbaren Töne des Idylls ertönten. Welche Kraft lag in diesem Werk, eine wie gute Regie hatte der alte Zauberer wieder entfaltet! Nietzsche genoß alles auf das stärkste; in diesen Tagen gewann der „Glorreiche" den größten Einfluß auf den Mann, der sich später seinen Nachfolger nannte. Es war die einzige Gelegenheit, bei der Nietzsche von „unserer deutschen Mission" sprach, einer Mission, die auf Mut und nicht mehr auf „Eleganz" und „französisch-jüdische Verflachung" gegründet war.

Indessen hielten die Wirkungen des Wagnerschen Antisemitismus nicht lange vor. Nietzsche rottete ihn bald mit Stumpf und Stiel in sich aus und kämpfte gegen das christliche Element in der Musik, gegen den aufdämmernden Mystizismus Wagners, gegen die Ethik des „Parsifal". Sie standen am Scheidewege; Nietzsche machte aus Gesundheitsrücksichten seine erste Reise nach dem Süden, nach Lugano, brachte bei seiner Rückkehr einen Entwurf der „Geburt der Tragödie" mit und kam nach Triebschen, um ihn seinen Freunden vorzulesen, die aber enttäuscht von der Arbeit waren. Weder Richard noch Cosima fanden in der Schrift die Theorie wieder, nach der das Wagnersche Musikdrama aus der antiken Tragödie hervorgegangen sein sollte. Der Philosoph kehrte nach Basel zurück, um sein Manuskript zu überarbeiten, und vollendete in wenigen Wochen sein wunderbares Buch; Wagner aber wurde am 5. April mit der Instrumentation des „Siegfried" fertig und machte sich dann auf den Weg nach Bayreuth.

„Bayreuth, kleine Stadt in Oberfranken ... Rokokoschloß ... Theater der Markgrafen ..."

Seit etwa hundert Jahren hatte das Rokokoschloß in tiefem Schlummer gelegen. Es war lange her, seitdem die kleine Markgräfin, die älteste Schwester Friedrichs des Großen, in fürstlichem Glanze die adligen, in Samt und Seide gekleideten Herren ihres Hofstaates empfangen hatte; nun beschäftigte sie sich nicht mehr mit ihrer Malerei, ließ keine Musikanten mehr spielen, ihre Ballerinen nicht mehr tanzen und gab das Geld ihrer Untertanen nicht mehr aus. Sie schlief, wie ihr Palast aus Stuck und Marmor schlief, wie die ländliche Eremitage schlief, die sie vor den Toren ihrer Hauptstadt als eine Art freimaurerischen Tempel gebaut hatte, hinter dessen Mauern die galanten Damen ihres Hofes ungestört ihre Abenteuer erlebten. Das Schlößchen war nach ihrem Wunsch mit rosenfarbenen Steinen, mit Perlen, Muscheln und leise rauschenden Springbrunnen geschmückt worden. Hundert Jahre war das Leben der Stadt, die diesem Schloß der leichtlebigen Fürstin benachbart war, wie auf Zehenspitzen weitergegangen und schließlich in das Schweigen abgedankter Residenzen versunken. Lange Jahre hatte kein „Märchenprinz" sie besucht; aber am Ende des 18. Jahrhunderts war ein Dichter dorthin gekommen, der als Pseudonym seine beiden Vornamen gebrauchte: Jean Paul. Er mietete sich ein Zimmer in einem nicht weit von der „Einsiedelei der kostbaren Steine" gelegenen Gasthof und schrieb dort während der nächsten zwanzig Jahre Bücher, die ganz Deutschland entzückten; denn zum erstenmal erfuhr man etwas von der Schönheit seiner Wälder, dem wunderlichen Leben an seinen kleinen Höfen, von den Schönheiten Italiens und der Wirklichkeit des Phantastischen. Als er starb, errichtete man ihm ein Denkmal auf einem öffentlichen Platz; dann schlief die Stadt für ein halbes Jahrhundert weiter.

Aber am Morgen des 18. April 1871 hörte der Schloßwächter, wie jemand sehr energisch an der Klingel zog; ein kleiner Mann, der die Sechzig fast erreicht hatte, trat ein.

477

Das stark gemeißelte Gesicht wurde von einem grauen Backen=
bart eingerahmt, und in die gefurchte Stirn grub sich an der
Nasenwurzel eine tiefe Linie ein. Er sprach, als ob er ge=
wohnt sei, zu befehlen, wünschte den Park zu sehen, fragte
nach einem mit Bäumen bestandenen Terrain, das an den
Park angrenzte, und erklärte, der Platz gefiele ihm so gut,
daß er sich selbst hier ein Haus zu bauen wünsche. Darauf
rief er eine Droschke an, ließ sich kreuz und quer von Norden
nach Süden und von Osten nach Westen durch die Stadt
fahren und teilte endlich dem Bürgermeister mit, daß er eine
Stelle auf dem die Stadt beherrschenden Hügel gewählt
habe und dort „sein Theater" bauen wolle. Er stützte sich
auf den Arm seiner jungen Frau und sah mit festem und
vertrauensvollem Blick in die Zukunft; denn er war sicher,
daß der König Ludwig und das ganze moderne Deutschland
ihn in dem Vorhaben unterstützen würden, das sein Leben
zu krönen bestimmt war. Er blieb der Zukunftsmusiker, der
Zukunftsphilosoph und war wieder einmal bereit, die Ver=
gangenheit von sich zu werfen. Ein paar Tage vorher hatte
er Mathilde Wesendonk ihre Liebesbriefe zurückgeschickt; jetzt
bereitete er sich darauf vor, Triebschen und die Schweiz für
immer zu verlassen, um sich in Bayreuth anzusiedeln. So
nahm er von dieser Landschaft, von den Häusern mit den
blumengeschmückten Balkonen und von den alten vornehmen
Straßen gleichsam Besitz, in denen sich bald alle treffen
sollten, die seinem Zauber verfallen waren. Alle seine Wünsche
sollten nun in Erfüllung gehen: der fliegende Holländer
fand endlich die ersehnte Ruhe durch die Treue eines liebenden
Herzens.

Dann fuhr er mit Cosima nach Leipzig, um ihr das Haus
des rot=weißen Löwen zu zeigen, in dem er vor 58 Jahren
geboren worden war, von Leipzig nach Dresden, wo sein
„Rienzi" das Rampenlicht erblickt und Minna ihre Augen
zum letzten Schlaf geschlossen hatte. Sie sahen die Freunde

vergangener Tage wieder und machten am Abend einen Spaziergang um das Opernhaus. Die Treppenkandelaber verbreiteten strahlendes Licht, das Theater war ausverkauft. Sie hörten einzelne abgerissene Akkorde, die aus der Tiefe der Erde zu dringen schienen — die „Meistersinger" wurden gegeben. So sah Wagner seinen Schatten immer gewaltiger sich über die Welt emporrecken.

In Berlin wurden ihm zu Ehren Feste veranstaltet. Ein von der Gräfin Schleinitz arrangiertes Konzert fand in Gegenwart des Kaiserpaares statt und gab Richard die schönste Genugtuung für den Mißerfolg, den einst der „Fliegende Holländer" gehabt hatte. Dann besuchte Wagner Bismarck; aber es gelang den beiden größten Männern Deutschlands nicht, in ihrer Unterhaltung Anknüpfungspunkte zu finden, die sie einander nähergebracht hätten. „Wir können uns nur gegenseitig betrachten", so schrieb Cosima Wagners Erzählung über diesen Besuch in ihr Tagebuch. „Ihn für mich zu gewinnen, meine Sache zu unterstützen, ihn zu bitten, kommt mir nicht bei." Ihre Wirkungskreise waren zu verschieden; außerdem ist es wahrscheinlich genug, daß der preußische Riese, der gerade Europa auf den festen Boden einer neuen Wirklichkeit gestellt hatte, den kleinen Revolutionär doch mißtrauisch betrachtete, um dessen Ruhm immer noch etwas von dem ausgebrannten Idealismus des Jahres 48 zu schweben schien.

Wagner war allzu unabhängigen Geistes, um sich mit Fürsten gut verstehen zu können. Ludwig II. ließ ihn nicht im Zweifel darüber, daß er den Bayreuther Plan von Grund aus mißbilligte. Aber Wagner wollte nicht nachgeben; so wurde das Unternehmen in einer großen Anzahl von deutschen Städten durch die verschiedenen Wagner=Vereine angekündigt.

Ihr Ziel war, etwa eine Million Mark durch Patronats= scheine zusammenzubringen, die zum Preise von 900 Mark das Stück abgegeben wurden. Nun bereute Ludwig II. seine

Weigerung doch; so erwarb er denn für 75000 Mark Anteil=
scheine. Andere Gruppen schlossen sich bald der Bewegung
an; die Bayreuther Stadtverwaltung war für den Plan be=
geistert, der die Stadt aus ihrem langen Schlaf erwecken
sollte und stellte das Grundstück für das Festspielhaus kosten=
los zur Verfügung. Der Abbé Liszt, der jetzt sehr viel ärmer
war als sein berühmter Schwiegersohn, hob von dem kleinen
Kapital, das er dem Fond der Franziskaner zur Verfügung
gestellt hatte, 2700 Mark ab, um drei Patronatsscheine zu
erwerben. Gute Nachrichten liefen von allen Seiten ein,
als Wagner erfuhr, daß Tausig plötzlich gestorben war, — der
hervorragende Pianist und Präsident der Berliner Sektion des
Wagner=Vereins. Er war kaum dreißig Jahre alt geworden;
sein Tod erschütterte Wagner tief. Es schien wirklich so,
als wenn das Schicksal ihn bei jedem Schritt vorwärts auf
seiner Laufbahn eines Freundes beraubte, — wie er bei
Schnorrs Hinscheiden zu Schuré gesagt hatte.

Indessen gab Wagner nicht nach und verlor die Hoffnung
nicht. Die Zahl der Wagner=Vereine vergrößerte sich in er=
staunlichem Maße; „Lohengrin" wurde mit einem Erfolg,
der alle Erwartungen weit überstieg, im Teatro Communale
zu Bologna gegeben; das wichtigste aber war, daß er nun
endlich dicht vor der Vollendung seines Werkes stand. In
der friedlichen Umgebung von Triebschen arbeitete er an der
„Götterdämmerung"; Cosimas bewundernde Liebe umgab
ihn beständig. Er hatte viel damit zu tun, ihre nicht endende
Unruhe zu beschwichtigen. „Ein großes Gefühl ist ewig.
Denn es befreit von der Wechselwirkung des Daseins, dem
es unterliegt", sagte er. „Es hat nichts zu tun mit gestern,
heute und morgen. Mit der Arithmetik beginnt die Hölle."
Aber die Heiterkeit, die er predigte, war nicht echt, denn wirk=
lichen Seelenfrieden hat er niemals gekannt. „Ich verfluche
die Musik, die mich so erregt und mir niemals erlaubt, das
Gute zu genießen, das mir vom Schicksal entgegengebracht

Richard Wagner

Plakette von Sayn, 1853

Richard Wagner
um 1858

wird. Mein eigener Sohn geht wie im Traum an mir vorbei. Die ‚Nibelungen‘ hätten schon lange fertig sein müssen; es ist alles reiner Wahnsinn. Man müßte sein wie Beethoven und zum primitiven Leben zurückkehren. Es ist nicht wahr, daß, wie ihr alle behauptet, die Musik mein natürliches Element ist. Meine Aufgabe war, mich geistig zu entwickeln und meinem Glück zu leben.“ Ist es also nicht wahr, wenn wir den Sinn seines Lebens in dem ewigen Kampf gegen seine eigene tiefere Natur erkennen? Denn im Grunde erfüllt ihn der Gedanke, Triebschen zu verlassen, wo er sechs schöne Jahre in wohltuender Ruhe verbracht hatte, mit Besorgnis, — und Cosima noch mehr.

Die so feinfühlige Frau merkte sehr wohl, daß Richard von ihr die schwerste Entsagung verlangte, nämlich ihr häusliches Glück dem Werke ihres Gatten zu opfern. Auch weiterhin verhandelte sie mit den Theatern wegen Aufführungen der Werke, führte die Korrespondenzen mit den Wagner-Vereinen und kümmerte sich um die Herausgabe der musikalischen und literarischen Werke; alles mit vorbildlicher Umsicht. In ihren Händen lag der Briefwechsel mit dem Bankier Feustel und Adolf Groß, den neuen Bayreuther Freunden, welche die schwierige Aufgabe auf sich genommen hatten, das Festspielhaus zu finanzieren. Ferner mußte sie für die Kinder und den Haushalt sorgen, sowie den vielen Fragestellern und Neugierigen, die nach Triebschen kamen, Rede und Antwort stehen. Wenn sie aber auch alle diese vielseitigen Pflichten auf sich nahm, ohne die geringste Ermüdung zu zeigen, so empfand sie doch, wenn sie allein war, manchmal eine heftige körperliche Abspannung, so daß sie oft zu ihrem Tagebuch griff, in dem sie hinter Worten der Bewunderung und Dankbarkeit für Richard die Qual verbarg, in ihm nicht mehr den geliebten, sondern nur noch den berühmten Mann zu finden. Diese Frau, der man zum Vorwurf gemacht hat, daß sie nur dem Ruhm nachjage, war schwach und eifersüchtig wie ein junges Mädchen. Sie weinte oft und vertraute ihrem Tagebuch an, wie schmerzlich sie es empfand, nicht Isolde gewesen zu sein. Manchmal lief sie schnell in Richards Zimmer, ergriff ihn bei der Hand und fragte ihn: „Liebst du mich?" Dann antwortete Richard: „Nicht einen Ton hätte ich mehr von mir gegeben, wenn ich dich nicht gefunden hätte." Sie aber griff wieder zur Feder und schrieb in ihr Tagebuch: „Am Festtag besonders erkennt man, wie traurig das Leben ist ... Wenn ich ihm sagen will, wie ich ihn liebe, fühle ich die ganze Ohnmacht des Seins und daß ich erst in der Todesumarmung ihm das sagen kann." So verkörperte Cosima das Bild, das Wagner von Senta entworfen hat und blieb der Aufgabe, die sie übernommen hatte, bis zum Ende treu.

Der letzte Winter in Triebschen verging ruhig unter einem etwas düstren Himmel; während dieser Zeit wurde das Wunderwerk der „Götterdämmerung" beendet, das in Siegfrieds Trauermarsch seinen Höhepunkt erreicht. Nietzsche hatte ihnen seine „Geburt der Tragödie" geschickt, die am 2. Januar 1872 erschienen war. Auf seinen Begleitbrief antwortete Wagner sofort: „Ich habe niemals etwas Schöneres gelesen als Ihr Buch", und Cosima schrieb, es wäre so tief, offen und kühn, daß sie sich mit Angst fragen würde, wer ihm dafür Dank wissen würde, wenn sie nicht wüßte, daß das Bewußtsein, es geschrieben zu haben, ihm der schönste Lohn wäre. Sie fände darin die Dämonen wieder, die nur unserm Meister gehorchten, wie sie geglaubt hätte. — „Ich las es wie eine Dichtung, die uns die tiefsten Probleme erschließt und kann mich gar nicht davon losreißen."

Jeden Tag las Wagner in diesem Buch, ehe er sich an die Komposition des dritten Aktes „Götterdämmerung" setzte. Es war ein Buch für Auserwählte, für „alle und keinen", wie Nietzsche später von seinem Zarathustra sagte — ein Buch vor allem für die zukünftigen, durch die Musik Wagners gereiften Generationen. Wenigstens war Nietzsche fest davon überzeugt, wenn er an das Werk des Zauberers von Triebschen und die schöne Landschaft dachte, durch die er mit seinem inneren Auge Cosimas hohe Gestalt schreiten sah. Professor Charles Andler bemerkt in seinem Buch über Nietzsche: „Für ihn war Naxos überall da, wo Cosima weilte, und der Geist des Dionysos, wo Wagner lebte." Aber die Freundschaft der beiden Männer neigte sich zu derselben Zeit ihrem Ende zu, in der das Triebschener Haus für immer geschlossen wurde.

Anfang Januar unterbrach Wagner seine Arbeit und reiste nach Bayreuth. Er sollte den Platz für das Theater und das Haus endgültig festsetzen, das er sich für seinen Lebensabend zu bauen wünschte. Dann kehrte er nach Trieb= schen zurück und lud die Inhaber der Patronatsscheine ein, an den Feierlichkeiten der Grundsteinlegung des Festspielhauses teilzunehmen. Der Tag der Feier wurde auf den Pfingst= sonntag des Jahres 1872 festgesetzt, obgleich die eingegangenen Gelder noch lange nicht die Höhe der notwendigen Million erreicht hatten. Aber Wagner verließ sich immer noch auf den König Ludwig und besonders auf die Tätigkeit der Ber= liner, Wiener und Mannheimer Wagner=Vereine. Es wurde sogar erwogen, ob man eine öffentliche Lotterie veranstalten sollte, da Richard merkte, daß der König unzugänglich blieb und nicht beabsichtigte, weitere Mittel zur Verfügung zu stellen. Dann wollte Ludwig „Siegfried" in München auf= führen, ohne darauf Rücksicht zu nehmen, daß Wagner nicht im geringsten damit einverstanden war, der einen Augenblick sogar daran dachte, alles aufzugeben und seinen Wohnsitz in Italien zu nehmen ... Auch überlegte er sich ernstlich, ob er nicht lieber den lockenden Anerbietungen nähertreten sollte, die ihm Darmstadt, Baden=Baden und sogar das ferne Chikago machten. Cosima mußte ihren ganzen Einfluß auf= bieten, um ihn zu beruhigen; sie widersetzte sich diesem Flucht=

plan aufs heftigste. Schließlich ließ der alte Gefangene seines Ruhms sich wieder zu seinen Pflichten zurückführen.

Am 22. April sagte er Luzern Lebewohl; er verließ seinen kleinen pappelbestandenen Zufluchtswinkel und das Haus, das ihm Freiheit und die Erfüllung seiner Träume geschenkt hatte, und ging nach Bayreuth. Seine Frau und seine Kinder sollten ihn dort ein paar Tage später treffen, und Cosima schrieb an Judith: „Ein letztes Wort aus Triebschen, meine liebe Judith, Triebschen, das wir mit vollem, und wie ich sagen kann, schwerem Herzen verlassen. Wir können von hier nicht fortgehen, ohne Ihrer in Liebe zu gedenken. Wagner hat die Bleistiftskizze des dritten Aktes ,Götterdämmerung' vollendet. Er hat nicht so viel gearbeitet, wie wir hofften, denn er war gar nicht wohl und fühlte sich sehr abgespannt. Ich weiß nicht, wann er die Zeit finden wird, die Arbeit an dem Werk wieder aufzunehmen, weil entsetzlich viel zu tun ist, Verhandlungen zu führen, zu reisen ... Am 12. Mai findet ein Konzert in Wien statt, am 22. wird die Neunte Symphonie zur Feier der Grundsteinlegung des Theaters in Bayreuth aufgeführt."

Nietzsche verabschiedete sich von Cosima nach Wagners Abreise; es war der letzte Sonnabend im April. Überall standen Koffer und noch nicht geschlossene Reisetaschen im Hause herum, das bereits fast ganz geräumt war. Die Luft und der wolkenverhangene Himmel schienen von Traurigkeit erfüllt zu sein; die Dienstboten hatten Tränen in den Augen, und der große Neufundländer wollte sein Futter nicht anrühren. Das Klavier stand noch an seinem alten Platz, Nietzsche setzte sich an die Tasten und begann in so herzbewegender Weise zu phantasieren, daß Cosima vollkommen überrascht war; sie wußte nicht, daß Nietzsche die Gabe der Improvisation besaß. Nun gab er seiner tiefen und reinen Zuneigung für die, welche in seinem Leben einen so wichtigen Platz eingenommen hatten, in Tönen den schönsten Ausdruck.

Fühlte Cosima in seinem Spiel eine tiefere Bedeutung? Erriet sie den verborgenen Sinn des wortlosen Geständnisses? Wie konnte sie ahnen, daß Nietzsche sie seine Ariadne nannte, und daß das Naxos seiner Träume, das sich an diesem Tage in Nichts auflöste, nach sechzehn Jahren wieder auferstehen würde, als seine Lippen sich in der Geschwätzigkeit des Irreseins, zu Turin, öffneten? ... Er brach schnell auf, um seine Bewegung zu verbergen. Cosima schrieb in ihr Tagebuch: „Wohin ziehen wir? Was steht uns bevor, wo unsere Heimat?"

Am Pfingstsonntag, dem 19. Mai 1872, kamen die eingeladenen Gäste aus allen vier Himmelsgegenden in Bayreuth an; die alte Stadt hatte sich in ihr schönstes Gewand gehüllt, überall zeigte man sich berühmte Künstler, Sänger, Dirigenten, Damen der Berliner Hofgesellschaft (die Gräfinnen Schleinitz und Dönhoff), Malwida von Meysenbug, Frau von Moukhanoff-Kalergi, den jungen Professor Nietzsche — alles Freunde des Meisters und Mitbegründer des Theaters, das sich bald auf dem Gipfel des heiligen Hügels erheben sollte.

Aber Wagners Gedanken flogen zu denen, die nicht da waren: zu Mathilde Wesendonk und Franz Liszt, denen sich nun auch Hans von Bülow und König Ludwig II. zugesellten. Seine beiden besten Freunde, die seinem Herzen und Sinn am nächsten standen, waren wie durch einen geheimen Fluch des Schicksals verhindert, der Krönung seines Lebenswerkes beizuwohnen. Trotz allem, was geschehen war, hatte ihm Bülow verziehen; und das auch zweimal bewiesen, da er in Mannheim und München in großzügigster Weise zum Besten des Bayreuther Theaters Konzerte gegeben hatte. Liszt war in Weimar, wo er seit einigen Jahren lebte, wie früher: der Großherzog hatte seinen alten Freund in einem kleinen, von einem Blumengarten umgebenen Hause untergebracht, wo er die Schar seiner ihn anbetenden Schüler unterrichtete. Seine dunkelhaarige Fürstin war in ihrer freiwilligen Einsamkeit zu Rom geblieben und arbeitete den ganzen Tag an ihren theologischen Manuskripten. Wagner fühlte, daß Liszt seit Cosimas Heirat, trotzdem sie sich in Triebschen mit Tränen in den Augen versöhnt hatten, von einer unüberwindlichen Traurigkeit erfüllt war. Die Freunde schrieben sich nicht mehr; tiefes Stillschweigen herrschte zwischen ihnen. Trotzdem erwartete der Abbé Liszt eine Einladung zur Grundsteinlegung. Endlich kam diese; aber es war zu spät, so daß er ihr nicht mehr Folge leisten konnte. Aber wenigstens war sie in so herzlichen Worten abgefaßt, wie er gehofft hatte. Wagner schrieb: „Cosima behauptet, Du würdest doch nicht kommen — auch wenn ich Dich einlüde. Das müßten wir denn ertragen — wie wir so manches ertragen müssen! Dich aber einzuladen, kann ich nicht unterlassen. Und was rufe ich Dir zu, wenn ich Dir sage: Komm! Du kamst in mein Leben als der größte Mensch, an den ich je die vertraute Freundesanrede richten durfte, Du trenntest Dich von mir, — vielleicht, weil ich Dir nicht so vertraut gewesen, wie Du mir. Statt Deiner trat Dein wiedergeborenes innigstes Wesen an mich heran — und erfüllte meine Sehnsucht, Dich mir ganz vertraut zu wissen. So lebst Du in voller Schönheit vor mir und in mir, und wie über Gräber sind wir vereint. Du warst der erste, der durch seine Liebe mich adelte. In einem zweiten höheren Leben bin ich ‚Ihr‘ nun vermählt — und vermag, was ich nicht allein vermocht hätte. So kannst Du mir alles werden, während ich Dir so wenig zu bleiben vermochte. Wie ungeheuer bin ich so gegen Dich in Vorteil! Sage ich Dir nun — komm! — so sage ich Dir damit: komm zu Dir — denn hier findest Du Dich! Sei gesegnet und geliebt — wie Du Dich auch entscheidest!"

Das waren in der Tat die richtigen Worte: die einzige Mittlerin zwischen ihnen war die Frau, die sie getrennt hatte;

nur durch sie konnten und sollten die beiden nun wieder zusammengebracht werden. Der große Liebeskünstler aber antwortete auf diesen Brief: „Erhabener lieber Freund! Tief erschüttert durch Deinen Brief kann ich Dir nicht in Worten danken. Wohl aber hoffe ich sehnlich, daß alle Schatten, Rücksichten, die mich ferne fesseln, verschwinden werden — und wir uns bald wiedersehen. Dann soll Dir auch einleuchten, wie unzertrennlich von Euch meine Seele verbleibt — innig auflebend in Deinem zweiten höheren Leben, in dem Du vermagst, was Du allein nicht vermocht hättest. Gottes Segen sei mit Euch, wie meine ganze Liebe!"

Die Festlichkeiten begannen mit einer feierlichen Aufführung der Neunten Symphonie im alten Rokoko-Opernhaus der Bayreuther Markgrafen. Denn Wagner war entschlossen, den künftigen Tempel seiner Kunst dem Geiste Beethovens zu widmen, da nicht genug lebendige Helfer des Unternehmens zu finden waren. Aber trotz der begeisterten Begrüßung durch seine Getreuen machte der alte Kämpfer einen müden Eindruck, als er sich auf der Bühne des Opernhauses, auf der das Orchester saß, zum ersten Hornisten wandte und sagte: „Keine Gefühlsnüance! Kein Affekt! Wie hinter einem Schleier muß das klingen!" Dann erklang das „Lied an die Freude", wieder voll jener geheimnisvollen Bedeutung, die Wagner schon bei der berühmten Aufführung in Dresden im Jahre 1846 zum Ausdruck gebracht hatte. Die schönste Verherrlichung der klassischen deutschen Kunst ertönte; vielleicht hat niemand wieder die Symphonie so dirigiert wie der Meister, der durch geniale, den Laien kaum bemerkbare Betonungen der Harmonie und des Rhythmus das Werk mit neuem Leben erfüllte. Darüber hinaus noch war es ein Ausdruck der Dankbarkeit für Beethoven, den Leitstern seiner Jugend, der seinem Nachfolger Ziel und Richtung gewiesen und ihn zu der Überzeugung gebracht hatte, daß er eine neue, der klassischen gleichwertige Kunst geschaffen habe.

Am folgenden Tage, dem 22. Mai, regnete es. Unter wolkenüberzogenem Himmel und einem wogenden Meer von Regenschirmen begrüßte die Menge den kleinen Hexenmeister des neuen Zauberhügels, als er aus seinem Wagen stieg und durch den Schmutz zum Grundstein watete. Er ergriff den Hammer, der ihm gereicht wurde, und tat mit den Worten: „Sei gesegnet, mein Stein, stehe lang und halte fest!" die ersten drei Hammerschläge. Der Stein wurde versenkt; in ihm ruhte eine Blechkapsel mit den wenigen, alles sagenden, poetischen Zeilen von der Hand des Meisters:

> „Hier schließ' ich ein Geheimnis ein,
> Da ruh' es viele hundert Jahr;
> Solange es bewahrt der Stein,
> Macht es der Welt sich offenbar."

Ein Telegramm des Königs Ludwig, das soeben angekommen war, wurde der Urkunde beigefügt: „Aus tiefstem Grunde der Seele spreche ich Ihnen, teuerster Freund, zu dem ganz Deutschland so bedeutungsvollen Tage meinen wärmsten und aufrichtigsten Glückwunsch aus. Heil und Segen zu dem großen Unternehmen im nächsten Jahre! Ich bin heute mehr denn je im Geiste mit Ihnen vereint." Als Wagner sich umwandte, um sich mit Nietzsche und seiner Frau zu seinem Wagen zurückzubegeben, war er leichenblaß. Nietzsche beschrieb die Begebenheit später mit folgenden Worten: „Als an jenem Maitage des Jahres 1872 der Grundstein auf der Anhöhe von Bayreuth gelegt worden war, fuhr Wagner mit einigen von uns zur Stadt zurück. Er schwieg und sah dabei mit einem Blicke in sich hinein, der mit einem Worte nicht zu bezeichnen wäre. Er begann an diesem Tage sein sechzigstes Lebensjahr. Alles Bisherige war die Vorbereitung auf diesen Moment. Man weiß, daß Menschen im Augenblicke einer außerordentlichen Gefahr oder überhaupt in einer wichtigen Entscheidung ihres Lebens durch ein unendlich beschleunigtes inneres Schauen alles Erlebte zusammendrängen und mit seltenster Schärfe das Nächste wie das Fernste wiedererkennen. Was mag Alexander der Große in jenem Augenblicke gesehen haben, als er Asien und Europa aus einem Mischkruge trinken ließ? Was aber Wagner an jenem Tage innerlich schaute — wie er wurde, was er ist, was er sein wird — das können wir, seine Nächsten, bis zu einem Grade nachschauen: und erst von diesem Wagnerschen Blick aus werden wir seine große Tat selber verstehen können — um mit diesem Verständnis ihre Fruchtbarkeit zu verbürgen."

Nach der Feier begab sich die ganze Festgesellschaft in das markgräfliche Opernhaus. Wagner richtete an die Inhaber der Patronatsscheine folgende Ansprache: „Durch Sie bin ich heute auf einen Platz gestellt, wie ihn gewiß noch nie vor mir ein Künstler einnahm. Sie glauben meiner Verheißung, den Deutschen ein ihnen eigenes Theater zu gründen, und geben mir die Mittel, dieses Theater in deutlichem Entwurf vor Ihnen aufzurichten. Hierzu soll für das erste das provisorische Gebäude dienen, zu welchem wir heute den Grundstein legten. Wenn wir uns hier zur Stelle wiedersehen, soll Sie dieser Bau begrüßen, in dessen charakteristischer Eigenschaft Sie sofort die Geschichte des Gedankens lesen werden, der in ihm sich verkörpert. Sie werden eine, mit dem dürftigsten Material ausgeführte äußere Umschalung antreffen ... Sie werden vielleicht verwundert selbst die leichten Zieraten vermissen, mit welchen jene gewohnten Festhallen in gefälliger Weise ausgeputzt waren. Dagegen werden Sie in den Verhältnissen und Anordnungen des Raumes und der Zuschauerplätze einen Gedanken ausgedrückt finden, durch dessen Erfassung Sie sofort in eine neue und andere Beziehung zu dem von Ihnen erwarteten Bühnenfestspiele versetzt werden ... So mein Plan ... Muß ich das Vertrauen in mich setzen, die hiermit gemeinte künstlerische Leistung zum vollen Gelingen zu führen, so fasse ich den Mut hierzu nur aus einer Hoffnung, welche mir aus der Verzweiflung selbst erwachsen ist ..., dem Geiste, der es Ihnen eingab, meinem Rufe zu folgen, der aus mir zu Ihnen sprechen konnte, weil er in Ihren Herzen sich wiederzuerkennen hoffen durfte; von dem deutschen Geiste, der über die Jahrhunderte hinweg Ihnen seinen jugendlichen Morgengruß zujauchzt."

Am selben Abend fand im Hotel zur Sonne ein letztes Zusammensein der Festgäste statt. Wagner brachte die Gesundheit seines abwesenden Parsifal, des Königs, aus; das Bild des einsamen Fürsten wollte ihm nicht aus dem Sinn kommen, trotzdem dieser ihn nun schon lange Zeit auf das bitterste enttäuscht hatte.

„Dem Landesfürsten für alle Wohltaten zu danken, ist die Pflicht derer, die unter seiner Regierung eines aufblühenden Wohlstandes sich erfreuen, — für mich aber ist er noch mehr, noch unendlich viel mehr, als er jedem einzelnen in diesem Lande ist. Das, was er mir ist, geht über mein Dasein weit hinaus; das, was er in mir und mit mir gefördert, stellt eine Zukunft dar, die uns in weiten Kreisen betrifft, die weit über das hinausgeht, was man unter bürgerlichem und staatlichem Leben versteht: eine hohe geistige Kultur, ein Ansatz zu dem Höchsten, was einer Nation bestimmt ist, — das drückt sich in dem wundervollen Verhältnis aus, von dem ich hier rede. Als mir nun endlich erlaubt wurde, nach Deutschland zurückzukehren, als man dann in Deutschland nicht gewußt, was man mit mir anfangen sollte, und als namentlich die offiziellen Kunstinstitute nicht wußten, was sie mit mir anfangen sollten, hat die großherzige Stimme, die in mein Innerstes drang, mich zu sich gerufen und hat gesagt: ‚Ich will dafür sorgen, daß Du, künstlerischer Mensch, den ich liebe, dessen Gedanken ich ausgeführt wissen will, fortan von allen Lebenssorgen frei sein sollst.' Auf diese mir zuteil gewordene Großmut gründet sich die Fähigkeit, Ihnen solche Wunder vorzuführen, wie wir sie heut erlebt haben."

Dann tranken die Gäste auf das Wohl des Königs, der die Menschen haßte. Am nächsten Tage fuhren sie nach Hause zurück, und Bayreuth versank wieder in Schweigen. Die Maurer begannen ihre Arbeit auf der Akropolis Wagners, während am anderen Ende der Stadt, am Rande des markgräflichen Parkes, das Haus in die Höhe wuchs, in dem Prosperos „dritter Gedanke das Grab sein" sollte.

Fünfter Teil

Prospero

(1872—1883)

I

Der Brand Walhalls

Es ist ebenso befriedigend für den Verstand wie für das Herz, den Aufstieg eines Mannes zu sehen, dessen Schicksal wir Schritt für Schritt, von seinen ersten Kämpfen mit Armut und Hunger an, durch das bürgerliche Leben mit seinen Gefahren verfolgt haben, bis er in die Kreise der vom Schicksal Bevorzugten aufgenommen wird, die in dem Genie eine willkommene Abwechslung von der täglichen Langeweile des Lebens begrüßen und das Werk eines großen Künstlers zur Entfaltung glänzenden Theaterprunks benutzen. Es ist lehr= reich, den unermüdlichen Fechter zu beobachten, der allmählich die trüben Schichten der Gleichgültigkeit überwindet und end= lich auf die Höhen gelangt, auf denen er frei atmen, die er= sehnte Ruhe genießen und das neue Gleichmaß der Seele finden kann: die ideale Verbindung zwischen seinem Wesen und der Welt, die ihm immer vorgeschwebt hat. Mit einem Wort, der Gedanke ist schön, daß alle seine Mühen nicht um= sonst gewesen sind, da der Wanderer endlich sein Ziel erreichte. Nun können wir erst seinen Werdegang ganz beurteilen, weil wir sechzig Jahre zu überschauen vermögen. Trotzdem ent= behrt die Befriedigung, die wir empfinden, nicht ganz eines ängstlichen Gefühles; betrifft dieses auch nicht den Wert seiner Werke — wir wissen, daß er am Ende der langen Reise an= gelangt ist, die ihm, um seine Meisterwerke zu schaffen, so viel verzweifelte Arbeit gekostet hat —, es ist vielmehr die Besorgnis, daß wir nichts mehr in ihm zu entdecken, nichts mehr zu bewundern, nichts mehr für ihn zu fürchten haben. Unser Interesse an einem Menschen, der die restlose Verwirklichung seiner Träume erlebt hat, ist in Gefahr, sich in dem hellen Glanz zu verlieren, der ihn umstrahlt und seines geheimnisvollen beraubt. Die Jahre, die Wagner noch zu leben hatte, verbrachte er in Bayreuth. Man könnte denken, die Geschichte des endgültigen Sieges, den seine Lehren und seine Musik feierten, sei mit wenig Worten erzählt. Aber einem Mann seiner Art war die ehrenvolle Ruhe eines Lebensabends nicht beschieden; auch dürfen wir nicht glauben, er habe während der letzten zehn Jahre seines Lebens nur Erfolge gehabt und die Bewunderung der Welt genossen. Wagner hat niemals eine, dem Künstler vom Publikum dargebrachte Verehrung erfahren, die wir mit dem Worte „Erfolg" bezeichnen, weil dieses gar nicht für ihn paßte. „Seine Besessenheit saß nicht in seinem Kopf, sondern in seinem Herzen", sagt Byron von „Lara".

> „Es mischte seltsam sich in ihm, was Liebe
> Und Haß erweckte, Furcht und Sehnsucht."

War Wagners Besessenheit aber wirklich die des Herzens? Ist es überhaupt ganz sicher, daß er ein Herz besaß? Wenn dies aber der Fall war: können wir es erkennen, und noch mehr, hat es jemals in seinem Leben, das offenbar nur sein Verstand leitete, eine Rolle gespielt? Um den Wert dieses Herzens zu erkennen, müssen wir uns von vornherein klarmachen, daß wir nicht das Herz des Jünglings betrachten dürfen, das noch naiv und nicht von den Erfahrungen des Lebens verbittert war, sondern die merkwürdige Mischung, aus der es sich später zusammensetzte. Die fremden Elemente in seinem Wesen waren so stark wie die ihm eigentümlichen, ja, sie waren es sogar, die einen seine Äußerungen bestimmenden Einfluß hatten. Sie waren mit ihm verbunden, bildeten einen großen Teil seiner geradezu magnetischen An-

Das Festspielhaus in Bayreuth

Haus Wahnfried in Bayreuth

Wagner im Kreis seiner Familie
in Bayreuth

ziehungskraft, und standen ihm in allen Fährlichkeiten helfend zur Seite. Es kommt wenig darauf an, ob wir in diesem merkwürdigen Konglomerat den Ehrgeiz, die Güte, den Willen, die schnelle Entschlußkraft, die Eigenliebe, die Skrupellosigkeit, kurz, das erkennen, was wir nach Byrons Worten „lieben oder hassen, suchen oder zu finden fürchten". Weil aber Wagners Herz „hart und fest" war, vernachlässigte er bei seiner ungewöhnlich starken schöpferischen Kraft weder die geschäftliche Seite seiner Kunst, noch verschenkte er seine Liebe, ohne Opfer dafür zu fordern; bei aller künstlerischen Feinfühligkeit schwebte er niemals in den Wolken, sondern stand immer mit beiden Füßen fest auf der Erde. Der Träumer verwirklichte seine Träume, der Philosoph wurde zum Geschäftsmann, der Liebhaber zum Gatten. Er betrachtete sich als den Direktor eines großen Unternehmens; er wog die Gewinnmöglichkeiten ab, berechnete die Kosten und setzte, wenn er einmal seinen Entschluß gefaßt hatte, bei seiner Liebe zu einem vernünftigen Risiko, alles auf die Karte, der er die besten Chancen gab. Den Ruhm schätzte er nur wenig, wie er oft versicherte; aber er tat alles, um sein Werk zu vollenden und das Gebäude seines Lebens unter Dach zu bringen, denn er wußte, daß der Lorbeer ihm dann von selbst zufallen mußte. Er versuchte seine Aufgabe zu teilen: die künstlerische Gestaltung beherrschte der feurige Dämon, der „Gott-Teufel", wie Nietzsche gesagt hatte, da er sich in seinem Schaffen auf die im Unterbewußtsein liegende Kraft seines Genies stützte. Um sein Ziel aber zu erreichen, nahm er fünfzig lange Jahre der Erniedrigung, der Armut, des Hungers auf sich. Immer begleitete ihn die Hoffnung, sich eines Tages — mit durchschlagendem Erfolge — für das Mißtrauen, die Ungläubigkeit und die Gemeinheit der Menschen rächen zu können. Erst nachdem er diesen Wunsch erfüllt gesehen, vermochte er sich selbst und seine Mitmenschen zu erkennen und zu beurteilen.

Wie sollte ein so unstetes Herz jemals Ruhe finden? Er hatte sein neuerbautes Haus „Wahnfried" — „hier wo mein Wähnen Friede fand ..." — genannt. Aber das Motto konnte nur für spätere Bewohner Gültigkeit haben. „Wahnfried" war, wie das Festspielhaus, eine der Illusionen, die Wagner nötig hatte, um seine ungeheure Energie zu erhalten, die er für die Vollendung der „Götterdämmerung" und des „Parsifal" brauchte.

Diese Energie aber kam nie zur Ruhe, denn seine Gegner blieben auf dem Kriegspfade; glücklicherweise fand Wagner unter den städtischen Beamten Bayreuths einige ausgezeichnete und ihm bis zum letzten treu ergebene Freunde, wie zum Beispiel den Bürgermeister Muncker, den Bankier Feustel, dessen Schwiegersohn Adolf Groß und den Pastor Dittmar. Diese braven, nüchternen Bürger waren zwar keine künstlerischen Menschen, aber um so bessere Geschäftsleute. — Indessen verlor der Kampf, der gegen Wagner geführt wurde, nicht an Heftigkeit. Ein Münchener Psychiater, ferner Artikelschreiber in Berlin, Königsberg und Köln verspritzten ihr Gift in den Zeitungen. Auch Nietzsche wurde wegen seiner „Geburt der Tragödie" von einem seiner früheren Studiengenossen, dem jungen Philologen von Wilamowitz-Moellendorf, angegriffen; Wagner hielt es für richtig, diesem in einem offenen Brief zu antworten, in dem er seinen „literarischen Lakaien" verteidigte*, wie die „Berliner Nationalzeitung" den Baseler Philosophen genannt hatte.

So ließ die Welt Wagner nicht in Ruhe, und Wagner ruhte nicht aus. Während dieser Vorbereitungsjahre für Bayreuth war er immerfort unterwegs und tätig. Er schrieb seine Abhandlung über „Schauspieler und Sänger", unternahm Konzertreise auf Konzertreise, ging von Mannheim nach Frank-

---

* Es ist bekannt, daß Nietzsche von seinem Freunde Rohde, dem Verfasser des berühmten Buches „Psyche", gerächt wurde. Im übrigen hat sich Wilamowitz selbst später bekehrt.

furt, von Straßburg nach Darmstadt, von Köln nach Hannover, Magdeburg, Berlin — kurzum, überallhin, wo seine Musik aufgeführt wurde und er die zukünftigen Träger seiner Rollen, passende Dekorationsmaler und gute Bühnentechniker zu finden hoffte. Er war immer geschäftig, inspizierte, wählte aus und schrieb, und brachte für die Bayreuther Archive eine Anzahl wertvoller Dokumente zusammen. Schließlich gelang es ihm sogar, die zerrissenen Bande mit König Ludwig und Liszt wieder anzuknüpfen, um die beiden allmählich wieder auf seine Seite zu bringen.

Liszt kehrte zuerst zu ihm zurück; er erschien am 15. Oktober 1872 endlich in Bayreuth und wohnte bei Wagners, die während des Baues von „Wahnfried" eine Etage bezogen hatten. Die Jahre der Trennung waren vorbei und Wagners Familie wurde, oder besser gesagt wurde wieder, die seine. Was konnte Liszt Besseres tun, als sich mit denen vertragen, die er liebte, trotzdem die alte Fürstin Karoline immer noch eifersüchtig und böse auf Wagner war? Liszts wahre Größe lag in seiner Herzensgüte.

„Cosima ist gewiß mein ‚enfant terrible‘, wie ich sie früher genannt habe; aber sie ist eine außerordentliche, bedeutende Frau geworden, weil erhaben über das Urteil der Allgemeinheit und wohl würdig der Bewunderung, die sie allen einflößt, die sie kennenlernen — von ihrem ersten Mann Bülow angefangen", schreibt er an die Einsiedlerin in Rom. Und dann erzählt er ihr von dem Wachsen des Festspielhauses, von der Geselligkeit in Wagners Haus und von den „wohlerzogenen reizenden" fünf Kindern. „Cosima übertrifft sich selbst. Mögen andre sie beurteilen, wie sie wollen, mögen sie sie meinetwegen verurteilen, für mich bleibt sie meine bewundernswerte Tochter und eine edle Seele, die das gran perdono des Heiligen Franziskus verdient."

Wagner las die Skizze zum „Parsifal" vor. Der Abbé war so bewegt, daß er sich an das Klavier setzte und ein paar

Fugen von Bach und Stellen aus dem „Tristan" spielte. Seine Tochter meinte, er wäre gealtert und sähe elend und bekümmert aus; außerdem litt er an Angstzuständen und verspürte oft einen dumpfen Drang zur Einsamkeit. Gerade wie später Tolstoi, der sich, um den zermürbenden und aufdringlichen Zärtlichkeitsbeweisen seiner Familie zu entgehen, auf einen entlegenen Bahnhof flüchtete, um dort zu sterben, verkroch sich Liszt mit seiner Lebensangst in eine Stadt, die er zufällig auf einer Reise berührte: in Regensburg. Dort feierte er seinen Geburtstag in der Einsamkeit des Domes. Von dort begab er sich nach Budapest, wo er einen Teil des Jahres verbrachte. Und hier sollte seine gläubige Seele mit all ihrem Überschwang endlich Ruhe und Trost finden, ohne die er niemals leben konnte. „Meine glücklichsten Stunden sind jetzt, wenn ich zwischen den alten Bettlern in der Kirche meiner Parochie St. Leopold kniee oder in der Franziskanerkirche während der Frühmesse. Ich zünde meinen cerino an, reiche ihn meinen Nachbarn mit königlicher Freude und segne das sanfte Joch und die leichte Bürde unsres Herrn und Heilandes Jesus Christus."

In dieser Zeit trat Cosima zum Protestantismus über; ohne Zweifel nur aus Liebe zu Richard. Denn der Unterschied ihrer Glaubensbekenntnisse lastete schwer auf ihrem Herzen. Sie konnte den Gedanken nicht ertragen, daß sie in der Ewigkeit von dem geliebten Manne getrennt sein sollte. Es handelte sich nicht um ein religiöses Dogma, nicht um die Heilige Jungfrau oder den Papst: es war das Leben nach dem Tode, das Paradies und nichts anderes. Die einzige Rechtfertigung für einen solchen Verzicht auf den Glauben der Kindheit, einen Schritt, den auch ein ganz freier Geist zu tun zögert, da die seelische Gebundenheit an das Herkommen ihm widerspricht, ist die Liebe. Aber Cosima, die Hans den tiefsten Schmerz nicht ersparte, zögerte nun auch nicht, ihn ihrer eigenen Seele zu bereiten. Ihre Liebe zu Richard gewann so nur noch an Innigkeit.

Bei dieser Gelegenheit finden sich in ihrem Tagebuch keine Eintragungen über irgendwelche Besorgnisse, wie sie sonst oft zu lesen sind. Im Gegenteil, die Seite, die sich mit ihrem Übertritt zum Protestantismus beschäftigt, ist eine der frohesten dieser intimen Aufzeichnungen, gleichsam als ob der schwere Entschluß alles Zittern und Zagen beseitigt hätte: „Als wir uns umarmten (nach dem Abendmahl in der Sakristei), Richard und ich, war es mir, als ob jetzt erst unser Bund beschlossen, und jetzt erst wir vereinigt würden in Christus. Möchte ich wie ein neuer Mensch aus diesem feierlichen Akt erstanden sein! O möchte ich das Leiden lieben, für mich suchen, die Freuden spenden! Ich bin glücklich, denn ich verlange es, der christlichen Gemeinde anzugehören, mich als Christin zu fühlen und zu bestätigen. Dies ist mir gewährt. Es ist mir fast bedeutender gewesen, noch mit Richard zum heiligen Abendmahl zu gehen, als zum Traualtar ... Alles ist Gnade, Gnade der Liebe, Gnade des Himmels!" Das ist die Sprache der tiefsten Innerlichkeit, in der uns Liszts wunderbare Tochter, seine „fille terrible", ihr Herz erkennen läßt.

Noch bevor Cosima ihr vierzigstes Lebensjahr erreichte, leistete sie auf alle Vergnügungen der Jugend Verzicht und ließ alles beiseite, was nicht zu ihren Pflichten gehörte. Sie war Generalsekretär des Bayreuther Unternehmens und Mutter von sechs Kindern (fünf kleine und Richard): eine zwiefache Aufgabe, für die sie von nun an ihre ganze Energie aufwandte. Sie war Aristokratin und schätzte Ordnung, Rang und Würden höher als Richard. Wenn es etwas Unbeugsames in ihrem Wesen gab, so war es ihr vor nichts zurückschreckender Ehrgeiz; diesen stellte sie ganz in den Dienst eines Künstlers, dessen Stärke sie ebenso genau kannte wie seine Schwächen. Sie handelte nur noch unter diesem Gesichtspunkt, auch ihre Sympathien ordnete sie dem unter. So war die Liebe zu ihrem Vater im Laufe der Jahre mancherlei Schwankungen unterworfen, der alte Virtuose war zu unabhängig, zu französisch in Wesen und Charakter, zu wenig bismarckisch gesinnt, als daß Cosima immer mit ihm hätte einverstanden sein können. Seine späteren Werke, vor allen Dingen das Oratorium „Christus", verrieten lateinisch-romanische Betonung, die Wagner so fremd klang und ihm unangenehm war, was er nicht verbergen konnte. Aber Liszt in seiner Naivität merkte nichts von ihrer kritischen Einstellung. Er kam ruhig wieder nach Bayreuth zurück, blieb da, akklimatisierte sich und wohnte den kleinen Festlichkeiten bei, die abgehalten wurden, um die Fortschritte des Theater- und Hausbaus zu feiern. Er dachte sogar daran, ebenfalls ganz nach Bayreuth überzusiedeln, denn er hatte kein Vermögen mehr und auch keinen festen Wohnsitz, weder in Rom, noch in Budapest, noch in Weimar. Nun trennte er sich von der letzten Kostbarkeit, die ihm geblieben war: er schenkte Cosima den Schrein, in dem er die handschriftlichen Partituren des „Holländer", des „Tannhäuser" und des „Lohengrin" aufbewahrte; Wagner hatte ihm diese vor zwanzig Jahren zum Geschenk gemacht. Auch Liszt ist ein Wanderer, aber ein Wanderer, der nur wenig auf seiner Reise braucht und, ganz im Gegensatz zum Fliegenden Holländer, überall zu Hause ist. Nur ein Wanderleben, wie er es immer geführt, gefiel ihm, und so kam es, daß er sich gewöhnlich nur zwischen zwei Konzertreisen sehen ließ, die er, wie Bülow, zugunsten des Bayreuther Fonds unternahm.

Wagner konnte nur auf die ihm ergebenen Künstler und seine Freunde rechnen, wenn er überhaupt hoffen durfte, die Festspiele zur Wirklichkeit werden zu lassen, denn die deutsche Musikwelt zeigte wenig, die Behörden aber gar kein Interesse am Zustandekommen der Aufführungen. Eine nationale Subskriptionsliste, die in viertausend deutschen Buchhandlungen aufgelegt worden war, brachte im ganzen sechs Taler. Fürst Bismarck, an den sich Wagner brieflich direkt wandte, antwortete gar nicht, und Ludwig II., der ganz von seinen

Schlössern, seinen Privatvorstellungen und seinen neuen Günstlingen in Anspruch genommen wurde, weigerte sich, eine Garantiesumme zu geben, um die Vollendung des Werkes sicherzustellen. „Der Milliardensegen" der französischen Kriegsentschädigung, der dem Frankfurter Frieden folgte, belebte die deutsche Wirtschaft in ungeahnter Weise und schuf alle möglichen Bedürfnisse, die dem deutschen Volk bis dahin unbekannt gewesen waren; als aber dann der unvermeidliche Krach kam, hatte die Scheinblüte ein plötzliches Ende. Infolgedessen schien es eine Zeitlang, als ob das Festspielhaus nicht fertiggebaut werden könne. Wagner begab sich voller Verzweiflung nach München. Er erhoffte das Unmögliche, nämlich, den Sinn des Königs durch irgend etwas zu ändern; aber bald erfuhr er von den letzten Tollheiten Ludwigs. Der König verließ nur noch selten sein Schlafzimmer, stand fast nie vor Abend auf, hörte nur noch auf Hornig, seinen Leibkutscher, und verkehrte mit keinem seiner früheren Freunde mehr. Der Fall schien also hoffnungslos, als sich plötzlich Ludwig doch eines Besseren besann und am 25. Januar 1874 an Wagner schrieb: „Nein, nein und abermals nein; so darf es nicht enden. Ich muß Ihnen zu Hilfe kommen." Diesmal machte er keine leeren Worte; die königliche Schatullenverwaltung eröffnete dem Bayreuther Unternehmen einen Kredit von dreihunderttausend Mark. Wohlverstanden, es war kein Geschenk, sondern ein Darlehen gegen die Sicherheit der zukünftigen Subskriptionen, und Seiner Majestät blieb allein die eventuelle Gewinnbeteiligung vorbehalten. Wagner und das Festspielhauskomitee schöpften neue Hoffnung und fügten sich den Bedingungen des Königs nur allzu gern. Die Bauarbeiten wurden wieder aufgenommen, und Wagner konnte endlich in sein nun fertiges Haus übersiedeln.

„Wahnfried" ist ein großes, viereckiges Gebäude im romantisch-klassizistischen Stil. In der Eingangshalle stehen auf Piedestalen zwei Säulen mit den Büsten des Meisters und seiner Gattin. Über ihnen läuft ein Fries entlang, auf dem die Helden der Wagnerschen Mythologie dargestellt sind. Links geht's in Cosimas Wohnzimmer, in dem sie alle ihre Andenken an frühere Zeiten aufbewahrte, Familienporträts, Bilder des Königs, das Aquarell von Semper mit dem niegebauten Münchener Festspieltheater, alle möglichen Geschenke, Kränze, goldene und silberne Becher usw. Rechts von der Halle befindet sich das Eßzimmer, auf der anderen Seite der große Salon mit der Aussicht auf den Garten, hinter dem der alte markgräfliche Park beginnt. Hier ist die wertvolle Bibliothek aufgestellt, ferner der Konzertflügel; die Porträts Schopenhauers, Wagners und Cosimas von Lenbach hängen an den Wänden. Im ersten Stock liegen das Arbeitszimmer des Meisters, die Schlafzimmer und die Räume, welche früher als Kinderzimmer dienten.

So hatte Wagner also endlich seinen Traum verwirklichen können: hier war der Tempel seiner Kunst, sein Wohnhaus und sein Grab. Das Festspielhaus auf dem Hügel näherte sich seiner Vollendung, er wohnte in einem Hause, dessen Plan er entworfen hatte, und endlich waren im Garten, gegenüber den großen Fenstern des Salons, hinter ein paar Gesträuchen zwei Gräber ausgehoben worden. In dem einen sollte eines Tages Senta bestattet werden; das andere war zur Ruhestätte dessen bestimmt, der während seines Lebens der Fliegende Holländer, der Feuergeist Loge, Tristan, Wotan gewesen war, und endlich Prospero, denn er hatte durch seine Kunst die Wasser in wilden Sturm bringen und durch seinen Zauber wieder beruhigen können. In der ersten Nacht, die sie in ihrem neuen Hause zubrachten, traten Richard und Cosima auf den Balkon vor ihrem Schlafzimmer und sahen freudig über den frisch angepflanzten Garten hin, der das Herrenhaus umgab. „Für unser Glück", sagte Wagner, „unseren Frieden, unser Ende."

Er hatte recht. Wenige Monate später, am 21. November, schrieb er auf die letzte Seite der „Götterdämmerung": „Beendet in Wahnfried. Ich füge nichts hinzu." Fast ein Vierteljahrhundert war vergangen, seit er eine flüchtige Skizze der großen „Tetralogie" in Zürich aufgezeichnet hatte, und nun vollendete er das Werk, während Cosima bittere Tränen vergoß. Denn gerade an diesem Tage entstand ein Streit zwischen ihnen, dessen Ursache ein demütiger Brief Liszts gebildet hatte. War der alte Wotan jetzt etwa eifersüchtig auf die Liebe seiner Frau zum Heiligen Franz? Das war gewiß nicht der Fall; Liszts Brief diente nur als Vorwand. Der heftige Ausbruch Wagners, seine plötzlich auffahrende brutale Wut entsprangen nur seiner inneren Überspannung, waren wie der Schaum der Gefühlswelle, die sein Inneres seit fünfundzwanzig Jahren erschüttert und sein Leben hin und her geworfen hatte. Nun endlich überschlug sie sich und warf dem völlig Erschöpften sein Werk vor die Füße. Als die Gatten sich über das Mißverständnis aussprachen, rief Wagner aus: „Wir lieben uns eben zu sehr!" Cosima aber schrieb in ihr Tagebuch: „Daß ich unter Schmerzen mein Leben diesem Werke geweiht, erwarb mir nicht das Recht, seine Vollendung in Freude zu feiern. So feiere ich sie in Schmerzen, segne das hohe wundervolle Werk mit meinen Tränen ... Wem ihn sagen, wem ihn klagen, diesen Schmerz! Gegen Richard kann ich nur schweigen. Diesen Blättern vertraue ich es an, sie mögen meinen Siegfried lehren, keinen Groll, keinen Haß, grenzenloses Mitleid mit dem armseligsten Geschöpf, dem Menschen, zu hegen ... Die Kinder sahen mich weinen, weinen mit, sind bald getröstet. Richard geht zur Ruhe mit einem letzten bittern Wort, ich suche nach Tristanschen Klängen auf dem Klavier, jedes Thema ist aber zu herbe für meine Stimmung, ich kann nur in mich versinken, beten, anbeten! Wie könnte ich weihevoller diesen Tag begehen. Wie könnte ich anders denken, als durch Vernichtung einer jeden Regung zum persönlichen Sein. Sei mir gegrüßt, Tag des Ereignisses, sei mir gegrüßt, Tag der Erfüllung! Sollte der Genius so hoch seinen Flug vollenden, was durfte das arme Weib? In Liebe und Begeisterung leiden."

Während dieses Jahres 1874 und zu Anfang des folgenden räumte der Tod unter den Freunden der beiden auf, die sich nach Bayreuth zurückgezogen hatten. Der Verleger Schott, ein sorgsamer und fähiger Mitarbeiter am Wagnerschen Werk, dann die schöne Marie von Moukhanoff=Kalergi, die Freundin Liszts und Wagners Wohltäterin, starben. Cornelius verschied, dann Albert Wagner, Richards Bruder, und sein Schwager Wolfram, dem ein paar Wochen später seine Witwe Klara, die treueste unter Richards Schwestern, ins Grab folgte. Dann kam der Neufundländer Ruß an die Reihe, den Richards Schweizer Haushälterin, Vreneli, vor zehn Jahren in Genf von ihren Ersparnissen gekauft hatte. Er wurde am Fußende der beiden Gräber im Garten bestattet.

So schwanden viele von denen dahin, denen Wagner so gerne die Ehren seines Hauses erwiesen hätte. Aber die traurigen Vorkommnisse beschränkten sich nicht auf diese Todesfälle. Bülow erlitt, wie sie erfuhren, schwere pekuniäre Verluste, außerdem einen leichten Schlaganfall; trotzdem arbeitete er wie ein Verzweifelter und unternahm ohne Unterlaß Konzertreisen, um seinen Töchtern eine Mitgift zu schaffen, da er nicht wollte, daß diese Wagner für irgend etwas verpflichtet wären.

Friedrich Nietzsche zog sich in die Einsamkeit zurück; niemand wußte so recht, warum. Wagners baten ihn wiederholt und dringend, zu ihnen zu kommen, aber er ließ sich nur einmal in Wahnfried sehen. Seine Gesundheit, seine Sehkraft ließen nach: das hätte ihm zum bequemen Vorwand dienen können, um seinen Urlaub bei seinen Freunden zu verbringen. Aber Nietzsches Freundschaft zu Wagner kühlte sich langsam ab; an Erwin Rohde schrieb er am 15. Februar 1874: „Seit Weihnachten habe ich vielerlei durchgedacht und mußte in so entfernten Gegenden schweifen, daß ich beim Eintreffen der Korrekturbogen öfters zweifelte, wann ich dies Zeug eigentlich geschrieben habe, ja ob das alles von mir sei. Ich löcke jetzt sehr stark gegen den Stachel der politischen und Bürgertugendpflichten und bin gelegentlich selbst über das ‚Nationale‘ hinausgeschwiffen — Gott bessere es und mich! . . . Über Bayreuth gibt es etwas Neues und wenn nur Wahres! . . Ich begann mit der größten Kälte der Betrachtung zu untersuchen, weshalb das Unternehmen mißlungen sei. Dabei habe ich viel gelernt und glaube jetzt Wagner viel besser zu verstehen als früher. Ist das ‚Wunder‘ wahr, so wirft es das Resultat meiner Betrachtungen nicht um. Aber glücklich wollen wir sein und ein Fest feiern, wenn es wahr ist!"

Das sind rätselhafte Worte; Erstaunen, Vorbehalt und Enttäuschung liegen in ihnen. Wagners Geheimnis hellte sich auf; Nietzsche hatte es analysiert, glaubte vollkommen dahintergekommen zu sein und alle Heimlichkeiten des alten Zauberers durchschaut zu haben. Richards Alchimie, seine ganze Pseudowissenschaft lagen nun zur Untersuchung auf dem Tisch des philosophischen Laboratoriums — Nietzsche erkannte, daß der Künstler gealtert und nunmehr bereit sei, sich Gott zu Füßen zu werfen. Aber gerade zu dieser Zeit fühlte Nietzsche die Berufung, von neuem die Fehde aufzunehmen gegen den menschlichen Aberglauben, der in der Geschichte traditions- und gewohnheitsgemäß große Verächter gefunden hat.

Vorläufig lag dies noch alles in der Luft. Die Erinnerung an die Grundsteinlegung des Festspielhauses und der tiefe Eindruck, den ihm Wagners Triumph gemacht hatte, waren noch stark in ihm. Wenn die Liebe zu Wagner wie eine Krankheit war — er glaubte dies jeden Tag mehr und mehr zu erkennen —, so konnte er eine Heilung sobald nicht erwarten. Er hatte zu Weihnachten 1872 Cosima die „Fünf Vorreden" zu seinen zukünftigen Schriften, deren Erscheinen noch recht ungewiß war, geschenkt, aber erst nach Wochen bestätigte sie ihm den Empfang. Nietzsche schloß daraus, daß die Tage vorbei waren, in denen sie sich gegenseitig so gut verstanden hatten. Trotzdem ging er im nächsten Jahre zu Ostern nach Bayreuth, gerade als die Finanzkrisis, welche die Fortsetzung der Bauten hinderte, sich auf ihrem Höhepunkt befand. Er traf Wagners in niedergedrückter Stimmung an, las ihnen seine letzte Abhandlung über die „Griechische Philosophie des tragischen Zeitalters" vor, fühlte aber, daß seine Zuhörer wiederum enttäuscht waren. Natürlich hatten sie solche Ansichten nicht von ihm erwartet; nun, und was dann? Sollte er etwa in Zukunft nur noch das „Zeitalter der Bayreuther Kunstentwicklung" verkünden? Wollten sie ihm gar zum Vorwurf machen, daß er seine eigenen Ziele verfolgte? In Zukunft konnte es zwischen ihnen nicht mehr Gemeinsames geben als zwischen Menschen, die das Meer, und solchen, die das Hochgebirge lieben. Sie lebten in verschiedenen Welten; in Nietzsches Augen war Wagner zu einem Menschen geworden, der mit seinem Genie spielte, zu einem Diktator, einem Politiker, der sich zu spät entwickelt hatte. So wurde Nietzsche, ohne sich dessen bewußt zu werden, der erste, der Wagner mit wirklicher Berechtigung kritisierte. Die Zuneigung, die er ursprünglich für ihn empfunden, der Wunsch, ihn ganz zu erkennen, um ihm zu helfen, hatten ihn ebenso dazu gebracht wie der Ärger, in Wagner so wenig Geheimnisvolles zu finden; eine gewisse Eifersucht auf den gefährlichen Einfluß des Meisters kam hinzu. Er handelte wie ein Mann, der klar sieht und verhindern will, daß sein Verstand seinem Gefühl nachgibt; außerdem bekämpfte er das Gift des Christentums, das Cosimas früher so zarte und liebevolle Briefe mit fieberhafter Unruhe erfüllte. Und zudem nahm sich Cosima wirklich etwas viel heraus, wenn sie ihm, dem großen Sprachkünstler, stilistische Nachlässigkeit vorwarf!

Als Nietzsche im nächsten Sommer Wagners besuchte, legte er in Wahnfried Brahms' „Triumphlied" auf den Flügel — vielleicht leitete ihn dabei der dunkle Trieb, sich für irgend etwas zu rächen, jedenfalls war Wagner wütend. Schon der rote Einband wirkte auf ihn wie das rote Tuch auf den Stier. „Händel, Mendelssohn und Schumann in Leder gewickelt", schrie er. Nietzsche war über diesen Wutausbruch höchst erstaunt und sagte gar nichts; aber die Kluft zwischen ihnen erweiterte sich. Erst hatte er Wagners Geistesgröße angezweifelt, nun wurde auch seine gute Meinung von des Meisters Charakter erschüttert. Lagen hinter diesem offen zynischen Egoismus wirkliche Schwächen, wie Unaufrichtigkeit und niedrige Rachsucht? Brauste der Greis, der so spät zur vollen Entfaltung seiner geistigen Kräfte gekommen war, immer noch auf wie ein unbotmäßiger Gymnasiast? Wohl lag in seinem jugendlichen Feuer etwas Großartiges; aber dem standen seine Unausgeglichenheit, seine Maßlosigkeit, seine Unfähigkeit, kühl und philosophisch zu denken, und das „Moralisieren" gegenüber, das den neuen Stil des bekehrten Revolutionärs ausmachte: war er also berechtigt, sich als Reformator, als Apostel einer neuen Menschlichkeit auszugeben? Das waren die Fragen, die sich Nietzsche selbst vorlegte. Nun schrieb er die schönste seiner „Unzeitgemäßen Betrachtungen", „Schopenhauer als Erzieher", in denen er die Schlußfolgerung zog, daß Charakterfestigkeit, frühzeitige männliche Erkenntnis, das Fehlen jedes Drills und jeder politischen Engherzigkeit, keine Rücksichtnahme auf den Broterwerb und auf die Staatskrippe — kurz Freiheit, und nochmals Freiheit, und nichts als Freiheit — die notwendigen Vorbedingungen seien, um ein genialer neuer Philosoph zu werden.

So hielt er Wagner seinen Glauben an Schopenhauer vor, um ihn von seinen Irrtümern abzubringen; aber er kam nicht ohne heftigen innern Kampf so weit. Jetzt mußte er sich, so schwer es war, entschließen, ob er Wagner den Aus=

weg aus der Sackgasse zeigen sollte, in die ihn die Gefolg=
schaft Bismarcks, Ludwigs II. und Cosimas während der
letzten Jahre gebracht hatte, oder ob er der leidenschaft=
lichsten Freundschaft seines Lebens auf Nimmerwiedersehen
Lebewohl zu sagen vermochte.

Der Sommer 1875 sah die Vollendung des Festspielhauses.
Die Proben der Solisten und des Orchesters fanden bereits
auf dem Hügel statt, wo das große rote Backsteinrund von
den Klängen der in sein Inneres gebannten Musik leise zu
zittern schien und die nahen Bäume wie von ihrem Widerhall
rauschten. Im Innern des geheimnisvollen Baues herrschte
völlige Finsternis; nur undeutlich waren die schattenhaften
Figuren einiger Künstler oder ein paar verstreute Gruppen
von Freunden Wagners, die den szenischen Vorgängen inter=
essiert zuschauten, in den Reihen des Theaterraumes zu
unterscheiden. Das Orchester war dem Blick entzogen und
auf eine neue Weise in einer so tiefen Versenkung plaziert,
daß auch der Dirigent nicht zu sehen war. Auf der Bühne
probierten die Sänger unter Leitung Hans Richters; auf
einem Tisch stand die geöffnete Partitur gegen eine leere Kiste
gelehnt. Vor ihr saß ein merkwürdig aussehender älterer
Mann, dessen strenge, blasse Gesichtszüge vom Licht einer
Petroleumlampe beleuchtet wurden. In seinem Gehirn war
diese ganze phantastische Welt mit all ihren Gestalten, waren
die wilden und leidenschaftlichen Klänge dieser Musik ent=
standen: sein ganzes Leben, oder besser gesagt, alle seine Leben.
Denn Wagner hatte jede einzelne seiner dramatischen Per=
sonen selbst erlebt; wie Proteus beantwortete er die Fragen,
die man ihm vorlegte, jedesmal in anderer Gestalt, und gab
der Stimme jedesmal den richtigen Ausdruck, zärtlich oder
sarkastisch, liebevoll, zornig oder gleichgültig, denn nichts war
seinem bunten Leben fremd geblieben. Er stellte merkwürdige
Anforderungen an seine Künstler, verlangte, daß sie schön und
gut gewachsen seien; er schrieb ihnen vor, wie sie denken, sich

510

bewegen, ja schließlich überhaupt leben sollten. Er verlangte, daß sie den Gefühls- und Gedankeninhalt ihrer Rollen auf ihr tägliches Dasein übertrugen: Charaktergröße oder Charakterschwäche, Naivität, Stolz oder Verschlagenheit. Nur selten war er zufrieden, denn er erkannte hinter dem Kostüm oder der Geste den Geist, den sie selbst nicht verstanden, da sie trotz der Masken, die sie trugen, nicht aus ihrer Haut heraus konnten. Aber der kleine Mann neben der Petroleumlampe sah durch sie alle hindurch. Er ließ das Orchester aufhören, sang, beschwor seine Sänger, zu vergessen, daß sie berühmt waren, daß sie Unger, Niemann, Hill, Frau Materna oder Lilly Lehmann hießen; er wollte, daß sie wirklich und wahrhaftig Brünhilde, Wotan, Alberich, Siegmund und Siegfried wurden, fähig zu hassen, zu schmeicheln, zu lieben. Er schuf neue Seelen für sie, die von seinen eigenen heißen Leidenschaften erfüllt waren.

Ein französischer Schriftsteller hat Wagners Kunst für ein typisches Beispiel solcher Musik erklärt, die wir „mit aufgestütztem Kopf" hören müssen. Die etwas ironische Würdigung läßt mich vermuten, daß ihr Verfasser niemals eine Wagnersche Oper gehört hat. Denn es ist gerade das Charakteristische der Wagnerschen Musik, daß man sie mit dem ganzen Körper hören muß — ganz gewiß mit dem Kopf, aber auch mit dem Herzen und dem Leib, sozusagen mit Augen und Händen, wie man sich ganz gegen einen Sturm stemmen muß. Wagners Musik gleicht niemals einem Strauß Vergißmeinnicht oder einer Harmonieübung, sondern erweckt in uns die dunkle und heftige Sehnsucht, die uns berauscht wie starker Wein. Sie gleicht einem reißenden Sturzbach, gegen den wir uns vergeblich zu wehren suchen, man muß entweder schleunigst herausspringen oder dulden, daß er uns mit sich fortreißt. Es ist uns gleichgültig, ob diese Musik optimistisch oder pessimistisch, ob sie gewöhnlich oder distinguiert, dekadent oder literarisch ist, oder ob man ihr wirklich mit „aufgestütztem

Kopf" zuhören muß: die Tatsache bleibt bestehen, daß dies wilde Schreien des Marsyas im Walde die unzähligen kleinen Flötenspieler mit Entsetzen erfüllte; auch heute noch reißen sie aus, wenn sie das Stampfen des Satyrs hören. Denn der einsame Wanderer von Col de la Formazza, vom Bois de Boulogne und von den Luzerner Matten ist furchtbar und gewaltig. Die Sänger, welche 1875 seine Gestalten verkörperten, betrachteten ihn mit einem Gemisch von Liebe und Angst; sie ahnten nicht, daß hinter dieser Stirn, welche eben erst der Welt die „riesige Tetralogie" geschenkt hatte, bereits der große Plan des „Parsifal" zu reifen begann. Der Musiker wurde des Schaffens niemals müde; nun suchte er im weiten Reich seiner Kunst die Harmonien, die von einem Karfreitag vor zwanzig Jahren erzählten, als auf der Terrasse des Zürcher Asyls in seinem Herzen der ewige Frühling Buddhas, Christus' und Richard Wagners aufgegangen war.

So vergingen Monate, Jahreszeiten. Im Februar 1876 starb die Gräfin d'Agoult. „Schwere Gedanken; Tage des Schweigens", schrieb Cosima in ihr Tagebuch. Wenige Worte genügen als Grabschrift, wenn wir die verlieren, die schon lange für uns gestorben waren. Marie d'Agoult hatte ihre jüngere Tochter in Como, die ältere in Genf zur Welt gebracht, als ihr Liebeserlebnis mit Franz in höchster Blüte stand. Aber diesen „Reisekindern", die zufällig am Wegrand das Licht der Welt erblickt hatten, war es bestimmt, auch nur den Rand der Mutterliebe kennenzulernen; Liszt allein bezahlte ihre Erziehung und sorgte für ihren Unterhalt. Daher konnte, als die einst so rebellische, nun aber ihre Vergangenheit bereuende Gräfin im Sterben lag, während ihre legitime Familie um sie versammelt war, die sie überlebende ferne Tochter ihres Liebesbundes nur eine schnell vorübergehende Trauer empfinden. Was ihr an Kraft zu leiden geblieben war, gehörte allein Wagner. Nur er spielte eine Rolle in ihrem Leben; vielleicht war ja die Stunde nicht mehr fern, in der sie den heimatlosen Seemann im Tode versinken sehen mußte. Nur seine Werke und sein Ruhm würden von ihm übrig bleiben. Aber war es das, was sie an ihm liebte? Nein! Sie liebte in ihm den Mann, der dort auf der Bühne saß, die Kräfte, die seine Seele entfesselt hatte, vor sich sah und das Ergebnis eines langen und leidenschaftlichen Kampfes leitete; sie liebte den Musiker mit dem nun weißen Haar, dem zerfurchten Gesicht, das einem Gemälde der Renaissance glich, diesen ganz männlichen und furchtbaren Mann, der an die Liebe, den Schmerz, das Mitleid und die Dichtung glaubte — lauter Begriffe, die den Männern ein Lächeln auf die Lippen bringen, aber in alle Ewigkeit die Herzen der Frauen bewegen werden.

Der Sommer kam und mit ihm das Heer der Sänger, Musiker und Arbeiter, die im vergangenen Jahre engagiert und ausgebildet worden waren. Während der Monate Juni und Juli schritt die Arbeit rüstig vorwärts, wenn sie auch häufig genug durch kleine unvorhergesehene Zwischenfälle unterbrochen wurde; einmal wurde der, ein anderes Mal jener Sänger krank, dann gab es Streitigkeiten und Zänkereien, oder dies und das war nicht in Ordnung, irgendwer fühlte sich in seinem Stolz verletzt, oder die Bühnenarbeiter wurden nicht zur rechten Zeit fertig. Es waren dieselben alten Mißhelligkeiten, die Richard schon erlebt hatte, als das „Liebesverbot" und „Rienzi" aufgeführt wurden. Nur er allein wußte, wie alles gemacht werden müsse, er der alte erfahrene Theatermann, der jedes Rad in der Maschine kannte, denn er hatte sie gezeichnet und ihren Ausbau überwacht. Er hatte sie ins Laufen gebracht. Nun lief sie.

Dann trafen die persönlichen Freunde des Meisters ein, wie damals in München zum „Tristan" und zu den „Meistersingern": die Gräfin von Schleinitz, der vor allem die Finanzierung Bayreuths zu verdanken war, Malwida und ihre frühere Schülerin, die Tochter des Revolutionärs Herzen, die jetzige Frau Gabriel Monod; dann Edouard Schuré und Friedrich Nietzsche; Bülow war wieder nicht gekommen, da er in Godesberg am Rhein schwerkrank darniederlag, aber wenigstens Liszt war diesmal da. Die Gegenwart seines alten Freundes war für Wagner eine große Genugtuung. Auch Wesendonks waren gekommen, um seinem Triumph beizuwohnen, ferner die Willes und die Sulzers. Dann Mathilde Maier, die er so gern in Wien zu seiner Hausdame gemacht hätte, und der Maler Pecht, ein Genosse der harten Zeiten von 1840 in Paris; dann Pusinelli, der allein bei Minnas Tode zugegen gewesen war. Alte Liebe, alte Freundschaft, alte Kameradschaft — alles war da. Nur Nietzsche blieb düster und schweigsam. „Wenn Richard Wagner in der Nähe war", erzählt Schuré, „war Nietzsche scheu, zurückhaltend, und schwieg fast immer." Er hatte indessen vor kurzem seine berühmte Abhandlung „Richard Wagner in Bayreuth" nach Wahnfried geschickt; sie ist das letzte Zeugnis einer sieben Jahre langen Bewunderung des Mannes, der bis zu diesem Tage sein Führer gewesen war. Aber der selbstloseste von Wagners Schülern verleugnete seinen Meister im Geist damals schon, und der Mann, der bewegungslos und schweigend im Schatten Wagners stand, wartete nur auf den Augenblick, in dem er sich öffentlich von ihm lossagen wollte.

In der Nacht vom 5. zum 6. August, um 1 Uhr morgens, hielt ein nur aus zwei Waggons bestehender Eisenbahnzug, etwa vier Kilometer vom Bahnhof Bayreuth entfernt, auf freiem Feld. Es war der Hofzug. Ein hochgewachsener Mann entstieg ihm und trat mit schnellen Schritten auf Wagner zu, der ihn dort im Frack und weißer Binde erwartete. Sie hatten beide gewünscht, bei ihrem ersten Zusammentreffen nach achtjähriger Trennung sich allein gegenüberzustehen. Schweigend bestiegen sie einen Wagen, der sie schnell nach der Eremitage brachte: den jungen König der bayrischen Berge, und den Komponisten, der nach so vielen stürmischen Reisen endlich in dem kleinen ruhigen Musikhafen vor Anker gegangen war. Was konnten sie einander zu sagen haben? Seit langer Zeit waren die Worte, die ihnen früher vertraut gewesen waren, verweht; wenn auch Parsifal und sein Freund, den er früher so geliebt hatte, glauben mochten, daß sie noch die alten seien, so war ihnen doch, als sei eine Glaswand zwischen ihnen aufgerichtet. Alles schien verändert, aber keiner von ihnen wußte genau, wie und warum.

Wagner blieb zwei Stunden mit dem König zusammen und kehrte dann beruhigt nach Hause zurück; als er den Garten seines Hauses betrat, ging die Sonne über den taubeperlten Wäldern auf. Aber die zwei Tage, die vor ihnen lagen und den königlichen Träumer in ferne Zeiten zurückführten — waren nicht mehr die frohen Tage wie einst. Ludwigs Augen hatten nicht mehr den zärtlichen Ausdruck, der sie früher verschönte. Er wollte niemanden sehn und den Festspielen nicht als Schutzpatron, sondern nur als Zuschauer beiwohnen. Wagner hatte ihn gebeten, seinem Hause die Ehre seines Besuches zu schenken, aber er lehnte die Einladung ab und fuhr am nächsten Abend nicht durch die Stadt, sondern durch den Park zum Festspielhaus.

Eine Menge Menschen hatte sich in den beflaggten Straßen eingefunden, um ihren schönen, geheimnisvollen König zu sehen und ihn mit Jubel zu begrüßen. Aber Ludwig II. zeigte sich ihnen nicht. Während sie noch auf ihn warteten, nahm er schon seinen Sitz in der Loge an Wagners Seite ein, um der Hauptprobe des „Rheingold" beizuwohnen. Das Theater war leer, und die beiden Freunde befanden sich bald tief in der flutenden Wasserwelt, mit der die „Tetralogie" beginnt. Alberichs Fluch bildet die Grundlage des ganzen Ringes — jener auf dem Golde ruhende Fluch, der den Schöpfer des Werkes so lange verfolgt hatte. Es gelang Wagner erst, sich von ihm zu befreien, als er die Hand des Schattenkönigs ergriffen, die ihm wieder entgleiten sollte, und als er sich dann auf den Arm Brünhilde-Cosimas gestützt hatte, der ihm nun ein fester Halt geworden war. Die Rheintöchter aber schwimmen in den Fluten und lachen spöttisch über die brutale Gier der Menschen und über die vergeblichen Listen der Götter.

Der König konnte der Liebe seines Volkes zum zweiten Male nicht entgehen. Nach der Probe fuhr er in seiner Equipage durch die hellerleuchtete Stadt; sein bleiches Gesicht erschien undeutlich hinter den geschlossenen Wagenfenstern. „Sind die Leute hier denn noch nicht vollkommen verpreußt?" fragte er erstaunt. Am nächsten Tage hörte er die „Walküre", am übernächsten den „Siegfried". Aber kaum war der Vorhang über dem letzten Akt der „Götterdämmerung" gefallen, als er sich wieder auf den Weg nach seinen Bergen machte. Der Grund für die plötzliche Abreise war der, daß der alte Kaiser Wilhelm sein Erscheinen angesagt hatte und der König von Bayern sein gekröntes Haupt nicht vor dem deutschen Kaiser beugen wollte.

Der andere Jünger verließ Wagner ein paar Tage später. Nietzsche, der so große Erwartungen auf die Festspiele gesetzt hatte, konnte es nicht über sich gewinnen, länger zu bleiben. Die Menschen, die alle aus müßiger Neugier nach Bayreuth gekommen waren, brachten ihn mehr und mehr auf. Er hatte jedes Jahr den Tag der Bekanntschaft mit Wagner als eine Art geistigen Geburtstages gefeiert und konnte jetzt einen gewissen Schrecken bei dem Gedanken nicht unterdrücken, daß er gegen einen bloß gemalten Olymp aus Pappe gerannt war; hohlköpfige Menschen, die zu allen bedeutenden Premieren liefen, weil sie überall dabei sein mußten, hatten geklatscht, ohne die Bedeutung des Werkes zu erkennen. Er empfand die Sinnlichkeit oder besser gesagt die Sexualität der Nibelungenmusik plötzlich wie einen Schlag ins Gesicht, wie eine Beleidigung, die der einzig wahren Reinheit des Geistes zugefügt wird. „Wo bin ich", fragte er sich, „hier ist niemand, den ich erkenne ... nicht einmal Wagner." Das kleine Buch, das er dem Meister gerade gewidmet hatte, schien plötzlich wie eine Schuld auf ihm zu lasten, unverzeihlich wie eine Lüge. Er wollte nichts mehr von ihm wissen und verleugnete es vollkommen; er sah es nur als Bezahlung einer alten Schuld an.

Wie in aller Welt war er nur dazu gekommen zu schreiben, daß der „Nibelungenring" die moralischste Musik sei, die er kenne? Wie hatte er nur glauben können, daß der wesentlichste Zug dieser Moralität die Treue war? Was waren die beiden einander entgegengesetzten Strömungen wert, die in Wagner kämpften, symbolisiert durch die Treue Elisabeths gegenüber Tannhäuser, Sentas zum Holländer, Kurwenals, Isoldens, Markes gegen Tristan und schließlich Brünhildens Treue gegenüber den geheimsten Wünschen Wotans? Zweifellos lagen dem allen ernstliche Irrtümer zugrunde; aber auch die Komödie und die Groteske fehlten nicht. Wagner hatte ohne Zweifel das tragische Element in der Kunst verstanden, und wußte, daß es als notwendiger Ersatz für den Mann wertvoll ist, der das viel schwierigere Problem des Verhältnisses zwischen Tat und Willen zu lösen hat. Aber eine Kunst, die durch fehlerhafte Symbole zur Travestie wird, kann nur ein Trugbild, eine Vereinfachung ohne wirkliche Tiefe sein. An sich löste Wagners Kunst kein einziges Problem; sie paßte nicht einmal zu den modernen sozialen Verhältnissen. Wagner stand also seiner Musik wie ein Komödiant gegenüber. Ein anderer seiner Fehler bestand darin, daß er nur an sich selbst glaubte; niemand, der nur auf sich selbst vertraut, kann ganz ehrlich gegen sich selbst bleiben, da er sogar seine Schwächen rühmt. Das aber führt den Menschen geradeswegs zu Leidenschaften, d. h. zu Verwirrungen des Geistes. Infolgedessen existiert für den „Wagnerianer" der freie Wille nicht, und es bleibt nur Pose, Einbildung, Demagogie, Verdunklung und Verzauberung. Als Wagner Bayreuth baute, lief er dieselbe Gefahr und erlitt dieselbe Niederlage wie Napoleon bei Moskau: er wurde von sich selbst besiegt.

So war also Bayreuth nach Nietzsches Ansicht etwas positiv Schädliches; er hatte einen heftigen Nervenanfall. Das ganze mystische Literatentum Wagners, vor das die Musik sich allzu geschwätzig drängte, schien ihm falsch, wie ein kolossaler philosophischer Irrtum, wie eine Verherrlichung des Nichts, eine Religion für Greise oder Verzweifelte, gegen die sich seine Jugend auflehnte. Er mußte fliehen, denn er hatte Angst vor der langen Dauer der Vorstellungen, die ihn quälte. Er fuhr nach dem kleinen Bade Klingenbrunn, blieb aber nicht lange dort und kehrte zum ersten Zyklus des Ringes wieder zurück. Diesmal kam er gerade dazu, als offizielle Aufzüge mit Militärkapellen die Straßen füllten und dem alten Kaiser Wilhelm, dem Kaiser Don Pedro von Brasilien, dem König von Württemberg und dem Großherzog von Schwerin Ovationen dargebracht wurden. Die bunte glänzende Menge drängte sich während der Pausen ins Theaterrestaurant, aß Würstchen und trank Bier. Nietzsches alte Treue zum Meister bäumte sich noch einmal gegen das alles auf: führte die Musik, die er so sehr geliebt hatte, die Musik, die ihm trotz allem immer noch hohen Genuß bereitete, zu nichts anderem als zu einem solchen Schauspiel? Er hatte seine Lehre von der wiedererstandenen griechischen Tragödie in seinem Buch verkündet, in dem das Drama, die göttliche Nacktheit, die Sophrosyne, die antike klare Besonnenheit, sich in der reinen Schönheit eines hellenischen Bildwerkes erheben: was war aus all dem geworden? Dieser Markt der Eitelkeiten, diese plumpe Karikatur alles Erhabenen!

Aber Wagner war im siebenten Himmel. Der Löwenbändiger in ihm feierte seine Triumphe. Mit Hilfe jenes Gemisches von Heftigkeit und Liebenswürdigkeit, das ihm oft verdacht worden war, bezauberte, unterwarf und überzeugte er seine Mitarbeiter, leitete er, je nachdem er es wünschte, den Sturm mit Hilfe Ariels oder Kalibans. Er lud Könige ein, spielte und scherzte und gab große Empfänge für Hunderte von Personen, auf denen so ziemlich alle Künstler Europas versammelt waren. Geyers „Kosak" war wiederum lebendig geworden, diesmal in der Gestalt eines alten Mannes. Er spielte mit sich wie mit seinen Gästen. „Nietzsche ist wie Liszt", sagte er, als er das verschlossene Gesicht seines Freundes betrachtete, „er hat es nicht gern, wenn ich Witze mache." Denn Nietzsche erwartete allerdings etwas anderes von dem Mann, den er trotz allem bewunderte: ein ironisches Wort, ein Achselzucken. Aber er wartete vergeblich darauf.

Am letzten Abend der Vorstellungen erschien Wagner auf der Bühne und beendete seine Ansprache an die Zuschauer mit folgenden Worten: „Was ich Ihnen noch zu sagen hätte, ließe sich in ein paar Worte, in ein Axiom zusammenfassen. Sie haben jetzt gesehen, was wir können; nun ist es an Ihnen, zu wollen. Und wenn Sie wollen, so haben wir eine Kunst." Große Worte, die damals, und auch heute noch von jedem anders beurteilt werden, je nachdem ob sie einem zu Herzen gehen oder nicht. Aber wir dürfen weder den sechzig Jahre langen Kampf vergessen, den sie krönen, noch die einzigartige Entwicklung bis zur höchsten musikalischen Vollendung, die Wagner von den „Feen" bis zum Trauermarsch im „Siegfried" zurückgelegt hat. Beim Bankett, das der Vorstellung folgte, erhob sich Wagner, um seine Worte zu erklären, und sagte: „Ich habe nicht sagen wollen, daß wir bisher keine Kunst gehabt haben. Aber eine nationale Kunst, wie sie Italiener und Franzosen besitzen, mochte sie teilweise auch bei ihnen eine Abschwächung erfahren oder in Dekadenz geraten, hat den Deutschen bisher gefehlt." Er meinte, daß sein Werk den Anfang einer weiteren Kunstentwicklung bilden solle — für die meisten aber war es ein Ende, über das sie niemals hinaus konnten. Allerdings war das weder für Nietzsche noch für Wagner der Fall. Nietzsche reiste traurig und krank im Herzen ab, aber er war frei! Wagner jedoch erkannte, daß er in Zukunft allein bleiben müsse. Kein Künstler konnte ihm seine Größe vergeben, auch seine Sänger verziehen sie ihm nicht; einige befolgten die Bayreuther Gesetze nicht einmal so weit, daß sie auf die Verbeugung vor dem Publikum beim Aktschluß Verzicht leisteten, und verließen schließlich den Meister in höchster Verstimmung. Selbst Richter revoltierte einige Male, und die Begeisterung der Gräfin Schleinitz kühlte sich merklich ab. „Bayreuth ist das Grab der Freundschaft", sagte sie.

In Wahnfried folgte indessen ein Empfang auf den andern, aber Wagner wohnte ihnen nur ungern bei; er blieb in seinem Zimmer, da ihn die Anstrengungen, die er durchgemacht, ermüdet hatten. Er schrieb sein künstlerisches Testament: „Auch der Älteste soll nicht nur an sich denken, sondern den Jüngsten um der Liebe willen lieben, die ihn mit ihm verbindet." Liebe, Sehnsucht, Hoffnung — waren die immer wiederkehrenden Themen seiner Unterhaltung. Denn unter den Fremden, die nach Bayreuth gekommen waren, befand sich eine Frau, die sich nicht nur in Wagners spät errungenem Ruhm sonnen wollte, sondern wegen Wagner selbst, wegen des Mannes Wagner gekommen war — um seiner Stärke und brutalen Energie willen, um aus der unversieglichen Quelle seiner Lebensfrische neue Kraft zu schöpfen. Das war Judith Gautier.

Er hatte sie mehrere Male heimlich während der Festspiele gesehen und schrieb ihr jetzt: „Liebste, ich bin traurig. Heute abend ist wieder Empfang, aber ich gehe nicht hinunter. Ich lese wieder einige Seiten meines ‚Lebens', das ich einst Cosima diktiert habe ... Sollte ich Dich heute morgen zum letztenmal geküßt haben? Nein! Ich werde Dich wiedersehen! Ich will es — da ich Dich liebe. Adieu. Sei gut zu mir."

Trotzdem wußte er ganz genau, daß er sie nicht liebte, aber er wollte sich selbst nicht verlieren. Es war noch zu früh, um von der Bühne abzutreten, noch hatte er Kräfte in Reserve — die Musik für ein ganzes Werk. Der Greis mit dem Blut eines Jünglings in den Adern wollte nun nicht mehr nur in Bayreuth begraben werden.

II

Parsifal bei den Blumenmädchen

Ich habe mich während der Niederschrift dieses Buches mehrfach gefragt, ob ich wirklich berechtigt bin, das Werk des Künstlers so eng mit den Umständen und Ereignissen seines Lebens zu verknüpfen, wie ich es getan habe, und in derselben Erzählung seine vernunftvollen Handlungen mit den unbewußten, triebhaften Ausbrüchen seines Temperamentes zu verbinden; ob ich zugeben darf, daß zwischen diesen beiden eine ununterbrochene Wechselbeziehung, ein beständiger Parallelismus besteht? Gibt es wirklich zwischen Herz und Geist eine enge Verbindung? Haben Leben und Werke eines Mannes einen gemeinsamen Nenner? Wir alle wissen, wie unberechenbar unsere Gedanken sind, wie listig sie unsere Absichten durchkreuzen, wie sehr sie Kräften gehorchen, die unserer Willensbestimmung nicht unterworfen sind. Aber wir müssen auch bedenken, wie das tägliche Leben die Menschen tyrannisiert. Sollten wir also nicht Schritt für Schritt die mannigfachen, auf ein ereignisreiches Erdenleben wirkenden zufälligen Einflüsse verfolgen, die von den das Dasein unbewußt gestaltenden Mächten ausgehen?

Wagner leugnete, daß zwischen den Erlebnissen eines Künstlers und seinen Werken eine Beziehung bestünde, wie zwischen Samen und Ernte. Für ihn, behauptete er, gäbe es nur den angeborenen Schaffensdrang, nicht den Ansporn, Erlebtes neu zu gestalten. Er versichert uns, daß sein geistiges

Auge sich niemals dem weiten Feld seiner Erinnerungen zu=
wandte, und leugnet, daß der „Tristan" eine Gestaltung des
Dramas sei, das sich im „Asyl" abspielte und in Venedig
ausklang. Das einzige seiner Werke, dem er selbst eine Ver=
bindung mit der Vergangenheit zubilligte, war das Trieb=
schener Idyll, das er später in „Siegfried=Idyll" umtaufte.
Aber das behauptete er zwanzig Jahre nach dem Bruch mit
Mathilde, als die Wunde seines Herzens schon lange vernarbt
war. Seine Musik sang ihm nicht länger schmerzliche Klage
um vergangenes Leid; er freute sich nur über ihre große tech=
nische Vollendung und über die ununterbrochene Höher=
entwicklung seiner Kunst, die sie zeigte.

Wir können ihm darin aber nicht folgen. Unsere Schul=
weisheit neigt mehr und mehr dazu, Leben und Werk eines
Mannes als eine geistige und materielle Einheit zu betrachten.
So können auch wir, je weiter wir mit der Erzählung von
Wagners Leben fortschreiten, nicht seiner philosophischen
Ästhetik folgen, sondern müssen den häuslichen Ereignissen
nachspüren, die in seinen „Gesammelten Werken" ihren Nieder=
schlag fanden. Diese sind die wundervolle, immer wieder und
wieder gewachsene Blüte seines Inneren — wie es der Philo=
soph Bergson ausdrückt: „Das geniale Werk entsteht am häu=
figsten aus einer in seiner Art einzigartigen Bewegung, die
man für unaussprechbar hält, die aber den Willen hat, sich
auszusprechen." Diese Bewegung ist eben ein Wille zur
Schöpfung, aber ein ganz bestimmter Wille, der nur durch das
einmal geschaffene Werk befriedigt werden kann, durch
kein anderes. Ich gebe zu, daß der Mensch Wagner uns
einige Male eher unmenschlich als übermenschlich erschienen
ist; aber als er sein letztes Drama, das mystischste und in
vieler Beziehung wagnerischste verfaßte, hat er sich als mensch=
licher Mensch, in vollem Sinne des Wortes, gezeigt. Wenn
Nietzsches Keuschheit etwas von der Schärfe eines Schwertes
hat, das die allzu verwundbare Seele beschützt, so verdient der

64jährige Wagner unsere Bewunderung nicht minder, daß er sich ohne törichte Skrupel und ohne eine Ängstlichkeit, die für einen Greis nur natürlich gewesen wäre, den letzten Wünschen seiner Sinne hingab, die sich niemals abkühlten. Das Leben gibt alles denen, die dem Leben nichts verweigerten; vielleicht wird man eines Tages die Größe eines Mannes nicht mehr nach der Größe seines Verzichtes und der Opfer, die er gebracht hat, beurteilen, sondern nur danach, ob er sich ganz ausgegeben und seine Kräfte bis zum letzten angespannt hat. Seine Götter und seine Teufel schafft sich der Mensch selbst, und die großen „Lebensbejaher" gleichen alle dem Bild des Faust.

Wagner war ein guter Schüler Goethes, wenigstens soweit die Lebenskunst in Betracht kommt. Er übertrifft seinen Lehrer sogar darin, daß er die Lächerlichkeit nicht beachtet oder verachtet. Er beugt sich nicht dem Alter und verzichtet nicht auf die Frau. Er macht sich nicht über sich selbst lustig — wie hätte er dies tun können, da er den „Parsifal" schrieb? Wagner hat seinen Eroberungswillen nicht aufgegeben, und seine Herrschergelüste waren nach wie vor stark. Judith Gautier, eines Dichters Tochter und selbst etwas wie eine Dichterin, liebte sein Genie und war bestimmt, ihn in jenen fieberhaften Zustand der Leidenschaft zu versetzen, den er brauchte, um seine Kundry zu schaffen. Kundry, die in „wilder Begeisterung" zu Parsifals Füßen liegt, ist die Gestaltung des Mythos von der Frau, die im Banne des Dichters steht, der Sünderin, die durch die göttliche Liebe bekehrt wird. Nietzsche versuchte umsonst, die Naivität der Handlung anzuprangern: Kundry und Parsifal sind nicht weniger ergreifend als sein Zarathustra.

Ich trage also kein Bedenken, mit Wagners letztem Musikdrama seine letzte Geliebte zu verbinden, die noch einmal seine Leidenschaft aufstachelt und sich heimlich über ihn neigt, als ihm schon die Glocken von Monsalvat im Ohre klingen. Judith war, wie er schreibt, der „Überfluß", aus dem er seine eigene berauschende „Fülle" schöpfte. Cosima machte ihn immer noch glücklich, niemals hatte sich Wagner in seiner Familie und seiner friedlichen Umgebung wohler gefühlt als während der Zeit, in der er die Gralsmusik komponierte. Aber die wahren Liebeskünstler spähen immer eifrig nach solchen innigen Vereinigungen aus, in denen sie ihr eigenes Bild wiederzufinden hoffen, das ihnen im geheimen am liebsten ist. Es kommt wenig darauf an, ob zwischen solchen Gefühlen und dem Werk, an dem sie grade arbeiten, irgendwelche Beziehungen zu finden sind. Ein Kunstwerk entsteht zum größten Teil aus dem Unbewußten; für Wagners Werke gilt der Satz ganz besonders, obgleich ihm das nicht klar war. Sein Instinkt führte ihn mit so stürmischer Kraft vorwärts, daß er mit seinem Intellekt eins wurde; oft glaubte er zu befehlen, wenn er in Wahrheit gehorchte. Aber es ist wichtig, daß wir über seine Quellen nicht im unklaren sind. Es ist wahr, daß Judith niemals bis in die Tiefen seiner Seele vordrang, aber sie öffnete die Schleusen eines dichterischen Stromes in ihm und verjüngte ihn noch einmal. Eine Zeitlang verkörperte sie das Unmögliche, das ihn seit seiner Jugend wie eine hinter Wolkenschleiern matt leuchtende Sonne lockte. Wie ein Baum seine Zweige gen Himmel reckt, auch wenn er schon alle seine Blätter verloren hat, so streckte nun der Greis seine Arme nach Judith aus. War sie Kundry? War sie Klingsor? Ein Blumenmädchen des Zaubergartens? Oder war sie nur der schöne Karfreitagmorgen eines Laienpriesters? Denn jeder Künstler ist ein Laienpriester. Wir wissen es nicht; wir wissen nur, daß sie Wagners Liebesleben das letzte Feuer gab.

Jenny Raymann hatte vor fünfzig Jahren seine Sinnlichkeit geweckt, der Minna Planer dann zuerst eine bestimmte Richtung gegeben, sie hatte ihn zum Mann reifen lassen und ihm Leiden zugefügt, die nicht ohne Einfluß auf seinen Schicksalsweg blieben. Jessie Laussot war mehr oder weniger eine Verirrung. Aber auch von ihr hatte er gelernt: denn nun war er Skeptiker geworden. Dann hatte ihm Mathilde Wesendonk vom höchsten Gipfel aus das Land der Liebe gezeigt und ihm seine Macht als Mann offenbart. Die Freundinnen, die ihr folgten, rechnen kaum mit; Mathilde Maier, Friederike Meyer und die kleine Wiener Haushälterin dienten nur zum Zeitvertreib für flüchtige Stunden. Sie bereiteten Cosima den Weg; sie war die höchststehende von allen Frauen, die er geliebt hat, die Mutter seiner Kinder, ja fast ihm selbst wie eine Mutter, sein guter Geist, sein besseres Ich, seine Kameradin, seine Helferin. Dann als letzte Judith.

Immerhin, rechnen wir alle zusammen, so sind es nicht allzu viele, sieben oder acht Frauen in siebzig Jahren. Die Ansicht, daß Wagner seinen beiden Gattinnen immer treu gewesen sei, ist geradeso weit von der Wahrheit entfernt wie die andere, die aus ihm einen Don Juan macht, oder die ganz abwegige Meinung, die ihn für passiv in der Liebe oder gar für einen „Damenimitator" hält, als den man ihn im Berliner Institut für Sexualforschung bezeichnet hat. Wagner litt nicht an Temperamentsmangel, das ist sicher. Auch fehlte es ihm nicht an Phantasie. Das Verlangen, immer neue Frauen kennenzulernen, blieb ihm bis zu seinem Ende erhalten. Aber seine Erotik war immer nur eine Form seines Genies. „Wenn ich in Deinen Armen liege, fühle ich mich inspiriert", schrieb er an Judith, „von Dir, Du glühendes und zugleich sanftes Herz ..." Aber es war nur seine eigene Musik, die ihm diese Liebesworte eingab, nicht die Zuneigung, die er zu einer ihm schließlich doch wesensfremden und wohl recht liebeskundigen Frau empfand. Aber Judith bewies ihm, daß seine Macht über die Frauen noch die gleiche war; und das schmeichelte ihm. Er suchte in den Augen der schönen Französin nur einen Spiegel, der ihm das Bild Parsifals zurückwarf: er wollte ohne Alter, ohne Anfang, märchenhaft sein wie dieser Held. Die Worte, die er zu Judith spricht — ein Schatten spricht sie zu einem Schatten.

Die ersten Bayreuther Festspiele endeten mit einer Enttäuschung und einem Defizit. Es war eine Enttäuschung, daß, trotzdem es nicht so schien, das Publikum nicht das Wesen, sondern nur die glänzende Außenseite des Wagnerschen Stiles begriff. Wagner gab sich keiner Täuschung über den Wert des Beifalls hin, den sein Werk gefunden hatte. Außerdem wurde sofort klar, daß das Defizit eine Höhe von 120 bis 130000 Mark erreichen würde. Das hieß: die Subskribenten würden ihr Geld verlieren. Die Schulden des Unternehmens schienen zu dem schon lange befürchteten Zusammenbruch zu führen. Wagner legte also die Sorge für die Geschäfte in die Hände des Bankiers Feustel und dessen Schwiegersohns Adolf Groß, und reiste mit Cosima nach Italien. Sie besuchten Verona, Venedig und Neapel, um endlich längeren Aufenthalt in Sorrent zu nehmen.

Malwida von Meysenbug hatte damals die Villa Rubinacci gemietet; dort beherbergte sie einige Einsamkeit suchende Freunde. Unter ihnen befand sich Nietzsche, der an einem Augenübel und an Kopfschmerzen litt, aber trotzdem nach seiner Gewohnheit viel arbeitete und voller Ideen steckte. Er schrieb gerade ein neues Buch, das er später „Menschliches, Allzumenschliches", das Denkmal einer Krise, nannte. „Während ich es schrieb, habe ich mich von allem befreit, was in mir, meiner wahren Natur fremd, lebte. Jeder Idealismus ist mir fremd. Der Titel dieses Buches bedeutet: da, wo ihr ideale Dinge seht, sehe ich menschliche, ach, allzu menschliche." Das will sagen: der neue musikalische Genius, den die Welt feiert, ist nur ein eingebildeter und gefährlicher Komödiant. Die Menschheit muß sich sobald wie möglich von ihm befreien, wenn sie sich nicht von diesem Teufelsdoktor mit Giftstoffen infizieren lassen will, die noch schädlicher sind als die christliche Demut, die Pietät und das sogenannte „notwendige Leiden", an dem sie seit Jahrhunderten krankt. Das alles ist nur Schwäche und gefährliche Einbildung. Die Verkünder des seligmachenden Todes leiden an geistiger Schwindsucht. Es ist ihr eigenes Unvermögen, das sie verehren, aus ihm machen sie eine Tugend. Die gesamte Wagnersche Mythologie läuft auf das alte Gleichheitsideal hinaus, das den Revolutionären von 1848 vorschwebte. Seine Gefahr liegt darin, daß sich die notwendige Gliederung der Gesellschaft nach sozialen und geistigen Gesichtspunkten verliert, alle Unterschiede verlorengehen und der „Parsifalismus" sich über die ganze Welt verbreitet; er macht alles gleich, der Wille zur Macht wird schwach und verschwindet endlich vor dieser Sucht nach Entsagung vollkommen.

Zu diesen Schlußfolgerungen kam Nietzsche während der ersten Wochen der Besinnlichkeit und Ruhe, die er in Italien zubrachte. Gerade damals kam Wagner nach Sorrent und nahm im Hotel Victoria Wohnung, so war eine Begegnung zwischen dem Musiker und dem Philosophen unvermeidlich. Wagner konnte sich ungefähr vorstellen, welche Vorwürfe ihm sein Jünger nun machen würde; sie sprachen kaum zusammen und stellten keine Fragen. Sie wußten, daß sieben Jahre offenen Vertrauens und unausgesprochener Mißverständnisse ihre Freundschaft gleichsam ausgehöhlt hatten. Freundschaft war zwischen ihnen nicht länger möglich; die Stunde der Trennung hatte geschlagen.

Zum letztenmal gingen sie an einem schönen Tage des Spätherbstes am Golf spazieren und stiegen durch einen Pinienhain auf den Gipfel eines Hügels, von dem aus sich ihnen ein weiter Blick über das Meer eröffnete. Der alte Meister sagte mit leiser Stimme: „Es ist die rechte Landschaft, um sich Lebewohl zu sagen." Als wolle er seinen Gedanken noch klareren Ausdruck geben, erzählte er Nietzsche den Inhalt des „Parsifal" und sprach von dem Werk, als bedeute es für ihn ein wichtiges religiöses Erlebnis, als sei es sein Glaubensbekenntnis, seine Lebensbeichte. Für ihn handelte es sich nicht mehr um ein Kunstwerk, sondern um eine gute Tat, eine von

Herzen freudig dargebrachte Sühne, durch die der Künstler
sich läutert von einer langen sündigen Vergangenheit und
einer durch den Heiland gereinigten und geheiligten Zukunft
entgegensehen darf. Auf der höchsten Höhe seines Lebens=
werkes, auf der Kuppel von Monsalvat, wollte Wagner das
Kreuz Christi errichten. Er behauptete nicht, daß er, der Atheist,
plötzlich auf wunderbare Weise zum Gläubigen geworden wäre,
nicht, daß er den schmerzvollen Weg nach Damaskus gegangen
und sich zum Christentum bekehrt hätte; der Teufel konnte
nicht durch eine Berührung von Parsifals Speer aus der Seele
des Zauberers vertrieben werden, aber die Seele hatte genug
vom Leben und wandte sich dem Tode zu. Sie sehnte sich nach
Güte, nach Mitleid, nach rauher, ehrlicher Einfachheit, von der
so viele Künstler wie von einer letzten Begnadigung geträumt
haben, in deren Glanz sie vor die Nachwelt zu treten wünschen.

Wagner wurde nicht gläubig, er flüchtete sich nicht in den
Schoß der Kirche, aber er empfand seine Sündigkeit stark als
Erbsünde, die dem bitteren Kern der Lebensfrucht gleicht, aber
auch das tiefste Lebenselement darstellt: denn ihre Wonnen
verleihen dem Menschen die künstlerische Gestaltungskraft.
Durch sie wird auch Wagner zum Magier, sie schenkt ihm seine
Kraft, seine zauberhafte Anmut und das Geheimnis seiner
Musik. Wagners wiederholtes Versinken in Sinnlichkeit
wurde immer wieder dadurch gutgemacht, daß er sich in die
Wälder zurückzog, die durch Siegfrieds Reinheit selber rein
geworden waren, und einen ritterlichen Mystizismus schuf, in
den er sich zum letztenmal mit Hilfe der jungfräulichen Seele
Parsifals rettete. Dieser „reine Tor", dieses Kind, das berufen
war, die eiternde Wunde des Verlangens zu heilen, ist der
Christusmensch, den er vor seinem Tode als Erlöser gestalten
will.

Das war gerade, was der Nietzsche von Sorrent, der neu=
geborene und freie Nietzsche, am tiefsten an seinem alten
Meister verachtete. Diese Erlösungsidee ist nur derselbe

Passionsgedanke, den der königliche Märtyrer der Juden verkündet. Es ist keine reine Lehre, sondern sie ist mit allem möglichen alten Aberglauben verquickt. Aber Wagner, der ein despotisches Genie war, kannte keinen anderen Weg, um die Menschen zu erobern, als den, ihre Schwächen noch zu vergrößern: er hat nur ihre Leidenschaften idealisiert. Er ist einer der Hauptschuldigen an der europäischen Dekadenz, der große Geschmacksverderber, der am meisten gegen die Klarheit des Denkens gesündigt hat. Nietzsche war sich sogar nicht mehr sicher, ob Musik der unmittelbare Ausdruck der Gefühle ist. Eine blinde Wut ergriff ihn, wenn er sich daran erinnerte, daß er ein ganzes Buch einer Idee gewidmet hatte, die vielleicht falsch war, daß er das Lob eines Mannes gesungen hatte, dessen Lehren und dessen Kunst er jetzt verdammte. Er erinnerte sich wohl seines ersten Besuches in Triebschen, als er hörte, wie Wagner auf dem Klavier jene Stelle aus dem dritten Akt „Siegfried" spielte, an der Brünhilde ruft: „Verwundet hat mich, der mich erweckt." Auch Nietzsche war verwundet worden, aber jetzt war er geheilt und erwacht zu neuem Leben. Die Nebel des deutschen Waldes zerstreuten sich: das Mittelländische Meer lag weit und klar vor ihm. Wie Wotan von der Walküre, so nahm Nietzsche nun Abschied von Wagner.

„Hast du mir nichts zu sagen, Freund?" fragte Wagner und sah ihn an.

Nietzsche konnte nicht antworten; ihre Wege trennten sich hier. Aber weder der eine noch der andere ahnte, daß sie sich nie wiedersehen sollten. Nach einiger Zeit schrieb Nietzsche in sein Notizbuch: „Wenn man sich Lebewohl sagt und sich verläßt, weil das Gefühl und das eigene Urteil nicht mehr übereinstimmen, ist man sich am nächsten. Man stößt gegen die Mauer, welche die Natur zwischen uns und dem Menschen, den man verläßt, errichtet hat."

Wagner hatte schon lange geahnt, was in Nietzsches umschatteter Seele vorging. In Zukunft sprach er fast niemals mehr von ihm. Als er ein Exemplar von „Menschliches, Allzumenschliches“ empfing, schlug er es lange nicht auf. Dann blätterte er darin, konnte aber nur Haß und Verachtung darin entdecken und legte es voller Zorn beiseite. Die seltene Pflanze ihrer Freundschaft hatte eine einzige Blüte von nie wieder erreichter Schönheit getragen. Jetzt blieb nur die verfaulte und unfruchtbare Wurzel übrig.

Wagners beschlossen, über Rom und Florenz nach Deutschland zurückzukehren. In Rom besuchte Cosima, ihrem Vater zu Gefallen, die Fürstin Wittgenstein; in ihrer rauchgeschwärzten Zelle arbeitete die alte Dame an ihrer „Mystischen Theologie“ in zwanzig Bänden. Wagner besuchte die Peterskirche, den Vatikan und die Sixtinische Kapelle, aber alle diese Herrlichkeiten konnten ihn nicht recht erfreuen, da die Nachrichten aus Bayreuth weiter außerordentlich schlecht blieben. Wenigstens machte er in Rom die Bekanntschaft des Grafen Gobineau, eines französischen Diplomaten, dessen literarische und philosophische Werke in Deutschland viel Aufsehen später erregen sollten. Bei ihrer ersten Begegnung entwickelte sich nicht mehr als die gewöhnliche Höflichkeit zwischen ihnen; erst später entspann sich in Wahnfried zwischen dem großen Künstler und dem sehr kultivierten normannischen Adligen eine Freundschaft von hohem geistigen Wert. Gobineau hatte in Asien, Persien, Brasilien, Griechenland und Schweden gelebt und bezeichnete sich als echten Nachkommen der Wikinger; das regte Wagners Phantasie an, so daß er alle Bücher Gobineaus nacheinander durchlas. „Konnte ich erst jetzt den einzigen originellen lebenden Schriftsteller kennenlernen?“ rief er aus. „Ich verschlinge die Asiatischen Novellen nicht, sondern lasse sie auf der Zunge zergehen und finde in ihnen Reize, die mir bis jetzt in der französischen Sprache noch unbekannt waren.“

Von Rom reisten sie nach Bologna. Die städtischen Behörden hatten Wagner gerade das Ehrenbürgerrecht verliehen, und „Rienzi" wurde ihm zu Ehren aufgeführt. Von dort fuhren sie weiter nach Florenz und besuchten die Uffizien, den Palazzo Pitti, Fiesole, San Miniato und blickten von der Terrasse vor der Kirche über die Stadt und das Arnotal hin. Aber Wagner kam zu spät an all diese schönen Stellen, die allen Verliebten so teuer sind, da er von Sorgen gequält war. Trotzdem erwartete ihn in der Arnostadt noch eine Überraschung, nämlich ein Wiedersehen mit Jessie Laussot, seiner Freundin der fernen Tage von Dresden und Bordeaux. Obgleich sie auch nicht mehr die Jüngste war, schien die einstige Schülerin Bülows noch so munter wie früher; sie war im Begriff, sich wieder zu verheiraten, und zwar mit Professor Karl Hillebrand, von dem Nietzsche sagte, er sei der letzte Deutsche, der die Feder zu führen verstehe.

Aber Wagner sehnte sich nach seiner Einsamkeit und seinem Klavier. Etwa um Weihnachten kam er nach Bayreuth zurück und legte am 25. Januar des neuen Jahres (1877) die ersten Skizzen des „Parsifal" auf seinen Schreibtisch, die er vor langer Zeit aufgezeichnet hatte, zusammen mit einem Stoß Papier: auf ihm sollte die neue Dichtung, die er nun in einem Zuge zu schreiben vorhatte, entstehen. Noch einmal, zum letztenmal, brachten ihn Unsicherheit und schlechte Aussichten für die Zukunft, die ihm in den dunklen Augenblicken seines Lebens stets so schwer auf dem Herzen gelegen hatten, dazu, daß er alle seine Zweifel und Schwierigkeiten durch die Arbeit an einem Werk aus seiner Seele bannte. In einem einzigen Monat (vom Ende Januar bis Ende Februar) vollendete er den Text der Dichtung im Rohbau; Ende April war er auch im einzelnen fertig, trotzdem eine Anzahl wichtiger finanzieller Probleme seiner Entscheidung harrten. Wien bot ihm plötzlich zwanzigtausend Mark für eine Aufführung der „Walküre", und ein englischer Agent wollte ihn für sechs große Konzerte in der Albert-Hall engagieren, die, wie angenommen wurde, ihm genug einbringen würden, um das Defizit der Festspiele zu decken.

Da der Gedanke an eine neue Reise Wagner lockte, nahm er den Vorschlag an und fuhr mit Cosima nach London. Aber obgleich er überall wie ein König empfangen wurde und ihn zehntausend Menschen mit wilder Begeisterung begrüßten, als er beim ersten Konzert auf dem Podium erschien, zeigte das zweite bereits ein deutliches Nachlassen des Interesses und leider auch der Einnahmen. Nach dem letzten Konzert wurde abgerechnet: die Kosten waren so hoch gewesen, daß ihm nur 700 Pfund zur Deckung seiner Schulden übrigblieben. Nun dachte Wagner wieder einmal daran, Europa zu verlassen, Wahnfried zu verkaufen und sich in Amerika anzusiedeln, von wo man ihm glänzende Anerbietungen machte. Das blieb, wie manches andere, auch nur ein phantastischer Plan. Cosima verschaffte ihrem Gatten 40000 Franken, die sie als Vorschuß auf die Erbschaft ihrer Mutter bekommen hatte, Richard fügte die eben verdienten zehntausend Franken hinzu, und dann mußten sie wieder anfangen, mit dem Hut in der Hand durch das Land zu gehen.

In dieser schweren Zeit hielt ihn die Arbeit am „Parsifal" aufrecht. Cosima hatte angefangen, den Text ins Französische zu übersetzen und fragte Judith Gautier um ihre Meinung, während Wagner seiner Freundin schrieb: „Ja, die ‚Parsifal'= Musik — das ist jetzt die Frage. Ich könnte nicht mehr leben, ohne mich in ein solches Unternehmen zu stürzen. Hilf mir... habe mich lieb: dafür wollen wir aber nicht den protestantischen Himmel abwarten, da es dort sicher sehr langweilig sein wird... Geliebtes Herz, behalte mich immer lieb."

Am 27. September schreibt er: „Parsifal! Oh! Bitte, teile Cosima Deine Meinung mit und fürchte nicht, sie zu verletzen. Glaube auch nicht, daß sie wörtlich übersetzt hat. Wenn Du wüßtest, wie unmöglich es ist, den Sinn dieser Dichtung auch nur andeutungsweise in eure konventionelle Sprache zu übertragen! Cosima konnte weiter nichts tun, als sterbens= nüchterne Ausdrücke (daher die Steifheit, die Du bemerken wirst) für die einfachen, unschuldigen Dinge zu finden, von deren Sinn die Franzosen keine Ahnung haben. Im großen ganzen würde es sehr gut sein, wenn ihr euch beide freimütig eure Meinung sagen würdet... Du wirst im zweiten Akt die Blumenmädchen Klingsors sehen, Blüten seines verzauberten Gartens (tropische!)... Sie liebkosen Parsifal, streicheln ihm die Wangen und das Kinn wie im kindlichen Spiele: komm, komm, junger Held, schöner Knabe usw.... Liebst Du mich? Ich hoffe es. O ja! Und wenn Du es auch nicht willst — so küsse ich Dich trotzdem."

Wagner komponierte die Musik zum „Parsifal" ganz gegen seine Gewohnheit langsam. Vielleicht war seine Gestaltungs= kraft mit dem Alter geringer geworden (obgleich die wunder= bare „Götterdämmerung" noch nicht weit zurücklag). Seine ruhigen und einheitlichen Tage waren von der Liebe aus= gefüllt, die ihm von allen Seiten entgegengebracht wurde, vor allen Dingen von der Liebe Cosimas, dann aber auch von der Zuneigung Judiths, die zwar von geringerer Stärke und heimlich, aber trotzdem sehr wertvoll war. Aber seine Er= findungskraft, die ihm sonst mühelos zu Gebote stand, bedurfte jetzt doch der Anregung. Wagner hatte immer an seltenen und schönen Möbel= und Kleiderstoffen ein sinnliches Ver= gnügen empfunden; jetzt gab er sich dieser Leidenschaft rück= haltlos hin, um seine Phantasie zu nähren, denn nur so gelang es ihm, sich in die Welt seiner Harmonien zu versetzen. Andere mögen ihre Zuflucht zum Alkohol oder zu narkotischen Mitteln nehmen, um das zum Land der Wunder führende Tor zu durchschreiten: Wagner brauchte seidene Stoffe und Wohl= gerüche. So beauftragte er Judith damit, sie ihm in reichlichen Mengen aus Paris zu schicken. Er legte auf diese Dinge den größten Wert und gab Judith immer neue Aufträge, bei denen er die geringsten Kleinigkeiten mit größter Sorgfalt behandelte. Wenn er auch trotz seinem Alter einige Male in den Ton des leidenschaftlichen Liebhabers verfällt, so ließ er doch die prak=

tische Seite dieses Briefwechsels niemals außer acht. Da die schöne Frau, die er mit seinen Besorgungen beauftragte, ihm ihr jugendliches Feuer nicht übermitteln konnte, schickte sie ihm statt dessen wenigstens Kisten mit Waren; Wagner packte sie ebenso freudig und sorgfältig aus, wie ein Verliebter den zärtlichen Brief seiner Angebeteten öffnet.

„Du kannst mir direkt schreiben, da ich alles arrangiert habe. Ich wollte etwas von Dir hören, da ich Dich immer von meinem Schreibtisch aus sehe, wie Du mich anblickest, (Gott! mit was für Augen!), als ich Autogramme für unsere armen Sängerinnen schrieb. Das Außergewöhnliche dabei ist, daß Du den Reichtum meines armen Lebens bildest, das so ruhig und sicher verflossen ist, seit ich Cosima habe. Du bist der Segen meines Lebens, mein berauschender Überfluß!" (9. Dezember 1877.)

Vierzehn Tage später schrieb er: „Jetzt wollen wir vom Geschäft reden. Erstens sind die beiden Kisten noch nicht angekommen. Nun, sie werden schon kommen, und ich werde von neuem in die Tiefen Deiner wohltätigen Seele tauchen... Den Seidenbrokat werde ich aufheben. Ich möchte dreißig Meter bestellen, aber vielleicht gibt es noch andere Farben, die mehr nach meinem Geschmack sind; ich meine silbergrau statt gelb, und rosa, mein rosa (sehr blaß und zart) anstatt blau. Und das japanische Kleid? Ich sehe immer Dein schönes Bild mit dem dunklen Haar an (bist Du das?). Du machst mir mit Deinen Essenzen angst; ich werde allerhand Dummheiten mit ihnen begehen. Im allgemeinen ziehe ich Puder vor, da er sich dem Stoff besser mitteilt ... Aber noch einmal: spare das Geld nicht, vor allem nicht bei den Badeessenzen, beim Ambra zum Beispiel. Mein Badezimmer liegt unter meinem Arbeitszimmer, und ich habe es gern, wenn Duft von dort zu mir heraufsteigt. Tadle mich deswegen nicht, ich bin alt genug, um mir diese kleinen Freuden leisten zu dürfen. Ich habe meine drei Parsifal=Jahre vor mir, nichts darf mich

von der angenehmen Ruhe meiner arbeitsreichen Zurück=
gezogenheit trennen. Komm, Du liebe, geliebte Seele! Das
Leben ist immer so tragisch, ich meine das wirkliche Leben.
Aber Du liebst mich, und ich könnte mit dem besten Willen
ohne Deine Liebe nichts anfangen. Tausend Küsse. R."

„Liebes Seelchen, weine nicht! Ich erinnere mich Deiner
Küsse als meiner berauschendsten und stolzesten Erlebnisse.
Sie waren ein letztes Geschenk der Götter, die es nicht zulassen
wollten, daß ich dem Kummer über die Unehrlichkeit des
Ruhmes erliege, den mir die Vorstellungen der ‚Nibelungen'
eingebracht haben. Aber warum soll man von dem ganzen
Elend sprechen! Ich weine nicht, aber ich bewahre mir in
meinen besten Augenblicken eine süße und wohltuende Sehn=
sucht, die Sehnsucht, Dich zu küssen und niemals Deine gött=
liche Liebe zu verlieren. Du gehörst mir, nicht wahr?"

„Meine Judith! Ich sage meine Judith, geliebtes Weib*!
Alles ist gut angekommen, die Pantoffeln und die Iris=Milch.
Ausgezeichnet. Aber ich brauche viel: ein halbes Flakon für
das Bad, und ich bade jeden Tag. Bitte denke daran. Die
‚Rose de Bengale' von Rimmel ist besser als die ‚White rose'.
Bei der möchte ich bleiben, bitte sende mir eine größere Menge
— denn ich brauche viel. Noch etwas? Ja, ich bestehe un=
bedingt darauf, daß Du Dich wohlfühlst, denn ich gehe sehr
oft an dem armen Bayreuther Haus vorbei, aus dem Du
mich vertrieben hast. Aber vor allem: was ist mit Deinem
japanischen Kleid los? Was für ein guter Gedanke! Du,
meine Seele, liebst mich. In wenigen Tagen werde ich die
Komposition des ersten Aktes beendet haben. Du sollst später
einiges daraus kennenlernen. Habe mich lieb, meine schöne
leidende Abundantia! — Richard." (27. Januar 1878.)

„Süße, glühende Seele, wie voller Schöpfungskraft fühlte
ich mich in Deinen Armen. Muß ich es vergessen? Nein!

---

* Diese vier Worte sind im Original deutsch geschrieben, dabei steht:
(Schlag im Lexikon nach!).

Aber alles ist tragisch, alles führt im besten Falle zur Kirche!..."

„Ich möchte Atlas haben. Das ist die einzige Form, in der mir Seide gefällt, weil das Licht so weich auf seinen Falten spielt."

„Süße Freundin, klügstes Wesen! Ich träume davon, noch einmal als Flüchtling in den schmutzigen Straßen von Paris von aller Welt verlassen herumzuirren! Plötzlich treffe ich Dich, Judith! Du nimmst mich bei der Hand, führst mich zu Dir und bedeckst mich mit Deinen Küssen! Das ist sehr aufregend, sehr aufregend! O Raum und Zeit — ihr Feinde! Ich hätte Dich finden müssen — schon sehr viel früher. Ich küsse Dich. Richard."

„Ich habe etwas vergessen und muß Dir also noch einmal schreiben, meine liebe Judith: die Pantoffeln ohne Absätze! Aber nein, es fällt mir noch etwas ein: ich brauche für meine Chaiselongue eine sehr schöne Decke in ausgefallenem Muster, die ich Judith nennen werde. Versuche doch, ob Du einen der Seidenstoffe bekommst, die man ‚Lampas' oder so ähnlich nennt. Einen Grund von gelbem Atlas, möglichst blaß, und bestreut mit einem Netzwerk von rosa Blumen... All das brauche ich für die schönen mit ‚Parsifal' zu verbringenden Morgen. ‚Parsifal' ist übrigens arabisch; die alten Troubadours verstanden die Bedeutung des Namens nicht. ‚Parsi' — ‚fal': parsi (denke an die Parsen, die Feueranbeter) = rein; fal = töricht in einem erhabenen Sinne, daß heißt: ein Mensch ohne Kenntnisse, aber von genialer Begabung. Leb wohl, meine Liebste, meine dolcissima anima. R. W."

So erblickte „Parsifal" „le pur et ingénu et transcendant insensé" — wie Liszt ihn französisch in einem sonst deutsch geschriebenen Brief an Cosima nennt, zwischen Flakons von Rimmel, orientalischer Seide und parfümierten Schlafröcken das Licht der Welt. Jeden Morgen um 6 Uhr begab sich Wagner an die Arbeit, die er bis 2 oder 3 Uhr nachmittags fortsetzte; am Abend vergrub er sich in seine Bücher. Er machte Randbemerkungen zu der französischen Übersetzung des „Bhagavat=Gita", zu den Evangelien, zu den Briefen des Apostel Paulus und zu Renans „Leben Jesu". So baute er sich eine eigene Theologie auf, versuchte, die Helden seiner eigenen Mythologie mit den großen Propheten Indiens, Ägyptens und Palästinas zu identifizieren, und belegte seine Arbeiten mit Stellen aus den Werken von Goerres, San Marte, Gervinus und vor allen Dingen aus Wolfram von Eschenbach. Wenn seine Erkenntnisse also mehr aus Dichtwerken als ge=schichtlichen stammten, muß man doch zugestehen, daß seine Erlösungslehre ganz bestimmt seinem eigenen Kopf ent=sprungen ist. „Parsifal" ist die Übertragung der Geschichte von Jesus und Maria Magdalena auf die Grundsätze, die er früher in seinem „Jesus von Nazareth" als Beispiel der Ent=sagung aufgestellt hatte: sie wird durch den einzigen Glaubens=akt, dessen er sich fähig fühlte, nämlich durch das Mitleid, ermöglicht.

Wagner hatte daran gedacht, den Schauplatz seines Dramas nach Indien zu verlegen, um Buddhas Schüler Ananda auf die Szene bringen zu können, der von Sawitri, der schönen „Unberührbaren", geliebt wurde und ihr beider Heil durch das Gesetz der Keuschheit gewann. Diese Legende war der Stoff der „Sieger". Aber bereits an jenem bemerkenswerten Karfreitag des Jahres 1857, als Wagner auf der Terrasse seines Zürcher Asyls eine Art mystischer Gnade über sich fühlte, hatte er seinen Parsifal neu geschaffen und in eine sowohl ritterliche wie ländliche, heldische wie klösterliche Welt versetzt — die Welt des Königs Artus und seiner Tafelrunde, die Welt Tristans. Dieses blühende All, Heimat der jung=fräulichen Seele, war der Landschaft des „Ringes" benach=bart. Im „Parsifal" wie im „Ring" finden wir dieselben Gegensätze von Gut und Böse; das erste in der Gralsburg des heiligen Leidens, das zweite in Klingsors Zaubergarten. Die alte Sehnsucht Wagners nach Heiligkeit und Reinheit taucht auf, wir erkennen Siegfried unter der Maske Parsifals — die verspottete und mißverstandene Unschuld, die doch am Ende über die Spitzfindigkeiten des Geistes und die Sünden des Fleisches triumphiert. Klingsor, der die „Liebe verflucht" hat, ist ein zweiter Alberich, der mit seiner Zauberei alle Versuchungen Satans in das Land der Heiligen gebracht hat; Gurnemanz, der alte Weise, ein Wotan, dessen Härte in Zartheit aufgelöst ist und der ein Dichter voller Demut wurde. Amfortas, der Gralskönig, ist eine Übertragung der Brünhilde, da er, wie die Walküre, verdammt ist, die Last der Sünden bis zu dem Tage zu tragen, an dem ein schuldloses und reines Herz diese auf sich nehmen und durch seine unbesiegliche Reinheit die offene Wunde in seiner Seite heilen wird.

Kundry allein erscheint im letzten Drama Wagners neu und rätselhaft. Dieses Weib mit dem doppelten Gesicht ist bald die Gralsbotin, die schweigsame Dienerin der Ritter des heiligen Gefäßes, welches das Blut Christi aufgefangen hat, bald die Spionin Klingsors, die Namenlose, die uralte Versucherin, die Rose der Hölle, die Herodias-Tochter, die vor Verlangen nach dem Propheten der Wüste brennt, und ihre heißen Küsse auf das blutige Haupt des Heiligen zu drücken verlangt, der sie zurückgewiesen hat. Kundry ist Maria Magdalena, die Ehebrecherin des Neuen Testaments und die mystische Geliebte Jesu. Sie ist ein Symbol der „Frau", des Ewig-Weiblichen, Gut und Böse in einem, Reinheit und Sünde, Trauer und Freude. „Einst hat sie mit frevelndem Lachen die Leiden des Gekreuzigten verspottet. Aber plötzlich richtete Jesus seine Augen auf sie, und von diesem Tage an wurde sie eine Wandrerin über die Erde, die Christi Augen noch einmal suchte, um seine Verzeihung zu erlangen." Sie verachtet die Liebe, aber Liebe allein kann sie retten. So sind ihr Fluch und ihre Erlösung in einem einzigen Willensakt umschlossen, in einem Instinkt, in dem ihre in der Ekstase der fleischlichen Sünde verlorene Seele auf ewig durch die Reue gequält und durch die Hoffnung auf Vergebung erhoben wird. In jedem neuen Geliebten sucht Kundry den Erlöser. Wenn sie merkt, daß sie nur einen Sünder in ihren Armen hält — wie es jedesmal der Fall ist — bricht diese Frau, die keine Tränen kennt, in jenes Lachen aus, das einst das Herz des Gottes= sohnes zerriß. Der Reinheit beraubt und doch voller Liebe zur Schönheit der Seele, die sie am Fuße des Kreuzes geschaut hat, entreißt sich Kundry der Schar der Zauberinnen Klingsors und büßt ihre Sünden in der elendesten Gestalt an den Toren von Monsalvat. Sie weiht sich dem Gral und wird eine niedere Magd. Ihr Herz ist so lange ganz ihren demütigen Arbeiten hingegeben, bis das unersättliche Verlangen sich wieder in ihr regt. Dann stößt sie einen schrillen Schrei aus und flieht wie eine Schlafwandlerin durch die Wälder, um wieder ihr heimliches Leben unter den Blumenmädchen zu be= ginnen, die ihr als ersehntes Opfer den Mann zuführen, den sie ihnen bezeichnet hat. So bringen ihr die schönen Sünde= rinnen eines Tages niemand anderes als Parsifal.

Aber wenn Kundry das Ewig=Weibliche darstellt, so ist Parsifal keineswegs das Symbol des Ewig=Männlichen, zunächst des= halb nicht, weil der reine Tor die Erbsünde nicht kennt. Er weiß vom Mitleid nur, was er von Gurnemanz gelernt hat; der alte Weise weckt sein Gewissen, weil er einen Schwan getötet hat. Er weiß nichts von Schmerzen, er hat nur das Blut aus der Wunde des Amfortas fließen sehen. Gut und Böse sind ihm keine Begriffe, und vom sinnlichen Verlangen weiß er gar nichts. Als er von den Blumenmädchen umringt wird, hält sie der reine Tor für zarte und liebliche Schwester= wesen, bis Kundry erscheint und ihn aufzuklären sich anschickt. Da sie das Menschenherz gut kennt, weiß sie, daß sie am sichersten auf Parsifal Eindruck machen wird, wenn sie ihn an seine Mutter erinnert. Durch diesen Winkelzug wird die Unschuld seiner Seele verwundet. Er will den erwachenden Sinnen nachgeben, als Kundry, wie Brünhilde, seine Lippen küßt, nach denen sie verlangt. Wie Siegfried, der in diesem Moment das Fürchten lernt, erkennt Parsifal plötzlich durch diesen Kuß das uralte Geheimnis der Welt: er versteht die Sünde und erinnert sich an die Wunde des Amfortas. Er sieht mit visionärem Blick den Schmerz, der auf den Menschen liegt, und weiß, daß er allein die Macht hat, die Menschheit zu erlösen. Er begreift die Reinheit, in der er bisher gelebt, und die Verantwortung, die er auf sich nehmen muß; nun versteht er sogar, daß das einzige Heil der Versucherin in seiner Weigerung liegt, ihr zu Willen zu sein: er stößt sie zurück und hat in diesem Augenblick Kundry und sich selbst überwunden. Er schafft der Welt eine neue Philosophie, die Idee einer menschlichen Heiligkeit, die nichts mit dem Priestertum zu tun hat. Denn Parsifal verteidigt nicht den Grundsatz absoluter Keuschheit; er kämpft nicht für ein Leben in klösterlicher Zurückgezogenheit. Späterhin wird er Erfahrung in der Liebe haben; Lohengrin ist sein Sohn. Aber er lernt es, die Begierden zu unterdrücken, sie seinem Willen untertan zu machen. Zum erstenmal feiert Wagner den Sieg des Lebens über den Tod.

Welch' erstaunliche Tat, Wagner, den Greis, in seinem letzten Werke eine Hymne singen zu hören, die die Schönheit der Natur und die Stärke der sittlichen Tat verherrlicht! Nicht mit dem Elend der Schwachen soll man Mitleid haben, das Ziel ist: Barmherzigkeit in der Seele des Starken. Parsifal will nicht belehren; er gibt ein Beispiel. Wenn der reine Tor in die Gralsburg zurückkehrt, um die Wunde des Amfortas durch die Berührung mit dem heiligen Speer zu heilen, der von Klingsors Hand geschleudert über seinem Haupte schwebt, wenn die Natur in der Pracht ihrer Blüte den Karfreitagszauber singt, so bedeutet das keine Osterpredigt, sondern die Verkündigung eines neuen Glaubens an die Menschheit, das Zeugnis eines dankbaren Herzens, das viel Leid

540

erlebt hat. In Wahrheit ist nicht die Gestalt Parsifals der Mittelpunkt dieses Dramas, sondern die Liebe, die sich von der Kuppel von Monsalvat unsichtbar auf die Menschheit herabgesenkt hat. Der Kampf geht um Amfortas, den Mann, der verdammt ist, am Leben zu bleiben, und in sich den Satanismus des fliegenden Holländers, die Leiden Tristans und die mystische Göttlichkeit Lohengrins vereinigt.

Amfortas ist Wagner. Darüber kann kein Zweifel bestehen, und Parsifal-Ludwig, der seinen Namen nicht kennt, der wirkliche „Tor", der seiner Leidenschaft nur so lange Herr bleibt, als er sich nicht der Wirklichkeit gegenübersieht. In diesem Augenblick erwacht Parsifal zu sich selbst und seinem wahren Leben: Ludwig II. aber gab, als er sich derselben Entscheidung gegenübersah, den Kampf auf, brach zusammen und eilte seinem Ende zu. Er wurde niemals mündig, sondern konnte nur den Parsifal des ersten Aktes verkörpern und erfaßte das Beispiel nicht, das ihm sein Meister noch von ferne wies. Das Kind, das Weib, der Mann, der Dämon und die Natur: das sind die fünf Hauptpersonen im Parsifaldrama, dessen tiefste Idee in einer Taube verkörpert ist; sie schwebt wie auf Fittichen der göttlichen Liebe in unsere Herzen.

Der musikalische Entwurf zum ersten Akt des „Parsifal" war am 29. Januar 1878 beendet, der zweite Akt am 13. Oktober desselben Jahres, der dritte am 26. April 1879. Wagners Erfindung sprudelte so reichlich, daß er Mühe hatte, sie einzudämmen. Sie bedrängte ihn fast so wie das Blut sein Herz; manchmal mußte er mitten in der Arbeit eine Pause machen und sich ausruhen. Indessen machte er sich keine Sorgen über die wachsende Häufigkeit dieser Anfälle, deren erste Warnung er in Moskau erfahren hatte. Trotzdem bedrückte ihn die Ahnung, daß er nicht mehr viel Zeit vor sich hatte. Er schrieb seine Skizzen mit Tinte deutlich auf, arbeitete sie durch, fügte die berühmten Synkopen ein und wünschte, daß seine Musik so körperlos dahinschwebe wie ein Wolkenschatten. Er voll=

endete täglich nicht mehr als acht oder zehn Takte. Wieder las er Plutarch, Xenophons Anabasis, Shakespeare, Balzac im Kreise seiner Familie oder einiger vertrauter Freunde. Unter diesen nahm Hans von Wolzogen eine hervorragende Stellung ein, ein junger Aristokrat, der eben mit Unterstützung des Meisters eine neue Zeitschrift mit dem Titel „Bayreuther Blätter" gegründet hatte; sie war ausschließlich dem Werke und den Lehren Wagners, sowie den Interessen des Festspiel= hauses geweiht. Ferner war Joseph Rubinstein da, der Bruder des berühmten Pianisten, selbst ein ausgezeichneter Klavier= spieler und ein glühender Bewunderer der Wagnerschen Musik; bei seinen häufigen Abendbesuchen in „Wahnfried" spielte er das Parsifalmanuskript, wie es aus des Meisters Hand kam, oder Stellen aus der „Götterdämmerung". Auch Malwida erschien; ebenso Liszt, der aus Weimar nach Rom zur Fürstin, von Rom nach Hannover zu Bülow, und von Hannover endlich nach Bayreuth zurückgefahren war. Die Jahre machten sich bei ihm mehr und mehr bemerkbar, und sein schönes Gesicht war nun mit Warzen bedeckt.

Es schien überhaupt alles alt und schwach geworden zu sein; es war, als wolle das ganze Unternehmen infolge der Interesselosigkeit einschlafen, die sich bei den Subskribenten und dem König bemerkbar machte. Hoch oben auf dem Hügel erhob sich das große Theater, ein riesiges fensterloses Back= steingebäude, das aussah wie eine nicht mehr gebrauchte Kirche. Alles schien in Schlummer versunken, nur Cosimas unruhiges Herz und Wagners reger Geist wachten.

Was ist Deutschland? Wo ist Deutschland? Das waren die Fragen, die sich Wagner vorlegte, wie es zu allen Zeiten jeder gute Deutsche getan hat, für den die wahre Tragödie Deutschlands darin liegt, daß man an allem Geschehen draußen in der Welt regsten Anteil nimmt, nach außen gelten und reformieren will. Aber für die Deutschen hat Voltaires gewiß nicht chauvinistisch gemeintes Wort aus „Candide":

542

„Laßt uns unfern Garten bestellen" keine Geltung. In der Ruhe und im Wohlbehagen geht der Deutsche zugrunde. Er will das Leben nicht genießen, sondern erobern, selbst wenn er dies mit dem Tode büßen muß. Schon Goethe hat vor Wagner den Fausttypus, der immer strebend sich bemüht, geschaffen:

> „Nur der verdient sich Freiheit wie das Leben,
> Der täglich sie erobern muß."

Ihm kommt's nicht darauf an, was Gut's in Ruhe zu schmausen, der Sieg ist weniger wichtig als das Streben danach, das Erkämpfen. Wagner hielt es nicht anders. Ruhe galt ihm für nichts und tat nicht einmal seiner Kunst gut. Er wollte das Werk seines Lebens noch nicht als beendet ansehen; da es auf „felsigen Höhen" errichtet war, schienen die Ebenen der Glückseligkeit nicht der geeignete Platz für seine Schöpfungen zu sein. Da ihn die Glut der Sinne nicht mehr erfüllte, bemühte er sich, das Feuer seines Geistes anzufachen.

Er wollte also jetzt seine Kunsttheorie, seine Philosophie und Religion und schließlich auch seine Ethik auf Ideen gründen, die ihn bewegten: so bekämpft er die tragische Herrschaft des Geldes, die Entartung der westlichen Rassen unter dem Einfluß der Juden, deren Ziel Zersetzung hieß, den übertriebenen Sinnenkult und die Vernachlässigung der Volksernährung in den zivilisierten Staaten, die „Entgöttlichung" unserer staatskirchlichen Religion. Dagegen verlangt er die Erneuerung der Menschheit durch vegetarische Kost, durch die Kunst (sie ist die einzige Vermittlerin zwischen Menschlichem und Göttlichem) und durch die Religion des Mitleidens. Die Titel der Wagnerschen Schriften während dieser Zeit sind für seinen Gedankengang bezeichnend: „Erkenne Dich selbst" (1879), „Religion und Kunst" (1880), „Heldentum und Christentum" (1881).

Wohin führte Deutschlands Weg? Sollen wir Hoffnung haben? Er fühlte, daß diese Fragen mit seinem eigenen

Geschick verbunden waren. Aber das neue Reich antwortete ihm nur mit platter Orthodoxie, die vom Staat verlangt wurde, dem „Kasernenglauben". Das Verständnis für die wahre Bedeutung des Geistigen und seines positiven Wertes schien verlorengegangen zu sein, die Deutschen begriffen nicht mehr, daß, wie Carlyle sagt, Shakespeare mehr für England bedeutete als die Kolonien. Wir können gut verstehen, wenn Wagner an Judith Gautier schrieb, daß er nicht die geringste Vaterlandsliebe empfinde. Bismarck machte ihm keinen Eindruck mehr; des Fürsten Alldeutschtum schien Wagner ein gefährlicher Irrtum zu sein. Wagner schied sich selbst von der Menschheit, von der herzlosen Welt der Wissenschaft, als ihm die Schrecken der Vivisektion bekannt wurden, die unschuldigen Tieren dieselben Qualen auferlegt wie die „heilige" Inquisition in früheren Zeiten unschuldigen Menschen, — eine Schmach des 19. Jahrhunderts. Seine Verachtung für die moderne Welt wuchs mehr und mehr.

Für die „Bayreuther Blätter" schrieb er einen offenen Brief an Ernst von Weber gegen die Vivisektion, in dem er ausruft: „Denn unser Schluß inbetreff der Menschenwürde sei dahin gefaßt, daß diese genau erst auf dem Punkte sich dokumentiere, wo der Mensch vom Tiere sich durch das Mitleid auch mit dem Tiere zu unterscheiden vermag, da wir vom Tiere anderseits selbst das Mitleiden mit den Menschen erlernen können, sobald dieses vernünftig und menschenwürdig behandelt wird."

Ein erhabenes Leben zu führen sollte gelehrt und gelernt werden, keine Bücherweisheit oder törichte Pensen der Schulen. Er selber wollte seinen Sohn nicht ins Gymnasium schicken, sondern ihn von einem Lehrer unterrichten lassen, der dem Knaben den Sinn der Dichtung Shakespeares und Cervantes' klarmachen könne und von so reiner Gesinnung, von so ehrlichem Willen erfüllt sei, um wie Don Quichotte gegen Windmühlen zu kämpfen.

544

Wagner auf der Probe in Bayreuth
Skizze von A. Menzel

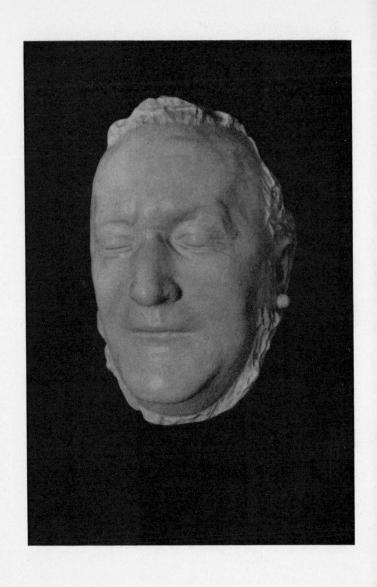

Wagners Totenmaske

Selten hat der graue Himmel Oberfrankens schwerer auf Richard Wagner gelastet als im Spätherbst 1879. Die alte Sehnsucht nach Italien erwachte plötzlich mit einer Heftigkeit in ihm, die manchmal durch den Namen einer Stadt, die Erinnerung an ein Gesicht im Zwielicht einer Kirche, den scharfen Geruch einer Straße oder den Duft einer Frucht hervorgerufen werden kann. Cosima pflegte zu sagen: „Wenn man ganz Märtyrer sein wollte, müßte man es sich aufgeben, in Deutschland zu leben und in Italien zu sterben." Wagner fühlte diese Berufung in der Tat, denn die Stunde seines Todes rückte näher. Wenn wirklich der „Parsifal" noch sein letztes Werk werden sollte, so war mit der Instrumentierung keine Zeit zu verlieren. Warum sollte er nicht in Rom oder Neapel das Werk vollenden? Italia! Wie oft war er nicht in Gedanken den Weg zur Verjüngung gewandert, in das Land, das das älteste und vernünftigste Europas ist! Hatte Liszt nicht gesagt: „Schöne Seelen sehnen sich immer nach Italien"?

Sie wählten Neapel als Aufenthaltsort und hatten die Absicht, sechs Monate dort zu bleiben. Wahnfried sollte geschlossen werden, sie wollten das ganze Berufselend vergessen. Nach vielen Verhandlungen wurde die Villa Angri an der Strada nuova del Posilippo gemietet, und am Silvestertage reisten Wagners ab.

Am 4. Januar 1880 versammelte sich die ganze Familie auf dem hohen Terrassenbau der Villa, von dem aus man den Vesuv rauchen sah. Es war sehr kalt, einige Tage vorher hatte es sogar geschneit. Was tat das! Die Bucht lag im Sonnenglanz funkelnd vor ihnen, dort drüben leuchteten Sorrent, Capodimonte, Ischia und Capri. Wie schön war das Leben! Als sie mit einer kleinen, von ein paar Pferden gezogenen Trambahn in bester Laune zur Stadt fuhren, rief Wagner aus: „Der Teufel soll alle Ruinen holen, Neapel ist meine Stadt. Hier ist alles voller Leben!"

III

Italia

Das gesunde und frohe Heidentum Italiens hat immer auf
künstlerische Menschen, deren Sinne für die Schönheit empfänglich sind, die größte Anziehungskraft gehabt. Durch das
Auge dringt der Zauber des Landes in das Herz; mehr als
irgendwo anders empfand Wagner in Italien die leidenschaftliche Natur des Volkes, den strahlenden Himmel, die
Schönheit der Frauen, die Anmut der Dichtung. Am wenigsten
vermißte er seine Musik; die Arbeit am „Parsifal" ruhte vollkommen. Mit seiner Familie und ein paar neuen Freunden
gab er sich einer geruhigen Lebensfreude hin. Heinrich von
Stein, ein junger deutscher Schriftsteller, den er gern als
Hauslehrer für seinen Sohn engagiert hätte, und der russische
Maler Paul von Joukowsky waren häufige und gern gesehene
Gäste in der Villa Angri. Joukowsky malte Cosimas Bildnis;
Stein schrieb Aufsätze, durch die er später bekannt geworden
ist, und las seine Übersetzung der Werke Giordano Brunos vor.
Die ganze Gesellschaft machte Ausflüge in die Umgebung,
nach Amalfi und im Wagen oder zu Esel nach Ravello, wo
sie den alten, im maurischen Stile erbauten Palazzo Raffoli
entdeckten. Wagner war von den Marmorsäulen, der ganz
mit Efeu bewachsenen Kapelle und der breiten, in einen Rosen-
garten hinaufführenden Treppe so entzückt, daß er in das
ihm vorgewiesene Fremdenbuch die Worte aufzeichnete:
„Klingsors Zaubergarten ist gefunden!"

Er nahm die Gewohnheit des frühen Aufstehens wieder an und machte jeden Morgen Spaziergänge durch die Pinienhaine und Weinberge des Posilipp. Bald begann er wieder die Lust zum Schreiben zu verspüren und warf einige Skizzen für die Abhandlung „Religion und Kunst" auf das Papier, in der er, noch immer unter dem fürchterlichen Eindruck der Vivisektion, zu beweisen suchte, daß die prähistorischen Menschen Vegetarier gewesen und erst mit dem Fleischgenuß entartet seien.

Im Juli stellte er diese Skizzen zusammen und vollendete den langen Aufsatz in wenigen Wochen, trotzdem seine Nerven nicht gut waren und sich wieder Brustkrämpfe einstellten, die er aber mit großer Willenskraft unterdrückte. Joseph Rubinstein kam zu Besuch nach Neapel und spielte abends Beethovens letzte Sonaten. Diese Hauskonzerte brachten Wagner Linderung für die sehr heftigen, aber vorübergehenden Anfälle seiner Krankheit; kein Arzt schien imstande zu sein, ihm zu helfen. Es wurde ihm geraten, Seebäder zu nehmen, die aber das Übel nur verschlimmerten. Obgleich die ersten Monate in Neapel Richard wohlgetan hatten (nur einmal hatte er einen Rückfall der alten Gesichtsrose erlitten), schien sich sein Befinden im Sommer wieder zu verschlechtern. Cosima wünschte ihn daher in ein besseres Klima zu bringen; im August siedelte der ganze Haushalt inklusive Joukowsky in die prachtvolle Villa Torre Fiorentino vor den Toren Sienas über.

Von dort hatten sie einen wunderschönen Blick über die Berge; Wagner schlief im Bett des Papstes Pius VI. Neapel hatte schon etwas Afrikanisches, aber Siena war wirklich Italien, mild, lieblich und geistfunkelnd; auf der Natur und den Werken der Menschen ruhte die unvergleichlich zarte Anmut, die nur in Italien zu finden ist. So war es mit dem Dom, der sich mit seinen Mosaiken, der Fassade aus buntem Marmor und den Papstbüsten über der Stadt erhebt; vor allem aber bewunderte Wagner die mächtige Kuppel, deren Architektur sich über der schweigenden Weite der Kirche wie ein Denkmal der ewigen Liebe erhebt. Wagner war von dem Anblick so tief ergriffen, daß er sofort von Joukowsky eine Zeichnung der Kuppel anfertigen ließ, um sie für die Bühnenbilder der Gralsburg zu benutzen. Wieder dachte er an seine noch unvollendete Oper, und liniierte sich Papier für die Instrumentation.

Dann traf Liszt für zehn Tage ein. Er war jetzt über siebzig, aber es schien, als ob das Alter der Lebendigkeit und Feinfühligkeit des unermüdlichen alten Mannes, der immer noch den Frauen gefährlich zu werden vermochte, nichts anhaben könne. Er reiste immerfort zwischen Rom, Budapest, Weimar und Paris hin und her, gönnte sich aber manchmal einige Ruhetage im Hause seiner Tochter, wo er Klavier spielte und Briefe an seine verschiedenen eifersüchtigen Verehrerinnen schrieb. Dann packte er seine kleine Reisetasche und reiste ohne viel Geräusch und Aufregung ab, als ob sich der alte Virtuose wie gewöhnlich auf eine Konzertreise begäbe. Wagners zeigten ihm den Dom von Siena; abends spielte er ihnen seine drei Petrarca-Sonette, die Mondscheinsonate, mehrere Stücke von Chopin, seine Dante-Sinfonie und am letzten Abend beinahe den ganzen dritten Akt „Parsifal" vor, dessen Gesangspartien Wagner, neben ihm stehend, durchführte. Sie wollten ihn veranlassen, länger zu bleiben, da Wagner seinen alten Schwiegervater gerne bei sich hatte, zumal dieser Pflege, taktvolle Behandlung und liebende Aufmerksamkeit brauchte, aber Liszt stahl sich aus der glücklichen Häuslichkeit hinweg. Der einst so reiche und glänzende Künstler wurde täglich schüchterner und „körperloser" (wie er es in einem Brief an die Fürstin Wittgenstein ausdrückte). Wagners alter Mäzen war jetzt am liebsten allein und kniete im Winkel einer entlegenen Kapelle, um seinen Schutzpatron, den heiligen Franz, zu bitten, ihn mit seinem Stock für seine zahlreichen Sünden zu züchtigen.

Aus Siena schrieb Wagner an den König Ludwig, um eine letzte Gnade zu erbitten, nämlich, daß er dem „Parsifal" seine königliche Unterstützung zuteil werden lassen möge, da er den Gedanken nicht ertragen könne, daß sein „Weihefestspiel" von Bühnen profaniert würde, auf denen Offenbachs Operetten gespielt wurden. Er wollte dieses Werk Bayreuth allein vorbehalten. Als sich der König bereit erklärt hatte, seine Bitte zu erfüllen und ohne jede Entschädigung das Münchener Orchester und die Chöre für die Proben im Jahre 1881 und die Aufführungen im Jahre 1882 nach Bayreuth zu schicken, machten sich Wagners wieder auf den Weg nach Deutschland. In Venedig blieben sie beinahe einen Monat, wo sie im Palazzo Contarini wohnten, und kamen am 31. Oktober in München an. Ohne jede Bitterkeit erwartete Ludwig die Ankunft des einzigen Menschen in der Welt, um den er in Wahrheit gelitten hatte. Er befahl eine Privatvorstellung des „Lohengrin" und dazu Wagner allein neben sich in die königliche Loge. Cosima und ihre Töchter versteckten sich irgendwo im Hintergrund des Theaters. Zwei Tage später dirigierte Wagner auf Befehl des Königs das Vorspiel zum „Parsifal"; der Komponist war sehr nervös, denn sie mußten über eine Viertelstunde auf den König warten. Als das Vorspiel zu Ende war — es war das erstemal, daß Wagner es vom Orchester hörte—, war er tief erschüttert. Der König verlangte, es noch einmal zu hören, und bestand dann auf dem Vorspiel zum „Lohengrin". Wagner gab Levi den Dirigentenstab, fuhr von kalter Wut gepackt nach Hause und erlitt einen heftigen Anfall.

Abends beim Diner „schlug das Gewitter ein": Wagner verfluchte alle Fürsten der Erde. „Ob König, ob Kaiser oder Bismarck — sie sind alle egal!" Franz Lenbach, der zum Essen eingeladen war, versuchte sein berühmtes Modell zu verteidigen, „goß aber nur noch Öl ins Feuer. ,Lassen Sie mich doch mit Ihrem Bismarck in Ruhe. Nach Sedan mußte

549

er, wenn er vorsichtig war, mit den Franzosen unbedingt Frieden schließen; durch die Fortsetzung des Krieges bis vor Paris hat er die beiden Nationen auf ein Jahrhundert getrennt!'" Der König hat vermutlich niemals etwas von dem Wutausbruch des nervösen Künstlers erfahren, den er ebenso fürchtete wie bewunderte. Nach der Rückkehr in sein Schloß schrieb er in sein Tagebuch: „Am 12. November, nachmittags, zweimal das wunderbare Parsifalvorspiel, vom Komponisten selbst dirigiert, gehört. Außerordentlich bezeichnend ... Ich habe immer vernommen, daß zwischen Fürst und Untertan keine Freundschaft möglich ist ..." Er führte den Gedanken nicht aus. Es folgen einige unzusammenhängende Worte, die klingen, als ob sie im Traum gesprochen wären — Gedanken, die ins Wesenlose gleiten, schattenhaft wie Landschaften, in denen das „Mondlicht" und die „Wasserfälle" uns daran erinnern, daß Ludwigs umnachtete Seele schnell in die Tiefe des Vergessens glitt. Fünfundeinhalbes Jahr später aber stand er der furchtbaren Wirklichkeit gegenüber. In einem lichten Augenblick begriff er, daß diese Wirklichkeit nur Sklaverei bedeutet, und wählte den Tod.

Wie dem auch sei, weder Wagner noch der König ahnten, daß sie sich an diesem Novembertag des Jahres 1880 zum letztenmal gesehen hatten. Als Wagner nach „Wahnfried" zurückfuhr, glaubte er im Gegenteil, daß die Wolken, die sich solange zwischen München und Bayreuth aufgetürmt hatten, nunmehr vollkommen verschwunden seien. So setzte er sich sofort wieder an seine Partitur. Joukowsky, der als Dekorationsmaler engagiert worden war, mußte Skizzen und Modelle der Bühnenbilder für den „Parsifal" anfertigen, und der junge Komponist Humperdinck kopierte Seite für Seite des Manuskripts, wie es aus der Hand des Meisters kam. Wagner fühlte sich jetzt als rüstiger Greis sehr wohl — wohler sogar als jemals. Er wurde zum Apostel Shake-

speares, Beethovens, Carlyles und Parsifals, — Helden,
die Götter geworden und als Pilger und Diener reinen Herzens wieder auf die Erde herabgestiegen waren. Nur so
können nach seiner Ansicht die Menschen das Göttliche in
sich bewahren: Liebe, Güte und der Sinn für das Übersinnliche müssen herrschen, während die kalte, wissenschaftliche
Untersuchung mit vollem Bewußtsein abgelehnt wird. Prospero schickte sich an, auf seiner Insel die Zauberkraft abzu-
schwören.

> „Doch dieses grause Zaubern
> Schwör ich hier ab; und hab' ich erst, wie jetzt
> Ich's tue, himmlische Musik gefordert,
> Zu wandeln ihre Sinne, wie die luft'ge
> Magie vermag: so brech' ich meinen Stab
> Begrab' ihn manche Klafter in die Erde,
> Und tiefer, als ein Senkblei je geforscht,
> Will ich mein Buch ertränken.“

Nach seinem Tagewerk vertiefte sich Wagner in einen seiner
Lieblingsschriftsteller, zu denen jetzt Gobineau gehörte. Er
wurde dieser Lektüre nicht müde und las hintereinander
„Die Geschichte der Perser“, „Drei Jahre in Asien“, „Religionen und Philosophien in Zentralasien“, „Die Renaissance“
und — das Meisterwerk seines neuen Freundes — den Essay
„Über die Ungleichheit der menschlichen Rassen“. Das Buch
ist eine Art Moralgeologie, deren Ideen vielfach mit Wagners
Lehren übereinstimmen, ja diese sogar wissenschaftlich stützen,
was Wagner gar nicht erwartet hatte.

Im Frühling 1881 mußte er das ruhige Leben unterbrechen,
um in Berlin der ersten Aufführung der „Tetralogie“ außerhalb
Bayreuths beizuwohnen. Diese Vorstellungen des „Ringes“
hatten außerordentlichen Erfolg; die kaiserliche Familie stimmte
in den allgemeinen Beifall ein. Wagner mußte auf der Bühne
erscheinen und eine Rede halten. Leider brachte die große
Anstrengung und Anspannung seiner Nerven einen Rückfall
seiner Brustkrämpfe. Er verlangte nur nach der Arbeitsruhe

in Wahnfried, nach der Stille seiner Bibliothek, und überließ dem Impresario Angelo Neumann und den Dirigenten Seidl, Levi oder Richter die Inszenierungen seiner älteren Werke. Friedliche Umgebung und liebevolle Pflege bedeuteten ihm jetzt mehr als alle Aufführungen seiner Dramen, denn es war ihm wieder einmal klargeworden, daß selbst seine intelligentesten Schüler und die begabtesten Sänger niemals die ideale Vollendung erreichen würden, die er sich erträumt hatte.

Er lud Gobineau nach Wahnfried ein; der Graf kam denn auch und blieb einen Monat. Der feingeistige vornehme Mann war nicht der kräftigste; seine Gesundheit hatte durch seinen langen Aufenthalt in den Tropen ernstlich gelitten, seine Vorgesetzten hatten ihn in ihrer Gleichgültigkeit auf verlorenem Posten einfach vergessen. Gobineau stand sich mit Wagner von Anfang an ausgezeichnet, trotzdem er fast in jeder Beziehung dessen Gegenteil war: ein Adliger aus ältester Familie, erst Royalist, dann Anhänger Bonapartes, Katholik, der manchmal beklagte, daß seine Vorfahren in der Bartholomäusnacht nicht unter den Hugenotten gründlicher aufgeräumt hätten, Konservativer, der von seiner Rasse und seinem „Haus" sehr viel hielt, geborener Condottiere, Feind aller metaphysischen Philosophie, bis in die Fingerspitzen vom Geist des achtzehnten Jahrhunderts erfüllt und so gebildet, daß er die besten Schriftsteller dieser Zeit auswendig kannte. Er stand mit ganzem Herzen auf der Seite der „herrschenden Klasse"; aber er war Künstler, Bildhauer, Orientalist und Dichter. Trotzdem wartete er noch mit fünfundsechzig Jahren auf die Anerkennung, die Europa ihm schuldig war. Auch Wagner hatte lange auf Anerkennung warten müssen, bis er sie endlich errungen hatte; so würde auch, meinte er, Gobineau an die Reihe kommen. Beide interessierten sich glühend für die Geschichte der Menschheit und ihrer Anfänge, beide glaubten an die Überlegenheit der arischen Rasse. Auf die

Götter Wagners Odin, Thor und Freya leitete sogar der Graf den Ursprung seiner Familie zurück! Dieses geistige Band wurde noch durch eine Gefühlsbindung verstärkt. Denn Gobineau erinnerte sich, daß er als französischer Gesandter in Griechenland zuerst Wagners Musik von dem reizenden Fräulein Dragoumis, die seine Athener Tage verschönt hatte, auf dem Klavier gehört hatte. Wer also konnte besser als der Held von Bayreuth die Bedeutung des resignierten Wortes verstehen, das Gobineau dem Ende seiner ehrgeizigen Träume als Motto geprägt hatte: „Im Leben gibt es Liebe und Arbeit und sonst nichts!“ Wagner erkannte in dem glänzenden Grandseigneur ohne Illusionen gewisse Züge, die ihn an Friedrich Nietzsche erinnerten; beide waren stolz auf ihr Heidentum und verachteten die Güter dieser Welt. Beiden schien revolutionäres Denken angeboren, das allein hochstehenden Geistern zu eigen ist. Sie feierten zusammen den achtundsechzigsten Geburtstag des Meisters und fuhren dann nach Berlin, um den vierten Zyklus der „Tetralogie“ zu hören, dessen Eindruck auf Gobineau ein außerordentlich starker war. Bei ihrer Rückkehr nach Wahnfried schenkte er Wagner ein Exemplar seiner „Religionen und Philosophien in Zentralasien“, mit der Widmung: „Als Zeichen der aufrichtigsten Verehrung und herzlichsten Zuneigung“.

„Gobineau ist mein einziger Zeitgenosse“, erklärte Wagner, der ihm eine ähnliche Stellung einräumte wie Schopenhauer seit dreißig Jahren — die Tatsache läßt sich in „Heldentum und Christentum“ erkennen. Wagner mußte an diese Parallele während der ganzen Zeit denken, in der er die Instrumentierung der beiden ersten Akte „Parsifal“ beendete. Die Öffentlichkeit begann sich mit Gobineau zu beschäftigen; seine Werke wurden viel gelesen, besprochen und verbreitet. So wurde Wagner aufgefordert, einen Artikel über ihn für die „Bayreuther Blätter“ zu schreiben. Cosima bat Judith Gautier

brieflich, den Verleger Didot aufzusuchen und ihn zu veranlassen, den ganz vergriffenen Essay über die „Ungleichheit
der menschlichen Rassen" neu zu drucken; Wagners erboten
sich, die Kosten der Ausgabe zu tragen. „Ist es zu viel von
Ihnen verlangt, wenn ich Sie um Ihre Hilfe in dieser Angelegenheit bitte? Meinem Mann geht es in diesem Winter
viel besser als im letzten, und Italien, besonders Siena, hat
ihm sehr gut getan. Heute hat er die Instrumentation des
zweiten Aktes ‚Parsifal' begonnen; wir sind gerade dabei,
die Dekorationen und Kostüme zu bestimmen. Ich weiß
nicht, ob wir Bayreuth vor Beginn der Vorstellungen verlassen
können, wir haben uns dann sechs Jahre nicht mehr gesehen..."

Aber Cosima irrte sich. Es war ihr bestimmt, in demselben
Jahre wieder nach Italien zu kommen, denn es schien jetzt
Richard ganz unmöglich, das regnerische Klima Bayerns zu
ertragen. Noch nie hatte er sich so nach der südlichen Sonne
gesehnt. Seine Nervosität wurde durch die angestrengte Arbeit
immer schlimmer. Zudem wollte er Bülows beide Töchter
Daniela und Blandine adoptieren, da sie ihm sehr lieb geworden waren. Aber Hans lehnte den Vorschlag ab. Auf
Wagners Bitten entschloß sich Cosima, mit ihrem früheren
Gatten zusammenzukommen; die Unterredung fand während
des Sommers in Nürnberg statt. Seit elf Jahren hatten sie
sich nicht gesehen; so war es eine traurige und peinliche Zu-
sammenkunft. Äußerlich war Hans sehr verändert, aber
innerlich war er immer noch der gleiche unbeherrschte, un-
gerechte und fieberhaft erregte Mensch, der nicht vergessen konnte.
Er warf Wagner vor, schwarz und weiß, gut und böse nicht
unterscheiden zu können. Trotzdem tat er Cosima ehrlich
leid, denn er war ein kranker Mann, für den es keine Heilung
gab. Sie weinte, konnte aber nicht bedauern, was sie einst
getan, und kehrte am nächsten Tag zu Richard zurück, nicht
um Glück und Frieden wiederzufinden, sondern nur die

Genugtuung, dem Mann, den sie liebte, Frieden und Glück zu bedeuten. „Als ob ein neues Leben für mich begänne, trete ich nach dieser Begegnung wieder in das Haus ein, ohne Trost und doch mit Frieden, einzig durch sein Glück beglückt und tief im Herzen das Bewußtsein einer unsühnbaren Schuld. Das eine zu genießen, das andere nie zu vergessen, dazu helfe mir Gott!" Die Tragik dieser Frau lag darin, daß sie nicht zu vergessen vermochte.

Die Ankunft der Künstler und Chöre aus München, die der König zu schicken versprochen hatte, wurde in Wahnfried freudig begrüßt. Die Proben des noch unvollendeten Werkes, das im nächsten Sommer aufgeführt werden sollte, konnten beginnen. Die Damen Marianne Brandt und Therese Malten, die Herren Winckelmann, Gudehus und Scaria stellten sich ein. Wagner stürzte sich sofort in die Arbeit, kümmerte sich um die Dekorationen und die Bühnenmaschinerie; auch begleitete er manchmal die Sänger auf dem Klavier. Liszt nahm im September seinen jährlichen Aufenthalt in Bayreuth und fand Judith Gautier dort „im siebenten Himmel", wie er an die Fürstin schrieb. Richards heimliche Freundin erschien gerade, als er die üppige Szene der Blumenmädchen im Zaubergarten instrumentierte. „Er ist bis zum Schluß des zweiten Aktes gekommen", schrieb Liszt, „und hat nur noch hundert oder zweihundert große Seiten zu schreiben. Das erfordert mehr als Sorgfalt, nämlich Genie und höchste Anspannung ... Herr v. Joukowsky hat schöne Bühnenbilder für ‚Parsifal' entworfen, — Gralsburg, Wald und Zaubergarten." Erinnerungen an den Dom von Siena und den Garten von Ravello!

Es war immer und immer wieder Italien, wo Wagner sich geistig so zu Hause fühlte, daß er sogar die Burg Monsalvat in dieses Land verlegte. Nun schilderte ihm Rubinstein die Reize Palermos in den glühendsten Farben. Wagner schlug seinen Baedeker auf und wurde sofort von der Sehnsucht gepackt, der Sonne entgegenzureisen; denn er glaubte, daß alle seine Brustschmerzen und seine häufigen Schwächeanfälle rheumatischen Ursprung hätten. Ärzte untersuchten ihn und bestätigten ihm, daß er organisch vollkommen gesund sei; aber sie empfahlen ihm ein warmes Klima, eine strenge Diät, viel Bewegung in freier Luft.

Wie vor zweiundzwanzig Monaten entschlossen sich Wagners sogleich abzureisen und den Winter auf Sizilien zuzubringen. Wieder übergaben sie die Angelegenheiten des Festspielhauses Feustel und seinem Schwiegersohn Groß, und am 1. November machte sich die ganze Familie über München, Verona, Ancona und Neapel auf den Weg nach Palermo.

Vier Tage später kamen sie an und nahmen Wohnung im Hotel des Palmes. Am nächsten Tage machte sich Wagner an die Arbeit. Die Stadt wirkte auf ihn wie eine belebende Arznei. Palermo ist amphitheatralisch aufgebaut mit alten Palästen, ruhigen Straßen, Zitronen= und Orangengärten. Außerdem freute Wagner sich an einem Käfig mit Affen, der auf der Hotelterrasse stand. Er vergeudete keinen Augenblick, denn er fürchtete, daß der Tod ihn vor Vollendung seines Werkes überraschen könne, so daß er nicht mehr Zeit haben würde, es wieder und wieder zu überarbeiten und mit der ihm eigenen peinlichen Sorgfalt alles bis auf die letzten Akzente des letzten Taktes genau aufzuzeichnen. Aber der Tod meinte es gut mit ihm; er wartete und gönnte ihm die Zeit, die er brauchte.

Cosima teilte Judith mit, wie der Tag eingeteilt war: „Am Morgen Arbeit; mittags Spaziergang; um 1 Uhr Mittagessen; um 2 eine Stunde Ruhe; um 3 wieder ein Spaziergang; um 5 Arbeit; um 7 Abendessen und dann zu Bett." Wagner, der immer gern Sehenswürdigkeiten besichtigte, besuchte den Dom, in dem sich maurische und romanische Elemente mischen, das Kloster der Benediktiner, die

Capella Palatina im Palazzo Reale, die Villa Camastra, deren Besitzer Graf Tasca bald sein Freund wurde. Sobald er zu Hause war, nahm er seine Arbeit wieder auf; der Ausblick auf eine regelmäßig geformte Palme, die vor seinem Fenster stand, wirkte beruhigend auf ihn. Manchmal besuchte er auch einen großen Uhu, der im Florio-Garten in einem Käfig gehalten wurde. „Das ist die Natur", rief er aus, „ohne Verstellung, grauenhaft aber wahrhaftig! Und wie ein Löwe, schöner als ein Löwe, sieht der Kerl aus!" Wenn er sah, daß das tagblinde Tier mit den großen runden Augen geneckt wurde, zog er einige Exemplare seiner Antivivisektionsschrift aus der Tasche und händigte sie den Umstehenden ein.

Er faßte jetzt den Plan, jedes Jahr sechs Monate in Palermo zuzubringen und glaubte nicht mehr an sein Alter. Manchmal blieb er vor einem Laden stehen, besah sich selbst in dem spiegelnden Schaufenster und sagte: „Ich erkenne mich selbst mit meinen grauen Haaren nicht wieder. Bin ich wirklich achtundsechzig?" Neue Reisen wurden geplant, nach Ägypten, Madeira und Ceylon. „Ich will blauen Himmel haben", meinte er. Die schlimmen Schmerzen in der Brust kamen indessen immer wieder und warfen einen schwarzen Schatten auf die Zukunft. Obgleich Wagner nicht glaubte, daß sie etwas Ernstes zu bedeuten hätten, vergrößerte er sein tägliches Arbeitspensum jedoch so, daß Joukowsky bei seiner Ankunft zu Weihnachten das Werk fast vollendet vorfand.

Am 13. Januar 1882 stand Wagner bei der Abendmahlzeit auf, ging in sein Zimmer und kehrte mit einem großen Paket zurück. Es war seine Partitur. „Hier", sagte er, als er zurückkam, „ich habe soeben meinen ‚Parsifal' vollendet." Eine Flasche Champagner wurde geöffnet, der Meister setzte sich an das Klavier und spielte die Ouvertüre seiner ersten Oper „Die Feen". Vor neunundvierzig Jahren hatte er seinen Namen auf die letzte Seite dieses Werkes gesetzt und hinzugefügt: „Finis, laudetur Deus". Nun schrieb er auf die letzte Seite des Werkes, das die Krönung seiner Lebensarbeit bildet, nur die berühmten Anfangsbuchstaben: R. W. Jetzt mochte der Tod kommen; er konnte die Schöpfungen, die im Laufe von fünfzig Jahren, zwischen Würzburg und Palermo, entstanden waren, nicht mehr vernichten. In seiner wundervollen Musik hat Wagner seine Träume zur Wirklichkeit gestaltet: das Reich seiner Phantasie war erschaffen.

Nach der Vollendung des Parsifal blieben Wagners noch für einige Monate auf Sizilien. Sie wohnten jetzt in der Villa Gangi an der Straße nach Monreale. Sie hatten eine ganze Menge Leute kennengelernt, und, obgleich der kleine Siegfried an Paratyphus litt, besuchten seine Schwestern verschiedene Bälle. Sobald das Kind wieder gesund geworden war, gaben Wagners der Gesellschaft von Palermo eine Abschiedsmatinee, bei welcher Gelegenheit Wagner eine Militärkapelle dirigierte. Dann brachen sie nach Acireale auf. In diesen Tagen verlobte sich Blandine, Cosimas und Bülows zweite Tochter, mit einem jungen Marineoffizier, dem Grafen Biagio Gravina.

Ganz unerwartet trat — etwa zu derselben Zeit — ein Parallelereignis ein: Hans von Bülow verlobte sich mit einer in Hamburg engagierten Schauspielerin. So war endlich eine Situation, die Cosima und Richard jahrelang gequält und mit Unbehagen erfüllt hatte, plötzlich zu gutem Ende gekommen. Der Einsame begann endlich ein neues Leben; er verließ Hannover und wurde Hofkapellmeister des Herzogs von Meiningen. Es gelang ihm, ein Orchester zusammenzubringen, das in kurzer Zeit berühmt wurde. So verschwand er allmählich aus dem Gesichtskreis Cosimas und Richards; der Himmel, den Stürme der Leidenschaft verdunkelt hatten, klärte sich endlich ganz auf. Prospero aber rief am Fuß des Ätna aus:

> „Ein feierliches Lied, der beste Tröster
> Verirrter Phantasie, heile dein Hirn!"

Mitte April fuhren sie nach Neapel und dann nach Venedig, der Stadt, die Wagner in Italien am liebsten war, weil sie in all ihrer Farbenpracht eine Ruhe atmete, in der sich Liebe und Tod am besten vereinigen. Es war die Stadt Byrons und der Gräfin Guiccioli, Casanovas und seiner Abenteuer, die Stadt, in der Musset verzweifelte, und Wagner — Mathilde Wesendonk Lebewohl gesagt hatte. Sie war das Grab „Tristans" und die Wiege der „Meistersinger". Er liebte das Geläut ihrer Glocken, ihre stillen Kanäle, die Markuskirche, die Löwen, — Symbole, in denen Wagner sein Leben und sein Werk wiederfand, ja, merkwürdigerweise schien ihm der früheste Löwe des Arsenals Wotan zu gleichen. Er hatte den Wunsch, nach den Vorstellungen des „Parsifal" im nächsten Herbst nach Venedig zurückzukehren, um hier Symphonien zu schreiben. Keine Oper mehr in dieser Stadt, die aussieht wie eine Theaterdekoration, nur noch absolute Musik, die von jeder Literatur frei ist. In dieser Stadt, die weder Winter noch Sommer kennt, fühlte der Künstler das Bedürfnis, auf seine alten Tage der Architektur der Dogenpaläste ein musikalisches Gegenstück zu schreiben. In Venedig glaubte er das geistige Gleichgewicht zu finden, das für die Meisterschaft der ganz Ausgereiften bezeichnend ist, die keine fieberhafte Hoffnung mehr vergiftet.

Wagners suchten einen Palast, um ihn für den nächsten Winter zu mieten, und wählten den am Canale Grande gelegenen Palazzo Vendramin.

Kurz nach seiner Rückkehr in die Heimat empfing Wagner den Besuch Gobineaus, der den 22. Mai, des Meisters neunundsechzigsten Geburtstag, mitfeierte, der wie immer glänzend begangen wurde. Ludwig schenkte seinem Freunde ein paar schwarze Schwäne. Indessen wurde Gobineau plötzlich krank, und Cosima glaubte im Gesicht des geliebten Freundes — ein solcher war er geworden — die Anzeichen eines bevorstehenden Schlaganfalls zu erkennen. Er reiste zur Kur nach Gastein. Kurz darauf kam die Schar der Solisten, Choristen und Bühnenarbeiter mit Levi und Fischer an der Spitze an, die bei den sechzehn Vorstellungen des „Parsifal" mitwirken sollten.

Die Tore des Theaters, das sechs Jahre geschlossen gewesen war, öffneten sich wieder. Auf dem Hügel war alles Leben und Bewegung, aber in der mystischen Burg herrschte verhaltene Stille, und auch der letzte Bühnenarbeiter schwor dem neuen Glauben unerschütterliche Treue. Wagner machte sich mit unermüdlicher Liebe ans Werk, während infolge der unaufhörlichen Eifersüchteleien der Künstler immer wieder alle möglichen Mißhelligkeiten entstanden. Dann kam die erste Enttäuschung: der König ließ sagen, daß er der Vorstellung nicht beiwohnen könne, da er krank sei. Aber Wagner vermutete mit gutem Grund andere Ursachen für sein Nichterscheinen gerade in dem Moment, in welchem sein „Parsifal" die besondere Stellung in der Kunstgeschichte erringen sollte, von der sie beide geträumt hatten. Ludwig hielt nur sein Entschluß, einsam zu bleiben, von Bayreuth fern. Er wollte im Gedächtnis der Welt nur noch wie ein längst Verstorbener, wie sein eigenes Denkmal fortleben. Lange Zeit hatte er sich von dem niederen Volk der gaffenden Menge ferngehalten und ihr törichtes Treiben vermieden: nun waren die Brücken, die seine königlichen Schlösser mit den Straßen seines Reiches verbanden, abgebrochen. Seine Träume, denen er unaufhörlich nachhing, zogen einen schützenden Graben um ihn her, den er erst überschreiten sollte, als es zum Sterben ging.

Aber wenigstens war Liszt in Bayreuth, und Richard freute sich aufrichtig, ihn zu sehen, seinen alten Freund, tatsächlich seine „einzige Verwandtschaft". Auch kamen einige Freundinnen aus vergangenen Tagen, unter ihnen seine Nichte Johanna, die erste Elisabeth im „Tannhäuser", und Mathilde Maier,

Wagners Sterbehaus in Venedig
Palazzo Vendramin

Wagners Grab in Bayreuth

Cosima Wagner

die sich aber entschieden weigerte, mit Wagner zusammen-
zutreffen, weil sie taub geworden war und sich geschämt hätte,
wäre Wagner dies Gebrechen an ihr gewahr geworden. Auch
der junge Graf Gravina kam zur rechten Zeit an, da seine
Hochzeit am 25. August stattfinden sollte, dem zwiefachen
Gedenktag: des Königs Geburtstag und Wagners Hochzeits-
tag. Diesen Gästen schlossen sich eine Menge Fürstlichkeiten,
Freunde, Künstler und Ausländer an, unter denen sich die
französischen Komponisten Chausson, Delibes, Vincent d'Indy
und Saint-Saëns befanden.

Als während der fünften Vorstellung der Sänger Scaria
einen kleinen hinter den Kulissen gelegenen Salon betrat,
in dem sich Wagner für gewöhnlich aufhielt, sah er den Meister
plötzlich blaß werden, auf dem Sofa zusammenbrechen und
mit geballten Fäusten in die leere Luft schlagen, als kämpfe
er mit dem Tode. Als er aus seiner tiefen Bewußtlosigkeit
wieder erwachte, sagte er leise, nachdem er wieder auf den
Füßen stand: „Na, diesmal bin ich noch davongekommen!"
Dann verpflichtete er jeden der Anwesenden, über das, was
geschehen war, strengstes Stillschweigen zu bewahren, um
die folgenden Vorstellungen nicht zu beeinträchtigen. Aber
Wagner war völlig erschöpft. In Wahnfried schlief er manchmal auf seinem Stuhl im Ankleidezimmer ein. Nachts hörte
ihn Cosima im Schlaf sprechen. „Adieu, Kinder", rief er
manchmal leise. Dann betete sie neben ihm und weinte.
Aber am nächsten Tage zeigte das alte zerfurchte Gesicht
keine beunruhigenden Anzeichen.

Auf der Hochzeit seiner Stieftochter war Wagner voller
Leben und Geist und hielt eine lange Rede. In der Nacht
zündeten die Bayreuther auf den benachbarten Hügeln Freuden-
feuer an. Vier Tage später fand die sechzehnte und letzte Vorstellung des „Parsifal" statt. Ein eisiger Landregen ging über
Oberfranken nieder. Levi war erkältet und fühlte sich nicht
wohl, worauf Wagner in das Orchester hinunterstieg, den

Taktstock ergriff und den dritten Akt selbst dirigierte. Als der
Vorhang sich zum letztenmal über dem Gralstempel gesenkt
hatte, richtete Wagner einige Worte des Dankes an die Musiker.
„Bis zum nächsten Jahre", rief er. Aber sein Werk war
getan; eine unsägliche Traurigkeit drückte ihn nieder. Er
sehnte sich aus dem ungastlichen Bayern fort, um noch einmal Venedig zu sehen. Hatte Cosima nicht gesagt, daß man
wenigstens in Italien sterben müsse, wenn man gezwungen
sei, in Deutschland zu leben?

IV

Pan lebt

Endlich — Venedig! Der Palazzo Vendramin! Wagners hatten den ganzen oberen Stock, im ganzen achtzehn Zimmer, gemietet. Der Herzog della Grazia bewohnte den übrigen Teil des weitläufigen Gebäudes, das er von seiner Mutter, der Herzogin von Berri, geerbt. In dem Teil, den Wagners bezogen, war die Einrichtung im Stile Ludwigs XVI. ge= halten: Möbel mit roter Seide überzogen, die Wände der großen Halle mit venezianischen Ledertapeten beklebt. Dagegen machten die Schlafzimmer einen ganz einfachen Eindruck. Wagner liebte das Haus; es erinnerte ihn an den Palazzo Giustiniani, aus dessen Fenstern Tristan vor fünfundzwanzig Jahren über die Lagune gesehen und auf die Ankunft Isoldens gehofft hatte. Das war nun lange, lange vorbei ... Nun war er nicht mehr allein, die Leere, in der er gelebt hatte, war geschwunden; die Gesichter, die er damals gesehen, er= blickte er nicht mehr ... Er hatte Werk um Werk geschaffen; der Sänger des Liebestodes sang das Lied seiner Träume nicht mehr. Die meisten Menschen sind traurig, wenn ihre Phantasien sich allmählich in praktisches Leben wandeln, aber bei Wagner, der ein außerordentliches Talent für den Genuß der Gegenwart besaß, war das nicht der Fall. Er gehörte zu den wenigen Menschen, denen es gelingt, die höchsten Höhen zu erklimmen ohne einen Blick rückwärts auf die Leere unter sich, ohne ein Gefühl des Schwindels.

In Venedig, wo alle Arten romantischer Stimmungen zu Abenteuern reizen, wo die Luft vom Duft der Verwesung schwer ist und den gefährlichen Reiz wilder verklungener Leidenschaften birgt, blickt Wagner niemals in die Vergangenheit zurück. Er interessierte sich nur noch für das Neue, wie es dem Erneuerer der deutschen Kunst auch zukam.

Er liebte die Piazetta und mischte sich dort unter das Volk, um sein Leben zu beobachten, und wurde es niemals müde, die Jugend aus aller Welt zu studieren. Er suchte sich sogar den Ort aus, wo der Tod ihn holen sollte: eine Steinbank zwischen zwei Säulen vor dem Portal der Markuskirche. Dort sollte der Tod zu ihm kommen und ihn mit sich nehmen, während er das Hin= und Herflattern der sanften Tauben und das Dahinjagen der Wolken am Himmel betrachtete. Oft dachte er an Buddha, den brüderlichen Gott und Freund der Tiere. „Ich lebte im Wald und zähmte durch die Macht meines Willens die Löwen und Tiger..." Oft las er abends in Oldenbergs Buch. Es war, als ob sein körperloser Geist die Toteninsel verlasse, um sich den ältesten Weisen der Erde zuzugesellen und sich im Weltall von der Mühsal des Lebens auszuruhen. Dank den Büchern Gobineaus, die er mit sich führte, drang Wagner in das Land der Brahminen vor, fand den symbolischen Wald der Hindu= metaphysik und lauschte den Worten der Anachoreten. „Wir sind erhaben über alle Menschen, niemand kann sich uns vergleichen. Aber wir besitzen diese höchste Würde nicht ohne Verdienst, durch unsern reinen Lebenswandel sind wir Stufe um Stufe erhöht worden: nun knien sogar Könige zu unsern Füßen." Wagners Gedanken kreisten um die erhabene Größe des Geistes, der sich ganz von der Materie befreit hat. Ist er nicht selbst einer dieser Anachoreten? Hat er nicht auch die Höhen erreicht, auf denen der Mensch den tiefen Irrtum des materiellen Besitzes erkennt?

Aber nun, während er solchen Gedanken nachhing, erschien ein schlimmes Vorzeichen am Himmel. Wie in den Tagen, an denen Julius Cäsar fiel oder Tristan starb, leuchtete ein Komet durch die Finsternis des venezianischen Himmels. Was hatte das zu bedeuten? Wem galt seine Warnung? Böse Vorahnungen für sein Schicksal erfüllten ihn nicht; so konnte er die Worte wiederholen, die er vor vielen Jahren zu Mathilde gesagt: „Nichts kann mich mit Furcht erfüllen, da ich nichts erhoffe und keine Zukunft habe." Plötzlich erfuhr er, daß Gobineau in Turin in einem Hotelomnibus einen Schlaganfall erlitten und gestorben war. War das die Bedeutung des himmlischen Vorzeichens? „Unser Freund, unser teuerster, ist gestorben ... Wenn einem etwas begegnet, rinnt es einem wie Wasser aus der Hand ..." Lehrs, Uhlig, Schnorr, Tausig, Nietzsche, Ludwig II. von Bayern, Pusinelli, Gobineau — alle Freunde sind seiner Hand entglitten, trotzdem sie festzuhalten versteht, was sie einmal ergriffen. Von allen, die Wagner geliebt hatten, ist ihm nur Liszt treu geblieben — und Cosima, sein Blut, sein Herz. Oh! Käme er nur bald, der alte Weggenosse!

Er kam. Am 19. November um 10 Uhr abends stieg Liszt aus dem von Mailand einlaufenden Zuge, um in Wagners Gondel zum Palazzo Vendramin zu fahren. Richard hatte die Flammen aller Kandelaber anstecken lassen und erwartete Liszt mit brennender Ungeduld, überströmender Freude, ja mit einer gewissen Leidenschaft; sie überfiel ihn stets, wenn sein heiliger Franz, der trotz seiner Armut so viel Helle um sich verbreitete, in seine Nähe kam. Liszt wurde in seine „fürstlichen Gemächer" geführt — drei Zimmer mit einem Salon und einem Vorzimmer —, gegenüber den Räumen seiner Tochter. Nun ging das Leben gerade wie in Bayreuth weiter. Liszt wohnte jeden Morgen der Messe in der Pfarrkirche bei. Um 2 Uhr setzte sich die ganze Familie zum Mittagessen; nachmittags arbeitete Liszt an seinem „Heiligen Stanislaus"

oder besuchte mit Cosima eine paar „Prominente", die sich
gerade in Venedig aufhielten, während Wagner sich auf seiner
Steinbank vor der Markuskirche niederließ.

Richards Nerven wurden immer schlechter. Liszts Ankunft
hatte ihm seine innere Vereinsamung nur noch klarer gemacht. Waren sie wirklich einmal so vertraut gewesen?
Bildeten nicht grundlegende Unterschiede ihrer Charaktere
eine Kluft zwischen ihnen, die jede wahre Freundschaft verhindert? Nun, da Franz ihm für einen Teil des Tages Cosima
entführte, begann er eine Art von Eifersucht — vielleicht schon
dreißig Jahre alt — zu spüren; er, der so lange von Liszt auf
das großzügigste unterstützt worden war! Wagner überließ
sich nervösen Wutausbrüchen, und Cosima mußte beständig
ihre Tränen zurückdämmen; Liszt merkte als einziger niemals, wenn etwas nicht in Ordnung war. Er setzte sich mit
seinen Enkelinnen zum Whist oder ging ans Klavier und
spielte seine letzten Werke, ohne darauf zu achten, daß Wagner
mit verbissenem Schweigen zuhörte. Es war ein merkwürdiger
Anblick, wenn manchmal die beiden verehrungswürdigen
Meister gleichzeitig sprachen, ohne daß der eine darauf
achtete, was der andere sagte, da beide gewöhnt waren,
daß andere schwiegen, wenn sie sprachen. Aber manchmal
auch waren sie allein in Wagners Zimmer; wenn Liszt sich
dann an den Flügel setzte und eine Beethovensche Sonate
oder eine Bachsche Fuge spielte, fanden sie den verborgenen
Pfad wieder, auf dem sie sich vor vielen Jahren getroffen
hatten.

Zu Weihnachten dirigierte Wagner an Cosimas Geburtstag
seine alte Leipziger Symphonie, die vom Lyzeumorchester im
Foyer des Teatro Fenice gespielt wurde. „Es war der junge
Herkules in der Wiege, der die Schlangen bezwang und eine
olympische Freude über diese Tat empfand", schrieb Liszt an
seine alte Freundin nach Rom. „Nach König Ludwigs Beispiel waren keine Einladungen ergangen, die Familie blieb

unter sich ... Sein Genie steht im Zenith der Kunst." Liszts Bewunderung ließ nicht nach; aber infolge einer merkwürdigen Vorahnung unterbrach er plötzlich die Arbeit an seinem „Heiligen Stanislaus", um in wenigen Tagen die „Elegie der Trauergondel" zu komponieren. Wie um die wehmütige Stimmung, die das zu Ende gehende Jahr in Venedig umgibt, zu betonen, schrieb er weiter: „Der Tod von Bekannten erschüttert mich nicht sonderlich. Mein einziges, sehr lebendiges Gefühl ist das Mitleid mit den argen Leiden, denen die Menschen unterworfen sind. Für kurze Augenblicke fühle ich die Schmerzen der Kranken in den Hospitälern, der Soldaten auf dem Schlachtfeld und selbst die Qualen der zum Tode Verurteilten. Es ist etwas Ähnliches wie die Stigmata des Heiligen Franz ..., nur die Ekstase spüre ich nicht; sie ist den Heiligen vorbehalten." Aber war Liszt nicht auf seine Weise ein Heiliger? Sind die Stigmata nicht überall in seinem Leben und seinen Werken als die bescheidenen, aber nicht minder ehrenvollen Wunden seines Künstlerherzens zu finden?

Am 13. Januar 1883 sagte Liszt dem Palazzo Vendramin Lebewohl und bestieg den Zug nach Budapest. Wir kennen die letzten Worte nicht, die zwischen den beiden Freunden gewechselt worden sind; niemand hat sie aufgezeichnet. Kurz darauf erhielt Wagner Nietzsches neues Buch „Von der fröhlichen Wissenschaft". „Alles von Schopenhauer entlehnt, was darin Wert hat!" rief er verächtlich aus. Vielleicht waren seine Augen auf folgenden Satz gefallen: „Nichts geht grade so sehr wider den Geist Schopenhauers als das eigentlich Wagnerische an den Helden Wagners — ich meine die Unschuld der höchsten Selbstsucht, der Glaube an die große Leidenschaft als an das Gute an sich ..." Wagner warf das Buch ärgerlich fort; er verachtete den Mann, den er aller Liebe bar, angefault und hohl wie einen Baum glaubte, den der erste Windstoß entwurzeln kann.

Am Fastnachtsdienstag schwärmten die Masken durch die Lagunenstadt. Joukowsky und Levi trafen ein; Wagner nahm sie und die Kinder mit auf den Markusplatz, um die Masken, die Illumination, das Leichenbegängnis des Prinzen Karneval und — seine Bank anzusehen. Schlag 12 Uhr um Mitternacht wurden die Laternen verlöscht, und der Aschermittwoch brach in völliger Finsternis an. An diesem Tage fuhr Wagner in seiner Gondel nach der Isola San Michele, dem alten Begräbnisplatz Venedigs. Da er sich aber unwohl fühlte, kehrte er schnell nach dem Palast Vendramin zurück. Am nächsten Abend sprach er nur von Liszt. Am Montag, dem 12. Februar, nach Tisch, improvisierte er am Klavier ein Scherzo und spielte die Klage der Rheintöchter um das geraubte Gold. „Ich bin ihnen gut, diesen Wesen der Tiefe." Vor dem Schlafengehen sagte er noch zu seiner Frau: „Wärst du auch eine von ihnen?" Spät legte er sich zur Ruhe. Man konnte ihn in seinem Zimmer auf und ab gehen hören, wie er gewöhnlich tat, wenn er dichtete.

Am Dienstag, dem 13., setzte sich Cosima wie gewöhnlich mit ihrem Gatten zum Frühstück nieder, aber Wagner fühlte sich bedrückt, da er merkte, daß einer seiner Anfälle im Anzug war. Zu seinem Diener sagte er: „Heute muß ich mich in acht nehmen." Dann wollte er ein wenig arbeiten. Es regnete in Strömen. Sein Schreibtisch war bereits mit Manuskriptblättern für die Abhandlung „Über das Weibliche im Menschlichen" bedeckt, von der er etwa zehn Seiten geschrieben hatte. Er wollte den Morgen über allein gelassen werden, da er sich selbst helfen könne, wenn ein Anfall käme. Still gingen die Stunden vorüber; es regnete noch immer. Etwa um dreiviertelzwei kam Joukowsky zum Mittagessen und fand zu seiner großen Überraschung Cosima am Klavier, die ihrem Sohne Schuberts Lied „Lob der Tränen" vorspielte. Der Meister ließ sagen, daß ohne ihn mit dem Essen begonnen werden möchte, da er sich nicht wohl fühle. Während der Mahlzeit klingelte er

zweimal heftig. Einen Augenblick später stürzte die Kammer=
jungfer bleich und aufgeregt herein und bat Frau Wagner,
sofort zu kommen. Cosima lief sogleich in Richards Zimmer,
aber er machte ihr Zeichen, daß sie wieder gehen solle, um
seinen Anfall, wie er es gewohnt war, allein zu überwinden.
Er saß am Schreibtisch und hatte seinen Rock ausgezogen;
er stöhnte immer lauter und beunruhigender. Cosima verließ
das Zimmer, aber wiederum erscholl die Glocke und heftiger.
„Meine Frau und den Doktor!" rief er, vor Schmerzen kaum
der Sprache mächtig. Cosima kam zurück und wollte ihm
warme Umschläge machen, die ihm sonst gut taten. Wagner
wies sie zurück, da er wußte, daß es umsonst war. Er raffte
sich auf, schleppte sich bis zu dem kleinen roten und goldenen
Bänkchen in dem Teil des Raumes, der als Ankleidezimmer
diente, und sank darauf nieder; sein Kopf ruhte auf Cosimas
Schultern. Der Diener befreite ihn von einigen lästigen
Kleidungsstücken. „Meine Uhr!" rief er mit schwacher
Stimme — sie war aus der Westentasche auf den Teppich
gefallen. Sie tickte noch, aber Wagners Herz hatte aufgehört
zu schlagen.

Drei Tage später um dieselbe Stunde wurde der mächtige,
mit Löwenköpfen verzierte Sarg aus dem Palazzo Vendramin
getragen und in der Gondel niedergesetzt, deren Trauerhymne
Liszt schon komponiert hatte. Vielleicht erinnerte sich Ritter
des Sommerabends im Jahre 1859, an dem Wagner so tief
erschüttert die düstere, mit schwarzen Tüchern verhangene Gon=
del bestiegen hatte. Cosima folgte aufrecht und tiefverschleiert
dem Sarge. Sie hatte ihr Haar abgeschnitten, das der ge=
liebte Mann als Zeichen ihrer Liebe mit ins Grab nehmen
sollte.

Dann begann der Triumphzug des Toten durch Italien
und Deutschland. Deputationen und Kranzträger erwarteten
den Trauerzug an allen Stationen. So in Innsbruck Levi

und in Kufstein Herr von Bürkel, der Sekretär des Königs von Bayern, den Seine Majestät geschickt hatte, um seinem entschwundenen Lohengrin den letzten Gruß zu entbieten. Aber obgleich in München eine riesige Menge, die von den Vorgängen verflossener Jahre nichts mehr wußte, den Entschlafenen auf seiner letzten Reise mit schweigender Verehrung begrüßte, als er die von seinem hart errungenen Ruhm widerhallende Stadt passierte, weigerte sich Ludwig, den einzigen, den er als Lebenden geliebt, im Tode noch einmal zu sehen.

Der Zug erreichte Bayreuth mitten in der Nacht. Die ganze Stadt erwartete ihn; die Leichenfeier fand am folgenden Tage statt. Der alte Revolutionär rächte sich an den „Großen", die ihn so lange Jahre hindurch immer wieder beleidigt und gekränkt hatten. Die öffentliche Trauerfeier am Bahnhof war von königlicher Pracht. Eine Menge offizieller Persönlichkeiten wohnten ihr bei, der Bürgermeister und Abgeordnete der Stadt hielten Reden, die Fahnen waren auf halbmast gesenkt, die Laternen mit schwarzem Krepp verhüllt, die Vertreter des Königs und des Großherzogs von Sachsen-Weimar waren in großer Uniform erschienen; neben ihnen standen die Abordnungen der Künstler- und Wagner-Vereine, das Offizierkorps des Bayreuther Regiments mit dessen Regimentsmusik und das Trompeterkorps eines Chevaulegerregiments. Auf dem Sarge lagen nur die beiden Kränze des Königs, Equipagen mit Blumenspenden folgten. Der Leichenzug fuhr durch die ganze Stadt. An den Toren von Wahnfried erwarteten ihn die Kinder, mit den beiden Hunden ihres Vaters an der Leine. Es begann zu schneien. Der Sarg wurde in das Grab hinabgelassen, das seit zehn Jahren Wagner erwartete; er hatte es jeden Morgen von seinem Fenster aus sehen können.

Cosima allein erschien nicht.

Wie bei den „Meistersingern" und dem „Tristan" war auch Liszt bei dieser letzten Apotheose des Meisters nicht anwesend.

Er erhielt die Todesnachricht in Budapest und setzte nicht einmal die Feder ab, um den Brief zu unterbrechen, den er gerade schrieb. Schon lange erschien ihm der Tod leichter als das Leben. Drei Jahre später legte sich auch der priesterliche Greis mit den Adleraugen in Bayreuth, nach einer Vorstellung im Festspielhaus, zum Sterben nieder; er sprach zuletzt den Namen „Tristan" leise vor sich hin. Im Todeskampf fand er nur dies Symbol der großen Liebe, die seine Seele erfüllt hatte. Auch ihn begrub man in Bayreuth, aber auf dem Kirchhof wie die andern Irdischen; seinem Wunsche gemäß errichtete man auf dem Grab nur das einfache Kreuz der Brüder vom Orden des Heiligen Franz.

Sechs Wochen vor Liszt, im Juni 1886, zog König Ludwig II. den Vorhang zu über das seltsame Melodrama seines Lebens. Es begann, als Ludwig zum erstenmal „Tannhäuser" gesehen und die Flucht des Sängers aus dem Venusberg ihn erschüttert hatte. Dann erschien der Schwan und entführte Lohengrin in das Traumland der Phantasie, aus dem Ludwig sich nie wieder zur Wirklichkeit zurückfand. Länger als zwanzig Jahre hatte dieser durch seltene Schönheit ausgezeichnete Fürst sich bemüht, über den Wolken ein Königreich seiner Träume zu errichten. Aber Regierungsbeamte haben vor Dichtern eine tödliche Angst: eines Tages eroberten die Offiziere und Minister die harmlosen Schlösser, in denen der einsame Monarch mit den Geistern der Könige und Königinnen von Frankreich Hof hielt, zwangen ihn gewaltsam, auf die Erde herabzusteigen und sperrten ihn in seinem Schlosse Berg wie einen armen Irren ein. Aber er konnte die Berührung mit der Wirklichkeit keine achtundvierzig Stunden aushalten, er packte seinen Wärter, den Doktor Gudden, bei der Kehle, zog ihn mit sich in den Starnberger See hinab; und die Wasser schlossen sich über den beiden für immer.

Nun blieb noch der Jünger übrig, der Wagner verraten hatte, um sich selbst treu bleiben zu können. Auch ihn traf das Schicksal. Weihnachten 1888 betrat auch Nietzsche in Turin, von der Arbeit erschöpft, fast blind, an der Schwelle seines Ruhmes stehend, die dunklen Gefilde der verwirrten Seelen. Noch zwölf Jahre mußte er dahinvegetieren; er hatte sein Gedächtnis verloren und sah mit seinen sanften kurzsichtigen Augen aus seinen Fenstern über den Garten in Weimar hin, wo seine Schwester ihn voller Liebe und Sorgfalt mit dem behaglichen Wohlstand umgab, den ihm, ohne daß er es wußte, die Kraft seines einst so glänzenden, jetzt umnachteten Geistes eingetragen hatte.

Wesendonks waren schon lange nach Deutschland zurückgekehrt; Otto starb im Jahre 1895. Ein junger Student, Enkel der Willes in Mariafeld, die Wagners Freunde gewesen, pflegte Sonntags Mathilde, nun eine alte Dame, in ihrem prächtigen Berliner Hause zu besuchen. In ihrem Armstuhl sitzend, versäumte sie nie, ihn an ihre Seite zu bitten und ihm lange von der Vergangenheit zu erzählen, die ihr so teuer war. Wenn sie allein waren, ließ sie ihn wohl auch aus ihren Tagebüchern, in die sie vor langen Jahren ihre Erinnerungen niedergelegt und Wagners Briefe abgeschrieben hatte, vorlesen. Sie wurde niemals müde, wieder und wieder die geliebten Worte zu hören. Isolde starb im Jahre 1902, zwanzig Jahre nach Tristan.

Nun blieb allein die Frau auf ihrem Platze, die dem heimatlosen Seemann Treue geschworen hatte. Als sich Richards Augen schlossen, wollte auch Cosima aus dem Leben scheiden, und viele Tage lang befürchtete man das Schlimmste. Aber sie war dazu bestimmt, das furchtbar schwere, ehrenvolle Los auf sich zu nehmen, ihn 47 Jahre zu überleben und allein die Last seiner Erbschaft zu tragen. Sie schuf Bayreuth neu und pflegte fast ein halbes Jahrhundert lang den ungeheuerlichen Ruhm, der sich an Wagners Namen knüpft. Dann sah sie die Dämmerung ihrer Welt herannahen, einer Welt, die der Wahnsinn der Götter zersetzt hatte; ihr Untergang begann an dem Tage, an dem sie ihre Macht teilten und ihr Reich auf den Hochmut und den Mißbrauch der Gewalt gründeten. Denn Zivilisationen haben ihre Zeit und vergehen wie jede andere Schöpfung des Menschengeistes; immerhin braucht es dazu lange Zeit. Das mächtige Gebäude der Walhalla, das die westliche Zivilisation des 19. Jahrhunderts darstellt, stürzte nicht infolge eines Bruderkrieges ein, in dem die Völker mit Gewalt oder List das verfluchte Gold Alberichs zu gewinnen suchten. Ihr Zusammenbruch war seit langer Zeit vorauszusehen. Das alte Gebäude war von dem Tage an zum Untergang bestimmt, an dem seine Baumeister es unterließen, die kleinen Risse zu verstopfen, die in seine Fundamente, die Ideale der Gerechtigkeit und der Menschenliebe, drangen, um es langsam zu unterhöhlen.

Das wußte Wagner. Alle Dichter wissen es. Und jetzt entdecken es auch die Beherrscher des trügerischen und verräterischen Goldes; ihr Königreich bläst heute ein Windhauch fort. Auch die, welche nur an das Materielle in der Welt glauben, müssen schließlich zu der Überzeugung kommen, daß es nur eine Versklavung des gottgegebenen Geistes ist. Vielleicht wird eines Tages, wie Nietzsche uns glauben machen wollte, die Welt ihre Existenz nur als ästhetisches Phänomen rechtfertigen können.

An alles dieses dachte ich vor zwei Jahren, als mein Schiff den Indischen Ozean durchquerte und über eine träumerisch ruhende See fuhr, die im Westen von mächtigen Wolkengebirgen überragt wurde, während in unserm Kielwasser die Nacht über Asien herabsank. Das kleine Stück Europa, das unser Schiff darstellte, während es seinen Weg durch die schweigenden Wasser suchte, schien in Wahrheit mit keinem irdischen Lande mehr verbunden zu sein, sondern auf dem endlosen Meere der Ewigkeit zu schwimmen, wohin der Zu=

fall es treiben mochte. Aber plötzlich traf der wundersame Liebes= und Todesgesang, die leidenschaftliche Klage Tristans und Isoldes unser Ohr! So umschlossen gebändigte Ätherwellen Länder und Meere, aus der einsamen Weite des Ozeans stieg die Erkenntnis auf, daß Pan nicht tot, daß es Prospero nicht gelungen war, „sein Buch zu ertränken". In diesem Augenblick fanden wir uns selbst, jeder für sich, wieder und fühlten unsere Seelen so stark wie nie zuvor.

Lautlos sammelten sich die Passagiere da, wo die geheimnisvollen Stimmen erklangen. Unser eigenes Wesen tönte aus dieser Klage eines Liebenden wieder, der seit einem halben Jahrhundert im Schattenreich weilt. Seine Musik öffnete eine Herzenswunde in jedem von uns. Die Stimme rief uns vom anderen Ende der Welt und erinnerte uns an die Schmerzen, die wir am liebsten ertragen. Wir wurden uns bewußt, daß die Erde nur eine Heimat für uns alle hat: die Heimat des Herzens. Tristan erschien uns plötzlich im Gewande unserer eigenen Liebe und trug uns sein blutendes Herz, wie eine geheimnisvolle Blume, entgegen. Dies Herz wurde unser Wappen, unser gelobtes Land, unsere Heimat. Wir dachten an den Künstler, der sein Leid zum ewigen Trost für alle gestaltet, und sprachen die Worte nach, mit denen das umbrische Volk den Heiligen Franz von Assisi nach seinem Tode gesegnet hat: „Wen Gott nicht mehr erhören will, den erhört er noch."

Quellennachweis

In diesem Buch wurden Zitate aus den nachstehend ange=
gebenen Werken verwendet, sowie solche aus bisher unveröffent=
lichten Briefen, die dem Verfasser aus dem Nachlaß der Gräfin
Charnacé, geb. d'Agoult, überlassen wurden; ferner aus der
Korrespondenz von Richard und Cosima Wagner mit der fran=
zösischen Dichterin Judith Gautier, die in der Nationalbibliothek
zu Paris ruht und deren Benutzung Frau Winifred Wagner,
Bayreuth, hierfür zum erstenmal gestattet hatte.

Schriften, Briefe und Werke von Wagner

Richard Wagner, Gesammelte Schriften. Herausgegeben von
    Julius Kapp I—XIV (Leipzig, Hesse & Becker Verlag, o. J.).

Richard Wagner, Mein Leben, 2 Bde. (München, F. Bruckmann
    A.=G., 1911).

Richard Wagners Briefe in Originalausgaben I und II,
    Richard Wagner an Minna Wagner, 2 Bde. IV Richard Wagner
    an Theodor Uhlig, Wilhelm Fischer, Ferdinand Heine (Leipzig,
    Breitkopf & Härtel, 1912).

Richard Wagner, Briefe neue Folge. Briefe von Wagner an
    Uhlig, Fischer und Heine (Leipzig, Breitkopf & Härtel, 1888).

Richard Wagners Gesammelte Briefe. Herausgegeben von Julius
    Kapp und Emmerich Kastner. I. 1830—1843, II. 1843—1850
    (Leipzig, Hesse & Becker Verlag, 1914).

Richard Wagner, Briefe. Ausgewählt und erläutert von Wilhelm
    Altmann, 2 Bde. (Leipzig, Bibliographisches Institut, o. J.).

Briefwechsel zwischen Wagner und Liszt, 2 Bde. (Leipzig, Breitkopf & Härtel, 1900).

Richard Wagner an Mathilde und an Otto Wesendonk, Tagebuchblätter und Briefe (Leipzig, Bibliographisches Institut, o. J.).

Richard Wagner, Briefe an Hans von Bülow (Jena, Eugen Diederichs, 1916).

Richard Wagner an Mathilde Maier (1862—1878). Herausgegeben von Dr. Hans Scholz (Leipzig, Theodor Weichert, o. J.).

Richard Wagner, Briefe an Frau Julie Ritter (München, F. Bruckmann A.-G., 1920).

Schriften und Werke über Wagner

Houston Stewart Chamberlain, Richard Wagner (München, Verlagsanstalt für Kunst und Wissenschaft, 1896).

Judith Gautier, Le troisième rang du collier (Paris, librairie Félix Juven, 1909).

Carl Fr. Glasenapp, Das Leben Richard Wagners, 6 Bde. 5. Aufl. (Leipzig, Breitkopf & Härtel, 1923).

Philip Dutton Hurn and Waverley Lewis Root, The Truth about Wagner (London, Cassell & Co., 1930).

Julius Kapp, Richard Wagner und die Frauen (Berlin-Schöneberg, Max Hesses Verlag, o. J.).

H. Lichtenberger, Richard Wagner, poète et penseur (Paris, librairie Alcan, 1931, nouvelle édition).

E. Schuré, Richard Wagner (Paris, librairie Perrin et compagnie, 1910).

Schriften und Werke aus Wagners Kreis

Hector Berlioz, Mémoires (Paris, Calmann-Lévy, 2 vol., 1911).

Ernst Bertram, Nietzsche, Versuch einer Mythologie (Berlin, Georg Bondi, 1919).

Faure-Biguet, Gobineau (Paris, librairie Plon, 1930).

Le comte de Gobineau, Essai sur l'inégalité des races humaines (Paris, librairie Firmin Didot, 3e édition, sans date).

Lettres de Liszt à une amie (Leipzig, Breitkopf & Härtel, 1894).

Richard Graf du Moulin Eckart, Cosima Wagner. Ein Lebens= und Charakterbild (München=Berlin, Drei Masken= Verlag, o. J.).

Friedrich Nietzsches Gesammelte Briefe, Zweiter Band: Brief= wechsel mit E. Rohde, 2. Aufl. (Leipzig, Insel=Verlag, 1903).

Nietzsches Werke (Leipzig, C. G. Naumann, 1906).

Nietzsches Briefe. Ausgewählt und herausgegeben von Richard Boehler (Leipzig, Insel=Verlag, 1911).

Guy de Pourtalès, Nietzsche en Italie (Paris, Bernard Grasset, éditeur, 1929).

Guy de Pourtalès, Louis II de Bavière ou Hamlet-roi (Paris, librairie Gallimard, 1928).

Guy de Pourtalès, La vie de Franz Liszt (Paris, librairie Gallimard, 1925).

Verschiedenes

Charles Baudelaire, Art Romantique (Paris, Michel Lévy frères, 1868).

Byrons Sämtliche Werke von Adolf Böttger (Leipzig, Otto Wigand, 1906).

Chateaubriand, Mémoires d'Outre-Tombe (Paris, Eugène et Victor Penaud, éditeurs, tome III. sans date).

Paul Claudel, Connaissance de l'Est (Paris, Mercure de France, 1907).

Combarieu, Histoire de la Musique, 3. vol. (Paris, librairie Armand Colin, 1920).

Joh. Peter Eckermann, Gespräche mit Goethe. Herausgegeben von Prof. Dr. H. H. Houben (Leipzig, F. A. Brockhaus, 1925).

André Gide, Un esprit non prévenu (éditions Kra, Paris, 1929).

Goethes Werke. Mit einer Einführung von Gerhart Hauptmann (Berlin, Th. Knaur Nachf., o. J.).

Marcel Herwegh, Au printemps des dieux (Paris, librairie Gallimard, 1929).

Shakespeares Dramatische Werke. Übersetzt von August Wilhelm von Schlegel, ergänzt und erläutert von Ludwig Tieck (Berlin, G. Reimer, 1826).

Daniel Stern, Histoire de la Révolution de 1848 (Paris, librairie Charpentier, 1862, 2 vol.).

Namen- und Sachverzeichnis

Müller, Alexander 231, 234.
Müller, Gottlieb 35.
Müller, H., Verleger 405.
Müllerin, Die schöne (Paesiello) 72.
Muncker, Bürgermeister 498.
Musset, Alfred de 463, 559.

Nachbaur, Franz 440.
Napoleon I. 9, 12, 17, 28, 56, 106, 111, 113, 211, 221, 436, 441, 471, 517, 552.
Napoleon III. 345, 347, 349, 352, 353, 471, 475.
Nerval, Gérard de 250.
Neue Zeitschrift für Musik 274.
Neumann, Angelo 552.
Nibelungenlied, Das 10, 11.
Nicolaischule (Gymnasium) 33, 36, 42.
Niemann, Albert 310, 346, 352, 353, 511.
Nietzsche, Friedrich 178, 235, 455, 456, 457, 459, 460, 466, 467, 469, 473, 475, 476, 482, 483, 484, 485, 488, 497, 498, 506, 507, 508, 509, 514, 516, 518, 519, 522, 523, 526, 527, 528, 529, 531, 553, 565, 567, 572, 573.
Norma (Bellini) 98, 123, 215.
Nourrit, Tenorist 117.
Nuitter, Charles 340, 341, 346.

Oberländer, Minister 208.
Ödipussage 256 ff.
Odyssee 30.

Odysseus 29.
Oldenberg 564.
Ollivier, Blandine, s. auch Liszt 302, 303, 339, 341, 342, 359, 377.
Ollivier, Emile 302, 341, 359, 470, 475.
Olympia (Spontini) 183.
Onslow, George 285.
Ostrolenka 51.

Pachta, Graf von 55, 66.
Paesiello, Giovanni 72.
Paganini, Niccolo 119.
Palazzesi, Frau 50.
Palermo 66, 555, 556, 557, 558.
Patersi, Mme. 276.
Pecht, Friedrich 131, 514.
Pedro II., Kaiser von Brasilien 518.
Pellet, Graf 398.
Perfall, Baron von, Intendant 440, 464.
Petrarca, Francesco 94.
Pfistermeister, von, Kabinettssekretär 392, 396, 413, 415.
Pfordten, v. d., Ministerpräsident 405, 413, 414, 415, 426.
Pillet, Léon 140.
Pius IX., Papst 446.
Planche, Gustave 115.
Planer, Amalie 76, 93, 96, 97.
Planer, Minna, s. auch Wagner 68, 69 ff., 73, 76, 77, 80, 82, 84, 86, 87, 88, 89, 524.
Planer, Natalie 88, 92, 238, 249, 250, 419.

Inhaltsverzeichnis

Verzeichnis der Abbildungen